Mirlos acuáticos 809

Lavanderas 898

Estorninos 810

Bisbitas 920

Zorzales 816

Acentores 936

Petirrojos y
ruiseñores 840

Gorriones 940

Colirrojos 850

Fringílidos 946

Tarabillas 857

Escribanos 978

Collalbas 864

Paseriformes americanos 1022

Papamoscas 884

Especies no nativas 1034

Nils van Duivendijk

Aves de Europa

Volumen 2 • Paseriformes

Marc Guyt | AGAMI (Imágenes)

Traducido por
Daniel Roca, Marcel Gil-Velasco y Bernat Espluga

Versión original publicada con el título *Handboek Europese vogels*
© 2022 Nils van Duivendijk
© KNNV Uitgeverij, 2022

Primera edición: diciembre de 2024
© Lynx Nature Books 2024
  Lynx Nature Books®: Alada Books, S.L.

Van Duivendijk, N. 2024. *Aves de Europa: Identificación de todas las especies y plumajes*.
Lynx Nature Books, Barcelona.

Texto: Nils van Duivendijk
Imágenes: Marc Guyt (AGAMI)
Traducción: Daniel Roca Orta, Marcel Gil-Velasco y Bernat Espluga
Diseño gráfico: Sam Gobin
Maquetación: Sam Gobin
Tratamiento de imágenes, ilustración: Sam Gobin
Revisión: Marc Olivé

Imágenes de cubierta, volumen 1: ganga ibérica, Marc Guyt (cubierta); canastera común,
  Mike Danzenbaker; pardela balear, Rafael Armada; cernícalo primilla, Dubi Shapiro (contracubierta).
Imágenes de cubierta, volumen 2: roquero rojo, Daniele Occhiato (cubierta); alcaudón real,
  Arie Ouwerkerk; mosquitero ibérico, Ralph Martin; collalba rubia occidental, Ran Schols
  (contracubierta).
Imágenes de cubierta, estuche: chotacabras cuellirrojo, Oscar Díez (cubierta); pito ibérico,
  Markus Varesvuo; carraca europea, Bence Mate (contracubierta); ruiseñor pechiazul ssp. *azuricollis*,
  Helge Sorensen (lomo).

Impreso en: Índice Arts Gràfiques
Depósito legal: B 21985-2024
ISBN volumen 1: 978-84-16728-63-3
ISBN volumen 2: 978-84-16728-64-0
ISBN obra completa: 978-84-16728-65-7

PEFC Certificado
Este producto
procede de bosques
gestionados de forma
sostenible y fuentes
controladas
PEFC/14-38-00202 www.pefc.es

Contenido

ABREVIATURAS

año cal.	año calendario
ad.	adulto
juv.	juvenil
inm.	inmaduro
inv.	invierno
ej./ejs.	ejemplar/es
ssp.	subespecie
cf.	compárese

GRADO DE UTILIDAD DE LAS CARACTERÍSTICAS

Términos utilizados comúnmente para indicar el valor de los distintos rasgos de identificación, datado y/o sexado:

Característico/diagnóstico Rasgo muy definitorio en comparación con especies similares, que confirma la especie, la edad o el sexo.

Típico Rasgo útil en comparación con especies similares, pero que por sí solo no confirma la especie, la edad o el sexo.

Indicativo Rasgo útil en comparación con especies similares, posiblemente útil como apoyo a la identificación de la especie, la edad o el sexo, pero siempre en combinación con otras características.

NUMERACIÓN DE PRIMARIAS EN PASERIFORMES

Los paseriformes (Volumen 2) tienen una estructura alar diferente de los no paseriformes (Volumen 1); por ejemplo, la primaria más externa es muy pequeña o vestigial y tienen 6 secundarias. Por razones prácticas, la numeración sigue el orden inverso al que se utiliza generalmente en los no paseriformes (en los cuales p1 es la primaria más interna y p10 la más externa).

Alcaudón núbico

TÉRMINOS UTILIZADOS

Tipo adulto Apariencia adulta, pero posiblemente aún inmaduro. "Tipo adulto" también se utiliza para referirse a plumas u otras partes del cuerpo con apariencia o patrón ya propios del adulto.

Tipo ♀ En algunas especies, incluye todos los plumajes excepto el plumaje de ♂ identificable (por ejemplo, en los aguiluchos).

Tipo ... Se utiliza en ejemplares que tienen una apariencia determinada de edad o sexo, sin que se pueda confirmar con total certeza (por ejemplo, charrán común de tipo 3er año cal.). También se usa para designar plumas con unas características determinadas (por ejemplo, plumas de tipo adulto).

Juvenil El primer "auténtico" plumaje (después del plumón).

1er invierno (plumaje) Una mezcla de plumas juveniles (generalmente alares y caudales) y otras reemplazadas en muda postjuvenil (generalmente corporales y, a veces, algunas alares y/o caudales).

1er verano (plumaje) Es el plumaje de las aves en su 2º año cal., durante la primavera/verano. Sin embargo, este término (1er verano) puede resultar confuso, y solo aparece en el libro en algunas ocasiones; esto se debe a que las aves de 2º año cal. ya han vivido un verano previamente –durante el 1er año cal.–, aunque este no se tiene en cuenta, y también al hecho de que muchas especies no adquieren un plumaje estival diferenciado. Lo mismo es válido para el 2º verano (plumaje), etc.

Estival (plumaje) En esta obra, solo se usa (y generalmente, solo se debería usar) en especies que adquieren un plumaje diferenciado en época reproductora a través de una muda prenupcial realizada a final de invierno o a principio de primavera. A diferencia de muchos grupos de no paseriformes (como gaviotas, limícolas, somormujos, etc.), solo algunos paseriformes adquieren el plumaje estival de esta forma (por ejemplo, el papamoscas cerrojillo o diversos emberícidos). En cambio, muchas otras especies de paseriformes adquieren un "plumaje estival" a partir del desgaste de las puntas pálidas de las plumas, que va dejando al descubierto la coloración más viva de su parte basal en primavera (por ejemplo, colirrojos y collalbas).

1er año cal. Un ejemplar nacido entre el 1 de enero y el 31 de diciembre del año en cuestión, independientemente del tipo de plumaje que tenga en cada época del mismo.

1er año Un ejemplar inmaduro de no más de 1 año de edad.

2º año cal. Un ejemplar nacido entre el 1 de enero y el 31 de diciembre del año anterior, independientemente del plumaje que tenga. El mismo concepto es válido para 3er año cal., 4º año cal., etc.).

Proyección primaria La parte de las primarias que sobresale más allá de las terciarias (en algunos casos, las primarias no sobresalen en absoluto), en reposo y con el ala plegada, expresada con el % de la longitud de la parte visible de las terciarias (véase Limícolas • Introducción).

Emarginación Un escalón más o menos pronunciado en el borde de la hemibandera externa de las primarias externas (expresión utilizada en paseriformes). El número de emarginaciones (de 0 a 4) en p3–6 puede ser específico de algunas especies.

Muesca Un escalón bastante pronunciado que produce un estrechamiento de la hemibandera interna de las primarias externas de algunas aves (expresión utilizada principalmente en rapaces).

Proyección alar La parte de las primarias que

sobresale por detrás de la punta de la cola, en reposo; a veces no sobresalen en absoluto (véase Limícolas • Introducción).

Proyección de las patas La parte de las patas que sobresale por detrás de la punta de la cola, en vuelo; a veces no sobresalen en absoluto (véase Limícolas • Introducción).

Distal La parte situada más lejos del cuerpo o de la base de las plumas.

Basal Término opuesto a "distal"; referido generalmente a la parte más cercana a la base de las plumas o del pico.

Subterminal Situado casi en la punta de las plumas (por ejemplo, franja subterminal en la cola; en este caso, debe existir una franja terminal, más o menos fina, en la punta).

Cóncavo Curvado hacia dentro.

Convexo Curvado hacia fuera.

Nominal En cada especie, el taxón históricamente nombrado en primer lugar; recibe el nombre científico dos veces: para referirse a la especie, y para referirse a la subespecie (por ejemplo, *Phalacrocorax carbo carbo*, referido en esta obra como "nominal *carbo*").

Taxón Una unidad taxonómica o grupo taxonómico que forma un conjunto característico o distinguible de otros grupos. En esta obra se usa principalmente en el sentido de subespecie.

Híbrido El resultado del cruzamiento entre dos especies. El caso más común es el de los híbridos de primera generación, con padres de 2 especies diferentes. Esto se debe al hecho de que muchos híbridos no son fértiles, lo cual impide la aparición de híbridos de otras generaciones. Un híbrido de segunda generación es el resultado del retrocruzamiento entre un híbrido y un ejemplar puro. Esto solo ocurre en algunas especies muy cercanas entre sí, en las que los híbridos son fértiles (por ejemplo, la corneja negra y la corneja cenicienta).

Ejemplar intermedio El resultado del cruzamiento entre 2 subespecies. La intergradación es el proceso que lleva a la aparición de ejemplares intermedios, generalmente en las regiones donde entran en contacto 2 subespecies.

Flujo genético Intercambio de genes entre poblaciones diferenciadas, entendido aquí como "contaminación" genética mínima procedente de una especie cercana (producida por algunos casos de hibridación que pueden haber sucedido diversas generaciones atrás).

Vireo ojirrojo *Vireo olivaceus*

L 15,5 cm | Divagante de Norteamérica

▼ **1er invierno (octubre)**
El patrón cefálico es único entre todas las especies citadas en Europa, en todos los plumajes: píleo gris azulado, franja pileal lateral negra, lista superciliar blanca, larga y bien marcada, y lista ocular negra patente. A menudo, el pico ganchudo en la punta no está del todo desarrollado en las aves de 1er invierno; en Europa, los divagantes acostumbran a ser todos de esta edad.

▼ **1er invierno (octubre)**
Partes superiores de color verde bastante brillante, a veces tendiendo a verde parduzco o a verde grisáceo. Las coberteras grandes juveniles retenidas tienen un margen amarillento, pero algunas aves de 1er invierno las mudan todas a tipo adulto, entonces de coloración verde-gris más uniforme. En este ejemplar, solo las dos coberteras grandes más internas parecen ser de tipo adulto. Teniendo en cuenta que ambas edades llevan a cabo una muda completa invernal, en primavera las aves de 2o año cal. no se pueden datar.

cabeza relativamente grande con patrón distintivo

iris pardo rojizo oscuro

pico grueso con pequeño gancho en la punta de la mandíbula superior

proyección primaria larga: cerca del 100 % de la longitud de terciarias

amarillento

patas gruesas, azul-gris

puntas gastadas

iris rojo brillante

coberteras grandes juv. con márgenes amarillos

plumas de vuelo bastante nuevas en otoño, con puntas pálidas patentes

▶ **Adulto (septiembre)**
La imagen muestra las diferencias típicas con el 1er invierno.

Oropéndola europea *Oriolus oriolus*

L 24 cm | Verano, toda Europa excepto NO y N

▼ **Adulto ♂ (mayo)**
Inconfundible. Los ♂♂ adultos tienen la cabeza, el manto y las partes inferiores de color amarillo dorado, la brida negra y la cola también negra con manchas amarillas en la punta de las rectrices exteriores. Algunas ♀♀ adultas tienen un plumaje similar, pero con la brida grisácea y las partes inferiores no completamente amarillas, habitualmente con un listado difuso; además, tienen las puntas de las rectrices más apagadas o verdosas, y las partes oscuras de la cola y del ala no son tan negras y uniformes. Este ejemplar ha retenido una secundaria después de una muda completa invernal (véase el contraste que presenta, debido al desgaste y desteñido de la misma); aunque esto no es raro en los adultos, es más típico de aves de 2o año cal.

▼ **♀, probablemente adulta (mayo)**
La identificación del plumaje tipo ♀ es bastante fácil, pero el datado y el sexado de las aves de 2o año cal. suele ser más dificultoso. En particular, los ♂♂ de 2o año cal. pueden ser muy parecidos a las ♀♀ adultas. Este ejemplar formaba parte de una pareja reproductora y, por lo tanto, se trata de una ♀ con toda certeza. Por otro lado, las puntas pálidas relativamente extensas de las coberteras primarias son, en las ♀♀, típicas del adulto.

puntas blancas o amarillentas relativamente extensas en las coberteras primarias (por lo demás, negras)

variable; de verde amarillento a negruzco

listado fino y poco patente (a veces ausente)

punta amarillenta extensa en la rectriz externa

▼ Juvenil/ 1er invierno (agosto)
A final del verano, las aves de tipo ♀ más maduras muestran el plumaje más gastado y tienen el pico y el iris rojizos. En invierno, las aves jóvenes llevan a cabo una muda casi completa, pero su plumaje cambia muy poco. Todas las aves de 2º año cal. tienen apariencia similar a las ♀♀, incluyendo los ♂♂.

plumas del ala uniformes y nuevas, con puntas pálidas en las coberteras

iris y pico aún oscuros

listado patente

coberteras primarias con márgenes pálidos finos, indicando ♀

▼ 2º año cal. o adulto ♀ (mayo)
Un ejemplar con rasgos intermedios, que ilustra la dificultad de sexar y datar las aves con apariencia de ♀. El listado extenso sobre fondo mayoritariamente blanco en las partes inferiores, y las zonas más oscuras del pico son características indicativas de un 2º año cal. (♂ o ♀). Sin embargo, una ♀ adulta podría ser muy similar, aunque, habitualmente, esta tiene puntas pálidas más extensas en las coberteras primarias y partes inferiores menos listadas.

plumas alares un poco gastadas, especialmente las secundarias (cf. juv./1er invierno)

brida bastante oscura; en un ave de 2º año cal., es típica del ♂

▶ 2º año cal., tipo ♂ (julio)
La combinación de características señaladas en la imagen es diagnóstica de un 2º año cal. (♂).

listado variable; se solapa con la ♀ adulta y con la de 2º año cal.

puntas pálidas relativamente anchas; en un ave de 2º año cal., típicas del ♂

▼ Adulto ♂ (mayo)
Los ♂♂ adultos también resultan inconfundibles en vuelo.

▼ Tipo ♀ (mayo)
La mano larga y la primaria más externa bastante larga (para tratarse de un paseriforme) son rasgos distintivos. La mayoría de paseriformes con alas largas tienen p1 muy corta, a menudo no visible en vuelo.

p1 relativamente larga

amarillo brillante en todos los plumajes

Alcaudón dorsirrojo *Lanius collurio*

L 17 cm | Verano, toda Europa excepto SO, NO y N

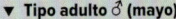
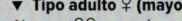

▼ Tipo adulto ♂ (mayo)

En este plumaje, la identificación resulta sencilla por la combinación de manto y escapulares pardo-rojizos, y parte superior de la cabeza, cuello y supracoberteras caudales grises, así como por el patrón caudal. Tanto las aves de 1er año como los adultos llevan a cabo una muda completa durante el invierno, por lo cual el plumaje es nuevo en primavera; a su retorno a Europa son ya generalmente idénticos, pero véase el 2º año cal. tipo ♀.

▼ Tipo adulto ♀ (mayo)

▼ Tipo adulto ♀ (mayo)

Algunas ♀♀ son más parecidas al ♂ tipo adulto, pero mantienen un barrado oscuro en las partes inferiores, una máscara más pequeña y no negra, y un patrón caudal que encaja más con las ♀♀ (en mayo, los ♂♂ de 2º año cal. son idénticos a los ♂♂ adultos).

grisáceo

liso (cf. juv.)

grisáceo

barrado prominente

márgenes pálidos

▼ Juvenil/1er invierno (agosto)

El plumaje muy barrado se mantiene hasta otoño. Esta es una buena característica para distinguirlo de otros alcaudones (raros).

pardo cálido distintivo, con escalado negro (a diferencia de los alcaudones pardo, colirrojo e isabel de 1er invierno)

márgenes subterminales negros típicos de las plumas juv.

márgenes pálidos

grisáceo típico

muy barrado sobre fondo blancuzco

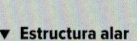

▼ Estructura alar

La forma del ala puede ser útil para descartar alcaudones más raros, como el alcaudón pardo, el colirrojo y el isabel.

proyección primaria de casi el 100 % de la longitud de las terciarias visibles, con 6–7 (8) puntas de primarias visibles por detrás de ellas

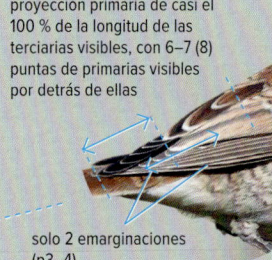

solo 2 emarginaciones (p3–4)

p1 corta; cuando está visible (no en la imagen) sobrepasa muy poco las coberteras primarias

▶ Tipo 2º año cal. ♀ (junio)

Algunas ♀♀ aún muestran rasgos "inmaduros" en primavera, siendo estas probablemente de 2º año cal. En este ejemplar, la terciaria con patrón juvenil es indicativa de esta edad. También es típico de esta edad el barrado fino y muy tenue en el dorso, las escapulares y el píleo, así como la ausencia de tonos grisáceos en el obispillo y las partes inferiores densamente barradas. El barrado variable que pueden mostrar las supracoberteras caudales ocurre en todas las ♀♀. Los ♂♂ de 2º año cal. raramente pueden ser datados.

franjas oscuras

terciaria con patrón juv. (borde negruzco)

▼ Tipo adulto ♂ (mayo)

Los ♂♂ de tipo adulto se pueden reconocer rápidamente en vuelo, cuando el patrón caudal y cefálico resultan obvios. Sin embargo, para la identificación de las ♀♀ y de las aves de 1er año, una observación en vuelo acostumbra a ser demasiado breve como para poder apreciar suficientes detalles.

Los alcaudones pálidos (colirrojo e isabel)

▼ Adulto, aquí alcaudón isabel ♂ (octubre)
Ambas especies muestran una combinación de partes superiores lisas, supracoberteras caudales y obispillo rojizos, franja blanca en la base de las primarias y una cola pardo-rojiza.

supracoberteras caudales y obispillo pardo anaranjado o naranja rojizo, contrastando con el resto de partes superiores más pardo grisáceo (alcaudón isabel) o pardo oscuro (alcaudón colirrojo)

al menos las dos rectrices centrales más oscuras hacia la punta en ambas especies y en todos los plumajes

blanco en la base de las primarias

el color de la base de la cola varía entre casi igual que las supracoberteras caudales (sobre todo en el alcaudón isabel) y más oscuro que estas (principalmente en el alcaudón colirrojo)

▶ Cola, aquí alcaudón colirrojo, adulto (marzo)
La combinación distintiva entre la parte inferior de la cola rojiza y la base blanca de las primarias resulta a menudo más evidente en vuelo que con el ave en reposo.

▶ Supuesto híbrido con alcaudón colirrojo, adulto ♂ (mayo)
La hibridación se produce frecuentemente en las zonas donde el área de distribución de ambas especies coincide. Además, también hay que tener en cuenta la posibilidad de un híbrido de alcaudón dorsirrojo × alcaudón pardo. Este ejemplar tiene un patrón cefálico parecido al del alcaudón dorsirrojo, una mancha blanca en la base de las primarias como la del alcaudón isabel o colirrojo, y un patrón caudal intermedio, por lo cual se considera un probable híbrido entre alcaudón isabel o colirrojo × alcaudón dorsirrojo. Sin embargo, nótese que los híbridos no siempre tienen una apariencia intermedia entre dos especies; algunos son muy parecidos al tipo "*karelini*" de alcaudón colirrojo (véase aquella especie).

▼ 1er invierno, aquí tipo alcaudón colirrojo (octubre)
Las aves de 1er invierno de ambas especies muestran una combinación de partes superiores lisas (que comparten con el alcaudón pardo, pero son improbables en el alcaudón dorsirrojo), una franja blanca en la base de las primarias (a veces muy pequeña o aparentemente ausente) y una cola lisa y parda o anaranjada en tonalidades diversas. Para cuando llegan a Europa, las aves de 1er año ya ha mudado las plumas dorsales juveniles a tipo adulto y, por lo tanto, ya son lisas. Algunos ejemplares pueden retener algunas plumas juveniles, mostrando entonces débiles franjas oscuras y pálidas. El alcaudón dorsirrojo de 1er año muestra un barrado marcado en el manto y las escapulares durante el otoño y parte del invierno. Las franjas subterminales negras de las coberteras grandes y (frecuentemente) de las terciarias y rectrices (muy débiles o ausentes en el alcaudón isabel), así como algunas marcas oscuras en el píleo (débiles o ausentes en el alcaudón isabel) son, si están presentes, rasgos útiles para el datado.

liso (cf. alcaudón dorsirrojo juv./1er invierno)

coberteras grandes juv. con márgenes subterminales negros

blanco en la base de las primarias

supracoberteras caudales parduzcas y lisas (cf. alcaudón dorsirrojo juv./1er inv.)

pardo (rojizo) a los lados de la cola

márgenes de las rectrices no más pálidos (o muy poco más pálidos) (cf. alcaudón dorsirrojo)

▼ Estructura alar
La distancia entre p2 y la punta del ala es más corta que en el alcaudón pardo, pero mayor que en el alcaudón dorsirrojo. Además, tanto la proyección primaria como la longitud de p1 en relación con la parte visible de las coberteras primarias es intermedia entre el alcaudón pardo y el dorsirrojo. Como en el alcaudón pardo, hay 3 emarginaciones en las primarias, pero esto es difícil de apreciar incluso en buenas fotografías, por lo que resulta útil sobre todo en un estudio en mano. El alcaudón dorsirrojo solo tiene 2 emarginaciones (p3–4).

proyección primaria cerca del 80 % de la longitud de las terciarias, con 6–7 puntas de primarias visibles (cf. alcaudones dorsirrojo y pardo)

punta de p2

longitud visible de p1 < que la parte visible de coberteras primarias (cf. alcaudón pardo)

Alcaudón colirrojo *Lanius phoenicuroides*

L 17 cm | Divagante de Asia

▼ **Adulto ♂ (mayo)**

lista superciliar larga y completamente blanca (cf. alcaudón isabel)

la máscara y el pico forman una franja continua negra; las plumas negras continúan por encima del pico (cf. alcaudón isabel ♂ adulto)

pardo-gris tierra bastante oscuro a pardo-castaño (cf. alcaudón isabel adulto)

blanco (cf. alcaudón isabel)

pardo restringido; partes inferiores centrales blancas (cf. alcaudón isabel)

▼ **Tipo adulto ♀ (marzo)**
El contraste entre las partes superiores y las inferiores, junto con la lista superciliar blanca y marcada son las características más importantes en comparación con el alcaudón isabel ♀ de tipo adulto. El moteado patente en la frente y el píleo podrían indicar 2º año cal.

brida pálida (a diferencia del ♂)

barrado (a diferencia del ♂)

▶ **1er invierno (octubre)**
La identificación de aves de 1er invierno se debe llevar a cabo con prudencia, puesto que los rasgos propios del alcaudón colirrojo y del alcaudón isabel se solapan más de lo que inicialmente se pensaba. Este ejemplar es de "tipo colirrojo", con un contraste fuerte entre las partes superiores y las inferiores, y un color de fondo blanco en la lista superciliar, mejillas y partes inferiores. Estas características también suelen ser útiles en un 1er invierno.

lista superciliar blanca y destacada (cf. alcaudón isabel de 1er invierno)

oscuro, contrastado

bastante oscuro, pardo-gris frío

moteado/escalado negruzco (cf. alcaudón isabel de 1er invierno)

color de fondo blanco (cf. alcaudón isabel de 1er invierno)

barrado negruzco (cf. alcaudón isabel de 1er invierno)

▶ **Tipo "*karelini*" ♂ (marzo)**
Esta variante tiene el píleo y la zona dorsal completamente gris, aunque algunas aves tienden a pardo-gris. Esta variabilidad también ocurre en las ♀♀. El alcaudón isabel ♂ puede tener, a veces, partes superiores bastante grisáceas, pero se puede reconocer por la lista superciliar más difusa y no blanco puro, así como por la máscara más estrecha por encima de la brida (que no se extiende por la base del pico) y unas partes inferiores de coloración más viva, incluyendo la zona de la mejilla y la garganta. Los híbridos con alcaudón dorsirrojo también pueden ser parecidos al tipo "*karelini*" (véase p. 641); la estructura, incluyendo la estructura alar, es importante en estas aves. Además, un híbrido probablemente nunca mostrará unas supracoberteras caudales y cola tan lisas y rojizas, como sucede en el ejemplar de la imagen. Esta variante es más común en la parte septentrional del área de distribución, sobre todo en zonas de poca altitud, mientras que los ejemplares pardos "normales" acostumbran a encontrarse a mayor altura.

gris en lugar de pardo (algunos son intermedios)

ejemplar con ciertos tonos ocráceos (blanco puro en otros)

Alcaudón isabel *Lanius isabellinus*

L 17 cm | Divagante de Asia

Capsigrany pàl·lid CAT
Antzandobi isabeldarra EUS
Picanzo isabelino GAL

▼ Adulto ♂ (octubre)
Junto con las características destacadas, el contraste débil entre las partes superiores y las inferiores es típico en todos los plumajes (pero véase la variante "*karelini*" del alcaudón colirrojo). Algunos ♂♂ tienen el pico completamente negro, como sucede en el ♂ adulto de alcaudón colirrojo, pero la mayoría de aves en este plumaje no ocasionan problemas de identificación.

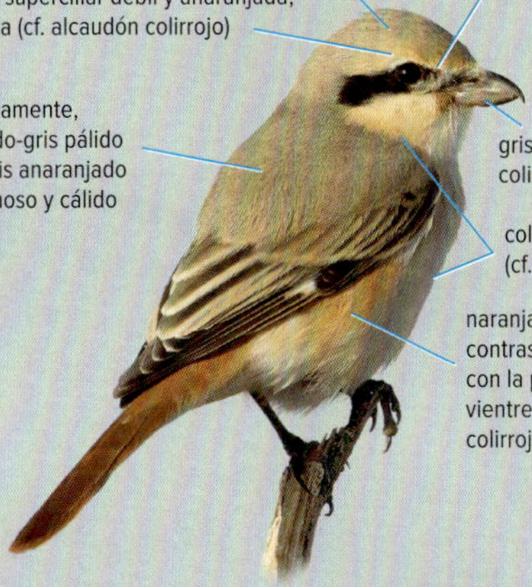

color ligeramente más cálido que la zona dorsal
máscara limitada, no se extiende por encima del pico (cf. alcaudón colirrojo ♂ adulto)
lista superciliar débil y anaranjada, típica (cf. alcaudón colirrojo)
típicamente, pardo-gris pálido o gris anaranjado arenoso y cálido
grisáceo (cf. alcaudón colirrojo)
colores cálidos típicos (cf. alcaudón colirrojo)
naranja-parduzco pálido, contrasta ligeramente con la parte central del vientre (cf. alcaudón colirrojo)

▼ Adulto ♀ (febrero)
El píleo y la zona dorsal tienen la misma coloración; en todos los demás aspectos, es una versión más pálida del ♂ adulto, con una máscara más débil que generalmente no alcanza el pico.

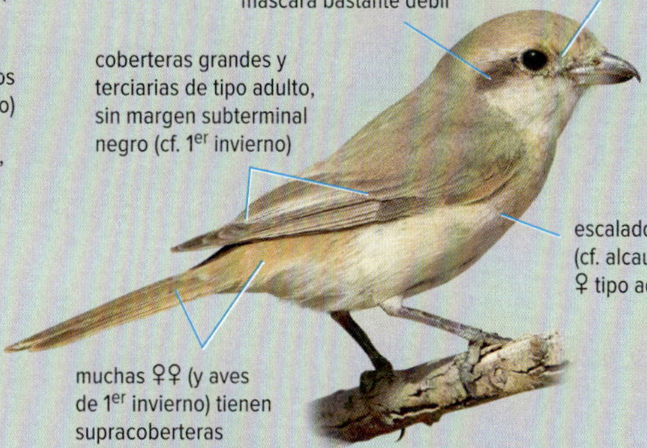

brida pálida
máscara bastante débil
coberteras grandes y terciarias de tipo adulto, sin margen subterminal negro (cf. 1er invierno)
escalado pardo pálido (cf. alcaudón colirrojo ♀ tipo adulto)
muchas ♀♀ (y aves de 1er invierno) tienen supracoberteras caudales y base de la cola de color canela

▼ 1er invierno (octubre)
Un ejemplar típico de "tipo isabel". Se señalan las diferencias con el alcaudón colirrojo de 1er invierno.

típicamente, patrón cefálico débil con lista superciliar y máscara poco marcadas
moteado muy débil y poco visible
pardo-gris bastante pálido
color de fondo pardo anaranjado (típico cuando es patente)
escalado parduzco variable

▼ 1er invierno, alcaudón isabel o colirrojo (octubre)
Las aves de 1er invierno con rasgos intermedios entre las 2 especies ocurren regularmente. En este ejemplar, el color de fondo blanco de las partes inferiores es más típico del alcaudón colirrojo, pero este suele tener las partes superiores más oscuras y parduzcas. El patrón facial es demasiado débil para tratarse de un alcaudón colirrojo típico, pero demasiado fuerte para ser un alcaudón isabel típico. Es recomendable ser prudente a la hora de juzgar aves de 1er invierno; probablemente una identificación segura solo es posible en los ejemplares más típicos.

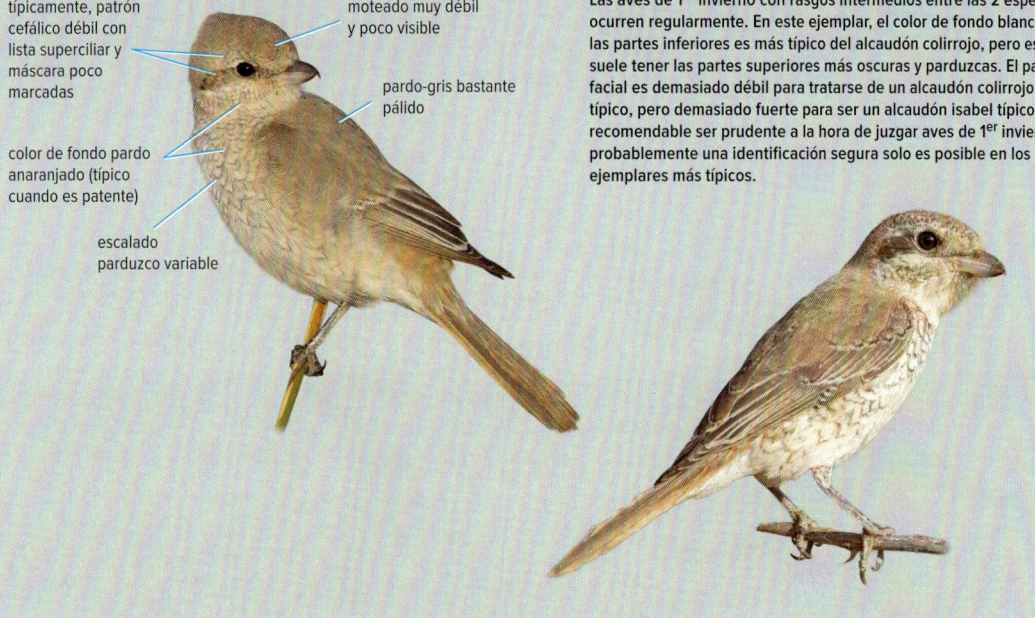

Alcaudón pardo *Lanius cristatus*

L 19 cm | Divagante de Asia

Capsigrany bru CAT
Antzandobi arrea EUS
Picanzo castaño GAL

▼ **1er invierno (febrero)**
En otoño, es posible que aún se puedan apreciar algunas escapulares juveniles retenidas, con margen subterminal negro pero, en general, las partes superiores acostumbran a ser bastante lisas, a diferencia del alcaudón dorsirrojo de 1er invierno (véase también la p. 641, donde se trata conjuntamente el alcaudón isabel y el colirrojo). Después de la muda completa, habitualmente a final de invierno, las aves de 2º año cal. ya son similares a los adultos.

▼ **Tipo adulto ♀ (junio)**
La brida pálida, la máscara oscura (pero no de color negro puro) y el barrado débil en las partes inferiores separa este ejemplar de un ♂. Sin embargo, algunas ♀♀ de tipo adulto son probablemente indistinguibles de un ♂. En todos los plumajes muestra una cabeza grande, un pico grueso, una proyección de primarias bastante corta y una cola estrecha.

máscara bien definida, negruzca

pardo (cálido) liso (cf. alcaudón dorsirrojo juv./1er invierno)

coberteras grandes juv. con márgenes subterminales negros poco perceptibles y centros muy oscuros

mancha oscura en la brida

pico grueso

barrado patente sobre color de fondo pardo cálido

p1 muy larga

▶ **Estructura alar**
La forma del ala es diagnóstica y a menudo visible en buenas fotografías: p1 larga, p2 corta –la punta alcanza aproximadamente hasta la punta de p6 (p7)–. El alcaudón dorsirrojo tiene una estructura alar diferente, pero el alcaudón isabel y el colirrojo tienen una forma similar (véanse aquellas especies).

p6 p7
p5

punta de p2

punta de p2 = punta de p6/7

p1

p1 muy larga; el doble que la parte visible de coberteras primarias (cf. alcaudones dorsirrojo, isabel y colirrojo)

▼ **Adulto, probable ♂ (mayo)**
Los sexos pueden ser casi idénticos. Las aves con una máscara menos negra y franjas transversales en las partes inferiores son probablemente ♀♀.

píleo, zona dorsal y cola de color pardo bastante uniforme

proyección primaria bastante corta (60–70 %), con solo 5–6 puntas de primarias visibles

cola larga y estrecha, en parte a causa de unas rectrices también estrechas

la lista superciliar se extiende por encima del pico

blancuzco; contrasta con el color más vivo de flancos y vientre

sin blanco en la base de las primarias

▼ **Estructura caudal (parte inferior)**
En todos los plumajes, no solo es diagnóstica la estructura alar, sino también la de la cola. Esta se aprecia mejor por debajo. La rectriz más externa (r6) corta es especialmente distintiva, y genera una forma graduada en la cola. A veces, esto no se puede ver por la parte superior. En los alcaudones isabel, colirrojo y dorsirrojo, r6 es ≤ 20 % más corta que la longitud total (visible) de la cola. Por encima, r5 puede ser, a veces, confundida con r6, lo cual podría hacer pensar que es relativamente larga (véase ♀ de tipo adulto).

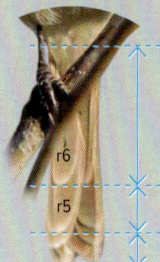

r6

r5

longitud de r6 ≥ 25 % más corta que la longitud total (visible) de la cola

distancia entre la punta de r6–r5 > 1,5× distancia entre r5–punta de la cola

Alcaudón schach *Lanius schach erythronotus*

L 25 cm | Divagante de Asia

▼ **1er invierno (enero)**
Identificación relativamente sencilla; no hay ninguna especie de alcaudón en Europa que muestre esta combinación de características. Las aves adultas tienen la misma apariencia a lo largo de todo el año. Este ejemplar ha mudado todas las coberteras grandes, que contrastan con el resto del ala juvenil, de un negruzco menos intenso. La máscara ancha que se extiende hasta la frente apunta a un ♂.

el píleo gris se funde gradualmente con el manto y las escapulares pardo-anaranjadas

pequeña mancha blanca en la base de las primarias

máscara ancha, se extiende por encima del pico (♂)

naranja-pardo distintivo

margen blanco y fino en la rectriz externa

muy larga y mayoritariamente negra

SUBESPECIES

Existen numerosas subespecies en Asia, a menudo divididas en 2 grupos: el grupo "*tricolor*", de cabeza negra (básicamente residentes o migrantes de corta distancia) y el grupo "*erythronotus*", de cabeza gris. Las aves mostradas aquí pertenecen a la subespecie occidental *erythronotus*. Como migrante de media distancia, este taxón es un posible divagante en Europa.

▼ **Juvenil/ 1er invierno, *erythronotus* (agosto)**
Aún en plumaje (casi) completamente juvenil. Algunas aves de 1er año retienen buena parte de las plumas juveniles, por lo que un ave con apariencia similar podría, en teoría, aparecer en Europa.

algunas escapulares aún con barrado oscuro juv.

coberteras aún juv.

coberteras medianas y pequeñas mudadas, uniformemente negras, que contrastan con el resto del ala juv.

▶ **1er invierno, *erythronotus* (febrero)**
La intensidad de color de las partes anaranjadas (o pardo-anaranjadas) varía entre individuos, y probablemente también está influenciada por el desteñido progresivo del plumaje hacia final de invierno, como podría ser el caso del ave de la fotografía. La combinación de una cabeza parecida a la del alcaudón dorsirrojo, una cola muy larga y estrecha, y plumas anaranjadas alrededor de la cola y en los flancos es distintiva.

▲ **1er invierno, *erythronotus* (octubre)**
Este ejemplar, fotografiado en los Países Bajos, muestra el plumaje de aparición más probable en Europa. Los adultos tienen un ala más uniformemente negra, sin límites de muda, y rectrices centrales negras.

tonos naranjas débiles en este ejemplar

cola no solo larga, también muy estrecha

r6 corta, lo cual resulta en una cola graduada o escalonada

Alcaudón norteño *Lanius excubitor*

L 24 cm | Verano, N, C y E Europa; invierno, NO, O y E Europa

Botxí septentrional CAT
Antzandobi handi arrunta EUS
Picanzo do norte GAL

▼ Adulto, nominal *excubitor* (abril)

Es el "alcaudón gris por defecto" en gran parte de Europa. Fácilmente iden-tificable como "alcaudón gris", por tener el cuerpo de este color, una máscara negra, y el ala y la cola también negros. Para apreciar las diferen-cias con otras especies de "alcaudón gris", véase alcaudón real y alcaudón de estepa. Las características mostradas aquí se centran en las diferencias con el alcaudón chico. En este ejemplar, las coberteras, terciarias y secunda-rias uniformes, de un tono negro azabache (con puntas blancas en terciarias y secundarias) apuntan a un adulto; los adultos pueden mostrar puntas blancas muy pequeñas en las coberteras grandes.

▼ 1er invierno, nominal *excubitor* (enero)

La imagen muestra las diferencias con el adulto en otoño/invierno. Las aves de 1er invierno con la brida completamente negra en otoño/invierno son probablemente ♂♂. Los adultos (probablemente más las ♀♀) pueden tener la base del pico pálida en otoño, pero menos extensa que las aves de 1er invierno.

máscara relativamente estrecha y lista superciliar variable

relativamente fino

escapulares más blancas que el manto

franja blanca en las primarias, más estrecha hacia las externas

proyección primaria bastante corta (50–70 %)

larga y redondeada

base del pico pálida

coberteras grandes juv. con puntas pálidas (que generan una franja alar estrecha, cf. adulto)

barrado variable, bien definido, sobre fondo a veces blanco "sucio" o ligeramente teñido

▼ 2o año cal., nominal *excubitor* (abril)

Básicamente como el adulto aunque, aparte de algunas coberteras grandes, el ala es aún juvenil. Las aves de 1er año llevan a cabo una muda parcial en otoño, en la cual sustituyen las plumas corporales, las coberteras pequeñas y medianas y un número variable de coberteras grandes. El resto del ala permanece juvenil y, en primavera, aparece más gastada o desteñida que en los adultos. Aparentemente, este ejemplar solo ha sustituido 2 coberteras grandes (más negras y un poco más largas), que contrastan con el resto de coberteras (más parduzcas y un poco más cortas, con restos de punta pálida) y con las terciarias y secundarias, que tienen restos de puntas blancas gastadas.

▼ Adulto, nominal *excubitor* (marzo)

La extensión de blanco en la cola y en el ala es variable, y se incrementa gradualmente hacia el este de su distribu-ción, donde llega a fundirse con la subespecie *homeyeri*.

muy redondeada; el blanco solo se ensancha hacia la punta (cf. alcaudón chico)

franja blanca más estrecha hacia las primarias externas (cf. alcaudones chico y de estepa)

base blanca variable en las secundarias externas (cf. alcaudones chico y de estepa)

primarias desteñidas (cf. adulto)

contraste de muda entre las coberteras grandes internas nuevas y las externas, juveniles

▼ Adulto, tipo "homeyeri" (octubre)
Un ejemplar con una gran extensión de blanco en las primarias, que se prolonga por las secundarias, las cuales tienen puntas blancas anchas; este patrón genera una impresión de tipo "homeyeri". Los homeyeri típicos, en el centro de su área de distribución (NE del mar Caspio) muestran incluso una mayor extensión de blanco en el ala, sobre todo en las secundarias (extendiéndose claramente hasta las internas), gran cantidad de blanco a los lados de la cola (r5–6 casi completamente blancas), supracoberteras caudales prácticamente blancas, zona dorsal de un gris muy pálido, y a menudo una lista superciliar bien desarrollada, así como también la franja blanca de las escapulares. Las características del nominal excubitor y de homeyeri se funden gradualmente en la zona de contacto. Este ejemplar, fotografiado en Dinamarca, podría ser un ave intermedia, pero aves de estas características posiblemente también ocurren en las zonas de cría al NE de Europa.

▼ Adulto, nominal excubitor (diciembre)
A menudo se cierne cuando caza.

▼ Alcaudón norteafricano, algeriensis, 2º año cal. (marzo)
Taxón costero del NO de África. Más oscuro y con menos blanco que elegans. Ambas subespecies son potenciales divagantes en el S de Europa.

▼ Alcaudón sahariano, elegans, adulto (abril)
Taxón del interior del continente africano. Más pálido que algeriensis, con más blanco en el ala, escapulares y supracoberteras caudales, pero son frecuentes las aves intermedias.

máscara ancha, lista superciliar variable

grueso

gris variable; el nominal elegans es el más pálido

tinte crema

gran cantidad de blanco en el nominal elegans, patrón similar al alcaudón de estepa

máscara ancha, sin lista superciliar

contraste entre las primarias viejas y las nuevas (más negras), diagnóstico del 2º año cal.

Alcaudón real *Lanius meridionalis*

L 24 cm | Todo el año, península Ibérica

▶ Adulto (febrero)

Se señalan las principales diferencias con el alcaudón norteño de la subespecie nominal *excubitor*. La combinación de rasgos facilita la identificación. Muchos ejemplares tienen las partes inferiores más oscuras que el de la imagen, lo cual aumenta el contraste con la garganta blanca. El alcaudón norteño de 1er invierno de la subespecie nominal *excubitor* también puede mostrar un cierto tinte rosado en los flancos y el vientre, pero los tiene barrados y la base del pico es pálida (véase aquella especie).

gris pizarra relativamente oscuro

blanco en escapulares poco extenso

puntas blancas anchas

supracoberteras caudales del mismo tono que el resto de las partes superiores

lista superciliar estrecha y corta pero bien definida

bastante grueso

frecuentemente, la garganta blanca contrasta con las zonas circundantes

tono rosado típico, flanco más gris

patas relativamente grandes y largas

larga y estrecha

▼ Juvenil/1er invierno (agosto)

Muchos de los rasgos distintivos son ya visibles en aves juveniles o de 1er invierno. Generalmente, en su distribución normal solo se podría confundir con el alcaudón chico en el N de España.

máscara ancha (en todos los plumajes)

supracoberteras caudales tan grises como el resto de partes superiores (en todos los plumajes)

puntas pálidas en las coberteras, diagnósticas de juv./1er invierno

barrado/escalado ausente o mínimo; el color de fondo rosado acostumbra a estar ya presente

▼ 1er invierno (febrero)

Casi como el adulto, con todos los rasgos típicos presentes.

contraste entre las terciarias mudadas (negro azabache) y las secundarias y primarias juveniles (desteñidas y parduzcas), diagnóstico de 1er inv.

▼ Patrón caudal, tipo adulto

De promedio, menos blanco a los lados de la cola que en el alcaudón norteño de la subespecie nominal *excubitor*. El patrón, incluyendo la variabilidad que presenta, se parece mucho al del alcaudón boreal (bastante distinto en todo lo demás).

r6 con base negra en la hemibandera interna

▼ Adulto

Nótese el patrón facial típico, además de otras características destacadas. La poca cantidad de blanco en la base de las primarias se solapa con los ejemplares de alcaudón norteño que muestran una menor cantidad de blanco en esta zona.

típicamente del mismo gris que el resto de partes superiores (cf. alcaudón norteño)

r6 con base negra en la hemibandera interna, visible aquí

pequeñas manchas blancas en la punta de las coberteras grandes, normal en el adulto

franja blanca poco extensa en la base de las primarias, que no sigue hacia las secundarias

Alcaudón boreal *Lanius borealis*

L 24 cm | Divagante de Siberia y, potencialmente, de Norteamérica

▼ **Alcaudón boreal siberiano,** *sibiricus,* **1er invierno (diciembre, Finlandia)**
La identidad de este ejemplar fue confirmada a través de un análisis de ADN. Junto con los rasgos destacados en las imágenes de este individuo, las siguientes características, consideradas en su conjunto, son las más importantes para la identificación.
- Obispillo pálido, a menudo blancuzco en *sibiricus* (y gris pálido en *borealis*), que contrasta con el resto de partes superiores.
- Supracoberteras y/o infracoberteras caudales más largas escaladas.
- Base de r6 generalmente negra (raramente toda blanca en *sibiricus*, como es habitual en el alcaudón norteño; en *borealis*, probablemente nunca completamente blanca).
- Partes inferiores con barrado denso y patente.
- Tintes parduzcos en el píleo, auriculares y zona dorsal.
- Puntas pálidas relativamente anchas en las coberteras grandes y las terciarias (más pequeñas en *borealis* y en el alcaudón norteño).
- El blanco de las primarias no se extiende a las secundarias (*borealis*) o apenas lo hace (a veces en *sibiricus*).

▶ **Alcaudón boreal siberiano,** *sibiricus,* **1er invierno (diciembre, Finlandia)**

escalado extenso y a menudo bastante contrastado

r6 con base oscura (a diferencia, por ejemplo, del alcaudón de estepa)

máscara débil

a menudo brida completamente pálida

tintes parduzcos

base pálida del pico, frecuentemente alcanzando la mandíbula superior e incluso el culmen (a diferencia de *borealis*)

poco blanco en la base de las primarias

▼ **Alcaudón boreal americano, nominal** *borealis,* **1er invierno (octubre)**
La combinación producida por el barrado denso y contrastado de las partes inferiores, los tonos pardos en el píleo y, a veces, en la zona dorsal, la poca cantidad de blanco en la cola y el ala, y las supracoberteras caudales blancas son rasgos diagnósticos de ambos taxones. El patrón facial, las partes superiores y las supracoberteras caudales son parecidos al alcaudón de estepa de 1er invierno, pero la cola y el ala muestran la menor cantidad de blanco entre todos los taxones de "alcaudones grises". La subespecie americana nunca ha sido citada en Europa, pero es un divagante potencial.

parduzco en el 1er invierno

▼ **Alcaudón boreal americano, nominal** *borealis,* **1er invierno (febrero)**
Un ejemplar típico. La subespecie siberiana *sibiricus* (con múltiples citas en Finlandia y una en los Países Bajos) es casi idéntica pero, de promedio, muestra un escalado menos extenso en las partes inferiores (un rasgo que también depende de la edad y el sexo): la ♀ de 1er invierno muestra la mayor cantidad, y el ♂ adulto la menor (en ambos taxones). Las aves de 1er invierno de *sibiricus* son, de promedio, un poco más pardas por encima.

a menudo escalado/barrado contrastado y extenso, en la ssp. nominal *borealis* a veces llegando hasta las patas

blanco en la cola limitado, r6 también con la base negra

poco blanco en la base de las primarias, no se extiende a las secundarias

supracoberteras caudales y parte del obispillo blancuzcos

patrón caudal típico, con la base negra (solo la hemibandera externa de r6 es blanca)

Alcaudón de estepa *Lanius excubitor pallidirostris*

L 23 cm | Divagante de Asia

Botxí d'estepa CAT
Antzandobi handi estepetakoa EUS
Picanzo das estepas GAL

TAXONOMÍA

La subespecie *pallidirostris* se incluye habitualmente en el grupo oriental, asiático, arábico e índico (junto con *aucheri* y *lahtora*, entre otras). También se distingue frecuentemente entre el grupo septentrional (nominal *excubitor*, *homeyeri*) y el meridional, africano (*algeriensis*, *elegans*, *koenigi*, *leucopygos*). Sin embargo, la taxonomía de esta especie es compleja, aún incierta y requiere un mayor estudio y revisión.

▼ **Adulto (marzo)**
Las características señaladas se centran principalmente en las diferencias con el alcaudón norteño. Las puntas blancas anchas de las terciarias y los dedos largos son típicos de todos los "alcaudones grises sureños". La subespecie *homeyeri* de alcaudón norteño tiene un patrón caudal comparable y una cantidad parecida de blanco en la base de las primarias, pero en *pallidirostris* el blanco no se extiende a las secundarias (nótese que el blanco finaliza súbitamente en las primarias internas).

▶ **♀ (junio)**
Un ejemplar típico, pálido, como muchas aves de 1er invierno. La brida pálida en primavera/verano indica ♀.

mucho blanco, ensanchándose hacia la base de la cola (patrón parecido al del alcaudón chico)

supracoberteras caudales blancuzcas

grueso; la base pálida de la mandíbula inferior indica ♀, el pico completamente negro indica ♂

puntas blancas anchas

sin blanco (visible) en la base de las secundarias

proyección primaria característica (c. 100 %)

mucha extensión de blanco en la base de las primarias (> 50 % en las internas)

patas robustas y dedos largos

la punta del ala sobrepasa las supracoberteras caudales

▼ **1er invierno (noviembre)**
El más pálido entre todos los plumajes de "alcaudón gris". La identificación del 1er invierno es bastante fácil. Las partes inferiores son, a menudo, un poco más grisáceas o pardo-rosadas que en este ejemplar, lo cual resulta en un menor contraste con las partes superiores. Las aves que alcanzan Europa en otoño tienen, generalmente, este plumaje.

a menudo brida totalmente pálida

grueso y pálido, incluyendo la mandíbula superior, que solo es más oscura en la punta

gris muy pálido, con tinte pardo variable

mucho blanco en el ala; extenso en la base de las primarias y en las puntas de las secundarias y terciarias juv. (base de las secundarias negra)

coberteras medianas mudadas de color negro puro, contrastando con las coberteras grandes juv.

generalmente con tintes pardo-rosados; escalado ausente o muy débil

coberteras grandes juv. con márgenes blancos anchos

▼ **2º año cal. ♂ (mayo)**
Casi idéntico al adulto, pero nótense las primarias internas y las coberteras primarias retenidas; las secundarias son también juveniles, pero prácticamente ocultas debajo de las terciarias. A diferencia de la subespecie nominal *excubitor*, el 1er año de "alcaudón gris sureño" también reemplaza las primarias externas durante la muda postjuvenil.

primarias internas y coberteras primarias (y secundarias) aún juv. (parduzcas), que contrastan con las primarias externas y las coberteras más negras, mudadas

totalmente negro, indica ♂

patas largas

▶ **1er invierno (octubre)**
El patrón alar señalado es válido para todos los plumajes.

blanco extenso en la base de las primarias, pero no se extiende por las secundarias, con las cuales contrasta

► **Alcaudón arábico,** *aucheri,* **2º año cal. (febrero)**
Este taxón es un divagante potencial en el extremo SE de la región tratada, por ejemplo, en Chipre. El patrón caudal es similar al de la subespecie nominal *excubitor* de alcaudón norteño.

lista superciliar ausente o mínima

máscara ancha que se extiende por la frente

gris relativamente oscuro

proyección primaria larga, pero más corta que en el alcaudón de estepa

gris pálido típico

patas robustas como en el alcaudón de estepa (pero a diferencia del alcaudón norteño)

blanco extenso en la base de las primarias, típicamente no en las secundarias (a diferencia del alcaudón norteño)

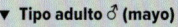

Alcaudón chico *Lanius minor*

L 20 cm | Verano, C, E y SE Europa

Trenca CAT
Antzandobi txikia EUS
Picanzo pequeno GAL

▼ **Tipo adulto ♂ (mayo)**
La frente negra, la ausencia de lista superciliar, la ausencia de blanco en las escapulares y la proyección primaria muy larga son las diferencias más notables con respecto a otros "alcaudones grises".

▼ **Tipo adulto ♀ (mayo)**
Aves como esta, con un moteado pálido en la frente y tintes parduzcos en la máscara y el ala, son ♀♀, pero muchas son muy parecidas a los ♂♂. Teóricamente, las aves de 2º año cal. son idénticas a los adultos.

escapulares tan grises como el manto (cf. otros alcaudones grises)

máscara negra muy ancha que alcanza la frente

garganta blanca; a veces contrasta con las partes inferiores más rosadas

proyección primaria muy larga (> 100 %)

tintes rosados

sin puntas blancas, o muy pequeñas (cf. otros "alcaudones grises")

moteado pálido

grueso, con culmen muy curvado en todos los plumajes

▼ **Tipo adulto (abril)**
La combinación de características destacadas es diagnóstica (incluso sin tener en cuenta el patrón cefálico).

▼ **Juvenil/1er invierno (agosto)**
La imagen muestra las diferencias con el alcaudón norteño juvenil/1er invierno.

sin blanco aparente

corto y grueso

mucho blanco en la base de las primarias, de anchura uniforme hacia las externas

proyección primaria larga

sin escalado, o escalado muy limitado

gris como el resto de partes superiores

mucho blanco, ensanchándose hacia la base y la punta

franja blanca de anchura uniforme; típicamente, borde nítido con las secundarias completamente negras (cf. por ejemplo, alcaudón norteño tipo "*homeyeri*")

Alcaudón común *Lanius senator*

L 18 cm | Verano, S Europa

▼ **Tipo adulto ♂, nominal *senator* (marzo)**
Cuando se puede observar bien, la identificación no es
complicada, gracias a una combinación única: píleo y nuca
rojizos y resto de plumaje básicamente blanco y negro.
A causa de la gran variabilidad individual en la época exacta
(y la extensión) de la muda invernal, el datado en esta época
solo es posible en los casos más claros. En primavera, los
adultos tienen el plumaje completamente nuevo; las aves de
2º año cal. más evidentes muestran límites de muda y, generalmente, coberteras primarias aún juveniles, parduzcas y
gastadas. Lo mismo sucede con el sexado: solo las aves con
la máscara de la cabeza de color negro puro y un manto gris
oscuro o negro son ♂♂ con total certeza; las ♀♀ más obvias
muestran plumas parduzcas en la máscara, y tienen el manto
gris-pardo relativamente pálido. Sin embargo, muchos
ejemplares son intermedios.

▶ **Tipo adulto ♀, nominal *senator* (abril)**
Esta imagen permite apreciar las diferencias
con el ♂ tipo adulto. En las ♀♀ típicas, la
coloración pardo-rojiza del píleo y la nuca es
más pálida y menos viva que en los ♂♂. Las
coberteras primarias negruzcas y la aparente
ausencia de límites de muda apuntan a un
adulto o a un caso (probablemente raro) de
un 2º año cal. con una muda completa.

negro menos
extenso con
trazos pardos

extensa zona
pálida en la brida

pardo-gris
bastante pálido

píleo y nuca pardo-rojizos,
diagnósticos en todos los
plumajes después de juv.

negro extenso y uniforme
(a veces brida también completamente negra) (cf. ♀ típica)

gris oscuro o negro
(cf. ♀ típica)

escapulares blancas
muy patentes

blanco o crema
(lo segundo en
plumaje nuevo)

obispillo pálido y lados de
la cola blancos (especialmente visibles en vuelo)

▶ **1er invierno, nominal *senator* (octubre)**
Un alcaudón inmaduro, pálido y con una
proyección primaria larga. Este ejemplar ha
iniciado la muda postjuvenil. La zona dorsal
y la cabeza ya están parcialmente
mudadas. El período en que realizan
esta muda es variable; algunas
aves aún se encuentran en plumaje
completamente juvenil en octubre.

pardo-gris bastante
pálido, ya mudado

pardo rojizo
empezando a aparecer

▼ **Juvenil, nominal *senator* (julio)**
Un ejemplar con plumaje nuevo que muestra todas
las características típicas de este plumaje.

barrado sobre fondo
pálido, típico

escapulares
blancuzcas (con
márgenes oscuros),
ya presentes

coberteras medianas
con centros pálidos

pálido (cf. alcaudón
núbico juv./1er invierno)

base de primarias pálida
desvaneciéndose hacia
la punta

lados pálidos

▶ **2º año cal. ♀,
nominal *senator* (julio)**

las ♀♀ de 2º año cal.
a veces no tienen
negro en la frente

plumas del ala básicamente
juveniles, coberteras primarias
muy gastadas y desteñidas,
rasgos típicos de 2º año cal.

▼ Alcaudón balear, *badius*, tipo adulto (abril)
Junto con la (casi) ausencia de bases pálidas en las primarias, hay otras sutiles diferencias que lo diferencian de otros taxones. Este ejemplar es típico en todos los sentidos; otras aves pertenecientes a *badius* tienen la cola con más blanco, más parecida entonces, a *senator*.

oscuro, con tendencia a ser más rojizo que en otros taxones

franja escapular blanca a menudo estrecha

grueso

supracoberteras caudales grises, relativamente oscuras

sin blanco (o muy limitado) en la base de las primarias (si hay algo de blanco, nunca sobrepasa la punta de las coberteras primarias)

lados pálidos de la cola restringidos, rectrices externas con base oscura

▼ Subespecie oriental *niloticus*, tipo adulto ♂ (abril)
Frecuentemente, los ♂♂ tienen –además de las características señaladas–, una máscara negra más extensa en la zona de las auriculares y la frente, bien visible en este ejemplar. Las ♀♀ difieren de los ♂♂ en los mismos aspectos que la subespecie nominal *senator*.

rectrices con la base blanca, incluyendo el par central (cf. nominal *senator*)

franja blanca muy ancha en la base de las primarias (cf. nominal *senator*)

▼ Alcaudón balear, *badius*, juvenil (julio)

a menudo más oscuro que en otros taxones

supracoberteras caudales oscuras (cf. nominal *senator* de 1er invierno)

grueso

sin tonos pálidos en la base de las primarias

▼ Subespecie oriental *niloticus*, 2º año cal., supuesto ♂ (marzo)
La franja blanca en la base de las primarias que muestra este ejemplar, fotografiado en Omán, no es mucho mayor que la que presentan muchas aves de la subespecie nominal *senator*.

secundarias y coberteras primarias juveniles gastadas y desteñidas, que contrastan con las coberteras grandes, más oscuras; típico de un 2º año cal.

blanco relativamente extenso en las rectrices, incluyendo el par central, típico de *niloticus*

franja blanca (muy) ancha y bien definida en la base de las primarias, diagnóstica

partes inferiores, generalmente, apenas barradas

▶ Subespecie oriental *niloticus*, 1er invierno (septiembre)
Un ejemplar típico en cuanto a la franja blanca en la base de las primarias. Muchas aves de 1er año llevan a cabo una muda postjuvenil extensa, parecida a la de los adultos que también mudan en las zonas de cría. Este individuo parece haber mudado solamente plumas del manto, aunque, probablemente, aún no ha finalizado la muda postjuvenil. Las supracoberteras caudales, no visibles aquí, son frecuentemente pálidas y lisas.

rectrices con base blanca

Alcaudón núbico *Lanius nubicus*

L 17,5 cm | Verano, SE Europa

▼ Adulto ♂ (marzo)
Fácilmente identificable en este plumaje. Comparte la franja escapular blanca con el alcaudón común, pero los flancos anaranjados y el patrón cefálico son muy diferentes. Los adultos tienen una franja blanca muy ancha en la base de las primarias, especialmente visible en vuelo.

▼ Tipo adulto ♀ (agosto)
Como una versión más pálida del ♂. La combinación de flancos anaranjados, patrón cefálico y franja blanca escapular es diagnóstica. Este ejemplar ya muestra un plumaje nuevo en agosto, lo cual encaja con su estrategia de muda; a final de verano, los adultos ya han casi completado su muda, incluyendo las primarias.

gris (oscuro) (cf. ♂ tipo adulto)

brida más pálida (cf. ♂ tipo adulto)

▼ 1ᵉʳ invierno (octubre)
Un ejemplar más avanzado que el de noviembre, que ilustra la variabilidad en cuanto al momento en que se produce la muda postjuvenil. Este individuo ya muestra tonos anaranjados en el flanco (propios del adulto), y es probablemente un ♂. Se podría confundir con la subespecie *niloticus* de alcaudón común a causa de la franja blanca y bien definida en la base de las primarias, pero en otoño aquella especie ya muestra tonos pardo-rojizos en el píleo y el manto.

gris (cf. alcaudón común de 1ᵉʳ invierno)

blanco extenso

cola negra con márgenes blancos anchos

tonos canela ya diagnósticos en este ejemplar

blanco en la base de las primarias bien definido, típicamente en forma de cuñas o "puntas", y de anchura menor hacia las primarias externas.

▼ Juvenil/1ᵉʳ invierno (noviembre)
Un ejemplar con plumaje gastado, aún juvenil. Combinación diagnóstica de rasgos, destacados en la imagen, incluso en ausencia de una franja blanca extensa en la base de las primarias. Aunque en la fotografía no da esta impresión, la cola es más larga que en especies similares.

típicamente gris-pardo, siempre con tonos fríos (cf. alcaudones común y dorsirrojo juv./1ᵉʳ invierno)

cola negruzca (cf. alcaudón común de 1ᵉʳ invierno)

poco blanco en este ejemplar

oscuro, de tonos similares al resto de partes superiores (cf. alcaudón común juv./1ᵉʳ invierno)

blanco extenso (2 rectrices externas mayoritariamente blancas)

▼ 2º año cal. ♀ (marzo)
Similar a las ♀♀ adultas, pero frecuentemente con tonos canela más pálidos en los flancos y aún cierto moteado de tipo juvenil en el píleo, como muestra este ejemplar. Las aves de 1ᵉʳ año no hacen una muda completa en invierno, sino que retienen parte de las plumas juveniles del ala (aquí, las coberteras grandes externas, el álula, las coberteras primarias y las secundarias) que, en primavera, se ven claramente más gastadas y desteñidas que las mudadas, más negras. Como los adultos, los ♂♂ de 2º año cal. tienen el manto y el píleo negros, pero muestran contraste en el ala (típico del 2º año cal.), entre plumas juveniles y mudadas. Véase también la diferencia típica en la longitud de las coberteras grandes mudadas (más largas) y las juveniles (más cortas).

medio collar blanco a los lados del cuello (cf. alcaudón común)

bastante fino

mezcla de plumas mudadas, negruzcas, y juveniles, parduzcas

▼ Patrón caudal, tipo adulto ♂ (marzo)
El blanco de la cola está concentrado en los lados. Las puntas de las rectrices centrales tienen muy poco blanco, o no tienen ninguno.

supracoberteras caudales tan oscuras como la cola y el resto de partes superiores

r5 y r6 casi completamente blancas

Cascanueces común *Nucifraga caryocatactes*

L 34 cm | Todo el año, N, NE, C y SE Europa; irrupciones esporádicas alcanzan O Europa

▼ Adulto, nominal *caryocatactes* (octubre)
Una especie distintiva. Los sexos son idénticos.

cuerpo pardo oscuro con moteado grande y blanco en forma de lágrima

píleo oscuro, contrastando con el cuerpo moteado de blanco

ala negra y brillante, prácticamente sin puntas blancas en las plumas

blanco liso

puntas blancas

negruzco apagado con tintes pardos (cf. adulto)

coberteras medianas mudadas, con patrón de tipo adulto en la punta blanca

en el 1er invierno, puntas blancas en las coberteras primarias y grandes, diagnósticas

▼ Cascanueces siberiano, *macrorhynchos* (junio)
La imagen destaca las diferencias con la subespecie nominal *caryocatactes*. Este ejemplar fue fotografiado en los montes Urales, lo cual confirma su identidad.

largo y fino

puntas blancas claramente más largas que anchas

▼ Nominal *caryocatactes* (agosto)
Las puntas blancas de r6 no son mucho más largas que anchas (cf. cascanueces siberiano, *macrorhynchos*). La parte inferior del ala muestra un patrón único con moteado blanco variable en las primarias internas.

puntas blancas menos extensas

grueso

▲ Nominal *caryocatactes*, 1er invierno (octubre)
Ya muy similar al adulto, pero nótense las diferencias señaladas. Las puntas blancas en las coberteras grandes desaparecen bastante pronto a causa del desgaste, pero las de las coberteras primarias se mantienen durante más tiempo, a menudo hasta el 2º año cal. Excepto por las coberteras pequeñas y medianas, el ala juvenil se mantiene hasta bien entrada la primavera, y se va volviendo más parduzca y gastada que en los adultos en la misma época del año.

▼ Nominal *caryocatactes*, 1er invierno (septiembre)
Desde lejos, el cuerpo moteado de blanco tiene una apariencia más o menos uniforme y pálida, que contrasta con el ala oscura. Destaca la franja terminal blanca en la cola. Se podría llegar a confundir con el arrendajo euroasiático, a causa de un modo de vuelo similar y una silueta no muy distinta; las supracoberteras caudales oscuras y la franja blanca de la cola son rasgos útiles en estos casos.

oscuro (cf. arrendajo euroasiático)

franja blanca

puntas blancas en coberteras primarias y grandes, diagnósticas para el 1er invierno

punta blanca extensa en r6, casi el doble de larga que ancha (cf. *caryocatactes*)

largo y fino (cf. *caryocatactes*)

▲ Supuesto cascanueces siberiano, *macrorhynchos*, 1er invierno (octubre)
Hay un cierto solapamiento en las medidas de la punta blanca de r6 y también en las del pico, por lo cual la identificación en una observación de campo (fuera de su área de distribución regular) solo es posible en aves que encajan sin reservas en ambos aspectos.

Arrendajo euroasiático *Garrulus glandarius*

L 34 cm | Todo el año, casi toda Europa

▼ Adulto (noviembre)

Inconfundible. El álula, las coberteras primarias y las coberteras grandes externas, azules y barradas de negro, son únicas; además, el color pardo-rosado del cuerpo y la bigotera negra siempre destacan. Hay muchas subespecies que difieren sutilmente en el color de las partes superiores e inferiores y en el patrón cefálico. Si no se indica lo contrario, las aves que se muestran aquí pertenecen a la subespecie nominal *glandarius*, que ocurre en buena parte de Europa, excepto en el S y el SE. Las otras subespecies europeas son estrictamente residentes; se encuentran en la península Ibérica, ciertas islas del Mediterráneo y desde Turquía hacia el este. Las subespecies más distintivas son las propias de Turquía y Chipre. Los sexos son idénticos.

▼ Adulto (noviembre)

En los adultos, las coberteras primarias no crecen simultáneamente, lo cual resulta en un patrón ligeramente distinto en cada pluma. Además, las barras negras suelen tener una anchura regular.

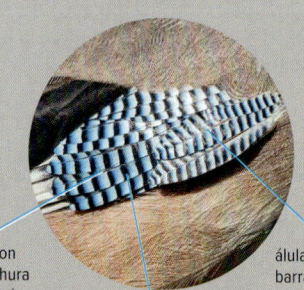

coberteras primarias con franjas oscuras de anchura uniforme, pero con patrón ligeramente distinto entre plumas (cf. juv.)

coberteras primarias con al menos 9 franjas

álula densamente barrada con al menos 12 franjas las de tipo adulto

▼ 1er invierno (octubre)

El álula (a la derecha de las coberteras primarias señaladas en la imagen) también muestra el patrón juvenil, con franjas de anchura irregular. Esto es diagnóstico en aves juveniles o de 1er invierno, pero hay que tener en cuenta que la muda postjuvenil incluye, a veces, el álula; en estos casos ya estará mudada y mostrará un patrón de tipo adulto. Las coberteras primarias juveniles sí que son retenidas hasta bien entrado el 2º año cal., por lo cual son las que se pueden valorar con más consistencia a partir de invierno.

▶ Juvenil (julio)

Poco después de abandonar el nido, el juvenil ya es muy similar al adulto. Aquí, el listado oscuro de la frente y el píleo están empezando a desarrollarse. El álula de este ejemplar muestra el patrón juvenil típico, con presencia de franjas anchas y finas.

coberteras primarias con franjas oscuras de anchura irregular, pero con patrón similar entre plumas (cf. tipo adulto)

coberteras primarias con no más de 7 franjas

ala muy redondeada

▶ 1er invierno (septiembre)

Alas muy redondeadas. Las hemibanderas externas de las coberteras grandes externas muestran el patrón azul barrado típico (el número reducido de franjas oscuras, aquí no más de 7, es una característica útil para el datado del 1er invierno; los adultos tienen al menos 9 franjas, lo cual genera un barrado más denso).

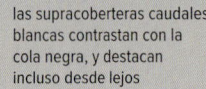

las supracoberteras caudales blancas contrastan con la cola negra, y destacan incluso desde lejos

blanco alrededor de la cola negra

▲ 1er invierno o adulto (octubre)

▶ **Arrendajo turco,** *anatoliae* **(mayo)**
La parte posterior del píleo es uniformemente negra y las zonas pálidas de la cabeza contrastan fuertemente con la coloración relativamente oscura del cuerpo. Las plumas del píleo y la nuca son un poco alargadas y frecuentemente forman una pequeña cresta.

▶ **Arrendajo de Chipre,** *glaszneri* **(junio)**
Endémico de Chipre. La cabeza y la garganta son casi tan oscuros como el resto del cuerpo.

Arrendajo siberiano *Perisoreus infaustus*

L 28 cm | Todo el año, N Europa

Gaig sibrià CAT
Eskinoso siberiarra EUS
Gaio siberiano GAL

▼ **Adulto o 1er invierno (enero)**
Una especie muy característica, restringida a los bosques escandinavos y rusos. ♂ y ♀ son idénticos en plumaje. El datado es a menudo imposible.

▼ **1er invierno (octubre)**
Casi idéntico al adulto; solo pequeños detalles distinguen a un 1er invierno. Nótense las plumas ligeramente gastadas de este ejemplar; el plumaje del adulto permanece nuevo hasta invierno. El 1er invierno retiene las rémiges y las rectrices hasta el 2º año cal. Aquí, las puntas de las plumas juveniles ya están un poco gastadas (su forma también es un poco diferente).

plumas pálidas sobre la mandíbula superior que contrastan con el resto de la cabeza y el pico básicamente oscuros

pardo rojizo frecuentemente un poco más apagado que en el adulto

rectriz externa un poco más puntiaguda que la de tipo adulto

relativamente puntiagudas (más redondeadas en el adulto)

▼ **1er invierno o adulto (febrero)**
Con unas alas redondeadas y una cola bastante larga, la silueta es parecida a la del arrendajo euroasiático. Sin embargo, la cola es más redondeada y el pico más pequeño. En cuanto la coloración se hace visible, la confusión con el arrendajo euroasiático es improbable.

▶ **1er invierno o adulto (febrero)**
La parte inferior de la cola a menudo parece casi completamente rojiza.

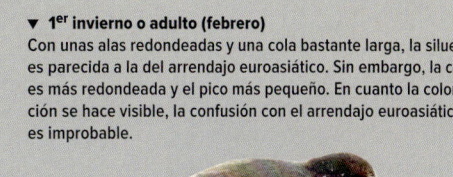

Urraca común *Pica pica*

L 46 cm | Todo el año, toda Europa excepto Islandia

▼ **Adulto (noviembre)**
Una especie característica y bien conocida. Los reflejos de color en las plumas de vuelo y la cola dependen de la incidencia y el ángulo de la luz. Los sexos son idénticos. Además del patrón de primarias, el plumaje más brillante es típico del adulto.

el blanco llega cerca de la punta de las primarias; punta negra fina (cf. juv./1er invierno)

▼ **Juvenil (junio)**
Retiene las primarias hasta bien entrado el 2º año cal.

puntas negras anchas (cf. adulto)

▼ **Adulto (noviembre)**
La identificación en vuelo también es sencilla gracias a la cola muy larga, la franja escapular blanca y la cantidad de blanco en las primarias que, en el adulto, alcanza cerca de la punta (diagnóstico para el datado). Se han descrito diversas subespecies, básicamente por ligeras variaciones (geográficas) en la cantidad de blanco de las primarias: el blanco aumenta gradualmente de O a N y E. Además, la extensión de blanco en el obispillo es mayor en las aves de poblaciones septentrionales (por ejemplo, Escandinavia), y disminuye gradualmente hacia el S y el E. Las aves de la península Ibérica *melanotos* suelen tener el obispillo casi completamente negro. Este ejemplar, fotografiado en Italia, se incluye en la subespecie nominal *pica*, con una extensión pequeña de blanco en el obispillo y un patrón de primarias intermedio.

▼ **1er invierno (diciembre)**
Las aves de 1er invierno son casi idénticas a los adultos, pero muestran un contraste de muda entre el álula y las coberteras primarias juveniles –de tonos más apagados–, y las coberteras grandes recientemente mudadas. Retienen las primarias hasta la primera muda completa, durante el verano del 2º año cal.; las plumas retenidas se van volviendo progresivamente más parduzcas y pálidas.

álula y coberteras primarias juv., que contrastan con las coberteras grandes nuevas

▶ **1er invierno (octubre)**
Hasta la primavera, las aves de 1er invierno se pueden reconocer por la mayor cantidad de negro en la punta de las primarias, aún juveniles; un caso extremo en la imagen.

puntas negras extensas, diagnósticas de un 1er año

Rabilargo ibérico *Cyanopica cooki*

L 33 cm | Todo el año, península Ibérica

Garsa blava CAT
Mika urdina EUS
Pega azul ibérica GAL

▼ **Tipo adulto (marzo)**
Inconfundible. Estructura parecida a la de la urraca común, pero con rasgos únicos en una especie europea, como el ala y la cola azulados, la cabeza básicamente negra y el cuerpo pardo rosado. Los sexos son idénticos.

▼ **Juvenil (julio)**
Durante un breve período, los juveniles muestran la frente y el píleo bastante moteados de blanco, lo cual genera una impresión de "máscara" negra. Las coberteras y terciarias juveniles son parduzcas con puntas pálidas. Muda las plumas corporales y buena parte de las coberteras poco después de abandonar el nido, pero retiene las coberteras primarias.

▼ **1er invierno (octubre)**
Muy parecido al adulto. Suele retener las coberteras primarias juveniles durante el invierno, y (al menos) las secundarias internas y las primarias externas.

▼ **2º año cal. (febrero)**
La identificación en vuelo también es sencilla, gracias a una estructura similar a la de la urraca común, con alas y cola pálidas y azules, y cabeza negra, excepto la garganta. Las coberteras primarias bastante pálidas son diagnósticas del 2º año cal.; en los adultos, no hay diferencia con las coberteras grandes. Estos son, por lo demás, casi idénticos, aunque muestran tonos azules más vivos.

coberteras primarias con puntas pálidas

coberteras primarias pálidas

a menudo en grupos

Chova piquigualda *Pyrrhocorax graculus*

L 37 cm | Todo el año, Pirineos, Alpes y montañas de SE Europa

Gralla de bec groc CAT
Belatxinga mokohoria EUS
Choia de bico amarelo GAL

▼ **Adulto (febrero)**
Las plumas sobre la mandíbula superior alcanzan más allá que sobre la mandíbula inferior, en todos los plumajes. Los adultos tienen las plumas uniformemente negras y brillantes.

plumas sobre la base del pico

amarillo, con la mandíbula inferior solo ligeramente curvada (cf. chova piquirroja inm.)

rojo en el adulto y el inm. a partir de final de invierno/primavera

▼ **Juvenil (agosto)**
Los juveniles que han abandonado el nido recientemente aún tienen las patas oscuras, y el pico pálido pero no amarillo, con la punta oscura. La forma típica de las plumas sobre el pico ya está presente.

la cola sobrepasa bastante la punta del ala en todos los plumajes (cf. chova piquirroja)

▼ **Adulto (febrero)**
El pico amarillo brillante con plumas largas sobre las narinas es, junto con el resto de características señaladas, bien visible en esta imagen.

generalmente, contraste bastante claro (cf. chova piquirroja)

redondeada; tan larga o más que la anchura del ala (cf. chova piquirroja)

contraste típico entre las infracobertoras alares negras y la parte inferior de las plumas de vuelo, un poco más pálida (también presente en la chova piquirroja)

muescas bien marcadas en las hemibanderas internas que crean "dedos", de forma parecida a las aves rapaces (también en la chova piquirroja)

4–5 "dedos"; punta del ala redondeada (cf. chova piquirroja)

▼ **1er invierno (febrero)**
Parecido al adulto, pero las patas solo se vuelven rojas a partir de invierno. En otoño, acostumbran a ser aún completamente oscuras. Donde coincide con la chova piquirroja, la confusión entre las aves de 1er invierno de ambas especies es posible, especialmente porque la chova piquirroja de 1er invierno frecuentemente tiene el pico bastante corto y amarillento. En cualquier caso, en vuelo es útil la estructura de la punta del ala y de la cola. La extensión de la zona plumada sobre las narinas también es útil en los juveniles.

parduzco, a diferencia de los adultos, y con puntas gastadas

apagado, sin brillo

patas oscuras

Chova piquirroja *Pyrrhocorax pyrrhocorax*

L 39 cm | Todo el año, poblaciones fragmentadas en montañas y costa atlántica de S y O Europa

Gralla de bec vermell CAT
Belatxinga mokogorria EUS
Choia de bico vermello GAL

▼ Adulto (febrero)
Inconfundible cuando se puede observar de cerca.

plumado corto sobre las narinas

pico largo y rojo vivo, diagnóstico

patas rojas, como en la chova piquigualda

la punta del ala sobrepasa la punta de la cola (cf. chova piquigualda)

▼ Adulto (febrero)
Donde las dos especies de chova coinciden, a veces forman bandos mixtos. Desde lejos, la forma del ala y de la cola son los mejores rasgos identificativos.

"dedos" largos y estrechos (cf. chova piquigualda)

contraste típico entre infracoberteras alares y plumas de vuelo (como en la chova piquigualda)

▶ Tipo 2º año cal. (abril)

cola apenas más pálida que las infracoberteras caudales (cf. chova piquigualda)

cola menos redondeada y más corta que la anchura del ala (cf. chova piquigualda)

el límite de muda entre las coberteras grandes mudadas, más oscuras y brillantes, y el resto del ala aún juvenil, más apagado y gastado, indica que se trata de un 2º año cal.

5–6 "dedos" que forman una punta del ala ancha (cf. chova piquigualda)

▶ Juvenil (mayo)
Los juveniles y las aves de 1er invierno tienen el pico más corto y de color más apagado que los adultos; generalmente rojizo apagado, pero amarillento en algunos casos. Los juveniles ya tienen el pico más largo que los juveniles de chova piquigualda.

la punta del ala no alcanza la punta de la cola, probablemente a causa de unas primarias aún en crecimiento

Grajilla occidental *Coloeus monedula*

L 32 cm | Todo el año, casi toda Europa excepto N e Islandia

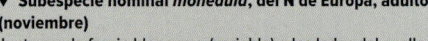

▼ **Subespecie de Europa occidental/suroccidental,** *spermologus*, **adulto (enero)**
El "córvido negro" más pequeño, *spermologus* es la subespecie con plumaje más oscuro y uniforme. Las características señaladas son diagnósticas. Los adultos tienen el ala uniformemente negra y, con luz adecuada, brillante.

gris, contrastando con el píleo negro

iris pálido

corto

▼ **Grajilla rusa** *soemmerringii*, **SE Europa a Asia, adulto (mayo)**
Es la subespecie con la franja blancuzca a los lados del cuello más pálida y ancha (en promedio). Siendo el resto del plumaje negruzco, a diferencia de *monedula*, las partes pálidas contrastan aún más. Sin embargo, existe mucha variabilidad individual, y ejemplares intermedios entre ambas subespecies ocurren donde las zonas de cría se encuentran.

gris pálido

franja blancuzca ancha

negruzco, similar a la subespecie de Europa occidental *spermologus* (cf. nominal *monedula*)

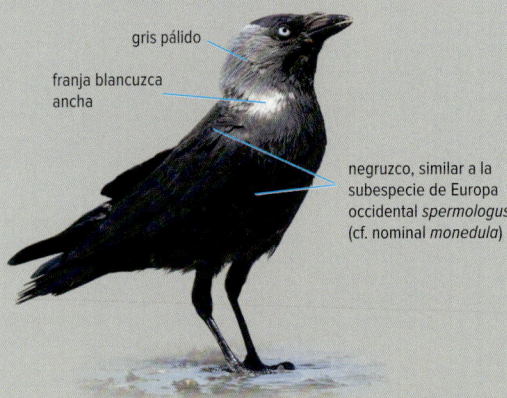

▼ **2º año cal. (mayo)**
En otoño, después de la muda postjuvenil, las plumas juveniles retenidas se mantienen hasta la primera muda completa, bien avanzado el 2º año cal.; estas se van volviendo progresivamente más parduzcas y pálidas, y el contraste de muda se hace más patente que durante el otoño.

en determinadas condiciones de luz, el contraste de muda es muy visible, generalmente en las coberteras, entre las plumas mudadas, más negras, y las juveniles, más parduzcas y desteñidas

▼ **Subespecie nominal** *monedula*, **del N de Europa, adulto (noviembre)**
Junto con la franja blancuzca (variable) a los lados del cuello, las partes inferiores y superiores con un escalado pálido son típicas de esta subespecie. En Alemania y N de los Países Bajos existen poblaciones intermedias entre *spermologus* y *monedula*; acostumbran a tener una franja blancuzca a los lados del cuello, pero las partes superiores e inferiores son solo ligeramente más pálidas que en *spermologus*. Las aves puras pertenecientes a *monedula*, procedentes de Escandinavia, también pueden invernar en estas áreas.

gris bastante pálido

franja blancuzca variable

escalado sutilmente pálido que contrasta con el ala negra

▼ **Juvenil (agosto)**
Iris aún bastante oscuro y ausencia de gris en la nuca y el cuello.

▼ **Tipo adulto,** *spermologus* **(junio)**
Independientemente de la subespecie, la parte inferior del ala no muestra ningún contraste aparente, y destaca la estructura compacta y el pico corto.

Corneja cenicienta *Corvus cornix*

L 48 cm | Todo el año, N, E, SE Europa e Irlanda; invierno, NO Europa

Cornella emmantellada CAT
Bele txanoduna EUS
Corvo cinsento GAL

▼ **Adulto, nominal *cornix* (febrero)**
Un córvido muy característico, con cabeza, pecho, ala y cola negros, y cuerpo gris pálido. Estructura idéntica a la corneja negra. Las aves del N y E de Europa (nominal *cornix*) tienen las zonas pálidas de color gris más puro y más uniformes.

▶ **Subespecie *sharpii*, del SE Europa, 1er invierno (noviembre)**
Esta subespecie es residente, a diferencia de algunas poblaciones norteñas de la nominal *cornix*. Las diferencias no siempre son visibles, pero el gris es a veces muy pálido, con tintes cremosos en muchas aves (en la nominal *cornix*, el gris es más puro y frío). Las aves de 1er año (de todas las subespecies) son casi idénticas a los adultos, pero la muda parcial solo incluye, en el ala, coberteras pequeñas y medianas, negras y brillantes, que contrastan con el resto del ala juvenil, más apagado y desteñido.

límite de muda típico de una corneja de 1er año

▶ **Subespecie *sharpii*, del SE Europa, 2º año cal. (abril)**
El plumaje no ha cambiado desde 1er invierno, pero en el 2º año cal., las plumas retenidas juveniles del ala se vuelven parduzcas y opacas, mientras que las coberteras pequeñas y medianas, mudadas, permanecen negras. Después de la primera muda completa, a partir del verano, las aves de 2º año cal. son indistinguibles de los adultos.

mismo contraste de muda que en el 1er invierno, pero a menudo más pronunciado en el 2º año cal.

▼ **Adulto (enero)**
Las zonas grises incluyen parte de las infracoberteras alares.

▼ **Híbrido de corneja cenicienta × corneja negra, adulto (octubre)**
Un ejemplar con una mezcla de rasgos bastante equivalente entre los dos progenitores, fácilmente reconocible como híbrido.

▼ **Híbrido de corneja cenicienta × corneja negra, 1er invierno (noviembre)**
Las aves que se asemejan claramente a uno de sus progenitores son probablemente de g2 + retrocruzados (híbridos de 2ª generación capaces de reproducirse).

centros oscuros más o menos patentes (a diferencia de aves puras)

▼ **Híbrido de corneja cenicienta × corneja negra, 1er invierno (septiembre)**
Un ejemplar muy parecido a una corneja negra, pero aun así fácilmente reconocible como híbrido. Algunos muestran incluso menos tonos grises, o estos son solo visibles cuando el viento levanta las plumas del manto o del pecho.

listado oscuro típico

infracoberteras caudales con centros oscuros, típicas

infracoberteras caudales oscuras; frecuentemente el signo más característico de la hibridación

Corneja negra *Corvus corone*

L 47 cm | Todo el año, O y SO Europa

Cornella negra CAT
Belabeltza EUS
Corvo viaraz GAL

▼ **Adulto (enero)**

Un córvido completamente negro con el pico robusto. Puede parecerse tanto a una graja de 1er año como a un cuervo grande; véanse aquellas especies para apreciar las diferencias. Las aves de 1er año se pueden distinguir de los adultos hasta bien entrado el 2º año cal., de la misma forma que en la corneja cenicienta (véase allí). Nótese también el ave en vuelo con una anomalía de pigmentación (abajo).

▼ **Adulto (marzo)**

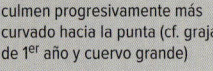

las plumas cubren menos de la mitad de la mandíbula superior (cf. cuervo grande)

culmen progresivamente más curvado hacia la punta (cf. graja de 1er año y cuervo grande)

▼ **Tipo adulto (septiembre)**

La fórmula alar difiere mucho de la graja y el cuervo grande; con práctica, puede ser útil en observaciones de campo de aves distantes.

▼ **Juvenil (julio)**

Un ejemplar que ha abandonado el nido recientemente, con las plumas del cuerpo un poco sueltas y parduzcas, y las plumas alares negras, enteramente juveniles. Como en otras especies de córvidos, una vez finalizada la muda postjuvenil, las aves de 1er año son similares a los adultos, pero conservan un ala básicamente juvenil que, con el paso de los meses, se va gastando, destiñendo y es cada vez más parduzca; esto crea un contraste "inverso" al que muestra este individuo, con el cuerpo negro y el ala más opaca y parduzca.

p2

p1 relativamente corta (cf. graja y cuervo grande)

p6

p6 larga; punta de p2 = p6 (cf. graja y cuervo grande)

cola "cuadrada" (cf. cuervo grande)

▶ **1er invierno (noviembre)**

Este tipo de pigmentación aberrante es bastante frecuente en los córvidos, especialmente en la corneja negra, y se concentra, habitualmente, en las plumas de vuelo y las coberteras. El contraste entre las coberteras pequeñas y el resto del ala, más apagado, es típico de aves de 1er año después de la muda postjuvenil.

Cuervo grande *Corvus corax*

L 60 cm | Todo el año, casi toda Europa

Corb CAT
Erroia EUS
Corvo carnazal GAL

▼ **Adulto (diciembre)**

Es, con gran diferencia, el córvido de mayor tamaño. Tiene las alas y la cola largas, el pico muy poderoso y las patas también. Este ejemplar pertenece a la subespecie nominal *corax* (la que ocurre en gran parte de Europa), y muestra brillos "aceitosos" en casi todo el plumaje. Otras subespecies sutilmente diferentes se encuentran en Islandia (aún mayor pero con plumaje un poco más opaco que la nominal *corax*), en el SO de Europa (con más brillo que la nominal *corax*) y en el SE de Europa (aún mayor, pero con el pico más pequeño que la nominal *corax*). Siendo estrictamente residente en toda su distribución, la identificación de subespecies no acostumbra a ser problemática en el campo.

▼ **Adulto (agosto)**

Compárese con la corneja negra.

a menudo un poco anguloso

frecuentemente frente plana

plumas nasales largas y características, que cubren al menos la mitad de la mandíbula superior; a menudo ligeramente "levantadas"

parte distal de la mandíbula superior muy curvada

plumas rictales largas

▼ **Tipo adulto (febrero)**

Silueta de vuelo típica, aunque a veces la cola puede tener una apariencia más recta. En caso de duda, la fórmula alar proporciona información útil para la distinción de la corneja negra.

p1 relativamente larga

p6 corta (cf. corneja negra)

a menudo un cierto contraste (generalmente ausente en la corneja negra)

cabeza y pico muy sobresalientes

cola larga, cuneiforme o muy redondeada

primarias externas largas que forman una "mano" relativamente estrecha pero con "dedos" muy marcados

▼ **Juvenil (mayo)**

El contraste entre las plumas corporales opacas y las alares brillantes es típico de "córvidos negros" en plumaje juvenil. Después de la muda postjuvenil, que comporta la sustitución de todas las plumas del cuerpo, estas son más negras y brillantes, mientras que el ala se va volviendo más apagada; entonces el contraste se invierte. Véanse otros ejemplos de este tipo de contraste en la corneja negra y la graja de 1er año.

Graja *Corvus frugilegus*

L 45 cm | Todo el año, O, C y E Europa; verano, NE Europa

▼ **Adulto (febrero)**
Inconfundible; es el único córvido con la base del pico desplumada y blancuzca.

píleo alto en la parte central, un poco anguloso

blancuzco diagnóstico, sin plumas con apenas plumado

frecuentemente plumas "despeinadas"

▼ **Adulto (abril)**
La base pálida del pico es, con diferencia, el rasgo más distintivo en los adultos.

esquinas redondeadas

p6 relativamente corta; la punta de p2 cae entre p5 y p6

p6

p2

p5

▼ **Juvenil (julio)**
El juvenil y el 1er invierno son muy similares a la corneja negra, sin un pico claramente pálido y con la base aún plumada. A poca distancia, se aprecian algunas diferencias.

a menudo un ángulo bien marcado aquí

plumas "despeinadas" y "levantadas"

culmen poco curvado

ambas mandíbulas encajan: sin punta aislada

▶ **2º año cal. (abril)**
Durante el 2º año cal., las características típicas de la especie empiezan a emerger. Nótese también, la parte central del píleo, un poco angulosa, y las plumas largas en la zona ventral. Como sucede en otros córvidos, la muda postjuvenil solo incluye coberteras pequeñas y medianas; el resto del ala permanece juvenil y, en primavera, se ha vuelto parduzco y opaco.

mayor parte del ala juvenil, parduzca y opaca, contrastando con las coberteras pequeñas y medianas mudadas

culmen poco curvado (cf. corneja negra)

■ **Corneja negra, juvenil**
La corneja negra juvenil suele tener el pico menos curvado hacia la punta, en comparación con el adulto, por lo cual se asemeja más al pico de la graja.

parte trasera de la cabeza redondeada

habitualmente plano

bastante curvado hacia la punta

la mandíbula inferior queda un poco por detrás de la superior, dejando la punta aislada

▼ **2º año cal. (abril)**
Las plumas que cubren las narinas van quedando aisladas a medida que avanza la primavera, como un "penacho"; compárese con la corneja negra.

plumas retenidas en extensión variable hasta el 2º año cal.

ambas mandíbulas encajan desde la base hasta la punta (cf. corneja negra)

Pájaro moscón europeo *Remiz pendulinus*

L 11 cm | Todo el año, S Europa; verano, C y E Europa

▼ ♂ (diciembre)

Una especie característica. Los márgenes pálidos de las plumas de vuelo forman un panel alar. El datado de muchas aves es complicado en el campo, en parte porque algunas aves de 1er año realizan una muda completa (probablemente solo en poblaciones residentes); en estos casos, una vez finalizada, son idénticas a los adultos. Este ejemplar no muestra rasgos de inmadurez; las plumas de vuelo no están gastadas y los márgenes pálidos de las coberteras primarias y del álula están bien definidos. En primavera, los ♂♂ adquieren una franja pectoral moteada de pardo rojizo.

▼ ♀ (febrero)

Este ejemplar muestra las características típicas de la ♀. Muchas ♀♀ tienen los márgenes de las terciarias un poco parduzcos (tono que puede cambiar con el paso del tiempo) y poca diferencia de color entre el manto y el cuello. La forma de las coberteras primarias sugiere que esta ave es un 1er invierno, pero las rectrices son muy redondeadas (lo cual apunta a adulto, pero véase juvenil).

♂ con máscara ancha y extensa detrás del ojo (cf. ♀)

♂ con algunas plumas pardo-rojizas (variables) encima de la máscara

♂ con manto pardo rojizo oscuro (cf. ♀)

márgenes grises y anchos en terciarias

triangular y muy puntiagudo

pardo rojizo en todos los plumajes, contrastando con los márgenes pálidos de las plumas de vuelo

patas cortas, especialmente el dedo trasero y su uña

máscara oscura relativamente estrecha y no uniforme, con poco negro detrás del ojo (cf. ♂)

manto y escapulares pardos más o menos uniformes (cf. ♂)

coberteras primarias estrechas y puntiagudas, lo que sugiere 1er invierno

▼ 1er invierno (octubre)

Habitualmente, las aves de 1er invierno se puede reconocer gracias a las características señaladas, pero no todas. La máscara de este ejemplar es intermedia (ancha por encima del pico, típico de los ♂♂, pero estrecha alrededor del ojo, más típico de las ♀♀); sin embargo, tratándose de un 1er invierno, encaja con un ♂. El manto pardo rojizo oscuro también es más típico del ♂.

◀ Juvenil (septiembre)

Un plumaje poco característico que podría resultar confuso, pero la cabeza gris bastante uniforme y la forma del pico son rasgos típicos. La máscara empieza a desarrollarse poco después de abandonar el nido; por la fecha, este individuo pertenece probablemente a una puesta tardía. Las rectrices juveniles de este ejemplar son muy redondeadas, lo que sirve para ilustrar el valor limitado de este rasgo para el datado.

rectrices centrales estrechas y puntiagudas

▼ ♂, Subespecie de Asia central y occidental, *caspius* (mayo)

En Europa, a veces se citan aves con características parecidas a las del ejemplar de la imagen; no está claro si son *caspius* "puros" o si son aves intermedias con *pendulinus*.

contraste de muda entre terciarias nuevas y primarias gastadas

coberteras primarias puntiagudas y un poco gastadas

pardo en el cuello

las plumas pardas se extienden mucho por la frente y el píleo

coberteras pequeñas y escapulares pardo pálido, contrastando con el manto

márgenes pálidos anchos

Reyezuelo sencillo *Regulus regulus*

L 9 cm | Todo el año, O, C y de NE a SE Europa; verano, N Europa; invierno, SO Europa

▼ **Tipo 1er invierno (diciembre)**
Una especie característica por su patrón pileal y por la ausencia de una lista superciliar definida (tampoco lista ocular); véase reyezuelo listado. La lista pileal central amarilla sugiere que se trata de una ♀, pero este ejemplar tiene las plumas de la "corona" muy cerradas y podrían ocultar plumas de color naranja.

▶ **Tipo adulto ♂ (abril)**
Cuando levanta las plumas de la "corona", la coloración naranja brillante es claramente visible; sin embargo, estos tonos son sorprendentemente difíciles de ver cuando mantiene las plumas bajadas.

naranja brillante y plumas largas en el píleo

patrón característico

fino y puntiagudo

el ojo oscuro destaca en la cara, rodeado de plumas pálidas (cf. reyezuelo listado)

franja oscura extensa (secundarias)

bigotera oscura (como una "continuación" de la comisura del pico)

la franja pálida en las coberteras grandes y las bases pálidas de las primarias forman una "V" en el ala

▼ **Datado**
Las aves que muestran esta combinación de rasgos son, probablemente, de 1er invierno. Este criterio de datado es válido hasta la primavera del 2º año cal. Las coberteras primarias se van volviendo progresivamente más pálidas y gastadas que las de los adultos en la misma época del año.

▼ **Tipo adulto (noviembre)**
El datado es difícil en una observación de campo, pero las aves que muestran las características señaladas son, probablemente, adultas.

centros de las coberteras grandes y primarias más claros que la mancha negruzca de la base de las secundarias

rectrices centrales redondeadas

rectrices puntiagudas

centros negruzcos de las coberteras grandes y primarias de un tono similar al de la mancha de la base de secundarias

▶ **Tipo 1er invierno (septiembre)**
Frecuentemente se cierne cuando busca alimento. Las rectrices finas y puntiagudas indican 1er invierno.

▶ **Juvenil (junio)**
Cabeza lisa sin patrón específico, pero el ala ya muestra las características típicas de los reyezuelos (véase también reyezuelo listado).

Reyezuelo listado *Regulus ignicapilla*

L 9,5 cm | Todo el año, S a C Europa; verano, E Europa

Bruel CAT
Erregetxo bekainzuria EUS
Estreliña riscada GAL

▼ **Tipo adulto ♂ (marzo)**
Las aves con esta coloración en gran parte de la lista pileal central son ♂♂.

naranja rojizo brillante

▼ **Juvenil (julio)**
Superficialmente similar a algunos mosquiteros (*Phylloscopus*), por ejemplo el mosquitero bilistado o el mosquitero de Hume, con un patrón alar relativamente similar. Sin embargo, nótense las diferencias señaladas.

la base oscura de las secundarias se extiende hasta las primarias internas (a diferencia de *Phylloscopus*)

bigotera oscura y zona pálida bajo el ojo, a diferencia de *Phylloscopus*)

▼ **1er invierno o adulto (octubre)**
En la imagen se muestran las diferencias más importantes con el reyezuelo sencillo, que suelen permitir una identificación sin dificultad. Como sucede en el reyezuelo sencillo, cuando las plumas de la coronilla están planas, pueden ocultar gran parte de los tonos naranjas o rojizos. Sin embargo, esto acostumbra a ser menos problemático en el reyezuelo listado porque la extensión de tonos naranjas o rojizos es mayor.

franja negra y ancha en la frente que une las listas pileales laterales

lista superciliar blanca y ancha

lista ocular negra o pequeña "máscara"

crema o pardo pálido

color bronce brillante

blancuzco

▼ **Tipo 2º año cal. (abril)**
Para el datado, es válido el mismo criterio que se usa en el reyezuelo sencillo (véase aquella especie). En primavera, los adultos tienen las coberteras primarias aún negruzcas y poco gastadas, y las puntas de las rectrices más redondeadas. La identificación de la especie en esta edad es fácil, gracias al patrón cefálico típico y a los lados del cuello de tono bronce.

puntiagudas

coberteras primarias grisáceas

▼ **1er invierno o adulto (octubre)**
La lista ocular negra (máscara) y la lista superciliar blanca son patentes también en una visión frontal, y resultan en un patrón facial muy diferente del que muestra el reyezuelo sencillo.

■ **Reyezuelo sencillo, ♂ (octubre)**

Herrerillo común *Cyanistes caeruleus*

L 11,5 cm | Todo el año, gran parte de Europa excepto extremo N e Islandia

Mallerenga blava CAT
Amilotx urdina EUS
Ferreiriño azul GAL

▼ Adulto ♂ (enero)
Una especie muy característica y bien conocida. Las aves con tonos azules intensos en el ala y la cola, y un collar azul ancho y oscuro son ♂♂.

▶ Adulto tipo ♀ (marzo)
Este ejemplar es probablemente ♀ por los tonos azules más apagados y el collar relativamente estrecho. El sexado solo es posible en los casos más evidentes.

▼ Detalle, adulto
Ala uniforme, sin límites de muda, de tonos azules intensos; plumas casi sin desgaste, en comparación con el 1er invierno.

rectrices bastante redondeadas

coberteras primarias azules, como el resto de coberteras y plumas de vuelo

▼ Detalle, 1er invierno (enero)
La imagen destaca los rasgos típicos del 1er invierno. Las diferencias con los adultos permanecen hasta que empieza la primera muda completa, en verano del 2º año cal. A menudo las rectrices centrales se mudan previamente. El contraste entre las terciarias mudadas y el resto de plumas de vuelo, de primera generación, también es diagnóstico de 1er invierno.

rectrices más puntiagudas

coberteras primarias de tonos apagados, sin margen azul patente, que contrastan con las coberteras grandes mudadas

▼ Juvenil (junio)
Parecido a un adulto "pálido", inicialmente con tonos amarillos en la cabeza. Estas plumas, junto con las del cuerpo y las coberteras, son mudadas pocas semanas después de abandonar el nido. A partir de entonces, el plumaje es más parecido al adulto, aunque las plumas de vuelo y las coberteras primarias permanecen juveniles y sin mudar durante un año.

▼ Tipo adulto (enero)
Cuando el patrón cefálico no es visible en vuelo, la coloración de la cola puede ser útil.

azul, sin blanco en las rectrices externas (cf. carbonero común)

Herrerillo azul *Cyanistes cyanus*

L 12,5 cm | Todo el año, extremo E Europa

Mallerenga capblanca CAT
Amilotx zuri-urdina EUS
Ferreiriño de cabeza branca GAL

▼ **Adulto (mayo)**
Inconfundible, pero a veces se citan híbridos con herrerillo común fuera de su distribución habitual, que pueden ser muy similares a los ejemplares puros. Los ♂♂ difieren de las ♀♀ de forma parecida al herrerillo común, aunque las diferencias suelen ser más sutiles. El datado a partir del estado de las coberteras primarias y el patrón de las rectrices exteriores puede ser útil pero, de nuevo, el contraste suele ser menos evidente que en el herrerillo común (véase aquella especie). Por estas razones, el datado y el sexado a menudo no es posible.

blanco liso

franja ancha

puntas blancas anchas en secundarias y terciarias

cola larga con gran extensión de blanco hacia la punta

▼ **Patrón caudal, tipo adulto (febrero)**
Patrón típico de un ejemplar puro. Los híbridos suelen mostrar menor extensión de blanco en las 3 rectrices más externas.

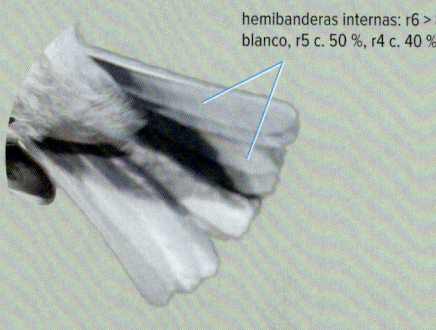

hemibanderas internas: r6 > 80 % blanco, r5 c. 50 %, r4 c. 40 %

▼ **Patrón alar, tipo adulto (febrero)**
Patrón típico de un ejemplar puro.

borde en diagonal típico en la terciaria central (ángulo más recto en los híbridos)

■ **Herrerillo "de Pleske" (híbrido de herrerillo común × herrerillo azul)**
Este ejemplar es bastante fácil de identificar como híbrido; otros pueden resultar más parecidos a un herrerillo azul puro. Se destacan en la imagen los rasgos más característicos de los híbridos. Estos suelen mostrar puntas blancas más rectas en las terciarias (no visibles aquí). La franja amarilla en el pecho no excluye por sí sola la subespecie asiática *flavipectus*, aunque el potencial de aparición de este taxón en Europa es muy bajo.

tonos azulados en proporción variable

blanco limitado; cola no muy larga ni muy redondeada

franja oscura en la garganta y franja pectoral amarilla, influencias típicas de herrerillo común

▼ **Tipo adulto (febrero)**
La relativa poca extensión de blanco en la cola de este ejemplar está causada, posiblemente, por la pérdida de la rectriz más externa (r6).

blanco puro

cola larga con extensos bordes blancos

Carbonero común *Parus major*

L 14 cm | Todo el año, toda Europa excepto Islandia

▼ Adulto ♂ (enero)
Una especie inconfundible y muy conocida. Combinación diagnóstica formada por los lados blancos de la cara y las partes inferiores amarillas, con una franja longitudinal negra que llega hasta la región ventral.

▼ ♀ (diciembre)
Franja longitudinal negra bastante fina en la zona ventral, cada vez más desdibujada entre las patas, un rasgo típico de las ♀♀. Además, frecuentemente los tonos amarillos son un poco más apagados que en los ♂♂, dentro de una misma población.

◄ ♂ (febrero)
Los ♂♂ tienen la franja longitudinal negra más ancha y, además, se ensancha entre las piernas.

▼ Juvenil (mayo)
Como un adulto "pálido", inicialmente con los lados de la cara amarillos y el pico parcialmente pálido. Como sucede en otros paros, muda las plumas de la cabeza, el cuerpo y las coberteras grandes poco tiempo después de abandonar el nido; a partir de entonces, tiene una apariencia más similar al adulto.

▼ 1er invierno (octubre)
Para el datado, el criterio es más o menos el mismo en todas las especies de paros. En los adultos, no hay diferencia de coloración o desgaste entre los distintos grupos de plumas del ala.

contraste entre las terciarias recientemente mudadas y las plumas de vuelo juveniles, desteñidas y gastadas

contraste de color entre las coberteras grandes mudadas, más azuladas, y las coberteras primarias juveniles, más apagadas (cf. adulto)

gran parte de la rectriz más externa blanca

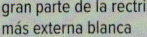

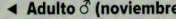

◄ Adulto ♂ (noviembre)

▶ **Adulto ♂ (abril)**
En Europa existen diversas subespecies, pero solo difieren sutilmente. Las aves con muy poco amarillo en las partes inferiores podrían ser de origen más oriental (las subespecies asiáticas apenas tienen amarillo), pero frecuentemente la causa es una anomalía de pigmentación.

Herrerillo capuchino *Lophophanes cristatus*

L 11,5 cm | Todo el año, SO a NE Europa, prácticamente ausente en NO y SE Europa

Mallerenga emplomallada CAT
Amilotx mottoduna EUS
Ferreiriño cristado GAL

▼ **Subespecie nominal *cristatus*, del N y NE Europa, tipo adulto (octubre)**
Inconfundible, con un plumaje único en la cabeza. La subespecie nominal *cristatus* tiene las partes superiores pardo-gris y tonos pálidos en los flancos. Los sexos son idénticos pero, de promedio, los ♂♂ tienen la garganta negra más extensa.

▼ **Juvenil (julio)**
Casi idéntico al adulto, pero con las plumas de la cresta más cortas y menos puntiagudas, y el iris pardo-gris oscuro.

▼ **Subespecie nominal *cristatus*, probable 1ᵉʳ invierno (febrero)**
Las características señaladas en la imagen apuntan claramente a un 1ᵉʳ invierno/2º año cal. Si existe, el límite de muda es muy difícil de apreciar porque no hay diferencias de coloración entre las plumas adultas y las juveniles.

iris pardo-gris oscuro

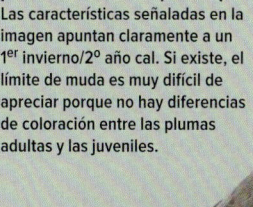

rectrices relativamente estrechas y puntiagudas, ya con cierto desgaste en invierno

▼ **Subespecie centroeuropea *mitratus*, adulto (diciembre)**
Los adultos de todas las subespecies tienen el iris pardo rojizo, a veces casi rojo oscuro (las aves jóvenes no mostrarán esta coloración hasta bien entrado el 2º año cal.). La subespecie *mitratus* tiene tonos pardos cálidos, tanto en las partes superiores como en las inferiores. La subespecie escocesa, *scoticus*, muy aislada, tiene los flancos de tonos pardos cálidos como *mitratus*, pero las partes superiores son más pardo-grisáceas, parecidas a la subespecie nominal.

Carbonero garrapinos *Periparus ater*

L 10,5 cm | Todo el año, casi toda Europa excepto extremo N e Islandia

▼ Adulto (noviembre)

Superficialmente, y por tener una cabeza también negra con los lados blancos, puede parecer un carbonero común "pequeño y descolorido". Sin embargo, la mancha blanca en la nuca y la doble franja alar son rasgos diagnósticos. Los sexos son prácticamente idénticos; las ♀♀ tienen, a veces, la coronilla más opaca (o menos brillante) y la garganta de un negro menos puro, pero muchas son indistinguibles de los ♂♂.

mancha blanca en la nuca, diagnóstica

gris azulado

garganta negra extensa

2 franjas alares

▼ Tipo adulto (abril)

pequeña cresta cuando levanta las plumas del píleo

▼ Juvenil (julio)

Como un adulto, pero más "pálido" y apagado.

► 2° año cal. (marzo)

Una vez finalizada la muda parcial, los jóvenes son muy similares a los adultos. El límite de muda entre las coberteras primarias juveniles y las coberteras mudadas (aquí solo una parte de las coberteras grandes) es a menudo fácil de detectar. Las terciarias son generalmente retenidas durante la muda postjuvenil, y tienen los centros menos oscuros que las coberteras grandes mudadas, como en el ejemplar de la imagen. Los adultos tienen una coloración negruzca más uniforme en todas las plumas del ala.

▼ Detalle, 2° año cal. (marzo)

A diferencia de la mayoría de paros, los carboneros garrapinos de 1er año muestran, habitualmente, un contraste en las coberteras grandes.

límite de muda en las coberteras grandes: las externas, juveniles, con centros más pálidos y márgenes grisáceos; las internas, mudadas, con centros oscuros y márgenes azulados.

coberteras primarias de tonos apagados, sin margen exterior azulado

▼ Subespecie *britannicus*, de las islas Británicas (febrero)

Muchas subespecies propias de las islas Británicas, de diversas especies que también habitan el resto del continente europeo, tienen marcados tonos pardos (cálidos); por ejemplo, el zorzal común, el petirrojo europeo y la tarabilla europea. En el ejemplar de la imagen, las coberteras primarias apagadas y gastadas sugieren que se trata de un 1er invierno.

pardo u oliváceo

pardo cálido

► Carbonero garrapinos de Chipre, *cypriotes* (abril)

Esta subespecie endémica difiere marcadamente del resto de taxones europeos. Además de los rasgos destacados en la imagen, la mancha blanca de la nuca suele ser pequeña en esta subespecie.

"mejilla" blanca relativamente pequeña

a menudo ligeramente oliváceo

el negro se extiende más abajo, hacia el pecho

parduzco

Carbonero lúgubre *Poecile lugubris*

L 13,5 cm | Todo el año, SE Europa

Mallerenga fosca CAT
Kaskabeltz goibela EUS
Ferreiriño lúgubre GAL

▼ Tipo adulto, subespecie de Turquía, *anatolia* (mayo)
La forma de la garganta negra y de la "mejilla" blanca es distintiva. Esta subespecie tiene una mayor extensión de negro en la garganta, que alcanza hasta la parte superior del pecho.

▼ Subespecie nominal *lugubris*, tipo adulto (abril)
La subespecie nominal, propia de los Balcanes, tiene la garganta negra un poco menos extensa, que casi no se extiende por el pecho.

negro-pardo; de promedio, más negro en los ♂♂

el negro alcanza hasta debajo del ojo; borde recto

panel alar ligeramente pálido en las secundarias internas

típicamente, la "mejilla" blanca se va estrechando hacia la base del pico en forma de cuña

garganta negra muy extensa; borde inferior redondeado

larga

▶ Juvenil (mayo)
Como el adulto, pero con la cabeza difusamente moteada. En primavera, los adultos tienen el plumaje gastado, y pierden la franja alar.

franja alar presente con el plumaje nuevo (también en los adultos en otoño, después de la muda completa)

Carbonero lapón *Poecile cinctus*

L 13,5 cm | Todo el año, extremo N Europa

Mallerenga de Lapònia CAT
Kaskabeltz laponiarra EUS
Ferreiriño da Laponia GAL

▼ Tipo adulto (febrero)
En Europa, solo el carbonero montano podría crear confusión con esta especie, si no se ve bien. Sin embargo, los tonos cálidos del flanco y las partes superiores difieren marcadamente de los tonos grises-pardos, pálidos y fríos, que presenta la subespecie *borealis* del carbonero montano, con quien coincide en algunas regiones. Los márgenes de las plumas de vuelo y las terciarias son un poco grises azulados. Los sexos son idénticos.

▼ Tipo 2º año cal. (marzo)
Las características destacadas en la imagen encajan mejor con un 1er invierno/2º año cal. que con un adulto, pero las distintas edades son muy parecidas. Las aves de 1er año a menudo muestran una mezcla de plumas juveniles y mudadas, de tipo adulto, como parece ser el caso aquí.

pardo rosado oscuro en las partes superiores, que contrasta con las plumas de vuelo, grises negruzcas

pardo-gris, contrastando con la "máscara", estrecha y más negruzca

coberteras primarias apagadas, gastadas y puntiagudas (pero la diferencia con las plumas de tipo adulto a menudo es difícil de apreciar)

pardo-rosa

rectrices presumiblemente juveniles, más puntiagudas (las de tipo adulto, más redondeadas)

CARBONERO MONTANO Y CARBONERO PALUSTRE

El carbonero montano y el palustre son, como pareja, fáciles de separar de otros paros, pero la diferenciación entre ellos puede ser muy difícil. Los ejemplares típicos son, cuando se pueden ver bien, generalmente identificables, pero la variabilidad geográfica e individual hace que algunos rasgos característicos puedan ser menos útiles. Todas las subespecies de ambas especies son básicamente residentes, lo cual se puede tener en cuenta a la hora de identificar a un ave; sin embargo, hay extensas regiones donde las dos están presentes. Las subespecies de carbonero montano de las islas Británicas y de los Alpes son las más parecidas a los carboneros palustres presentes en aquellas áreas, pero la identificación también puede ser problemática en otras partes de Europa, en aves menos típicas o en condiciones de observación no óptimas. El reclamo y el canto son diferentes, lo cual es muy importante en la identificación.

▼ 1er invierno, *borealis* (noviembre)

La subespecie más pálida y con la coloración más "fría", especialmente en las aves de poblaciones más septentrionales. Los lados de la cabeza acostumbran a ser completamente blancos y se extienden mucho hacia la parte trasera; el borde ondulado de la caperuza negra está presente en todos los plumajes. El panel alar pálido está bien desarrollado y la rectriz más externa suele tener el borde exterior también pálido. Las aves de 1er invierno de todas las subespecies son difíciles se distinguir de los adultos; sin embargo, tienen las rectrices más puntiagudas y gastadas, y suelen mostrar un contraste entre las coberteras grandes, mudadas, y las coberteras primarias, juveniles. Los adultos tienen el plumaje más uniforme, nuevo en esta época del año, y rectrices más redondeadas.

borde inferior de la caperuza negra un poco ondulado y típicamente hacia arriba por detrás del ojo

gris-pardo frío

blanco liso y puro hasta la parte trasera de la cabeza, con plumas largas y blancas "colgando" por encima del manto

coberteras grandes nuevas que contrastan (ligeramente) con las coberteras primarias, típico del 1er año

puntiagudas y ya un poco gastadas en otoño, típico del 1er año

▼ Tipo adulto, *rhenanus/salicarius*, del O y C Europa, al norte de los Alpes (diciembre)

Partes inferiores pardas, menos rosadas que en la nominal *montanus*. Comparte las plumas muy alargadas a los lados del cuello con *borealis*; una diferencia útil respecto al carbonero palustre. Los lados blancos de la cabeza se vuelven ligeramente parduzcos en la parte trasera.

▶ Subespecie *kleinschmidti*, de las islas Británicas

En esta imagen no tiene una apariencia muy distinta de, por ejemplo, *rhenanus/salicarius*, del O y C de Europa. Otras aves tienen las partes inferiores con tonos canela profundos. La identificación a nivel de especie se basa en el color de los lados de la cabeza, uniformemente blancos, las plumas del cuello alargadas, la ausencia de una mancha pálida en la base del pico, y unos márgenes pálidos patentes en las terciarias y las secundarias.

▼ Tipo adulto, *borealis*, Escandinavia y Rusia europea (febrero)

Las características destacadas señalan las diferencias con el carbonero palustre. Estas son más pronunciadas entre la subespecie norteña, *borealis* (mostrada aquí) y el carbonero palustre, pero son, generalmente, útiles para todas las subespecies. Los sexos son idénticos.

borde de la caperuza hacia arriba por detrás del ojo

cabeza grande

completamente blanco o ligeramente teñido de pardo

completamente oscuro

márgenes externos pálidos formando un panel alar

garganta negra más ancha hacia la parte inferior, y con borde difuso

rectrices externas claramente más cortas que las centrales

▼ Tipo adulto, subespecie nominal *montanus*, Alpes y al sureste de los Alpes (abril)

Esta subespecie es más parecida al carbonero palustre, pero véanse las diferencias señaladas. Junto con la británica *kleinschmidti*, es la más oscura y la que tiene tonos más cálidos, con plumas del cuello apenas alargadas. Sus vocalizaciones difieren marcadamente de las de otras subespecies (y de las del carbonero palustre).

prácticamente todo blanco (cf. carbonero palustre)

gris-pardo relativamente oscuro

completamente oscuro (cf. carbonero palustre)

pardo-rosa relativamente cálido

más pardo que la mayoría de otros taxones (no muy patente aquí)

flanco mayormente canela

Carbonero palustre *Poecile palustris*

L 12 cm | Todo el año, O, C y de E a SE Europa

▼ Tipo adulto, subespecie nominal *palustris*, C Europa (enero)
En todos los plumajes es muy similar al carbonero montano. Este ejemplar muestra los rasgos típicos, pero otros no son tan evidentes; por ejemplo, pueden mostrar un cierto panel alar. Los sexos son idénticos.

▼ Tipo adulto, *stagnatilis*, (N) E Europa (noviembre)
La subespecie más gris y más pálida. El blanco de los lados de la cabeza se extiende muy hacia atrás; un cierto panel alar pálido (aquí quizá más pronunciado a causa del ángulo de visión) puede crear confusión con el carbonero montano. Sin embargo, la pequeña mancha pálida en la base del pico es diagnóstica; además, se puede apreciar una –muy tenue– franja diagonal parduzca en las auriculares. El babero negro pequeño y bien definido también es más típico del carbonero palustre.

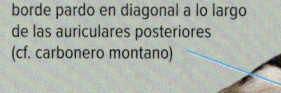

borde pardo en diagonal a lo largo de las auriculares posteriores (cf. carbonero montano)

zona pálida en la base del pico, diagnóstica (cf. carbonero montano)

márgenes pardo-grisáceos, generalmente sin formar un panel alar pálido patente (cf. carbonero montano)

garganta negra, de promedio, más pequeña y con bordes más bien definidos que en el carbonero montano, pero variable en ambas especies

▶ Tipo 1er invierno (noviembre)
La identificación de la especie (en comparación con el carbonero montano) es bastante clara en este ejemplar, gracias a la mancha pálida en la base del pico, la ausencia de panel alar blancuzco y la forma del borde inferior de la caperuza negra, así como del babero. Las aves de 1er año son, generalmente, difíciles de distinguir de los adultos, pero unas rectrices tan puntiagudas como las de este individuo son indicativas de 1er año.

borde inferior de la caperuza negra generalmente recto detrás del ojo (cf. carbonero montano)

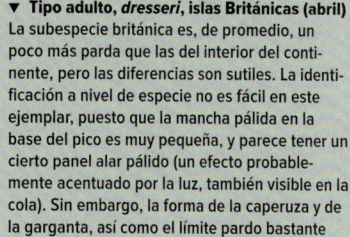

rectrices acabadas en punta, típicas del tipo juvenil

▼ Tipo adulto, *dresseri*, islas Británicas (abril)
La subespecie británica es, de promedio, un poco más parda que las del interior del continente, pero las diferencias son sutiles. La identificación a nivel de especie no es fácil en este ejemplar, puesto que la mancha pálida en la base del pico es muy pequeña, y parece tener un cierto panel alar pálido (un efecto probablemente acentuado por la luz, también visible en la cola). Sin embargo, la forma de la caperuza y de la garganta, así como el límite pardo bastante bien definido al final de la mejilla son típicos.

▶ Juvenil/1er invierno (junio)
Ya muy parecido al adulto, pero con un plumaje uniformemente nuevo y "esponjoso" a principio de verano, también con una franja alar poco marcada y una caperuza negruzca, opaca y apagada, con un cierto tinte pardo. Las diferencias típicas con el carbonero montano ya están presentes.

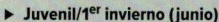

Mito común *Aegithalos caudatus*

L 14 cm | Todo el año, casi toda Europa excepto extremo N e Islandia

Mallerenga cuallarga CAT
Buztanluzea EUS
Subeliño común GAL

▼ Tipo adulto (febrero)
Inconfundible; todas las subespecies tienen una estructura típica (pequeña "bola de plumas" con una larga cola). La coloración general es negra, gris, blanca y, en muchas subespecies, rosada. Este ejemplar pertenece a la subespecie continental propia del O de Europa, *europaeus*. Las aves del "grupo *europaeus*" (gran parte de Europa, excepto S y N(E) tienen el manto negro y una franja negra que se alarga hasta la cola.

negro y ancho en esta subespecie

rosado en esta subespecie

blanco, variablemente teñido de rosa en esta subespecie

muy larga, con mucho blanco en el borde exterior

SUBESPECIES

Existe un buen número de subespecies, que tienen zonas de intergradación en muchos casos extensas. Las aves procedentes de estas áreas muestran rasgos intermedios. Aquí solo se muestran ejemplares típicos, del centro de sus distribuciones.

▶ Tipo adulto, subespecie británica *rosaceus* (febrero)
La subespecie con mayor extensión de tonos rosados en las partes inferiores (y más intensos). Muchas aves también muestran una mayor extensión de negro a los lados de la cabeza que los de la subespecie continental *europaeus*, dejando una franja más fina de blanco en el píleo. Este ejemplar, sin embargo, no difiere de *europaeus* en este aspecto, lo cual es parte de la variabilidad normal.

en muchas aves, franja pileal lateral ancha; franja pileal central blanca, en consecuencia, relativamente estrecha (no muy patente aquí)

rosado extenso

▼ Tipo adulto, nominal *caudatus*, N y NE Europa (enero)
La subespecie más fácil de identificar por su cabeza completamente blanca. Aves intermedias ocurren regularmente en zonas de nidificación de Alemania y los Países Bajos. Estas pueden ser identificadas por ciertas plumas oscuras detrás del ojo (variables, a veces muy limitadas). Las terciarias y las secundarias internas a menudo tienen más blanco que en el resto de subespecies.

borde nítido

▼ Tipo adulto, *tephronotus*, de Turquía (noviembre)
Una subespecie distintiva, sobre todo por la zona oscura en la garganta, única entre los taxones europeos. El datado es generalmente imposible después de la muda completa que tanto adultos como aves de 1er año llevan a cabo, pero el anillo orbital aún rojo de este ejemplar apunta claramente a un 1er año cal.

▼ Tipo adulto, *italiae*, de Italia (enero)
Las aves de subespecies del S(O) de Europa, *irbii/italiae*, difieren claramente de las del "grupo *europaeus*" por las partes superiores más o menos uniformes y grisáceas (con una franja negra limitada o ausente) y también por la falta de una franja negra en el cuello. El ave de la fotografía pertenece a *italiae*; las del sur de la península Ibérica (*irbii*) son prácticamente idénticas pero tienen, de promedio, más negro en el cuello.

sin o casi sin negro

listado bastante patente

tonos rosados débiles o ausentes

▼ Juvenil (mayo)
Los juveniles de las distintas subespecies apenas se diferencian. Este plumaje se pierde cuando empieza la muda completa en verano, después de la cual, la apariencia es de adulto y el datado ya no es, generalmente, posible. En otoño, el anillo orbital pasa de rosado a gris.

rectrices centrales aún cortas; r3–4 la más larga

máscara oscura muy ancha (cf. tipo adulto)

▼ Tipo adulto, ave intermedia *europaeus* × *caudatus* (febrero)
En vuelo, se mantiene la impresión general de "pequeña bola de plumas con cola larga". Los lados de la cola tienen mucho blanco.

Bigotudo *Panurus biarmicus*

L 14,5 cm | Todo el año, distribución fragmentada en gran parte de Europa excepto NO y N

Mallerenga de bigotis CAT
Tximutxa EUS
Rabilongo das canaveiras GAL

▶ **Tipo adulto ♂ (abril)**
Inconfundible; raramente visto lejos de carrizales extensos. Los ♂♂ de tipo adulto tienen "bigotes" negros largos, infracoberteras caudales negras y cabeza gris azulada.

▼ **Juvenil ♂ (julio)**
Los juveniles empiezan la muda a plumaje adulto ya a final de verano o principio de otoño. Una vez finalizada, las aves de 1er año son indistinguibles de los adultos.

▼ **Tipo adulto ♀ (febrero)**
♀ también inconfundible, gracias al plumaje mayoritariamente pardo-canela, con partes inferiores más pálidas, y el patrón alar blanco, negro y pardo.

♀♀ con cabeza pálida y lisa; píleo pardo-gris, auriculares y garganta gris más pálido o blancuzco

patrón alar diagnóstico

cola larga, pardo-canela

franja negra diagnóstica de juv. (ambos sexos)

brida negra extensa (cf. ♀ juv.)

pico amarillo-naranja, como en el adulto (cf. ♀ juv.)

▶ **Juvenil ♀ (julio)**
Además de los rasgos señalados, el iris de las ♀♀ juveniles se mantiene oscuro durante algún tiempo, aunque en este ejemplar ya se ha aclarado.

brida pálida o extensión oscura limitada (cf. ♂ juv.)

aún oscuro

▼ **Tipo adulto ♀ (enero)**
Los ♂♂ típicos tienen, además del patrón cefálico diagnóstico, infracoberteras caudales negras. Generalmente solo vuela distancias cortas por encima del carrizo, pero en algunas partes de Europa se pueden ver bandos en migración.

alas relativamente cortas

larga y muy redondeada

▼ **Tipo adulto ♀ (febrero)**
Algunas ♀♀ (aún) tienen algunas franjas negras en el manto y el píleo. Este ejemplar aún tiene la brida un poco oscura. Aves con este aspecto son, presumiblemente, ♀♀ de 1er invierno.

pálido (negro en los ♂♂ adultos)

▼ **Tipo adulto ♂ *russicus*, E Europa y más hacia el este (mayo)**
En promedio, más pálido, con cabeza de un gris más puro, y partes superiores y ala de un pardo más pálido.

▼ **Tipo adulto ♀ *russicus* (mayo)**
Similar al ♂ de *russicus*, ligeramente más pálido y de tonos pardos más fríos que la nominal *biarmicus*.

Alondras • Introducción

ALÁUDIDOS "GRISES-PARDOS" VS. BISBITAS

Los aláudidos de coloración "gris parduzca" y los bisbitas son dos grupos de paseriformes con el plumaje muy listado, discreto y que viven en el suelo o cerca del suelo. Los bisbitas son más delgados que los aláudidos y tienen la cola más larga. En ambos grupos los sexos son similares, con la excepción de la calandria negra y la calandria aliblanca.

ALÁUDIDO "GRIS-PARDO"
Las características señaladas muestran las diferencias con los bisbitas.

las largas plumas del píleo pueden ser elevadas a modo de cresta

base del pico elevada

escapulares anchas y largas, a menudo con patrón muy marcado

terciarias anchas, frecuentemente con margen pálido, y muy gastadas a partir de primavera

▶ **Alondra común (junio)**

BISBITA
Las características señaladas muestran las diferencias con los aláudidos "grises-pardos". Los bisbitas campestre, de Richard y estepario no tienen los flancos listados.

pico fino

cabeza redondeada, sin cresta

escapulares con patrón débil

terciarias oscuras con solo un fino margen pálido

listado marcado en las partes inferiores de muchas especies, incluyendo los flancos

terciarias largas con punta estrecha, cubriendo las primarias completamente (excepto en el bisbita del Pechora)

▲ **Bisbita pratense (febrero)**

JUVENIL

Todos los aláudidos europeos juveniles tienen un patrón similar al de este ejemplar, con las partes superiores moteadas de tonos blancuzcos, y márgenes anchos en las plumas alares. Las terciarias son más cortas que las de tipo adulto, lo cual genera una proyección primaria (como se aprecia en la imagen) incluso en especies que no la tienen en plumaje adulto. A menudo se aprecia un pico más corto, aún en crecimiento; en este caso, podría crear una confusión con la terrera marismeña.

JUVENILES

Todos los aláudidos europeos tienen puntas/ márgenes blancuzcos en las plumas alares, las plumas de las partes superiores y el píleo, que generan un patrón de plumaje contrastado. Los rasgos típicos de los adultos a menudo no son visibles, mientras que algunas características estructurales también pueden diferir; p1 acostumbra a ser más larga y las terciarias más cortas, estas últimas aumentando la proyección primaria respecto a la de los adultos (en los cuales a veces es inexistente). Generalmente, el plumaje juvenil es sustituido completamente antes del otoño; buena parte de las plumas corporales y coberteras, poco después de abandonar el nido. Una vez finalizada la muda completa, las aves de 1er año no pueden ser distinguidas de los adultos; a partir de este momento, todos los individuos sin plumas de tipo juvenil se pueden considerar de "tipo adulto". La identificación a nivel específico de los juveniles es muy difícil en especies como la terrera marismeña/pálida/común y la cogujada común/montesina.

◄ **Terrera común (junio)**

LA MUDA JUVENIL A PLUMAJE ADULTO

Este ejemplar ha reemplazado algunas plumas juveniles de las partes superiores –con puntas blancuzcas–, pero aún se puede reconocer fácilmente como un 1er año, gracias a las plumas restantes (parte del píleo, escapulares y coberteras medianas). En muchas especies de aláudidos, p1 es más larga en el plumaje juvenil que en el adulto; en este caso concreto, podría inducir a un error con la cogujada montesina.

p1 más larga que la del adulto, alcanza más allá de la punta de las coberteras primarias

▲ **Cogujada común (octubre)**

Alondra común *Alauda arvensis*

L 17 cm | Todo el año, S y O Europa; verano, toda Europa excepto Islandia

▼ **Tipo adulto (noviembre)**
El aláudido más conocido de Europa. Las partes superiores fuertemente listadas (como en este ejemplar) son típicas, pero algunas aves son más lisas. También es característico el flanco listado (parecido al de algunos bisbitas). En este ejemplar, con plumaje nuevo, las terciarias aún están intactas, y cubren buena parte de las primarias, lo cual resulta en una proyección primaria relativamente corta. Existen numerosas –pero sutiles– diferencias entre las distintas subespecies de poblaciones europeas, basadas en biometría y tonos de color. A causa de la variabilidad individual, así como del desgaste/desteñido que se produce con el paso del tiempo, estas no son identificables en una observación de campo. Las subespecies orientales *armenica* (Cáucaso meridional hasta N de Irán) y *dulcivox* (O y C de Asia) son más pálidas y grisáceas y tienen un listado más estrecho, tanto en las partes superiores como en el pecho; su estatus en Europa es incierto.

▼ **Tipo adulto (mayo)**
El desgaste progresivo de las plumas es más patente en las terciarias que en otras partes del cuerpo; cuando es acusado, la proyección primaria aumenta significativamente (sucede en todos los aláudidos). El plumaje puede mostrarse más o menos desteñido en función de la cantidad de luz solar que haya recibido cada ave; acostumbra a ser más notable en las distintas regiones del sur de Europa que en las del norte.

relativamente larga

terciarias gastadas que generan una proyección primaria más larga

plumas del píleo elevadas que crean una cresta redondeada

a partir de primavera, los tonos pardos suelen aparecer desteñidos

uña posterior larga y casi recta

listado fino y definido (cf. otros aláudidos)

en plumaje nuevo, proyección primaria moderada/corta

triangular, bastante puntiagudo

supracoberteras caudales listadas (cf. otros aláudidos)

listado sobre fondo parduzco (cf. otros aláudidos)

▼ **Tipo adulto (abril)**
El borde posterior del ala pálido es variable. En algunas aves apenas es visible, lo cual podría causar confusión con otros aláudidos, como las distintas especies de terrera. Sin embargo, la mayoría muestra un borde posterior bastante ancho. Este, junto con las rectrices externas blancas y la estructura de la punta del ala, forman una combinación de rasgos solo compartida con la calandria común, que se diferencia de la alondra común por su estructura, la parte inferior del ala oscura y el patrón diferenciado de la cabeza y el pecho. La estructura alar se puede juzgar a menudo en buenas fotografías tomadas de perfil.

▼ **Tipo adulto (mayo)**
Comparte los lados de la cola blancos con diversas especies de bisbitas, pero estos no muestran un borde posterior del ala pálido.

borde posterior pálido

blanco puro

borde posterior pálido variable en secundarias y primarias internas

p4 p3 p2

p5 claramente más corta que p4

las 3 primarias externas (p2–4) son de longitud similar (cf. otros aláudidos)

Alondra totovía *Lullula arborea*

L 14,5 cm | Todo el año, S Europa; verano, resto de Europa excepto NO y N

▼ **Tipo adulto (mayo)**
El listado de las partes superiores no es tan denso como en la alondra común, y a menudo genera franjas.

lista superciliar blanca, larga y bien definida

pardo cálido casi liso (cf. alondra común)

pico fino

escapulares con patrón muy contrastado, sobre todo por la hemibandera interna pálida

listado negro netamente definido sobre fondo blanco

proyección primaria relativamente larga

corta

puntas anchas blancas en el álula y las coberteras primarias, diagnósticas

emarginaciones patentes a causa del margen pálido

▼ **Tipo adulto (enero)**
Este ejemplar, en una postura agachada, parece mayor; indicaciones como "corpulento" o "esbelto" (parte del "*jizz*", véase volumen 1, INTRODUCCIÓN, p. 7) pueden resultar confusas o engañosas.

plumas del píleo largas a veces levantadas, formando una cresta

lista superciliar larga; los dos lados se unen en la nuca

▶ **Tipo adulto (octubre)**

coberteras pequeñas grisáceas (a veces también visibles en reposo)

patrón del álula y las coberteras primarias característico y diagnóstico, con anchas puntas blancas

▼ **Tipo adulto (junio)**
Las 4 primarias externas son de longitud similar (cf. alondra común).

puntas blancas características

▶ **Tipo adulto (octubre)**
Silueta de vuelo característica; alas muy anchas y cola corta.

cola corta

las infracoberteras alares grandes forman una banda ancha y pálida

Cogujada común *Galerida cristata*

L 18 cm | Todo el año, SO a SE, C y E Europa

Cogullada comuna CAT
Kutturlio arrunta EUS
Cotovía cristada GAL

▼ Tipo adulto (abril)

Fuera de la península Ibérica se podría confundir, principalmente, con una alondra común con las plumas del píleo levantadas. En aquella especie, la cresta es más redondeada; sin embargo, nótese que la cogujada común puede perder las plumas más largas de la cresta o tenerlas bajadas (véase alondra ricotí). Los principales rasgos diferenciadores con respecto a la alondra común son el pico largo, la proyección de primarias corta, ausencia de listado bien definido en los flancos, y ausencia de rectrices externas de color blanco puro, así como unos tonos de fondo más grisáceos. En vuelo, destacan las alas muy anchas sin borde posterior blancuzco. Existen numerosas subespecies que difieren sutilmente, sobre todo en biometría. Las aves de la parte septentrional de su distribución tienen el pico más corto.

▼ Tipo adulto (marzo)

Un ejemplar con el plumaje gastado y con patrón cefálico bastante definido, cuello fuertemente listado (en ambos casos, efecto posiblemente aumentado por el desgaste); en estos aspectos, no muy diferente de la cogujada montesina (y de la alondra común). La forma del pico (ligeramente curvado), la distribución del listado en el pecho, la lista superciliar larga y las auriculares pálidas son, sin embargo, típicos. Para apreciar otras diferencias, véase cogujada montesina.

cresta puntiaguda (cf. alondra común)

patrón cefálico débil

generalmente, patrón menos marcado que en la alondra común

proyección primaria mediana (cf. cogujada montesina); aquí más larga a causa del desgaste de terciarias

largo y puntiagudo; borde inferior de la mandíbula inferior recto o ligeramente cóncavo (cf. alondra común y cogujada montesina)

sin listado definido (cf. alondra común)

p1 no sobresale más allá de la punta de las coberteras primarias

blanco "sucio" o crema pálido (cf. cogujada montesina)

lista superciliar extendiéndose hasta la parte trasera de la cabeza (cf. cogujada montesina)

auriculares pálidas (cf. cogujada montesina)

listado oscuro concentrado en el pecho (cf. alondra común)

listado más difuso a los lados del pecho (cf. cogujada montesina)

▼ Tipo adulto (mayo)

Un ejemplar cantando o exhibiéndose.

obispillo y supracoberteras caudales uniformemente pardo-grisáceos (cf. cogujada montesina)

▼ Tipo adulto (julio)

Los tonos ocráceos de la parte inferior del ala se extienden a las plumas de vuelo.

p1 corta, no sobresale más allá de la punta de las coberteras primarias (cf. cogujada montesina)

p6 claramente más corta que p5 (cf. cogujada montesina)

las 4 primarias externas de longitud similar (cf. alondra común)

sin puntas pálidas (cf. alondra común)

pardo ocráceo

Cogujada montesina *Galerida theklae*

L 16 cm | Todo el año, península Ibérica

▼ **Tipo adulto (marzo)**
En la imagen se destacan los rasgos más importantes para la diferenciación de la cogujada común; entre ellos, la forma del pico y el patrón de la cabeza y del pecho son los más importantes. El listado negruzco del pecho típicamente se vuelve más grueso hacia los lados. P1 no visible aquí, pero a menudo alcanza más allá de la punta de las coberteras primarias.

▼ **Detalle, tipo adulto (marzo)**
Esta sutil diferencia con respecto a la cogujada común es, generalmente, solo visible en buenas fotografías, y solo válida en aves de tipo adulto y cuando está presente (p1 ≤ que las coberteras primarias no excluye a la cogujada montesina); además, los juveniles de cogujada común sí tienen p1 más larga que las coberteras primarias. Los juveniles o aves en muda activa solo ocurren en verano; estos plumajes son fácilmente reconocibles gracias al moteado blancuzco y márgenes de las plumas. Véase alondras • introducción, p. 680. Este detalle pertenece a la subespecie norteafricana *ruficolor*.

anillo ocular a menudo patente; lista superciliar generalmente corta

mancha pálida pequeña bajo el ojo

proyección primaria muy corta o ausente (lo último nunca sucede en la cogujada común)

relativamente corta

supracoberteras caudales pardo-rojizas

típicamente corto, con el borde inferior de la mandíbula inferior recto o ligeramente convexo

listado grueso y patente en el pecho, incluidos los lados

listado más fino pero nítido a menudo extendiéndose hasta los flancos centrales

p1 alcanza más allá de la punta de las coberteras primarias

▼ **Tipo adulto (mayo)**
La imagen muestra las sutiles diferencias con la cogujada común en vuelo. Como norma general, las rectrices externas (y las supracoberteras caudales) son más rojizas que la parte inferior del ala, mientras que sucede lo contrario en la cogujada común.

▼ **Tipo adulto (octubre)**
El anillo ocular pálido bastante marcado crea, a veces, un efecto de "gafas", enfatizado por las auriculares relativamente oscuras. Además, la forma del pico es bastante diferente de la cogujada común.

pardo (gris) pálido, no rojizo

p1 relativamente larga (superando ligeramente la punta de las coberteras primarias)

relativamente corta en comparación con la cogujada común

patrón cefálico distintivo: lista superciliar corta, anillo ocular patente, auriculares relativamente oscuras

tonos rojizos en las supracoberteras caudales y en las hemibanderas externas de las rectrices externas (cf. cogujada común)

Alondra ricotí *Chersophilus duponti*

L 17,5 cm | Todo el año, C España

▼ **Tipo adulto (abril)**
Este ejemplar tiene el plumaje muy nuevo para tratarse de abril. Las dos especies de cogujada tienen los centros oscuros de las plumas dorsales y escapulares en forma de punta.

centros oscuros redondeados, con márgenes pálidos en plumaje nuevo (cf. cogujadas común y montesina)

pico muy largo, diagnóstico, bastante fino y uniformemente curvado (pero poco) hacia abajo

listado grueso

▼ **Tipo adulto (abril)**
El patrón facial es, además de la forma del pico, diagnóstico.

más oscuro en la parte trasera de las auriculares

lista superciliar y anillo ocular patentes

lista pileal central pálida, diagnóstica

patrón marcado

▼ **Tipo adulto (mayo)**
El patrón alar es muy parecido al de las dos especies de cogujada.

ala muy ancha y redondeada

tanto la parte superior del ala como la inferior bastante oscuras y uniformes

lados de la cola blancos

■ **Cogujada común (abril)**
La forma del pico de este ejemplar se parece bastante a la de la alondra ricotí. Con la cresta bajada, el parecido aumenta y una confusión es posible allí donde las dos especies coexisten. Las diferencias más importantes son las partes superiores con patrón más débil, los centros oscuros de las plumas dorsales y escapulares en forma de punta, la ausencia de auriculares traseras marcadamente oscuras, la ausencia de una franja pileal central pálida, y un cuello con patrón poco marcado.

Calandria aliblanca *Alauda leucoptera*

L 18 cm | Divagante del C Asia

▼ Tipo adulto ♂ (mayo)
Tamaño y estructura parecidos a otras calandrias del género *Melanocorypha*, pero plumaje muy distinto, especialmente en los ♂♂.

▼ Tipo adulto ♀ (mayo)
Cuando los tonos rojizos no son muy patentes, la identificación de las ♀♀ no es tan fácil como la de los ♂♂.

pardo rojizo (casi) liso (cf. ♀)

listado fino sobre fondo blanco

coberteras pequeñas y primarias rojizas, diagnósticas

ala muy larga que resulta en una proyección primaria también muy larga

el blanco de las secundarias a menudo queda oculto con el ala plegada

gris pálido (un poco sucio aquí)

listas oscuras

listado extenso, fino y nítido

tonos rojizos más apagados que en el ♂, pero aun así característicos

▼ Tipo adulto ♂ (mayo)
Inconfundible, con un patrón alar único. La **calandria de Mongolia** *Melanocorypha mongolica* y la **calandria picogorda** *Ramphocoris clotbey* son las dos únicas especies que también tienen bastante blanco en el borde posterior del ala. La primera tiene las coberteras primarias negras; la segunda difiere en muchos otros aspectos. Ninguna de las dos ha sido citada en Europa.

▶ Tipo adulto ♀ (mayo)
En vuelo muestra rasgos parecidos al ♂ tipo adulto, pero los tonos pardo-rojizos son más apagados.

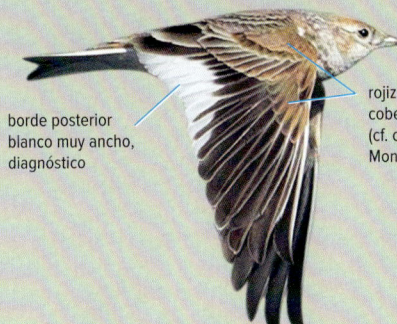

borde posterior blanco muy ancho, diagnóstico

rojizo, incluyendo coberteras primarias (cf. calandria de Mongolia)

■ Calandria de Mongolia *Melanocorypha mongolica*, **tipo adulto (junio)**
Su aparición como divagante en Europa es muy improbable, pero se han producido observaciones de aves escapadas. En la imagen se destacan las principales diferencias con la calandria aliblanca.

píleo central pálido

lista superciliar larga que alcanza la parte trasera de la cabeza

mancha negra a los lados del pecho, como en la calandria común

coberteras primarias negras

◀ Tipo adulto (junio)
En aves en vuelo, la forma de las alas puede parecer muy estrecha si el borde posterior blanco se funde con un fondo claro.

parte inferior del ala también característica por el contraste entre las infracoberteras pálidas y la franja central oscura

Calandria negra *Melanocorypha yeltoniensis*

L 19,5 cm | Divagante de C Asia

▼ **Tipo adulto ♂ (mayo)**
Inconfundible en este plumaje. Hacia el verano, muchos individuos se han vuelto completamente negros, a causa del desgaste progresivo de las puntas pálidas de las plumas. En una observación fugaz, la confusión con el estornino pinto es posible.

color marfil

▼ **Tipo adulto ♂ (junio)**
En este ejemplar, todas las puntas blancas han desaparecido a causa del desgaste.

márgenes pálidos en proporción variable hasta primavera

muchas aves mantienen márgenes blancos en las escapulares en forma de V

▼ **Tipo adulto ♂ (noviembre)**
En otoño, después de la muda completa, los ♂♂ muestran zonas pálidas variables que generan un patrón contrastado, único entre las especies europeas.

plumas nuevas con márgenes pálidos (extensos)

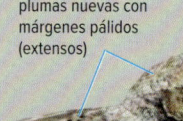

▼ **Tipo adulto ♀ (junio)**
La estructura general es similar a la de las calandrias común y bimaculada, pero la lista superciliar es débil, mientras el resto de la cabeza muestra un patrón más marcado; el ala es más uniformemente oscura que en aquellas especies.

patrón marcado en todas las partes superiores

ala uniforme, negruzca o parda

pecho completamente cubierto de manchas oscuras triangulares

patas negruzcas o de tonos rosados oscuros

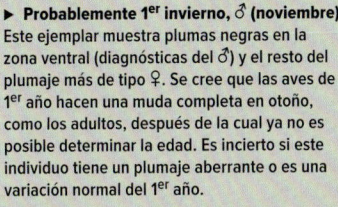

▶ **Probablemente 1er invierno, ♂ (noviembre)**
Este ejemplar muestra plumas negras en la zona ventral (diagnósticas del ♂) y el resto del plumaje más de tipo ♀. Se cree que las aves de 1er año hacen una muda completa en otoño, como los adultos, después de la cual ya no es posible determinar la edad. Es incierto si este individuo tiene un plumaje aberrante o es una variación normal del 1er año.

▼ **Tipo adulto ♀ (noviembre)**
Patrón poco marcado, pero la combinación de rasgos destacados es diagnóstica.

patrón cefálico poco marcado (a diferencia de las calandrias común y bimaculada)

pico de color marfil, típico en todos los plumajes

centros de terciarias relativamente pálidos

▼ **Tipo adulto ♀ (mayo)**
Estructura y tamaño relativamente parecidos a la calandria común y la calandria bimaculada, pero la parte inferior del ala es más contrastada.

hemibanderas externas pálidas

pecho y flanco muy moteados de negro, pero aún parcialmente oculto por los márgenes pálidos

secundarias con margenes blancos, a veces notablemente anchos

oscuro

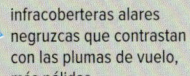

infracoberteras alares negruzcas que contrastan con las plumas de vuelo, más pálidas

▼ **Tipo adulto ♂ (mayo)**
En vuelo se asemeja al estornino pinto, pero con la punta del ala más redondeada, resultado de tener las 3 primarias externas de longitud similar (como sucede en las 4 especies de aláudidos "grandes"). El plumaje negro opaco y el pico pálido son diagnósticos.

Calandria común *Melanocorypha calandra*

L 19 cm | Todo el año, SO y SE Europa

Calàndria CAT
Kalandria eurasiarra EUS
Calandra real GAL

▼ Tipo adulto (abril)
El tamaño y la forma de la mancha negra a los lados del pecho es variable, así como también la extensión de listado en las partes inferiores. Además, la apariencia de la mancha negra depende de la postura; en posición erecta (como la mostrada por el ave de la fotografía), aparece el patrón completo, mientras que en posición agachada solo se ve una parte (generalmente en forma de una sola franja negra).

▼ Tipo adulto (abril)
El patrón cefálico, el pico muy grueso y la mancha negra sólida a los lados del pecho descartan fácilmente a la alondra común; la terrera común no muestra proyección primaria, tiene un patrón cefálico diferente y un pico menor (véase aquella especie). Las puntas blancas de las secundarias quedan a menudo ocultas en aves en reposo. Nótense también las auriculares pardo-grisáceas lisas, del mismo color que las partes superiores (cf. calandria bimaculada).

cabeza grande con lista superciliar larga

muy grueso (como en la calandria bimaculada)

auriculares lisas, del mismo color que las partes superiores

mancha negra grande pero variable, a menudo dividida en dos partes, con un listado característico por debajo (cf. calandria bimaculada)

patrón bastante uniforme (cf. calandria bimaculada)

proyección primaria larga (c. 70 %); puntas de las primarias visibles bastante uniformemente espaciadas

proyección caudal variable por detrás de la punta del ala pero, generalmente, claramente más larga que en la calandria bimaculada

rectriz externa blanca (cf. calandria bimaculada)

▼ Tipo adulto (abril)
Junto con otros rasgos destacados, el moteado negruzco bajo las manchas principales a los lados del pecho es una diferencia útil con respecto a la calandria bimaculada.

▶ Tipo adulto (abril)
Alas muy anchas, a menudo con la mano larga y en forma triangular.

manchas frecuentemente no del todo conectadas en el centro (cf. calandria bimaculada)

parte inferior del ala negruzca con borde posterior ancho y blanco, rasgos diagnósticos

◀ Tipo adulto (agosto)
En vuelo, por encima, se parece a la alondra común, puesto que aquella especie también tiene un borde posterior blanco en el ala y blanco en las rectrices externas. Sin embargo, el borde posterior blanco es más ancho en la calandria común, las plumas de vuelo son negruzcas y la cola es relativamente corta en comparación con el ala.

Calandria bimaculada *Melanocorypha bimaculata*

L 17,5 cm | Verano, extremo SE Europa

▼ **Tipo adulto (mayo)**
Un ejemplar típico con plumaje bastante nuevo. En aves paradas, el pico contrastado y el patrón cefálico con tonos pardos cálidos son generalmente los rasgos más útiles para la diferenciación de la calandria común.

▼ **Tipo adulto (mayo)**
El tamaño y la forma de la mancha negra a los lados del pecho son típicos tanto de la calandria común como de la bimaculada. Aunque este ejemplar tiene el plumaje un poco gastado, el patrón cefálico es aún muy marcado y con tonos cálidos, rasgos típicos de la especie. El resto del plumaje es también un poco más contrastado que en la calandria común, con la excepción del listado del pecho, que suele ser más negro y grueso en la calandria común.

lista superciliar larga y destacada (cf. calandria común)

pico contrastado, con culmen muy oscuro (cf. calandria común)

pardo cálido, diferenciado de los tonos de fondo de las partes superiores (cf. calandria común)

manchas negras unidas en el centro

extensos centros oscuros (cf. calandria común)

listado débil, disperso o ausente (cf. calandria común)

proyección primaria generalmente el doble de larga que la proyección caudal (cf. calandria común)

contraste marcado a causa de los centros oscuros de las plumas, y las franjas pálidas (cf. calandria común)

brida oscura a menudo destacada

puntas pálidas características

▼ **Tipo adulto (mayo)**
La parte inferior del ala es oscura, pero no tanto como en la calandria común, y tiene tintes pardos.

▶ **Tipo adulto (mayo)**
En vuelo, la cola corta y las alas muy anchas producen una silueta que puede recordar a la codorniz común. La calandria común tiene la cola un poco más larga, pero tiene una superficie alar similar. Los patrones alar y caudal difieren marcadamente de los de la calandria común.

parduzco (cf. calandria común)

ausencia de puntas blancas (cf. calandria común)

franja terminal pálida

Terrera marismeña *Alaudala rufescens*

L 14 cm | Todo el año, península Ibérica (*apetzii*)

Terrerola rogenca CAT
Txoriandre pispoleta mediterraneoa EUS
Calandriña dos esteiros GAL

▼ **Tipo adulto, *apetzii*, de la península Ibérica (julio)**
Una especie sin rasgos muy característicos que, en la mayor parte de ocasiones, se debe separar de la terrera común y de la alondra común. Fuera de la distribución regular, la terrera pálida (anteriormente considerada una subespecie de la terrera marismeña) representa un mayor reto de identificación (véase aquella especie). El plumaje es bastante parecido al de la alondra común, pero la cabeza tiene un listado más marcado y los flancos menos. El pico es más corto pero más grueso que en la alondra común, pero en la subespecie *apetzii* es relativamente fino y puede aproximarse al de aquella especie. La imagen destaca las principales diferencias con la terrera común.

▼ **Tipo adulto, *apetzii*, de la península Ibérica (enero)**
Un ejemplar con listado extenso y grueso, tanto en las partes superiores como en las inferiores. La terrera pálida suele tener un patrón más débil, aunque algunas aves pueden acercarse a esta. La forma del pico (bastante fino y puntiagudo en la terrera marismeña, relativamente grueso y menos puntiagudo en la terrera pálida) es importante para la identificación de las aves fuera de su área de distribución regular. La cola relativamente corta es más típica de la terrera marismeña.

listado oscuro bastante ancho (cf. terrera pálida)

listas bien definidas (cf. terrera común y alondra común)

patrón marcado (cf. terrera común)

proyección primaria siempre presente, pero la terrera común también puede mostrarla cuando tiene las terciarias gastadas

toda la anchura del pecho con listado fino y sobre todo corto, sobre fondo blancuzco (cf. alondra común y terrera común)

en algunas aves, listado más grueso sobre color de fondo parduzco pálido (cf. terrera pálida)

listado de los flancos limitado a la parte superior, más alejada del vientre (cf. alondra común)

▼ **Tipo adulto, *apetzii* (julio)**
No tiene un borde posterior de secundarias blancuzco, igual que la terrera común pero a diferencia de la alondra común. La fórmula alar difiere de la terrera común y, en buenas fotografías, puede ser analizada. La silueta de vuelo, incluyendo la forma del ala, es casi idéntica a la terrera pálida, pero con la cola más corta.

▼ **Tipo adulto, *minor* (Marruecos, mayo)**
Esta subespecie propia del N de África y de otras regiones (por ejemplo, Israel) muestra un listado más débil y fino en las partes superiores que la subespecie *apetzii*; de promedio, el listado de los flancos es más débil cuanto más al este. Potencialmente, esta subespecie podría aparecer como divagante en la parte europea de la cuenca mediterránea.

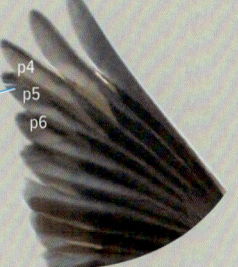

relativamente puntiagudo; culmen casi recto (cf. terrera pálida)

listado no muy ancho que continua de forma uniforme hacia los flancos (cf. terrera pálida)

p4
p5
p6

p5 relativamente larga; punta más cerca de p4 que de p6 (cf. terrera común)

listado relativamente
pálido y difuso

▶ **Tipo adulto, *minor* (Israel, mayo)**
Las aves de Oriente Medio y del N de África pertenecen a
minor. Las poblaciones orientales tienen, de promedio, un
listado más débil y más pálido en el pecho. El plumaje de la
adyacente terrera pálida es muy parecido al de esta subespecie, pero la terrera pálida tiene un listado más oscuro en el
pecho (como las poblaciones occidentales de la terrera
marismeña) con un listado de los flancos débil. Un pico más
grueso es típico de la terrera pálida.

Terrera pálida *Alaudala heinei*

L 14,5 cm | Todo el año, C Turquía (*aharonii*) a C Asia (nominal *heinei*)

Terrerola rogenca del Túrkistan CAT
Txoriandre pispoleta turkestandarra EUS
Calandriña do Turquestán GAL

▶ **Tipo adulto, nominal *heinei* (septiembre)**
Un ave con plumaje gastado. Extremadamente similar a la terrera marismeña,
especialmente a la subespecie ibérica *apetzii*. Comparada con esta, es de
promedio más grisácea, menos pardo-rojiza, con un listado más fino tanto en las
partes superiores como en las inferiores y un pico ligeramente más grueso, con
el culmen más curvado. Sin embargo, a causa del desgaste del plumaje, la terrera
marismeña también puede presentar un plumaje relativamente grisáceo, lo cual
dificulta mucho la identificación de posibles divagantes en el N y O de Europa.

grueso, culmen curvado
(cf. terrera marismeña)

listado negro y grueso
(cf. terrera marismeña
ssp. *minor*)

▼ **Tipo adulto, nominal *heinei* (septiembre)**
Un ejemplar con plumaje nuevo. El pico bastante grueso, con
el culmen curvado, es un buen indicador de esta especie, en
comparación con la terrera marismeña. Además, suele ser más
grisácea, con tintes rosados en las partes superiores cuando
el plumaje es nuevo, y con un listado fino.

longitud de p5 aproximadamente
intermedia entre p6 y p4 (como en
la terrera marismeña, pero diferente
de la terrera común)

▶ **Tipo adulto, nominal *heinei* (mayo)**
Este ejemplar de Asia central muestra el listado en los
flancos típicamente escaso –propio de esta especie–,
en comparación con la terrera marismeña. De promedio,
tiene más blanco en las rectrices externas que aquella
especie (parte visible de r6 completamente blanca,
r5 con hemibandera externa blanca), pero la
subespecie de Oriente Medio de la terrera
marismeña (*minor*) puede aproximarse a
este patrón.

listado típicamente
escaso

Terrera común *Calandrella brachydactyla*

L 15 cm | Verano, SO Europa

▼ **Tipo adulto, probablemente de la subespecie nominal *brachydactyla* (octubre)**
Un ave con plumaje muy nuevo. Las coberteras pequeñas y medianas aún muestran puntas anchas y pálidas que ocultan el patrón típico de estas últimas; se van desgastando progresivamente. La combinación producida por el patrón facial, la forma del pico, las terciarias largas y la ausencia de listado en los flancos es diagnóstica. Los tonos de fondo ligeramente cálidos son más típicos de la subespecie nominal *brachydactyla* que de *longipennis*.

▼ **Tipo adulto (mayo)**
Un ejemplar típico con plumaje relativamente gastado en primavera. El patrón listado de las partes superiores (grosor, tamaño) depende en gran medida del desgaste de las puntas de las plumas.

lista superciliar prominente

tonos pardo-rojizos variables (aquí apenas presentes)

lista ocular generalmente bien desarrollada

pálido, bastante grueso y puntiagudo

mancha negra variable a los lados del pecho; otro listado en el pecho, escaso o inexistente

las terciarias cubren las primarias completamente; sin proyección primaria

coberteras medianas con centros negros extensos

liso

patrón facial típico con auriculares lisas, lista superciliar clara y lista ocular marcada (cf. terreras marismeña y pálida)

pardo rojizo pálido, más típico de la ssp. nominal

dos franjas oscuras en las escapulares

coberteras medianas con centros oscuros y redondeados, contrastando con las coberteras pequeñas pálidas (cf. terreras marismeña y pálida)

▶ **Tipo adulto, nominal *brachydactyla* (julio)**
Un ejemplar de España con plumaje gastado. La proyección primaria evidente (producida por el desgaste de las terciarias) y el patrón de las coberteras medianas (alcanzado por el desteñido progresivo de las plumas) podría provocar la confusión con la terrera marismeña, pero el resto de características siguen indicando que se trata de una terrera común.

ausencia de proyección primaria característica de la especie, pero no aplicable a ejemplares con plumaje gastado

patrón facial y forma del pico distintivos

manchas negras a los lados del pecho características, pero de extensión variable (a veces, más extensas que aquí)

coberteras medianas muy gastadas y desteñidas, generando un patrón más similar al de la terrera marismeña

típicamente, dos franjas oscuras generadas por los centros de las plumas escapulares (en todos los plumajes adultos)

píleo bastante listado y ausencia de tonos pardo-rojizos; rasgos más típicos de *longipennis*

las terciarias nuevas cubren (casi) completamente las puntas de las primarias

listado patente, pero restringido a la parte superior del pecho

sin listado aparente (cf. terreras marismeña y pálida)

◀ **Tipo adulto, *longipennis*, SO Asia (septiembre)**
Esta subespecie es un posible divagante en Europa, pero una identificación segura fuera de su distribución regular no es posible. En general, muestra tonos pardo-grisáceos (en lugar de pardo-amarillentos cálidos, propios de la subespecie nominal *brachydactyla*), un listado más extenso en el pecho (más parecido al de la terrera marismeña), y un píleo más listado y sin tonos pardo-rojizos.

p5 relativamente corta

▶ **Tipo adulto (noviembre)**
En vuelo es, generalmente, difícil de separar de la terrera marismeña y la terrera pálida, especies que también tienen las rectrices externas blancas y el ala sin un borde posterior blanco, presente en otras especies como la alondra común (en esta, a veces muy estrecho y sorprendentemente difícil de ver; sin embargo, la alondra común tiene un listado más extenso en el pecho y los flancos).

terciarias muy largas, características y a menudo visibles

▼ **Adulto (julio)**
Este ejemplar se encuentra en muda activa de primarias.

listado limitado y escaso

sin borde posterior blanco (a diferencia de la alondra común)

Terrera colinegra *Ammomanes cinctura*

L 13,5 cm | Divagante de N África o de Oriente Medio

Terrerola cuabarrada CAT
Txoriandre buztanbeltza EUS
Calandra das dunas GAL

▼ **Tipo adulto (marzo)**
Un aláudido con plumaje muy liso, de tonos arenosos; a partir de final de primavera y verano, se vuelve más grisáceo a causa del desgaste. Es la única especie de aláudido desértico que se ha citado en el continente europeo. Otras especies similares son la **terrera sahariana** (véase abajo) y, especialmente, la **alondra de Dunn** (*Eremalauda dunni*), que tiene un plumaje similar pero un pico más grueso, completamente pálido, proyección primaria casi inexistente y negro en las rectrices externas. Esta especie nunca se ha citado en Europa.

▼ **Tipo adulto (marzo)**

puntas oscuras

plumas de vuelo pardo-rojizas

franja terminal negra bien definida

ceja pálida y ancha; brida apenas más oscura

tonos arenosos cálidos; liso

pequeño y pálido, con el culmen solo ligeramente más oscuro

oscuro; proyección primaria relativa-mente larga, con 2–3 puntas visibles

generalmente listado muy difuso o completamente liso, color de fondo arenoso pálido; región ventral blancuzca

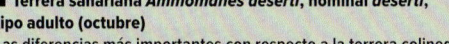

■ **Terrera sahariana** *Ammomanes deserti*, nominal *deserti*, **tipo adulto (octubre)**
Las diferencias más importantes con respecto a la terrera colinegra son un mayor tamaño, un pico más grueso con el culmen oscuro, brida oscura más patente, una franja negra caudal con borde difuso y un número mayor de primarias sobresaliendo por detrás de las terciarias. Divagante del N de África y de Oriente Medio. En Europa, solo citada en Chipre.

Alondra cornuda *Eremophila alpestris flava*

L 17,5 cm | Verano, N Europa; invierno, O y C Europa

Alosa banyuda CAT
Hegatxabal adardun eurasiarra EUS
Calandra cornuda eurasiática GAL

▼ **Tipo adulto ♂ (mayo)**
Inconfundible. Los ♂♂ tienen, a diferencia de las ♀♀, unos "cuernos" pronunciados, una máscara negra ancha, una mancha negra extensa en el pecho, y los lados del cuello, nuca y píleo son pardo-rosados lisos.

▼ **Tipo adulto ♂ (octubre)**
Aunque menos uniforme y contrastado/colorido que en primavera/verano, un ejemplar con plumaje nuevo otoñal sigue siendo inconfundible gracias a un patrón único en la cabeza y el pecho, muy distinto del resto de aláudidos con plumaje más discreto. Algunas aves son difíciles de sexar en otoño, pero este ejemplar muestra diversos rasgos que apuntan a un ♂. Las aves de 1er año tienen, a veces, primarias externas juveniles hasta octubre, pero son, por lo demás, idénticas a los adultos.

"cuernos"

cuello pardo rosado en verano

patrón cefálico y de la garganta diagnósticos

"cuernos" en otoño, típicos del ♂

máscara ancha que llega hasta el ojo, típica del ♂

supracoberteras caudales rojizas

proyección primaria larga, a menudo c. 100 %

▼ **Tipo adulto ♀ (junio)**
Esta imagen muestra las diferencias con los ♂♂. Los márgenes pálidos de las plumas de las partes superiores se desgastan progresivamente. Los centros oscuros de estas plumas generan un patrón marcado. En los ♂♂, el manto tiene un patrón más difuso.

▶ **Tipo adulto ♀ (febrero)**
Las diferencias con los ♂♂ son prácticamente las mismas que en verano.

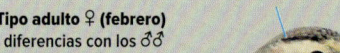

sin "cuernos"

máscara más estrecha que en el ♂; anillo ocular pálido, generalmente casi completo

menos negro ("cuernos" mínimos o ausentes), píleo finamente listado de negruzco

patrón contrastado

máscara y franja pectoral relativamente estrechas

▼ **Detalle, cola**
En todos los taxones de alondra cornuda, la parte inferior de la cola es característica, prácticamente negra, solo con un borde exterior blanco, y contrasta fuertemente con las partes inferiores pálidas.

patrón típico, con rectrices centrales pardas y externas negras (hemibandera externa de r6 blanca)

▶ **♂ (mayo)**
Junto con el patrón de la cabeza y el pecho (a veces difícil de apreciar en vuelo), el patrón caudal tricolor es único entre los aláudidos europeos (válido también para otras subespecies de alondra cornuda).

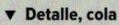

contraste notable

Alondra cornuda americana *Eremophila alpestris alpestris*

L 18 cm | Divagante de Norteamérica

Alosa banyuda americana CAT
Hegatxabal adardun amerikarra EUS
Calandra cornuda norteamericana GAL

TAXONOMÍA

La taxonomía de la alondra cornuda es compleja, pero se puede separar en 2 grupos: el grupo *alpestris*, del N de Europa y Norteamérica (migrantes) y el grupo *penicillata*, de las montañas del SE de Europa (básicamente sedentarias). Ambos grupos comprenden diversos taxones.

► Tipo adulto ♂, nominal *alpestris* (mayo)
La identificación de posibles divagantes en Europa es extremadamente dificultosa, pero existen algunas supuestas citas. En esta imagen se destacan algunas diferencias (sutiles y a menudo con solapamiento), con los ♂♂ de alondra cornuda del N de Europa. De promedio, la alondra cornuda americana es más oscura y de tonos pardos más cálidos, con una diferencia de color patente entre la garganta amarilla y la lista superciliar blanca o más pálida. Tanto las coberteras alares como las supracoberteras caudales son pardo más o menos puro.

► Tipo adulto ♀, nominal *alpestris* (febrero)
Aunque de tonos pardos ligeramente más cálidos, con una lista superciliar blancuzca (en lugar de amarilla) y un pico más puntiagudo que la mayoría de individuos del N de Europa, aves como la de la imagen pasarían probablemente desapercibidas en Europa, siendo su identificación segura en esta región muy improbable.

ceja blancuzca (contrastando con la garganta amarilla)

negro ancho

relativamente largo y puntiagudo

pardo rojizo o pardo-púrpura cálido

blanco

auriculares posteriores grisáceas

relativamente largo y fino; borde inferior recto

pardo oscuro cálido (a menudo con tintes púrpura)

► Tipo adulto (febrero)
Este ejemplar, fotografiado en Gran Bretaña, muestra diversas características típicas, pero no todas las aves de este grupo muestran diferencias tan marcadas con el grupo del N de Europa. La lista superciliar completamente blanca podría apuntar a la subespecie *hoyti*; la nominal *alpestris* muestra, generalmente, ciertos tonos amarillentos en la ceja, aunque aun así contrasta con la garganta, mucho más amarilla (en el grupo del N de Europa no hay, generalmente, diferencia de color entre la lista superciliar y la garganta).

Alondra cornuda del Cáucaso *Eremophila alpestris penicillata*

L 17,5 cm | Todo el año, montañas de los Balcanes y Turquía

Alosa banyuda del Caucas CAT
Hegatxabal adardun kaukasoarra EUS
Calandra cornuda caucásica GAL

▼ Tipo adulto ♂ (mayo)
Un ejemplar típico. La unión de la máscara negra con la franja pectoral es típica del grupo *penicillata*. Algunos ♂♂ tienen aún más extensión de negro en la cabeza, dejando solo una pequeña mancha blanca en la garganta. Es residente en las montañas de los Balcanes y de Turquía. Su distribución, alejada del grupo septentrional, disminuye las posibilidades de confusión con las aves del grupo *alpestris*. La subespecie *balcanica*, de los Balcanes, tiene la máscara un poco más estrecha y, en consecuencia, una unión más fina con la franja pectoral; los tonos amarillos de la cabeza son un poco más pálidos.

▼ Tipo adulto ♀ (mayo)
Las ♀♀ difieren de los ♂♂ en los mismos aspectos que en el grupo *flava*; nótese la máscara oscura un poco desdibujada y el píleo y manto con patrón listado oscuro. En todo lo demás, muy parecida a un ejemplar del grupo *flava* en esta imagen, pero las auriculares negras casi conectan con la franja pectoral. Las ♀♀ también tienen "cuernos" levantados y largos, a diferencia de las ♀♀ del grupo *flava*.

"cuernos" largos

zonas pálidas de la cabeza de tonos amarillos pálidos o blancas (cf. grupo *flava*)

pardo-púrpura cálido, contrastando con resto de partes superiores

pardo-gris bastante frío (cf. grupo *flava*)

negro ancho unido con la franja pectoral (cf. grupo *flava*)

AVES DE EUROPA / VOLUMEN 2

ALONDRAS 697

Golondrina común *Hirundo rustica*

L 18 cm | Verano, toda Europa excepto Islandia

▶ Tipo adulto (abril)
Una especie característica, con la frente y garganta rojizos, franja pectoral negra y rectrices externas muy largas. La percepción de los reflejos azulados depende de la incidencia de la luz. El color de las partes inferiores (incluidas las infracoberteras alares) varía significativamente entre individuos, desde blanco hasta naranja rojizo bastante oscuro; el blancuzco teñido de naranja pálido de este ejemplar es representativo de la mayoría de aves en Europa.

▼ Tipo adulto (abril)
En toda Europa ocurren aves como la de la imagen, con las partes inferiores bastante oscuras, pardo-anaranjadas. Este ejemplar fue fotografiado en los Países Bajos. Aunque esta coloración está presente en las subespecies *transitiva* (Líbano, Israel) y *savignii* (Egipto), también es parte de la variabilidad natural de la nominal *rustica*. Un ejemplar típico de *savignii* tiene las partes inferiores pardo-rojizas muy oscuras, probablemente fuera de la variación natural de *rustica*; además, es una subespecie residente. El color de las infracoberteras alares es siempre el mismo que el de la región ventral.

rectrices externas no muy alargadas

naranja apagado y pálido (cf. adulto)

márgenes pálidos finos

◀ Juvenil (junio)
En esta imagen se muestran las diferencias con el adulto. Las aves de 1er año finalizan la muda completa en los cuarteles de invierno y, cuando vuelven a las zonas de cría, ya no son diferenciables de los adultos.

▶ Tipo adulto ♂ (mayo)
El sexado no siempre es fácil y solo se puede asegurar en los casos claros; este ejemplar es un ♂ típico. Las ♀♀ más evidentes muestran manchas pardas en la franja pectoral y tienen las rectrices externas más cortas (aun así, muy alargadas), y ligeramente más anchas.

▶ Tipo adulto (junio)
Desde lejos o en la sombra, los tonos rojizos de la frente y la garganta a menudo son imperceptibles, dando una impresión uniformemente oscura en la cabeza.

contraste marcado entre las plumas de vuelo y las infracoberteras alares (que tienen el mismo color que la zona ventral)

grandes topos blancos en todas las rectrices, excepto el par central

más largas y estrechas en el ♂

manchas blancas grandes

en el ♂, franja pectoral generalmente toda negra, con brillos metálicos

▶ Juvenil (julio)
En vuelo y desde lejos, la cabeza más pálida y la cola más corta podrían llevar a confusión con alguna otra especie de golondrina. El avión común occidental no tiene franja pectoral y el avión zapador tiene las infracoberteras alares muy oscuras.

Golondrina dáurica *Cecropis rufula*

L 17 cm | Verano, S Europa

Oreneta cua-rogenca CAT
Enara ipurgorri eurasiarra EUS
Anduriña das pontes GAL

▼ **Tipo adulto (marzo)**
Inconfundible cuando se ve bien.

lados de la cabeza y
cuello pardo-rojizos
(cf. golondrina común)

obispillo anaranjado pálido,
frecuentemente bicolor, siendo la
parte más clara la más cercana a
las supracoberteras caudales

partes inferiores variables,
generalmente con un
listado muy fino

▶ **Juvenil (agosto)**
El patrón cefálico es similar al de los adultos,
pero los tonos anaranjados son más apagados;
en esta imagen se pueden apreciar las principales diferencias con los adultos. Estos también
pueden mostrar márgenes pálidos en las terciarias. Las aves de 1er año completan la muda en
las zonas de invernada y, cuando regresan en
primavera, ya no son identificables.

puntas pálidas
en las coberteras
y secundarias

rectrices externas
relativamente cortas

▶ **Tipo adulto (mayo)**
La cola y las infracoberteras caudales
son negras, con un borde nítido. Para
tratarse de un ejemplar de la especie
europea *C. rufula* (hasta recientemente, subespecie), este individuo
muestra un listado en las partes inferiores muy marcado; véase golondrina
dáurica del Amur, del E de Asia.

▶ **Tipo adulto (marzo)**
Un ejemplar con una extensión
menor de negro en las infracoberteras caudales, que destacan
menos, lo cual no es raro.

contraste moderado
entre las infracober-
teras alares pálidas y
las plumas de vuelo
grises (cf. golondrina
común)

poco negro
en este
individuo

negro
diagnóstico

pálido
(cf. golondrina
común)

▼ **Tipo adulto (marzo)**

larga, casi tanto como
la golondrina común

ojo "aislado"; lados de
la cara anaranjados

generalmente sin topos
blancos (a veces 1 en
r5) (cf. golondrina
común)

obispillo anaranjado pálido,
generalmente bicolor, siendo
la parte más pálida la cercana
a las supracoberteras caudales

▼ **Juvenil (agosto)**
Superficialmente parecido al adulto,
pero véanse las diferencias destacadas.

relativamente corta,
en comparación con
el adulto

más pálido que
en el adulto

plumas del ala nuevas y
uniformes con puntas pálidas
en las coberteras (formando
franjas alares muy finas)

Golondrina dáurica del Amur *Cecropis daurica*

L 17 cm | Divagante de E Asia

Oreneta cua-rogenca estriada CAT
Enara ipurgorri ekialdetarra EUS
Anduriña dáurica GAL

▼ **Tipo adulto (mayo)**

píleo y manto oscuros, unidos en la nuca; sin collar completo (naranja)

obispillo con un solo color (naranja)

▼ **Tipo adulto (mayo)**
Patrón cefálico característico: el píleo oscuro alcanza el pico por la frente, dejando solo una lista superciliar muy fina, a veces ausente.

ceja mínima o inexistente

píleo oscuro, incluyendo la frente

listado muy patente, incluida la garganta

listado negruzco extenso, ensanchándose ligeramente hacia la parte posterior de cada lista

▶ **Tipo adulto (mayo)**

píleo oscuro hasta el ojo (a menudo sin lista superciliar)

listado fino pero oscuro y patente

▼ **Tipo adulto (mayo)**
El listado extenso de las partes inferiores es típico, pero algunos ejemplares de *C. rufula* pueden aproximarse al ave de la imagen en este aspecto, o solaparse con las golondrinas dáuricas del Amur con un listado más débil. En estos casos, el patrón cefálico es el rasgo más característico. El color de fondo de las partes inferiores varía, como en *C. rufula*, pero suele ser menos uniforme, a veces un poco manchado. Es típica una zona de tonos anaranjados más vivos en los flancos posteriores y lados del vientre.

frecuentemente, lados del vientre son de tonos anaranjados más intensos, fundiéndose con el color del obispillo (más patente en aves con el resto de partes inferiores más blancuzcas)

naranja limitado a los lados del cuello; píleo oscuro extenso, característico, extendiéndose por el cuello y hasta el manto

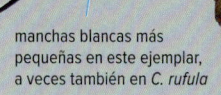

manchas blancas más pequeñas en este ejemplar, a veces también en *C. rufula*

SUBESPECIES

La diferencias entre *daurica* (NE de Asia) y *japonica* (extremo NE de Asia, incluyendo Corea del Norte y Corea del Sur, así como Japón, más al este de la distribución de *daurica*) son sutiles y se solapan. La subespecie *japonica* suele ser ligeramente más pequeña y tiene, de promedio, el listado de las partes inferiores más extenso, así como el color de fondo más pálido, frecuentemente con el obispillo naranja finamente listado y el cuello completamente oscuro (en *daurica* hay, a veces, un indicio de collar pálido). La identificación subespecífica de divagantes en Europa es, generalmente, imposible.

Avión común occidental *Delichon urbicum*

L 14,5 cm | Verano, toda Europa excepto Islandia

Oreneta cuablanca CAT
Enara ipurzuria EUS
Anduriña de cu branco GAL

▼ **Tipo adulto (julio)**
La única golondrina "blanca y negra", con un obispillo blanco extenso; generalmente fácil de identificar.

▼ **Tipo adulto (mayo)**
Ejemplares como este, con los flancos y la garganta ligeramente teñidos de tonos grises, y con finas líneas oscuras a lo largo del raquis de las infracoberteras caudales, son probablemente ♀♀. Los ♂♂ tienen generalmente las partes inferiores de color blanco puro, también el obispillo. A partir de junio, abandonan el nido los primeros juveniles; suelen tener las partes inferiores con más manchas/listas oscuras.

la única golondrina con las partes inferiores completamente blancas

horquilla moderada

infracoberteras alares ligeramente más pálidas que las plumas de vuelo; en conjunto, parte inferior del ala sin fuertes contrastes

▼ **Tipo adulto (mayo)**

brillos azules en función de la incidencia de la luz

borde nítido y recto

extenso obispillo blanco

patas completamente plumadas

▼ **Juvenil (junio)**
Las aves de 1er año hacen una muda completa en las zonas de invernada y, cuando vuelven a Europa en primavera, ya no se pueden distinguir de los adultos. Los ejemplares de tipo adulto con puntas blancas, anchas, en las terciarias son posiblemente aves de 2º año cal.

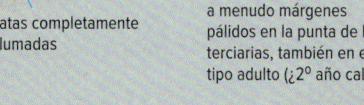

pardo negruzco apagado (cf. tipo adulto)

pálido (cf. tipo adulto)

a menudo márgenes pálidos en la punta de las terciarias, también en el tipo adulto (¿2º año cal.?)

blanco "sucio", variable

márgenes pálidos muy débiles (cf. otras especies de golondrina en plumaje juv.)

centro de las plumas oscuro

▼ **Juvenil (julio)**
Los juveniles tienen manchas oscuras variables en las partes inferiores hasta bien entrado el otoño. El ejemplar de la imagen muestra la distribución más típica de estas manchas.

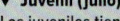

axilares e infracoberteras alares frecuentemente más oscuras que en el adulto, casi parejas con las plumas de vuelo

a menudo franja pectoral débil

pequeñas manchas oscuras

bases de las infracoberteras caudales oscuras (variable)

relativamente corta; horquilla menos profunda que en el adulto (desaparece con la cola abierta)

▼ **Juvenil (septiembre)**
Tonos pardo-negruzcos opacos, típicos en otoño. Este ejemplar muestra un manchado oscuro extenso en las partes pálidas (aquí visible el obispillo y la garganta).

Avión zapador *Riparia riparia*

L 13 cm | Verano, toda Europa excepto Islandia

▼ **Tipo adulto (junio)**
La única golondrina europea completamente parda por encima y blanca por debajo (excepto la franja pectoral).

partes superiores lisas, pardo-grisáceas relativamente pálidas, contrastando con la parte superior del ala, más oscura

horquilla corta y no muy profunda

▼ **Tipo adulto (junio)**

muy oscuro, contrastando con las plumas de vuelo un poco más pálidas (cf. otras golondrinas)

flanco oscuro (cf. otras golondrinas)

franja pectoral oscura y semicollar blanco, diagnósticos

▼ **Tipo adulto (junio)**
Una variante más grisácea, con márgenes pálidos en las terciarias. Cuando la cola está abierta, la horquilla desaparece totalmente. El contraste en el desgaste de las terciarias que se puede apreciar en este ejemplar no es raro, puesto que una parte de los adultos muda un número variable de coberteras, terciarias e incluso rectrices durante el verano; el resto de plumas se muda en las zonas de invernada.

▼ **Tipo adulto (junio)**

pardo; en algunas aves, gris-pardo más pálido

patrón facial típico, con la frente más pálida; el semicollar blanco rodea las auriculares por detrás

terciarias de tipo adulto lisas o con margen pálido variable

▼ **Juvenil (julio)**

márgenes anchos con plumaje nuevo

margen pálido muy fino (cf. adulto)

menor contraste que en el adulto, con la garganta moteada, un poco más oscura, y una franja pectoral parda menos marcada

▼ **Colonia de cría (abril)**

Avión roquero *Ptyonoprogne rupestris*

L 14,5 cm | Todo el año, S Europa; verano, hasta S Francia y Alpes

Roquerol CAT
Haitz-enara eurasiarra EUS
Anduriña dos penedos GAL

▼ Tipo adulto (mayo)
Tiene las partes superiores pardas como el avión zapador, pero el patrón caudal con topos blancos, similares a los de la golondrina común, es diagnóstico. El **avión isabel norteño**, *Ptyonoprogne obsoleta*, ocurre fuera de Europa pero no muy lejos (Oriente Medio y N de África); sin embargo, es un divagante poco probable, puesto que no tiene un comportamiento muy migrador. El avión isabel norteño es más pequeño, tiene las partes superiores más pálidas y grisáceas, las axilares más pálidas y no muestra manchas en la garganta.

totalmente pardo grisáceo por encima; obispillo a menudo un poco más pálido

topos blancos ovalados, característicos

▼ Adulto (junio)
La combinación de rasgos señalados es diagnóstica. Este ejemplar ha perdido una primaria interna (nótese el escalón entre primarias y secundarias) y tiene las plumas de vuelo no muy gastadas, encajando más con un adulto que con un ave de 2º año cal.

partes inferiores lisas y relativamente pálidas; sin flancos más oscuros (cf. avión zapador)

topos blancos ovalados bastante grandes, generalmente 4 a cada lado

fuerte contraste

infracoberteras caudales oscuras con márgenes pálidos; casi tan oscuras como la parte inferior de la cola

▼ Juvenil/1er invierno (septiembre)
Un ejemplar con plumaje corporal ya desteñido, probablemente aún de tipo juvenil, que será reemplazado en otoño por plumas pardo-grisáceas más oscuras.

base del ala muy ancha, típica en todos los plumajes; forma del ala triangular

márgenes pálidos, diagnósticos de un 1er año

▼ Probable 2º año cal. (febrero)
A diferencia de otras especies de golondrina, las aves de 1er año no realizan una muda completa en invierno; las plumas de vuelo y la mayor parte de coberteras y terciarias son retenidas. En consecuencia, los inmaduros se pueden distinguir de los adultos en esta época del año por el mayor desgaste del plumaje y por los márgenes pálidos, aún presentes en algunas plumas.

puntas un poco gastadas indican 2º año cal.

márgenes pálidos indican 2º año cal.

a menudo un poco más pálido en todos los plumajes

topos blancos frecuentemente ocultos con la cola cerrada

▼ 1er invierno (enero)
Ala aún mayoritariamente juvenil.

terciarias y coberteras grandes juv. con márgenes pálidos (cf. adulto)

▼ Adulto (enero)
En invierno, el ala de los adultos está nueva y uniforme, sin márgenes pálidos. Aparentemente, este ejemplar aún no ha finalizado la muda de primarias.

manchas oscuras diagnósticas, pero no siempre tan patentes

primaria más externa aún no mudada

Golondrina risquera *Petrochelidon pyrrhonota*

L 14 cm | Divagante de Norteamérica

Oreneta dels cingles CAT
Harkaitz-elaia EUS
Anduriña de testa branca GAL

▼ **Tipo adulto (abril)**
Superficialmente similar a un avión común occidental (desde lejos), a causa de una estructura relativamente similar (pero véase la cola) y un obispillo también pálido, pero muestra una combinación de rasgos únicos. El color de la mancha pálida en la frente varía geográficamente; en el E de Norteamérica es más pálida, en el SO es rojiza. Los divagantes que aparecen en Europa provienen, probablemente, de las poblaciones orientales.

▼ **Tipo adulto (junio)**
Inconfundible si se puede ver bien, pero las citas primaverales son prácticamente inexistentes en Europa.

banda pálida

mancha pálida en la frente muy patente

apenas ahorquillada

obispillo rojizo pálido extenso

collar completo pálido

de blancuzco a rojizo

rectrices anchas y redondeadas; esquinas de la cola no muy angulosas

oscuro

corta

▼ **Juvenil/1er invierno (octubre)**

patrón facial variable, en algunos más parecido al adulto

pálido como en el tipo adulto

alas largas y relativamente redondeadas, para tratarse de una golondrina

◄ **1er invierno (octubre)**
Este ejemplar ya ha mudado la cabeza a tipo adulto.

esquinas muy redondeadas (cf. otras golondrinas)

puntas de primarias nuevas (sin desgaste) típicas del 1er año

centros de las infracoberteras caudales oscuros (con intensidad variable) en todos los plumajes

► **Adulto (julio)**
A partir de verano, los adultos muestran un plumaje muy gastado, visible sobre todo en las alas. En otoño (época en que se producen la mayoría de citas europeas) un adulto tiene, habitualmente, el plumaje mucho más gastado que un ave de 1er año.

▼ **1er invierno (octubre)**
El ala es pardo-negruzca apagada, pero las puntas de las primarias están aún relativamente nuevas. En octubre, muchos adultos tienen las puntas de las plumas de vuelo muy gastadas; además, no tienen puntas pálidas en las coberteras.

puntas pálidas en las coberteras

Golondrina purpúrea *Progne subis*

L 20 cm | Divagante de Norteamérica

▼ **Adulto ♂ (julio)**
En este plumaje es completamente negruzca, con fuertes brillos azulados o púrpuras en las partes superiores e inferiores. La percepción de los reflejos depende de la incidencia de la luz; si escasea, puede parecer completamente negra. Con el plumaje tan oscuro y las alas muy largas, podría recordar a un vencejo, pero la estructura alar es distinta, pues tiene el brazo relativamente largo y un ángulo marcado entre este y la mano. Un ejemplar con este plumaje nunca ha sido citado en Europa. Los ♂♂ de 2º año cal. a menudo no son completamente negros, y conservan algunas plumas corporales pálidas.

▼ **Juvenil/1ᵉʳ invierno (agosto)**
Por encima puede parecerse un poco a un avión zapador, por la presencia de un collar pálido, pero este es más extenso y continua por el cuello. La estructura general es más "angulosa", las alas más largas, la cabeza sobresale más y el tamaño es significativamente mayor que el del avión zapador; desde lejos podría recordar incluso recordar a un estornino pinto.

collar pálido

▼ **Juvenil/1ᵉʳ invierno (octubre)**
Las infracoberteras alares son ligeramente más oscuras que las plumas de vuelo (efecto amplificado en la fotografía a causa de la luz solar procedente de arriba). Las citas en Europa corresponden a este tipo de plumaje.

ángulo bien marcado

collar pálido; auriculares oscuras

la cabeza sobresale mucho por delante de las alas

infracoberteras caudales pálidas, solo con finas líneas oscuras a lo largo del raquis (cf. ♀ adulta)

frecuentemente, franja pectoral débil; listado en la parte superior del pecho sobre unas partes inferiores, por lo demás, pálidas

▼ **Adulto ♀ (julio)**
Todos los ♂♂ no adultos tienen las partes inferiores de tonos pálidos o blancuzos "sucios". Las ♀♀ de 2º año cal. son frecuentemente un poco parduzcas por encima, y muestran solo finas líneas oscuras a lo largo del raquis de las infracoberteras caudales.

para tratarse de un hirundínido, pico bastante poderoso, con la mandíbula superior muy curvada

máscara oscura y pico poderoso, típicos

indicio de collar pálido

▶ **Juvenil/1ᵉʳ invierno (otoño)**
Las plumas negras/azules que empiezan a aparecer en la cabeza, garganta y pecho sugieren que se trata de un ♂.

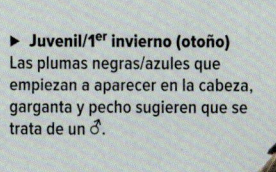

listado fino, típico del 1ᵉʳ año

infracoberteras caudales con centros oscuros, típicos de la ♀ adulta

sin manchas oscuras (a diferencia de la ♀ adulta)

BUSCARLAS

Aunque se puede diferenciar entre las especies con plumaje liso y las que lo tienen listado, todas ellas comparten una estructura alar y caudal única. En su hábitat (carrizo, maleza), acostumbran a ser difíciles de observar, pues se mantienen escondidas entre la vegetación y prefieren alejarse entre ella, en vez de volar. Sin embargo, los ♂♂ cantores a menudo se posan a la vista. No existen normas estándar para el datado a partir de la muda, puesto que la estrategia que siguen tanto adultos como aves de 1er año es compleja y varía entre especies e individuos.

raquis más pálido

infrabigotera poco definida (en los carriceros, ausente o muy fina y corta)

patas robustas, rosas o rosadas; uñas más pálidas

sin emarginaciones o solo 1 emarginación

primarias externas curvadas

▲ **Buscarla fluvial**

cola muy redondeada con la rectriz más externa corta (r6)

margen exterior pálido

p1 muy corta (generalmente no visible porque es más corta que las coberteras primarias)

ALA

En general, los rasgos señalados en las imágenes son válidos para todos los miembros del género tratados aquí, pero no en todas las especies y/o individuos son siempre tan evidentes (por ejemplo, las patas y las uñas pueden ser más oscuras, así como también los raquis de las plumas de vuelo, y la curvatura de las primarias externas a veces es menos marcada). La buscarla unicolor y la buscarla fluvial no tienen emarginaciones en las primarias (característica única entre los paseriformes insectívoros europeos); las otras especies solamente una. El margen exterior pálido de las primarias más externas varía entre especies e individuos, tanto en su extensión como en su palidez.

▲ **Buscarla unicolor**

COLA

Las infracoberteras caudales son muy largas y alcanzan (o casi) hasta la rectriz más corta, una estructura única entre los paseriformes europeos.

punta de la rectriz más corta (r6)

muy redondeada

◄ **Buscarla lanceolada**

punta de la infraco-bertera caudal más larga

CARRICEROS LISTADOS

Estas especies (carricerín común, carricerín cejudo y carricerín real) tienen en común una lista superciliar muy marcada y una franja pileal lateral oscura, un rasgo que los distingue de los carriceros y de otros pequeños paseriformes con coloración parda discreta.

lista superciliar muy ancha

lista pileal lateral oscura

◄ **Carricerín común**

CARRICEROS LISOS

Las aves de este grupo pueden parecerse mucho a algunas especies de los géneros *Iduna* e *Hippolais*, pero la estructura de las alas, cola y patas es diferente.

sin margen pálido en la rectriz más externa (cf. géneros *Iduna* e *Hippolais*)

1–2 emarginaciones (cf. géneros *Iduna* e *Hippolais*)

p1 corta sin sobrepasar (o apenas) las coberteras primarias (cf. géneros *Iduna* e *Hippolais*)

dedos y uñas largos (cf. géneros *Iduna* e *Hippolais*)

◄ **Carricero común**

Buscarla unicolor *Locustella luscinioides*

L 14,5 cm | Verano, S y de O a E Europa

▼ **Tipo adulto (abril)**
En primavera, los ♂♂ cantores a menudo se dejan ver bien, y son fácilmente identificables por su canto. Sin embargo, el resto del año son muy difíciles de observar, como los otros miembros del género *Locustella*. Por su plumaje, se podría confundir con el carricero común, que ocupa un hábitat similar, o con otros paseriformes de plumaje pardo liso. Además de los rasgos señalados, nótese la típica estructura de *Locustella*, por ejemplo, en las infracoberteras caudales, la más larga de las cuales llega más allá de la rectriz más externa, así como la cola, ancha y muy redondeada.

como mucho, lista superciliar fina y difusa

franja pectoral parduzca poco evidente

pardo bastante oscuro

infracoberteras caudales largas; pardas con puntas difusas más pálidas

rosa

▼ **Tipo adulto (abril)**
Un paseriforme mediano, pardo y liso, con patas rosas y cola muy redondeada.

pardo relativamente cálido

oscuro en primavera

▼ **1er invierno (septiembre)**
Ausencia de rasgos de plumaje característicos, pero nótese la estructura típica de *Locustella*. Los tonos pardos intensos de este ejemplar apuntan a la subespecie nominal *luscinioides*; además, las aves de 1er invierno son a menudo de tonos pardos más intensos y cálidos (véase también el cetia ruiseñor). El plumaje uniforme y nuevo es una importante indicación de esta edad, aunque en otoño, los adultos pueden haber ya mudado gran parte de su plumaje, incluyendo plumas de vuelo. El iris pardo-gris también es típico del 1er invierno (más pardo rojizo en los adultos).

muy redondeada

oscuro (cf. carriceros lisos)

sin emarginaciones, como la buscarla fluvial (pero a diferencia de los carriceros)

bigotera estrecha (cf. carriceros lisos)

infracoberteras caudales largas y tupidas

pardo extenso (cf. carriceros lisos)

▼ **Tipo adulto, oriental *fusca* o ave intermedia (marzo)**
Este ejemplar (fotografiado en Kuwait) podría ser un ave intermedia; los ejemplares típicos de *fusca* frecuentemente tienen las partes superiores ligeramente más pardo-grisáceas.

pardo-gris, sin los tonos cálidos de la ssp. nominal

a menudo difusamente moteado, pero raramente tanto como en los ejemplares de buscarla fluvial menos listados

puntas pálidas, a veces bastante patentes, pero no tan grandes ni tan definidas como en la buscarla fluvial

pardo pálido, más pálido que en la ssp. nominal

Buscarla fluvial *Locustella fluviatilis*

L 15 cm | Verano, C a NE Europa

Boscaler fluvial CAT
Ibai-benarriza EUS
Folosa fluvial GAL

▼ **Tipo adulto (junio)**
El color de fondo de las partes superiores varía ligeramente, pero nunca es un pardo tan intenso y cálido como en la buscarla unicolor. Nótense las infracoberteras caudales extremadamente largas y las patas robustas y de color rosa.

▼ **Tipo adulto (junio)**
Un ejemplar con listado pectoral bastante marcado.

pardo frío bastante oscuro, a menudo con tintes oliváceos (cf. buscarla unicolor)

puntas pálidas en infracoberteras caudales relativamente oscuras (cf. buscarla unicolor)

el listado extenso puede generar una franja pectoral

patrón facial débil, con lista superciliar, brida y bigotera difusos

rosa

▼ **1er invierno (noviembre)**
En otoño, plumaje uniforme y nuevo (adultos con plumaje gastado en esta época del año). Ambas edades realizan una muda completa en invierno.

▶ **Tipo adulto (junio)**
Un ejemplar con listado pectoral bastante débil.

rosado apagado, de promedio más pálido que en la buscarla unicolor

listado variable, a menudo difuso (a veces mínimo)

▼ **Tipo adulto (junio)**
Vive cerca del suelo, generalmente dentro de vegetación espesa durante la mayor parte del año, por lo cual resulta extremadamente difícil de observar. Solo los ♂♂ cantores se muestran en ramas al descubierto.

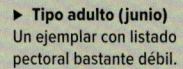

proyección primaria larga, a menudo > 100 %

tonos típicamente pardo-grisáceos

auriculares de promedio un poco más marcadas que en la buscarla unicolor

rectriz más externa (visible aquí accidentalmente) más corta que las infracoberteras caudales más largas, rasgo diagnóstico de *Locustella*

listado débil en este ejemplar

sin emarginaciones (como en la buscarla unicolor, pero a diferencia del resto de paseriformes "pardos")

Buscarla pintoja *Locustella naevia*

L 13 cm | Verano, O a E Europa

▼ **Tipo adulto (junio)**
Locustella típica, véase CARRICEROS Y BUSCARLAS · INTRODUCCIÓN, p. 706.
El listado del manto y del dorso, el patrón cefálico poco desarrollado y las infracoberteras caudales con patrón muy contrastado son rasgos característicos (pero véase también la –muy rara– buscarla lanceolada). El listado de las partes inferiores es muy variable.

▼ **Tipo adulto (abril)**
Un ejemplar con listado escaso, pero los característicos centros oscuros de las infracoberteras caudales, en forma de punta de flecha o triangular, tienen poca variabilidad.

lista superciliar pequeña y débil (cf. carricerín común)

el listado en estas partes puede ser inexistente a un poco más extenso que en este ejemplar

en primavera, muchas aves con pico oscuro/negruzco (¿solo ♂♂?)

color general de fondo pardo oliváceo

amarillento variable y poco patente

manchas oscuras formando franjas conspicuas en primavera/verano (cuando el plumaje está gastado)

franja pectoral difusa en primavera

patrón característico (pero véase buscarla lanceolada)

poco marcado o liso

cola ancha

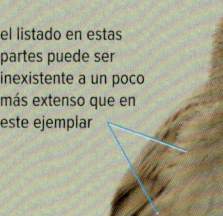

▼ **Tipo adulto (junio)**
Aves muy listadas/moteadas como esta ocurren tanto en el 1er año como en adultos en otoño. Los ejemplares más extremos pueden crear confusión con la buscarla lanceolada (véase aquella especie).

▼ **Juvenil/1er invierno (agosto)**
Un ejemplar con listado/moteado mínimo; los rasgos más útiles para la diferenciación de la buscarla unicolor son el patrón del píleo, el ala con los centros de las plumas oscuros y los márgenes más pálidos, así como el listado de las infracoberteras caudales. Plumaje típicamente nuevo en otoño, con tintes amarillentos en la garganta y márgenes pardo-rojizos en las plumas del ala.

◄ **Tipo adulto (abril)**
Difícil de observar durante la mayor parte del año, pero en primavera a veces canta desde ramas al descubierto (como también el resto de miembros del género).

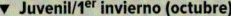

▼ Juvenil/1ᵉʳ invierno (octubre)

Un ejemplar más pardo grisáceo que el juvenil/1ᵉʳ invierno de agosto, posiblemente por tratarse de una fecha más tardía (plumaje más descolorido), pero también existe mucha variabilidad individual. El plumaje más nuevo es típico del 1ᵉʳ invierno, en comparación con el adulto.

▼ Tipo adulto, subespecie asiática *straminea* (mayo)

En una observación de campo, muchas aves de esta subespecie son idénticas a la nominal *naevia*. Sin embargo, algunas se parecen más a la buscarla lanceolada, a causa de un listado más extenso y grueso en las partes superiores e inferiores, así como un tamaño ligeramente inferior, pero el patrón de las infracoberteras caudales se mantiene característico. De promedio, la estructura de la cola y del ala difiere de la nominal *naevia*: p2 es generalmente un poco más corta (indicativo cuando es equivalente a la punta de p5/6). La cola es relativamente larga y, de promedio, más redondeada (más espacio entre r1 y r6). El estatus de este taxón en Europa es incierto a causa de su difícil identificación.

manchas oscuras diagnósticas en todas las infracoberteras caudales: puntiagudas y más anchas en la base

a lo sumo, garganta con listado débil

a menudo distintivamente rosadas (como en otras especies de *Locustella*)

a veces pardo amarillento más pálido, lo cual resulta en un contraste mayor con los centros oscuros de las plumas

a menudo, listado bastante extenso y grueso (pareciéndose entonces a la buscarla lanceolada), pero acostumbra a ser más difuso

patrón diagnóstico (cf. buscarla lanceolada)

Buscarla lanceolada *Locustella lanceolata*

L 12 cm | Verano, extremo NE Europa

Boscaler pintat petit CAT
Benarriz marraduna EUS
Folosa lanceolada GAL

▼ Tipo adulto (junio)

Las aves con listado más marcado son generalmente fáciles de distinguir de la buscarla pintoja. Los adultos acostumbran a tener las partes inferiores extensamente y fuertemente listadas. La imagen destaca algunas diferencias con la buscarla pintoja.

▼ 1ᵉʳ invierno (septiembre)

Un ejemplar típico en una época del año típica para su aparición en Europa. Las aves aún más marcadas que esta tienen todo el flanco con listas finas, densas y nítidas. Las aves de 1ᵉʳ invierno tienen el plumaje nuevo en otoño, mientras que los adultos lo tienen gastado.

las manchas negras del dorso crean franjas largas, también en plumaje nuevo

bastante corto y grueso; narina casi redonda

la terciaria más larga típicamente sobresale bastante más allá de las secundarias

supracoberteras caudales con centros negruzcos alargados

bastante oscuro; lista a los lados de la garganta generalmente bien definida

las manchas oscuras típicamente forman franjas largas y bien definidas; color de fondo del pecho blancuzco

la cola a menudo aparece corta y estrecha

margen de las terciarias bien definido y de anchura uniforme, más pálido hacia la punta

la terciaria más larga típicamente sobresale bastante más allá de las secundarias

pico relativamente corto y grueso, típico

listado de las partes inferiores generalmente más denso en el pecho (cf. buscarla pintoja más listada/moteada)

Buscarla lanceolada *Locustella lanceolata*

▼ 1ᵉʳ invierno (octubre)
Este ejemplar tiene las partes inferiores prácticamente lisas, incluyendo el pecho, pero los otros rasgos destacados son típicos (véase imagen). En las aves de 1ᵉʳ invierno, el listado de las partes inferiores es muy variable –como sucede también en la buscarla pintoja–, pero acostumbra a ser considerablemente más grueso y extenso que en aquella especie. Las aves de 1ᵉʳ invierno sin listado claro en las partes inferiores son posiblemente ejemplares que no han mudado las plumas corporales.

color de fondo pardo grisáceo a pardo amarillento, sin tintes oliváceos (cf. buscarla pintoja)

franjas continuas en el manto (cf. buscarla pintoja)

terciarias negruzcas con márgenes generalmente bien definidos y de anchura uniforme, más pálidos que los márgenes de las coberteras grandes; también en la hemibandera interna (cf. buscarla pintoja)

listado (cf. buscarla pintoja)

la terciaria más larga típicamente sobresale bastante más allá de las secundarias (cf. buscarla pintoja)

prácticamente sin listado en los flancos de este ejemplar

supracoberteras caudales con patrón bastante marcado (cf. buscarla pintoja)

proyección primaria corta, con las puntas de las primarias cercanas entre ellas, espaciadas uniformemente (cf. buscarla pintoja)

▼ 1ᵉʳ invierno (octubre)
Este ejemplar muestra unas infracoberteras caudales con patrón más marcado que la mayoría, pero la forma de las listas oscuras es característica, y también el color de fondo, que se vuelve más pálido hacia la punta de las plumas.

infracoberteras caudales más largas con lista oscura completa a lo largo del raquis en este ejemplar; color de fondo típicamente más pálido hacia la punta

lista oscura fina, no más ancha hacia la base

manchas oscuras más anchas, pero sin ensancharse hacia la base

▼ 1ᵉʳ invierno (octubre)
Este ejemplar también muestra una lista oscura muy fina en la infracobertera caudal más larga, concentrada en la punta y desapareciendo hacia la base. En las aves con listado más extenso, esta alcanza toda la longitud del raquis, y no se vuelve más ancha hacia la base, a diferencia de todas las buscarlas pintojas.

lista oscura muy fina en este ejemplar, que desaparece hacia la base (diagnóstico)

▼ 1ᵉʳ invierno (octubre)
Un ejemplar con patrón y coloración bastante típicos en las infracoberteras caudales.

infracoberteras caudales con listas oscuras finas y puntas más claras

ocráceo cálido, típico

▼ Tipo adulto (junio)
Este ejemplar muestra algunas variaciones en el patrón de las infracoberteras caudales, todas ellas características y distintivas con respecto a la buscarla pintoja: color de fondo pardo-amarillo con puntas más claras y ausencia de listas oscuras en las plumas más largas. Sin embargo, existe mucha variabilidad, y también existen aves con listas oscuras en todas las infracoberteras caudales.

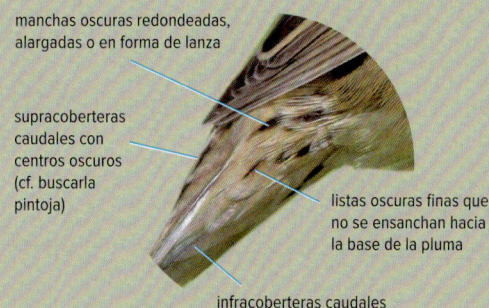

manchas oscuras redondeadas, alargadas o en forma de lanza

supracoberteras caudales con centros oscuros (cf. buscarla pintoja)

listas oscuras finas que no se ensanchan hacia la base de la pluma

infracoberteras caudales más largas lisas, con punta más pálida

■ Buscarla pintoja, detalle, tipo adulto (mayo)

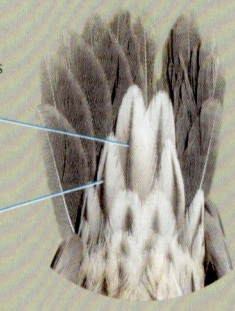

todas las infracoberteras caudales con listas oscuras a lo largo del raquis; color de fondo blancuzco uniforme

listas oscuras variablemente difusas, pero siempre ensanchándose hacia la base

Buscarla de Pallas *Helopsaltes certhiola*

L 13,5 cm | Divagante de Siberia

▼ 1er invierno (septiembre)

Una especie bastante fácil de identificar pero difícil de ver, puesto que suele mantenerse oculta entre la vegetación. La primera impresión es a menudo de una mezcla entre carricerín común y buscarla pintoja, pero con una cola muy ancha y oscura que contrasta con el resto de partes superiores. Cuando se puede observar bien, se hacen patentes los distintos rasgos característicos. Existen 2–4 subespecies reconocidas, pero los divagantes no son, generalmente, identificables a nivel subespecífico, puesto que hay solapamiento en los rasgos característicos, además de variabilidad individual.

▼ Tipo adulto (junio)

Las primarias curvadas con un margen externo blancuzco son típicas del género *Locustella* y *Helopsaltes* (véase carricerín común), pero en esta especie los márgenes son más pronunciados. Tanto los adultos como las aves de 1er año realizan una muda completa a final de invierno; en primavera, ambas edades tienen el plumaje nuevo y no se pueden datar. Algunos adultos también realizan una muda parcial a final de verano, pero la extensión de esta es muy variable y no completamente conocida. El plumaje de tipo adulto no muestra moteado oscuro en el pecho pero, por lo demás, es muy similar al 1er invierno. La gran mayoría de citas en Europa corresponde a aves de 1er invierno en otoño.

cola típicamente muy oscura, contrastando con el obispillo pardo rojizo (cf. buscarla pintoja)

margen exterior de terciarias poco definido y poco contrastado, excepto la punta –no margen– en la hemibandera interna

punta típicamente pálida (a veces blancuzca) en la hemibandera interna

grisáceo

ala con patrón contrastado; borde exterior blanco a menudo llamativo

patrón cefálico relativamente parecido al carricerín común, pero sin bigotera oscura

rectrices anchas, las externas con puntas pálidas; cola ancha y tupida (cf. buscarla pintoja)

patas típicamente robustas y rosadas, como en especies del género *Locustella*

lista superciliar larga y bien definida

proyección primaria larga (cf. buscarla pintoja)

coberteras grandes a menudo con patrón contrastado, a causa de los centros oscuros y los márgenes pálidos; puntas a veces blancuzcas, si están presentes, formando una cierta franja alar

▼ 1er invierno (octubre)

Incluso cuando no se pueden ver las infracoberteras caudales lisas, la identificación es relativamente sencilla, como en el ejemplar de la imagen.

patrón cefálico típico, con coronilla oscura y uniformemente listada, lista superciliar larga y definida y pico bastante largo y grueso

márgenes de coberteras pálidos, muy patentes

ancha y oscura, con puntas pálidas en las rectrices externas bastante grandes

▼ 1er invierno (septiembre)

Las aves con patrón más débil podrían confundirse con la buscarla pintoja, pero nótense especialmente las infracoberteras caudales (casi lisas) y las supracoberteras caudales con patrón bien contrastado (este más débil en la buscarla pintoja).

supracoberteras caudales más largas con listas oscuras (obispillo generalmente pardo rojizo liso)

píleo (o nuca) con listado uniforme (cf. carricerín común)

patrón cefálico marcado, con lista superciliar larga, auriculares y coronilla oscuros

grande

bigotera débil o ausente (cf. carricerín común)

infracoberteras caudales lisas o, las más largas con una fina lista oscura (cf. buscarla pintoja)

moteado fino sobre color de fondo amarillento en el 1er invierno

lados del pecho y flancos pardos

▼ 1er invierno (octubre)

infracoberteras caudales lisas o casi lisas, de tonos ante u ocráceo pálido (cf. buscarla pintoja)

Carricero políglota *Acrocephalus palustris*

L 14 cm | Verano, C, de O a E Europa

CARRICERO POLÍGLOTA Y CARRICERO COMÚN

Estas dos especies pueden ser muy difíciles de separar en el campo; incluso en mano, su identificación a menudo solo es posible tomando diversas medidas biométricas. Los carriceros comunes más típicos, de tonos pardo-rojizos cálidos, son más fáciles de identificar, así como también los carriceros políglotas en primavera. El canto de ambas especies difiere claramente.

▼ Tipo adulto (junio)

Un ejemplar típico en primavera. Las partes inferiores centrales son a menudo amarillentas pálidas, lo cual no sucede en el carricero común.

frecuentemente teñido de tonos amarillentos u oliváceos (cf. carricero común)

terciarias oscuras con margen pálido patente (cf. carricero común)

amarillento pálido característico

blanco "sucio" a pardo pálido

bastante pálido

▼ Tipo adulto (junio)

Un ejemplar típico que se puede diferenciar del carricero común con relativa facilidad. La muda completa invernal se produce más tarde que la del carricero común (nominal *scirpaceus*), por lo cual, cuando regresa a Europa, aún tiene el plumaje relativamente nuevo; en cambio, el carricero común ya muestra un cierto desgaste. Tanto las aves de 1er año como los adultos hacen una muda completa en invierno, momento a partir del cual ya no son diferenciables.

pardo-gris con tintes oliváceos

centros relativamente oscuros y márgenes más pálidos (cf. carricero común)

la terciaria más larga sobresale más allá de las secundarias (cf. carricero común)

obispillo típicamente pardo oliváceo (cf. carricero común)

bastante oscuras en primavera, con puntas más pálidas

▼ Tipo adulto (junio)

La lista superciliar es, de promedio, más pronunciada que en el carricero común, y más o menos igual de pálida que el anillo ocular. Sin embargo, la variabilidad del patrón facial y de la forma del pico es bastante grande (también en el carricero común y el carricero de Blyth); por lo tanto, estos rasgos solo tienen carácter indicativo.

lista superciliar bastante patente en la que el anillo ocular no destaca (cf. carricero común)

ligeramente más corto y con la base un poco más ancha que el carricero común

▼ 1er invierno (septiembre)

En otoño, a veces extremadamente similar a los ejemplares de carricero común más pálidos (especialmente el divagante potencial, carricero común del Caspio, *fuscus*), pero nótense las uñas, la coloración de las patas y los tintes de las partes superiores e inferiores.

lista superciliar y anillo ocular de tonos similares

tintes oliváceos típicos

obispillo a veces tendiendo a pardo cálido en aves de 1er invierno, pero de tono no más intenso que el dorso (cf. carricero común)

típicamente corto (en comparación con el carricero común)

amarillento/crema

patas típicamente bastante pálidas: gris, pardo pálido o amarillento (verdoso)

▼ 1er invierno (agosto)

La estructura alar es característica, pero en raros casos puede ser igual que la del carricero común. Proyección primaria muy larga, c. 100 %, única entre los carriceros pequeños, pardos y lisos europeos.

punta del ala en p3 (como en el carricero tordal y el común)

p2 larga, igual o más larga que p4 (como en el carricero tordal, cf. carricero común)

solo 1 emarginación

p1 muy corta, sin sobrepasar las coberteras primarias

Carricero común *Acrocephalus scirpaceus*

L 13,5 cm | Verano, casi toda Europa excepto NO a NE

Boscarla de canyar CAT
Lezkari arrunta EUS
Folosa das canaveiras GAL

▼ Tipo adulto (mayo)
Un ejemplar típico de esta especie de plumaje pardo y liso. La imagen destaca las diferencias con el carricero políglota, pero la identificación de estas 2 especies puede ser muy difícil. Tanto las aves de 1er año como los adultos llevan a cabo una muda completa en invierno, momento a partir del cual ya no son diferenciables.

▼ 1er invierno (agosto)
Todas las características señaladas se solapan, al menos en parte, con el carricero políglota y el carricero de Blyth, pero la combinación de ellas es indicativa de la especie. Este ejemplar tiene la mandíbula inferior bastante oscura (en la mayoría es pálida).

proyección primaria moderadamente larga

relativamente largo y fino

el anillo ocular a menudo destaca más que la lista superciliar

obispillo pardo más rojizo que el resto de las partes superiores

desgaste ligero o moderado

parduzco

bastante oscuro

anillo ocular más blancuzco y patente que la lista superciliar (cf. carriceros políglota y de Blyth)

lista superciliar débil encima de la brida

relativamente largo y fino en comparación con el carricero políglota

▼ Tipo adulto (julio)
Los adultos muestran un plumaje claramente gastado a partir del verano, y los tonos pardos más vivos se van debilitando. Las patas relativamente oscuras, con uñas oscuras, y el pico largo y fino son las mejores características para la diferenciación del carricero políglota, una especie que, generalmente, muestra menos desgaste en esta época, puesto que realiza la muda completa a final de invierno, mientras el carricero común la lleva a cabo a principio de la estación.

▼ 1er invierno (septiembre)
Un individuo con tonos típicos pardos cálidos en las supracoberteras caudales y el obispillo. Aún descontando la coloración de las uñas (oscuras por la cara exterior, pálidas por la interna), las aves como esta son fáciles de diferenciar del carricero políglota.

plumaje nuevo y uniforme en otoño (cf. adulto)

márgenes de terciarias poco patentes (cf. carricero políglota)

obispillo pardo cálido (cf. carricero políglota)

flanco generalmente un poco parduzco; garganta (ligeramente) contrastada (cf. carricero políglota)

generalmente grisáceo

▶ Detalle
El patrón de las uñas conforma una de las diferencias más claras con el carricero políglota; el color de las patas es variable en ambas especies, pero solo raramente es muy pálido en el carricero común. Las aves de 1er invierno de ambas especies tienen, de promedio, patas más claras que los adultos; un adulto de carricero políglota y un 1er invierno de carricero común pueden parecerse en este aspecto.

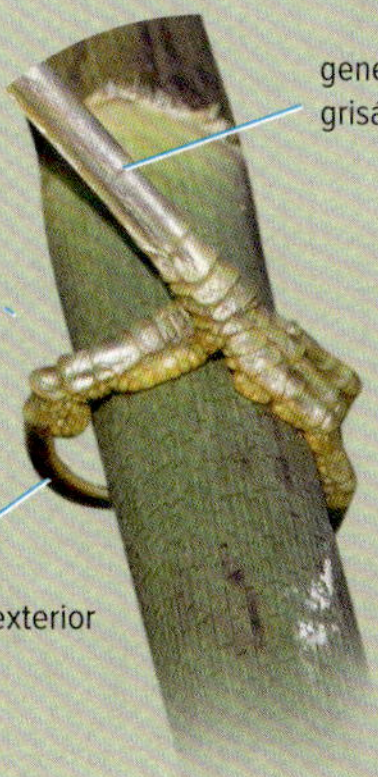

uñas oscuras, con fuerte contraste entre la parte exterior y la interna (cf. carricero políglota)

Carricero común *Acrocephalus scirpaceus*

▼ 1er invierno (septiembre)
Un ejemplar de tonos no muy vivos o cálidos, por lo cual se parece más al carricero políglota, pero el flanco es típicamente parduzco, el anillo ocular destaca más que en la lista superciliar, las patas son grisáceas bastante oscuras, las uñas son oscuras y la punta visible de p2 cae entre las puntas de p4 y p5 (cf. carricero políglota). Nótense también la única emarginación en las primarias y la forma de las patas típica de los carriceros (y vea CARRICEROS Y BUSCARLAS • INTRODUCCIÓN, P. 706).

■ Carricero políglota, 1er invierno (agosto)
La coloración general, con tonos pardo-oliváceos o amarillentos en las partes superiores y tonos amarillentos en las inferiores es, junto a otras características, a menudo una buena indicación de la especie.

pardo amarillento (oliváceo)

punta ligeramente más ancha que en el carricero común

solo 1 emarginación (a diferencia de la mayoría de paseriformes "pardos")

p2 = p4/5 (raramente p3/4) (cf. carricero políglota)

p2 larga = p3/4

▼ 1er invierno (agosto)
El patrón de las uñas, y a menudo de los dedos, es uno de los rasgos más útiles para diferenciar el carricero común del carricero políglota. Las diferencias son válidas en todas las edades, pero a menudo más patentes en aves de 1er invierno.

■ Carricero políglota, 1er invierno (agosto)
Este ejemplar muestra un cierto contraste entre las caras internas y externas de uñas y dedos; otros tienen las uñas uniformemente pálidas, a diferencia del carricero común.

uñas típicamente oscuras, con fuerte contraste entre la cara interna, más pálida, y la externa, oscura (frecuentemente también en los dedos)

uñas típicamente pálidas con poco contraste entre la cara interna y la externa, la cual es solo ligeramente más oscura

uñas largas

uñas relativamente cortas en comparación con el carricero común

cara interna de los dedos pálida, contrastando con la cara externa oscura

habitualmente bastante oscuro, con tintes grisáceos

cara interna de los dedos más pálida, pero con poco contraste con la cara externa

habitualmente bastante pálido, con tintes amarillentos

▶ **Carricero común del Caspio, *fuscus*, 1ᵉʳ invierno (agosto)**
Las aves típicas de Asia (como esta, fotografiada en Kazajistán) generalmente no tienen los tonos pardos cálidos y vivos de la subespecie nominal *scirpaceus*, por lo cual se parecen más al carricero políglota. Además, la lista superciliar más pronunciada, las terciarias más contrastadas, las puntas de primarias pálidas y la proyección primaria larga contribuyen a un "apariencia de carricero políglota" (véase aquella especie). Las poblaciones de Oriente Medio y de Chipre también pertenecen a *fuscus*, pero se diferencian claramente de las poblaciones asiáticas: tienen, de promedio, tonos pardos más cálidos, más parecidos a la nominal *scirpaceus*; además, tienen el ala (y la proyección primaria) más corta —son migradores de corta distancia–, y mudan a final de verano (como la subespecie ibérica *ambiguus*).

lista superciliar encima de la brida generalmente más patente que en la nominal *scirpaceus*

píleo y cuello a menudo más grisáceos

pardo-gris frío, típico, frecuentemente también en el obispillo

puntas más pálidas (cf. *scirpaceus* de 1ᵉʳ invierno)

p2 relativamente corta (aquí = p5), a diferencia del carricero políglota

blancuzco a pardo-gris pálido

oscuro (cf. carricero políglota)

a menudo puntas pálidas, también en adultos en primavera (no muy patentes aquí)

Carricero común ibérico *Acrocephalus scirpaceus ambiguus*

L 12,5 cm | Península Ibérica y, supuestamente, extremo SE Francia

Boscarla de canyar "ibèrica" CAT
Lezkari arrunt magrebtarra EUS
Folosa ambigua GAL

EL CARRICERO COMÚN DE LA PENÍNSULA IBÉRICA

Este taxón, recientemente descrito (2016), ya tiene una historia taxonómica turbulenta. Inicialmente, se sospechaba que podía pertenecer a la población más norteña de la subespecie *ambiguus* del **carricero común africano** *Acrocephalus scirpaceus baeticatus*. Sin embargo, la forma africana ha vuelto a ser incorporada a *scirpaceus*, por lo cual todas sus subespecies pertenecen ahora al carricero común. Este taxón, propio del N de África y de la península Ibérica (*ambiguus*) es residente o migrador de media distancia y, de acuerdo con esto, tiene el ala más corta que la subespecie nominal *scirpaceus*, que realiza migraciones de larga distancia. Además, realiza la muda completa justo después de finalizar la reproducción, a diferencia de la nominal *scirpaceus* en el resto de Europa, que muda en las zonas de invernada.

▼ **Adulto (julio)**
La proyección primaria corta indica una distancia de la migración más corta, en comparación con la subespecie nominal. Lo mismo se aplica al taxón que nidifica en Oriente Medio. El carricero común de la subespecie nominal *scirpaceus* migra a través de la península Ibérica en primavera y en otoño, y tiene el plumaje mucho más nuevo en primavera, además de una proyección primaria más larga.

▼ **1ᵉʳ año (julio)**
Este ejemplar tiene el plumaje muy nuevo a mediados de verano. En otoño, los adultos ya han mudado, o se encuentran en muda activa de primarias (a diferencia de la subespecie nominal *scirpaceus*).

cabeza a menudo más grisácea que la zona dorsal; la lista superciliar frecuentemente alcanza un poco más atrás del ojo

proyección primaria típicamente corta

blancuzco

Carricero de Blyth *Acrocephalus dumetorum*

L 13,5 cm | Verano, NE Europa

Boscarla dels matolls CAT
Zuhaixka-lezkaria EUS
Folosa de Blyth GAL

....

▼ Tipo adulto (mayo)
A pesar de tener un plumaje sin rasgos muy evidentes, la combinación de diversos elementos sutiles resulta característica. La ausencia de tonos pardo-rojizos en el obispillo es una diferencia útil con respecto al carricero común. En primavera, el carricero de Blyth tiene una coloración mucho más similar a la del carricero políglota; también coincide más en el hábitat; la hibridación entre estas dos especies se produce en las zonas donde su distribución en época de cría coincide. También se podría confundir con otras especies de paseriformes, por ejemplo, del género *Iduna*, especialmente el zarcero pálido (véase ZARCEROS Y ESPECIES SIMILARES, p. 729). Tanto los adultos como las aves de 1er invierno hacen una muda completa en invierno y, por lo tanto, no pueden ser datados en primavera. Esta muda se produce al inicio de la estación; las aves que llegan a Europa ya muestran un cierto desgaste (como el carricero común nominal *scirpaceus*). El carricero políglota suele tener el plumaje más nuevo en esta época.

▼ 1er invierno (septiembre)
Un ejemplar que muestra la apariencia típica en Europa occidental, en otoño. Las aves de 1er invierno tienen el plumaje nuevo y más pardo que los adultos en primavera. El carricero agrícola también tiene una proyección primaria corta y márgenes pardos en las primarias, pero difiere en el patrón facial, entre otros aspectos.

en primavera, color pardo-gris (oliváceo) frío, incluyendo el obispillo (que a veces es más gris) (cf. carriceros común y políglota)

no más oscuro (o poco más oscuro) que el resto del ala; en su conjunto, el ala más uniforme entre todos los carriceros (cf. carriceros común y políglota)

largo y fino

blanco "sucio"

infracoberteras caudales blancas y lisas

2 emarginaciones (cf. carriceros común y políglota)

en primavera, a menudo pardo con dedos oscuros

pardo grisáceo frío, en contraste con el ala de tono más cálido

proyección primaria corta, típica, a lo sumo con 7 puntas de primarias visibles por detrás de las terciarias (cf. carriceros común y políglota)

pardo ligeramente más cálido en el ala que en el dorso y el píleo, a causa de la coloración de los márgenes de las primarias (cf. carriceros común y políglota)

gris (pardo) en el 1er invierno, típico, a veces con dedos pálidos

▼ Tipo adulto (mayo)
P2 corta. Emarginaciones en p3/4 no presentes ni en el carricero común ni en el carricero políglota (pero sí en el carricero agrícola); estas son frecuentemente más marcadas en aves de 1er invierno, que tienen el plumaje más nuevo. A veces, p1 sobresale bastante de las coberteras primarias (como en el ejemplar de la imagen); esto es raro en el carricero común y el carricero políglota (sin embargo una p1 corta que no sobresale de las coberteras primarias es habitual en las 3 especies). Los zarceros del género *Iduna* tienen una estructura diferente (incluyendo una p1 mucho más larga y más emarginaciones). Nótese que la estructura alar varía tanto en el carricero común como en el políglota.

▼ 1er invierno (septiembre)
Este ejemplar tiene una coloración más viva que la mayoría, y se podría confundir con el carricero común. Nótense las diferencias señaladas en la imagen y el ala parda muy uniforme, característica (efecto creado por las hembanderas externas de las plumas de vuelo). En cuanto a la identificación, también se deberían considerar especies del género *Iduna* pero, en la mayoría de especies similares, los márgenes de las primarias son más pálidos.

pardo-gris, ligeramente más frío que el ala

proyección primaria relativamente corta, ≤ 80 % (cf. carriceros común y políglota)

pardo característico; pardo más vivo que la zona dorsal

p2 corta, característica, punta = punta de p5–7/8, aquí p7 (en los carriceros común y políglota más larga, p2 = p4/5)

2 emarginaciones (1 en los carriceros común y políglota)

p1 larga en este ejemplar (a diferencia de los carriceros común y políglota)

ceja bastante marcada y relativamente ancha, sobre todo delante del ojo, a veces continuando hasta la parte trasera

▶ Tipo adulto (junio)
En comparación con el carricero común y el carricero políglota, el carricero de Blyth tiene la lista superciliar, de promedio, más marcada y, generalmente, más patente que el anillo ocular. A veces, la lista superciliar continúa de forma visible por detrás del ojo (raramente en los carriceros común y políglota). Sin embargo, el patrón facial y las manchas oscuras en el pico son variables en las 3 especies; en el carricero de Blyth, la zona oscura cerca de la punta de la mandíbula inferior es típica, pero a veces puede darse en el carricero común.

zona oscura cerca de la punta de la mandíbula inferior

Carricero agrícola *Acrocephalus agricola*

L 13 cm | Verano, extremo E Europa

▼ Tipo adulto (junio)

Entre los carriceros "lisos", es el que tiene el patrón facial más marcado; esto, junto a la proyección primaria corta, hace que se pueda parecer especialmente al zarcero escita.

lados del cuello más pálidos, a menudo llamativos

patrón cefálico distintivo; lista superciliar y brida bien desarrollados; contraste patente en la mandíbula inferior

oscuro, a menudo con tintes rosados

proyección primaria corta

▼ 1er invierno (septiembre)

Compárese con el zarcero escita. El plumaje nuevo y contrastado es característico en aves de 1er invierno, en otoño. En comparación con otros carriceros "lisos", suele mostrar un mayor contraste. El zarcero escita es menos contrastado y de tonos pardos menos cálidos. En todos los plumajes, el carricero agrícola tiene una cola larga y graduada, y no muestra blanco en las rectrices externas.

relativamente larga y un poco redondeada; sin márgenes exteriores pálidos (cf. zarcero escita)

terciarias con la hemibandera externa oscura y la interna más clara, típico

generalmente, pardo relativamente pálido

obispillo y supracoberteras caudales de color canela, típico

generalmente, patas oscuras y uniformes

canela cálido

▼ 1er invierno (septiembre)

a veces grisáceo en el 1er invierno

proyección primaria corta, habitualmente solo c. 50 %

márgenes pardos de primarias que conforman un ala parda y uniforme, como en el carricero de Blyth

▼ 1er invierno (noviembre)

La combinación de p1 corta y 2 emarginaciones (a veces una 3ª más débil) es característica, pero compartida con el carricero de Blyth, que también tiene una estructura alar parecida.

p5 típicamente larga, cerca de la punta del ala

p2

p2 corta = p6–7

2–3 emarginaciones (p3–5)

p1 sobrepasa poco las coberteras primarias (cf. zarcero escita)

▼ 1er invierno (noviembre)

El patrón cefálico es más parecido al del zarcero escita que al de cualquier otro carricero "liso". Sin embargo, el zarcero escita tiene la brida pálida (véase aquella especie), el pico más fino –con la punta oscura de la mandíbula inferior más pequeña–, y el iris más oscuro (pupila generalmente no distinguible); además, no tiene una franja pálida en el cuello.

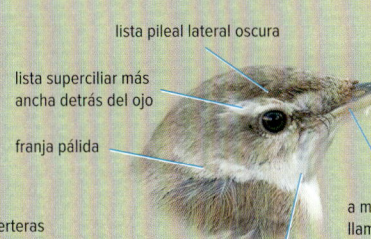

lista pileal lateral oscura

lista superciliar más ancha detrás del ojo

franja pálida

punta oscura extensa

a menudo, base del pico llamativa, amarillenta, rosada o parduzca (pálida)

frecuentemente blanco llamativo

Carricero tordal *Acrocephalus arundinaceus*

L 18 cm | Verano, toda Europa excepto NO y N

Balquer CAT
Lezkari karratxina EUS
Folosa grande GAL

▼ Adulto (abril)
En Europa, es el único carricero de este tamaño, pero esto puede resultar difícil de juzgar si no hay posibilidad de establecer una comparación directa. El patrón facial se caracteriza por una brida oscura y ancha. Las infracoberteras caudales y los flancos son las zonas más oscuras de las partes inferiores; en los carriceros "lisos" más pequeños, las infracoberteras caudales son a menudo más pálidas o blancas.

destaca la brida oscura; lista superciliar concentrada entre el pico y el ojo

▼ Adulto (junio)
Nótese el patrón facial típico y el pico robusto.

frecuentemente más pálido que el resto de partes superiores

pico robusto con punta oscura de la mandíbula inferior

proyección primaria larga, c. 100 %; generalmente, 8 puntas visibles

tarso parduzco, dedos negruzcos

bastante redondeada

pardo-crema variable en las infracoberteras caudales (cf. carriceros "lisos" pequeños)

▶ Adulto (agosto)
Plumaje más gastado y desteñido a partir de final de verano; tanto los adultos como las aves de 1er invierno llevan a cabo una muda completa en las zonas de invernada; el datado en primavera no es posible.

iris pardo rojizo (cf. 1er invierno)

desgaste patente (cf. 1er invierno)

frecuentemente con un cierto listado oscuro y difuso

pardo-gris (cf. 1er invierno)

punta del ala en p3 (como en los carriceros común y políglota)

p2 larga, frecuentemente casi tan larga como p3 (como en el carricero políglota)

solo 1 emarginación

a menudo gris puro (cf. adulto)

◀ 1er invierno (septiembre)
Casi como el adulto, pero con plumaje completamente nuevo, las patas más grises y el iris pardo-gris. La estructura alar es la misma en todas las edades.

▶ **1er invierno, posiblemente subespecie oriental *zarudnyi* (octubre)**
Este ejemplar, con plumaje muy pálido, muestra diversos rasgos propios de *zarudnyi*: partes superiores grisáceas, partes inferiores casi completamente blancas y un obispillo y supracoberteras caudales muy pálidos de tonos arenosos. En la subespecie nominal *arundinaceus* (occidental) y en *zarudnyi* (oriental) los tonos de las partes superiores muestran una transición de oeste a este: de pardo bastante oscuro y cálido a pardo-gris pálido; las partes inferiores pasan de crema en los flancos a (casi) blanco. Sin embargo, el desteñido del plumaje (por el paso del tiempo) en ejemplares de la subespecie nominal *arundinaceus* dificulta la identificación de *zarudnyi* fuera de su distribución habitual. Este ejemplar fue fotografiado en Gran Bretaña.

Carricero picogordo *Arundinax aedon*

L 17 cm | Divagante de E Asia

Boscarla becgrossa CAT
Lezkari mokolodia EUS
Folosa de bico groso GAL

▼ **Adulto (junio)**
Es característica de esta especie la cabeza muy uniforme, así como la forma y coloración del pico y de la cola. Sin embargo, su llegada a Europa es extremadamente rara por lo cual, ante un ave dudosa, se deben tener en consideración otras posibilidades, como por ejemplo un ejemplar aberrante de una especie más común.

▼ **Adulto o 1er invierno (octubre)**
Este ejemplar muestra todos los rasgos típicos de la especie. Tanto los adultos como las aves de 1er año llevan a cabo una muda completa a final de verano/otoño, aunque un poco más tarde en el caso de los jóvenes del año. La combinación de su estructura alar (p1 larga, proyección primaria corta) junto con la estrategia de muda se da generalmente en especies residentes o migradoras de corta distancia. Por esta razón, es muy inusual en una especie migradora como esta. Las primarias y terciarias bastante nuevas de este ejemplar sugieren que se trata de un 1er invierno.

pardo bastante cálido y relativamente oscuro

sin lista superciliar

brida ancha y pálida, a menudo en forma de media luna

grueso y pálido; frecuentemente solo el culmen más oscuro

pardo cálido

p1 larga

larga y muy redondeada

márgenes de primarias pardo cálido

proyección primaria relativamente corta: c. 60 %

cola muy graduada, patente en vuelo

◀ **Tipo adulto (mayo)**
A menudo se mantiene oculto entre la vegetación; una visión como esta puede ser la única posible, si levanta el vuelo.

Carricerín común *Acrocephalus schoenobaenus*

L 12,5 cm | Verano, casi toda Europa excepto Islandia; en migración, S Europa

Boscarla dels joncs CAT
Benarriz arrunta EUS
Folosa dos xuncos GAL

▼ **Adulto (junio)**
Entre otros rasgos, el patrón cefálico muy marcado junto con el ala bastante contrastada facilitan la identificación, en comparación con los carriceros "lisos". Para apreciar las diferencias con el carricerín cejudo y el carricerín real, véanse aquellas especies.

▶ **Adulto (agosto)**
En otoño, los adultos tienen el plumaje muy gastado y desteñido, lo cual acentúa el contraste en el patrón cefálico.

lista superciliar muy ancha y patente

lista pileal central ligeramente más pálida (a veces difícil de ver)

listado difuso, no muy patente

brida oscura

patrón más contrastado que la zona dorsal

oscuro, parduzco en el adulto

▶ **Adulto (junio)**
Algunos ejemplares tienen el obispillo y las supracoberteras caudales de tonos menos rojizos que el de la imagen, pero generalmente la diferencia con el manto es patente. Véase cistícola buitrón, que comparte una coloración relativamente similar en esta zona, pero es muy distinto en otros aspectos.

obispillo canela o pardo rojizo

▼ **Juvenil/1er invierno (septiembre)**
Parecido al adulto, pero con un patrón cefálico aún más marcado (lista pileal central a menudo bastante patente), y con plumaje nuevo y uniforme en otoño. El patrón cefálico y la coloración un poco más pardo-amarillenta podrían llevar a confusión con el carricerín cejudo (véase aquella especie).

brida oscura (cf. carricerín cejudo)

rectrices puntiagudas pero no muy estrechas

moteado oscuro variable, a menudo poco extenso

patas más pálidas que en el adulto; en este plumaje, más similar al carricerín cejudo

▶ **Juvenil/1er invierno (agosto)**
En algunas aves, la lista pileal central es aún más pálida que aquí, y puede causar la confusión con el carricerín cejudo. Sin embargo, el carricerín común tiene el dorso con patrón más débil y difuso, las supracoberteras caudales con tonos rojizos bastante uniformes, márgenes no tan pálidos en las terciarias y patas más oscuras, entre otras diferencias.

listado típicamente difuso y bastante débil

pálido, pero no tanto como la lista superciliar

la brida puede parecer pálida desde algunos ángulos

Carricerín cejudo *Acrocephalus paludicola*

L 12,5 cm | Verano, E Europa; en migración, O Europa

▼ **Tipo adulto (abril)**
Parecido al carricerín común, pero con algunas diferencias notables. Los adultos tienen los flancos y el pecho listados, algunos de forma extensa.

▼ **Tipo adulto (abril)**
Las partes superiores con patrón muy contrastado y la brida pálida son rasgos característicos en todos los plumajes, pero el tipo adulto suele tener algunas zonas más oscuras en la brida, a diferencia de las aves de 1er año en otoño.

muy ancha, a menudo amarillenta

brida más pálida (cf. carricerín común)

franjas oscuras anchas y largas (cf. carricerín común)

listado (cf. carricerín común)

pardo bastante pálido (cf. carricerín común)

franjas negras (cf. carricerín común)

puntiaguda (cf. carricerín común)

▼ **Juvenil/1er invierno (agosto)**
Las aves de 1er año en otoño tienen un plumaje muy contrastado, con tonos de fondo pardos y amarillos. El juvenil de carricerín común también puede ser bastante amarillento, y frecuentemente muestra un indicio de lista pileal central pálida, lo cual puede llevar a una confusión. Las franjas oscuras y anchas en la zona dorsal son el rasgo más característico cuando un ejemplar se mantiene escondido entre la vegetación.

rectrices estrechas y puntiagudas; cola generalmente bastante redondeada

▼ **Juvenil (agosto)**

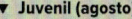

supracoberteras caudales muy listadas

las franjas pálidas del manto se funden con los márgenes pálidos de las terciarias

franja negra en la parte central del dorso

lista pileal central de color crema pálido, bien definida y alcanzando hasta la nuca

brida pálida y lisa

franja oscura y ancha característica

franjas pálidas ininterrumpidas, que se funden con los márgenes pálidos de las terciarias

un cierto listado no es raro (a veces incluso más que en este ejemplar)

pálido, a menudo rosado

Carricerín real *Acrocephalus melanopogon*

L 13 cm | Todo el año, S Europa; verano, S y C Europa

▼ 1er año o adulto (diciembre)

Solo se puede confundir con el carricerín común pero, si se puede observar bien, la identificación de la subespecie nominal *melanopogon* es bastante sencilla. La imagen destaca las diferencias con el carricerín común. En muchas aves, la lista pileal central es un poco más parda, pero en el campo suele parecer completamente negruzca.

▼ Tipo adulto (febrero)

Además de la coloración general más rojiza de la subespecie nominal *melanopogon*, la estructura alar también difiere sustancialmente del carricerín común. El iris pardo se puede ver a veces; generalmente, el carricerín común lo tiene muy oscuro.

márgenes de terciarias de color similar al dorso

ceja de color blanco puro, más ancha hacia la parte trasera, terminada de forma más o menos cuadrada

lista pileal central negruzca, a lo sumo pardo oscuro

zona oscura extensa (lista ocular y bigotera)

proyección primaria corta, c. 40–50 %, en el carricerín común, cerca del 100 %

garganta blanca aislada

pardo cálido extenso

negruzco

cola bastante redondeada; margenes exteriores pálidos a veces distintivos (cf. carricerín común)

punta del ala redondeada (cf. carricerín común)

p2 relativamente corta

p1 larga, característica, a menudo visible en el campo

▶ Probable juvenil (agosto)

Tanto adultos como juveniles realizan una muda completa a final de verano; a partir de otoño ambas edades muestran un plumaje nuevo y ya no se pueden datar. En este caso, se trata probablemente de un juvenil, por tener el plumaje nuevo y el iris pardo-gris (en agosto, los adultos muestran desgaste en el plumaje y el iris es pardo rojizo).

▼ Subespecie oriental *mimicus*, tipo adulto (mayo)

Esta subespecie, propia de Oriente Medio y más al este, tiene una coloración más apagada y menos rojiza que la nominal *melanopogon*, por lo cual se asemeja más al carricerín común. Los lados del cuello pálidos, los márgenes de terciarias pálidos y, a veces, una lista pileal central relativamente pálida son rasgos que acentúan esta semejanza. La estructura alar (con p1 larga y proyección primaria corta) se mantiene como una característica diagnóstica.

márgenes de terciarias más pálidos que en nominal *melanopogon* (más cercanos al carricerín común)

lado del cuello pálido

típicamente zona oscura extensa (cf. carricerín común)

proyección primaria corta con puntas de primarias muy juntas

p1 larga diagnóstica, aquí apenas visible

pardo pálido y poco extenso

▼ Estructura alar

La estructura del ala es muy diferente de la que muestra el carricerín común, y más propia de las especies residentes o migradoras de corta distancia. En la imagen se destacan las diferencias con aquella especie, la cual tiene una estructura alar típica de un migrador de larga distancia, con p1 corta (que no sobrepasa la punta de las coberteras primarias) y p2 larga (que forma la punta del ala junto con p3); además, el carricerín común solo tiene 1 emarginación (en p3).

p1 larga que sobrepasa las coberteras primarias

3–4 emarginaciones (p3–5/6)

p2 corta; punta de p2 = punta de p8

p8

Cetia ruiseñor *Cettia cetti*

L 13,5 cm | Todo el año, O, de SO a SE Europa

▼ Tipo adulto (diciembre)

Un paseriforme con plumaje pardo cálido bastante uniforme, con la lista super-ciliar y en anillo ocular bien marcados, pero frecuentemente difícil de observar. A menudo lleva la cola levantada, de forma parecida al chochín paleártico. El patrón de las infracoberteras caudales se parece al de la buscarla unicolor y la buscarla fluvial, la primera de las cuales tiene tonos pardo-rojizos similares; sin embargo, ambas especies tienen las infracoberteras caudales y el ala mucho más largos (entre otras diferencias). Los adultos hacen una muda completa a final de verano y tienen plumaje nuevo en otoño.

▼ Adulto (septiembre)

El ala y la estructura caudal son únicos entre los paseri-formes europeos (el único con 10 rectrices en lugar de 12). El plumaje nuevo en otoño apunta a un ave adulta.

lista superciliar estrecha pero bien marcada

habitualmente más grisáceo

pardo cálido vivo

brida/mancha muy oscura

anillo ocular parcial blanco, a menudo muy patente

oscuro con punta pálida

proyección primaria corta

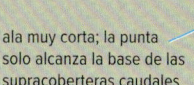

redondeada, con solo 10 rectrices bastante anchas

ala muy corta; la punta solo alcanza la base de las supracoberteras caudales

ala muy redondeada con p1 bastante larga y p2 muy corta

▶ 1er invierno (septiembre)

La mayoría (si no todas) las aves de 1er año cal. realizan una muda parcial, y tienen las plumas de vuelo y las coberteras primarias gastadas en otoño.

▼ Subespecie oriental *orientalis* (Turquía y Chipre)

Esta subespecie es ligeramente más pálida, tiene tonos un poco menos castaños en las partes superiores que la nominal *cetti* y, por debajo, es típicamente casi gris.

terciarias nuevas (mudadas)

ligero desgaste (también en las rectrices)

Cistícola buitrón *Cisticola juncidis*

L 10,5 cm | Todo el año, de SO a SE Europa

▼ **Tipo adulto ♂ (marzo)**

Un paseriforme insectívoro pequeño, con plumaje muy listado y un patrón caudal característico (visible con la cola abierta). Las terciarias y secundarias bastante largas cubren (prácticamente) las primarias, un rasgo único entre paseriformes de hábitats similares en Europa. Los adultos realizan una muda completa en otoño; la muda postjuvenil de las aves de 1er año es variable, pero una buena proporción también hace una muda completa, momento a partir del cual el datado ya no es posible. Las aves de puestas tardías pueden dejar algunas primarias sin mudar lo cual, en invierno y primavera del 2º año cal., genera un límite de muda entre las nuevas y las de tipo juvenil. Los rasgos destacados en la imagen apuntan a un ♂, pero estos suelen mostrar estas características solo en primavera y quizá no sean válidas en todos los casos.

▼ **1er invierno o adulto (diciembre)**

Las características señaladas son válidas en todos los plumajes; la brida más pálida y el pileo muy listado son más típicos de la ♀ pero, sobre todo en invierno, no descartan al ♂. Este ejemplar pertenece a la subespecie nominal *juncidis*; las aves del SO de Europa, de la subespecie *cisticola*, tienen tonos pardos ligeramente menos cálidos.

oscuro y poco listado en el ♂ en primavera

cuando es oscuro, apunta a ♂

muy listado en la ♀

el ojo destaca en el lado de la cara casi liso (sin lista ocular)

brida más pálida en la ♀

culmen relativamente curvado

partes superiores con franjas oscuras muy marcadas

liso

ala muy corta; proyección primaria muy corta o inexistente

patrón caudal típico: franja subterminal negra y punta pálida

▼ **Tipo adulto (marzo)**

Además del característico patrón caudal, nótese también la forma del pico y el patrón cefálico.

▼ **Tipo adulto (septiembre)**

En vuelo (de canto) a menudo es patente el patrón de la cola.

patrón característico en todos los plumajes

patas pálidas de color carne en todos los plumajes

▼ **Tipo adulto (enero)**

Prinia delicada *Prinia lepida*

L 10,5 cm | Todo el año, S Turquía

TAXONOMÍA

Dentro del "complejo de *Prinia* listadas" se pueden distinguir 2 grupos que, en base a estudios recientes, es mejor considerar como especies diferenciadas; prinia delicada y prinia grácil. Ambas especies tienen numerosas subespecies. La distribución de la prinia delicada se encuentra más al nordeste que la de la **prinia grácil** *Prinia gracilis*, y va desde el SE de Turquía y Siria, Iraq e Irán, hasta el NE de la península de Arabia y el norte de la India. La prinia grácil ocurre en Egipto, Israel y la península de Arabia (excepto el NE).

▼ **Subespecie *akyildizi*, sur de Turquía (abril)**
Este es el único taxón europeo del "complejo de *Prinia* listadas". Esta subespecie se encuentra en el SE de Turquía. Las franjas blancas y negras de la cola son, a menudo, más débiles o incompletas, el pecho es, más frecuentemente, listado y el manto tiene un listado más grueso, en comparación con los otros taxones del "grupo *gracilis*".

▶ **Subespecie *akyildizi*, sur de Turquía (mayo)**
La identificación de las varias subespecies, incluso en comparación directa, de las 2 especies, es dificultosa a causa de la variabilidad individual y geográfica. Sin embargo, todos los taxones mostrados son sedentarios, por lo cual la localización es muy indicativa de su taxonomía. Este ejemplar muestra franjas caudales muy marcadas para pertenecer a la prinia delicada, lo cual confirma la variabilidad. Además, tiene el listado de las partes inferiores limitado a la garganta; muchos individuos muestran también listado en el pecho (o a los lados del pecho).

listado marcado en este taxón

muy larga

muy listado en este taxón

franjas caudales débiles en este taxón

■ **Prinia grácil *Prinia gracilis*, tipo adulto ♂ (Israel, abril)**
La imagen destaca las características generales para todos los taxones de ambas especies. En primavera, los ♂♂ tienen el pico negro. El patrón de la cola varía mucho, pero todos los taxones muestran una mancha oscura subterminal en cada rectriz. La zona más próxima a Europa donde esta especie habita está en el Líbano y el N de Israel.

patrón facial débil

iris pálido, amarillento a rojizo

en primavera, habitualmente negro

listado variable geográficamente

proyección primaria corta o inexistente

pálido, color carne

patrón típico

larga y muy graduada

Zarceros de los géneros *Iduna* e *Hippolais* • Introducción

EDAD

Puesto que tanto las aves de 1er año como los adultos realizan una muda completa en invierno, el datado ya no es posible en primavera. En otoño, los adultos tienen el plumaje gastado, mientras que los ejemplares de 1er invierno lo tienen aún bastante nuevo.

ZARCEROS DEL GÉNERO *IDUNA*

Los zarceros de este género tienen las partes superiores de tonos pardo-grisáceos y un patrón facial medianamente desarrollado. La estructura de las patas y del ala contiene diferencias importantes con respecto a los carriceros "lisos".

patrón facial con lista ocular inconspicua, generalmente brida bastante pálida y lista superciliar más definida delante del ojo (esto último con la excepción del zarcero escita)

p1 larga

3–4 emarginaciones

◄ **Zarcero escita**

dedos relativamente cortos

lados de la cola pálidos, difusos

proyección primaria corta o moderada

ZARCEROS DEL GÉNERO *HIPPOLAIS*

Estas 4 especies se pueden dividir en 2 parejas: los "zarceros amarillos" (políglota e icterino), y los "zarceros grises" (lánguido y grande). Comparten una estructura de los dedos similar a *Iduna* (bastante cortos y gruesos), pero el tarso es a menudo más ancho y robusto, y las dos especies "grises" lo tienen bastante largo. La imagen destaca las características principales del género.

generalmente, panel alar patente (excepto con el plumaje gastado)

brida pálida en las especies "amarillas"

proyección primaria moderada o larga

patrón con márgenes y puntas pálidos en las rectrices externas, especialmente en las especies "grises"

2–3 emarginaciones

p1 corta (excepto zarcero políglota)

◄ **Zarcero icterino**

Zarceros y especies similares

▼ Zarcero escita

▼ Zarcero de Sykes

▼ Carricero de Blyth

▶ Zarcero pálido

▶ Zarcero bereber

◀ Carricero común

▶ Zarcero lánguido

◀ Carricero políglota

◀ Mosquitero común siberiano

Zarcero escita *Iduna caligata*

L 12 cm | Verano, extremo NE Europa; divagante en el resto de Europa

Busqueta asiàtica septentrional CAT
Sasi-txori txikia EUS
Folosa calzada GAL

▼ **1er invierno (septiembre)**

lista superciliar ancha, típicamente diluyéndose detrás del ojo

lista pileal lateral ligeramente más oscura que la parte central del píleo

color "te con leche" típico, algunas aves más pardas

nuevo en otoño (gastado en el adulto)

mandíbula inferior con mancha oscura variable

▼ **1er invierno (octubre)**

blancuzco; flanco a veces más pardo

proyección primaria corta (c. 50 %)

pardo-gris bastante pálido

3–4 emarginaciones (cf. carricero agrícola)

p1 larga, hasta aproximadamente el doble de la longitud de las coberteras primarias visibles

hemibanderas internas y externas de terciarias igualmente oscuras, con raquis más oscuro (cf. carricero agrícola y zarcero de Sykes)

dedos más oscuros que el tarso

márgenes pálidos patentes (cf. zarcero de Sykes)

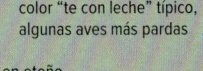

▼ **Estructura del pico**
Tanto las aves del género *Iduna* como las del género *Hippolais* tienen la base del pico ancha; entre ellas, el zarcero escita es el que la tiene más estrecha. Vista desde arriba o desde abajo, los lados del pico son ligeramente cóncavos.

base del pico relativamente estrecha y lados ligeramente cóncavos (cf. zarcero de Sykes)

rectrices centrales más cortas que el resto, lo cual genera una cierta forma ahorquillada en la cola (cf. zarcero de Sykes)

▼ **Tipo adulto (junio)**

en otoño, a causa del desgaste, ligeramente más oscuro que el 1er invierno

patrón cefálico típico, con lista superciliar bien definida y ensanchándose hacia la parte posterior, brida inconspicua, píleo oscuro, ojo grande y negruzco, y punta oscura de la mandíbula inferior

desgaste moderado; en otoño, desgaste acentuado

▼ **1er invierno (septiembre)**
La ondulación hacia abajo (o "muesca") de la lista pileal lateral (difusa) es variable, pero si es muy patente –como en el ejemplar de la imagen–, contribuye a un patrón cefálico característico.

píleo frecuentemente más oscuro, generando un cierto efecto de capirote y acentuando la lista superciliar (cf. zarcero de Sykes)

lista pileal lateral ligeramente más oscura que el píleo, con una "muesca" entre la brida y el ojo

lista superciliar ancha, típica, (cf. zarcero de Sykes), desvaneciéndose detrás del ojo

brida pálida, a menudo con una pequeña mancha oscura delante del ojo

patas parduzcas con dedos más oscuros, rasgo típico (compartido con el zarcero de Sykes de tipo adulto)

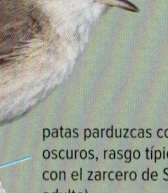

oscuro (cf. zarcero pálido)

Zarcero de Sykes *Iduna rama*

L 12,5 cm | Divagante de SO Asia

Busqueta asiàtica meridional CAT
Sykes sasi-txoria EUS
Folosa das estepas GAL

▼ **1er invierno (septiembre)**

Muy parecido tanto al zarcero escita como al zarcero pálido. También se podría confundir con un carricero, pero nótese la estructura del ala y de las patas, diferenciada. En general, es más pálido (más gris-pardo), con un patrón cefálico más débil, una proyección primaria más corta, un pico más largo y una cola más larga que el zarcero escita. Las aves de 1er invierno ya pueden mostrar un cierto desgaste en otoño; la época de reproducción empieza más pronto que la del zarcero escita por lo cual, a final de verano y en otoño (la única época del año con citas en Europa), el plumaje ya es relativamente "viejo" (en comparación con el zarcero escita de 1er año en septiembre/octubre).

▼ **1er invierno (agosto)**

Generalmente, tiene una apariencia muy pálida; esta es la imagen típica de un ave en otoño en Europa. Nótese también la p1 muy larga y el desgaste moderado en un 1er año en agosto. En otoño, los adultos tienen el plumaje muy gastado.

patrón cefálico definido, en gran medida, por la brida pálida; lista superciliar ausente o muy limitada detrás del ojo

ala lisa, sin panel alar patente (cf. zarcero pálido)

forma y coloración típicas en comparación con el zarcero escita

terciarias y raquis solo ligeramente más oscuros (cf. zarcero escita)

contraste poco marcado entre los centros de las coberteras grandes y los márgenes (cf. zarcero escita)

a menudo grisáceo

ya con un cierto desgaste, pero la estructura "suelta" de las coberteras (primarias) indica 1er invierno

pardo-gris típico

primarias y rectrices relativamente pálidas

múltiples (3–4) emarginaciones (cf. carriceros "lisos")

p1 muy larga, típica (cf. carriceros "lisos")

generalmente blanco casi puro en el 1er invierno

a menudo gris puro en el 1er invierno

dedos relativamente gruesos y cortos (cf. carriceros)

▼ **Tipo adulto (mayo)**

La longitud del pico varía, pero generalmente es más largo que en el zarcero escita, y más fino y con la punta más recta que en el zarcero pálido. Una punta pálida en la mandíbula inferior ocurre a veces en el zarcero pálido, pero raramente en el zarcero escita.

▼ **Tipo adulto (mayo)**

El ejemplar de la imagen es bastante oscuro y tiene el pico relativamente corto, pero véase la combinación de rasgos típicos. En primavera, un ave de tipo adulto puede tener tonos de color ligeramente variables y puede ser relativamente oscura, con tintes pardos en las partes superiores, pero carece de los tonos más cálidos del zarcero escita. El zarcero pálido tiene, entre otras características, una proyección primaria más larga, márgenes más pálidos en las terciarias y las secundarias (formando un panel alar si el plumaje no esta muy gastado), puntas pálidas en las secundarias, blanco más bien definido en las rectrices externas y pico más robusto (véase aquella especie).

lista superciliar muy concentrada entre el ojo y el pico

píleo, cuello y auriculares pálidos; lista pileal lateral apenas más oscura (cf. zarcero escita)

en la mayoría de aves, pico bastante largo y recto

lista superciliar a menudo muy patente entre el ojo y el pico

completamente pálido o solo ligeramente más oscuro que el resto de la mandíbula inferior; punta a menudo más pálida (cf. zarcero escita y zarcero pálido)

lista superciliar estrecha, que no se extiende, o apenas se extiende, por detrás del ojo

ala uniforme, sin panel alar (cf. zarcero pálido)

emarginaciones claramente anteriores a las puntas de las secundarias; más hacia la base (cf. zarcero pálido)

proyección primaria corta (c. 40 %)

▶ **Estructura del pico**
Los lados rectos y la base ancha se parecen más al zarcero pálido que al zarcero escita.

base ancha y lados rectos (cf. zarcero escita y zarcero pálido)

cola bastante larga con (de promedio) más extensión de blanco a los lados y en la punta de r6 (en comparación con el zarcero escita)

puntas y márgenes blancos con borde interno difuso (cf. zarcero pálido)

Zarcero pálido *Iduna pallida elaeica*

L 13 cm | Verano, CS y SE Europa

Busqueta pàl·lida oriental CAT
Ekialdeko sasi-txori zurizta EUS
Folosa pálida GAL

▼ **Tipo adulto (mayo)**

Esta especie se podría confundir con el zarcero de Sykes y también con carriceros "lisos" como el carricero políglota y el carricero de Blyth. La estructura alar es una de las diferencias más importantes en comparación con los carriceros.

pardo-gris frío, a lo sumo con un ligero tinte oliváceo, a veces más grisáceo; nunca verdoso (como en los zarceros políglota e icterino)

márgenes pálidos (cf. zarceros de Sykes y bereber)

proyección primaria 55–70 % (en este individuo mínima)

3 emarginaciones y p1 sobrepasando bastante la punta de las coberteras primarias (cf. carriceros de Blyth y políglota)

en el tipo adulto, tarso generalmente bastante pálido y dedos más oscuros

▼ **Tipo adulto (abril)**

Las puntas pálidas de las secundarias son una característica útil en comparación con otras especies del género *Iduna*, pero también se dan en el zarcero lánguido; en comparación con esta especie, la identificación se debe basar, en ciertos individuos, en la longitud de p1 (que en el zarcero pálido sobrepasa bastante la punta de las coberteras primarias), el patrón de la cola (con lados solo un poco más pálidos y difusos), y los movimientos de la cola; el zarcero pálido la mueve hacia abajo, mientras el zarcero lánguido también la mueve hacia los lados y a veces la abre; véase aquella especie.

secundarias y terciarias con puntas pálidas, rasgo típico

en este ejemplar, proyección primaria máxima, dentro de la variación normal

emarginaciones internas (p4–5) a la altura de las puntas de las secundarias o más hacia fuera (cf. zarcero de Sykes)

▼ **1er invierno (octubre)**

El ejemplar de esta imagen se parece mucho a un zarcero lánguido, pero nótense los detalles de la estructura alar. Los márgenes pálidos de las coberteras pueden generar un indicio de franja alar difusa en aves de 1er invierno. En este individuo, la cola se ve larga, más parecida a la del zarcero lánguido, pero en aquella especie la cola (y también el ala) es más oscura con márgenes y puntas pálidos más patentes en las rectrices externas (véase aquella especie).

gris-pardo, más gris que la mayoría de aves con plumaje tipo adulto en primavera/verano

apariencia de lista pileal lateral oscura y contrastada causada por una sombra

a veces mueve la cola hacia abajo, mientras emite el reclamo "tac"

más grisáceo que la mayoría de aves con plumaje tipo adulto en primavera/verano

▼ **Tipo adulto (mayo)**

la lista superciliar no se extiende por detrás del ojo (o apenas)

lista superciliar prominente pero bastante estrecha a causa de una brida (relativamente oscura)

curvatura bastante marcada (cf. zarcero de Sykes)

mandíbula inferior completamente pálida; a veces, más pálida en la punta, como muchos zarceros de Sykes

▼ **Estructura del pico (desde abajo)**

base ancha; lados rectos

Zarcero bereber *Iduna opaca*

L 14 cm | Verano, península Ibérica

Busqueta pàl·lida occidental CAT
Mendebaldeko sasi-txori zurizta EUS
Folosa bérber GAL

▼ **Tipo adulto (marzo)**

Muy parecido al zarcero pálido, pero tiene el ala de tonos pardo-grisáceos más uniformes (sin los márgenes pálidos en las coberteras grandes y en las secundarias del zarcero pálido), es mayor y tiene la cola más larga; además el pico es más largo y con la base muy ancha. La zona dorsal acostumbra a ser más parda que en el zarcero pálido y, especialmente el obispillo y las supracoberteras caudales tienen tonos pardo-crema cálidos que a menudo continúan por los flancos traseros.

▼ **Tipo adulto (julio)**

La estructura alar es bastante parecida a la del zarcero pálido, pero p2 es ligeramente más corta, aproximadamente equivalente a p7 (en el zarcero pálido p2 = p6).

coberteras grandes casi del mismo color que el dorso y las escapulares (cf. zarcero pálido)

brida pálida, solo con una mancha tenue delante del ojo (cf. zarcero pálido)

ala bastante lisa, pero los márgenes de las terciarias son a menudo más pálidos (cf. zarcero pálido)

proyección primaria c. 60–70 % (como el zarcero pálido)

largo y ancho (lo último apreciable desde arriba o desde abajo)

típicamente pardo-crema

relativamente grueso

típicamente, obispillo y supracoberteras caudales un poco pardo-crema o canela

sin panel alar (cf. zarcero pálido)

lados de la cola sutil y difusamente pálidos

bastante larga y ancha

▼ **Tipo adulto (marzo)**

Además de con otras especies del género *Iduna*, se podría confundir con un carricero, a causa de un ala muy lisa, un patrón cefálico similar y un pico bastante largo, pero nótese la estructura de las patas y del ala, así como la del pico (en la imagen inferior a esta). Nótese también el flanco posterior con tonos crema cálidos (otras especies del género *Iduna* los tienen blancos o gris-pardo pálido).

▼ **1ᵉʳ invierno (agosto)**

A causa de un ala parduzca y muy uniforme, las aves de 1ᵉʳ invierno en otoño, con plumaje nuevo, pueden parecerse más a un carricero, especialmente el carricero de Blyth, que al zarcero pálido. En esta imagen, se destacan las diferencias con el carricero de Blyth, entre otras especies similares.

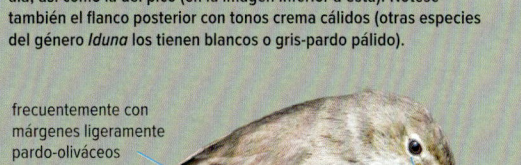

frecuentemente con márgenes ligeramente pardo-oliváceos

p1 larga y múltiples emarginaciones (cf. carriceros)

mitad inferior del anillo ocular pálido a menudo más patente y desarrollado que en otras especies del género *Iduna*

pardo-rosa con dedos oscuros, al menos en primavera, típico de todas las especies del género *Iduna*

sin o casi sin lista superciliar

sin panel alar

lados pálidos

p1 claramente larga

dedos cortos y gruesos (cf. carriceros)

▶ **Estructura del pico**

La forma del pico es característica en los géneros *Iduna* e *Hippolais*.

muy ancho con los lados ligeramente convexos

EFECTOS FOTOGRÁFICOS

Los tonos pardo-grisáceos pueden ser difíciles de juzgar, puesto que su apariencia a veces varía sustancialmente con la incidencia de la luz y con los parámetros de la cámara. En esta página se pueden apreciar algunas de estas variaciones.

Zarcero lánguido *Hippolais languida*

L 15 cm | Verano, extremo SE Europa (Turquía)

▶ **Tipo adulto (mayo)**

Se parece mucho al zarcero pálido, a causa de un patrón cefálico similar y un pico con forma y coloración parecidos. La combinación de rasgos señalados es característica. Además, la zona dorsal y el píleo son más grises, el espaciado entre las puntas de las primarias es visiblemente desigual y las puntas blancas de las rectrices externas son más extensas y bien definidas que en el zarcero pálido. El tamaño un poco mayor es de poca utilidad en la identificación si no se puede establecer una comparación directa con otra especie.

la terciaria más larga queda alineada con las puntas de las secundarias (cf. zarcero grande)

punta de la terciaria central un poco más cercana a la punta de la terciaria más larga

largo pero bastante fino, como los ejemplares con pico más largo de zarcero pálido (cf. zarcero grande)

puntas pálidas en las secundarias, como en el zarcero pálido

plumas de vuelo y rectrices relativamente oscuras

panel alar blancuzco prominente, formado por los márgenes de las secundarias, y concentrado en el centro o cerca de la base

parte posterior de los flancos y vientre a menudo pardo-gris

p1 alcanza la punta de las coberteras primarias o un poco más allá; este ejemplar la tiene de longitud máxima (cf. zarcero grande)

▶ **1er invierno (octubre)**

En otoño, muy parecido al zarcero pálido. Además de los rasgos destacados, los movimientos de la cola (no solo hacia abajo sino también hacia los lados) son importantes. El desgaste moderado encaja mejor con un 1er invierno; en otoño, los adultos tienen el plumaje muy gastado. La mandíbula superior es inusualmente pálida en este ejemplar.

larga y compacta, más oscura que la zona dorsal (cf. zarcero pálido)

lados casi blancos bastante anchos

relativamente oscuro, a menudo ligeramente rosado

▼ **Tipo adulto (mayo)**

También se parece al zarcero grande y, en algunos aspectos, es intermedio entre este y el zarcero pálido. Además de las características señaladas en la imagen, las diferencias con el zarcero grande son: en general, plumaje menos nuevo en primavera (muda más pronto en invierno), pico no tan grueso, flanco y vientre generalmente pardo-gris extenso, y auriculares habitualmente más pálidas y con una transición más gradual hacia la garganta blanca.

cabeza sutilmente más grande y redondeada que la del zarcero pálido

terciaria central típicamente larga (cf. zarcero pálido)

la terciaria más larga queda alineada con las puntas de las secundarias (en el zarcero pálido, a menudo un poco más corta; en el zarcero grande sobrepasa las secundarias)

proyección primaria 60–70 %, 6–7 puntas visibles con espaciado desigual (cf. zarcero grande)

patas típicamente bastante robustas y largas (cf. zarcero pálido)

Zarcero grande *Hippolais olivetorum*

L 17 cm | Verano, SE Europa

Busqueta de les oliveres CAT
Olibadietako sasi-txoria EUS
Folosa das oliveiras GAL

▼ Tipo adulto (mayo)
Normalmente no se confunde con el zarcero lánguido; el mayor tamaño, la proyección primaria muy larga, las partes superiores de color gris puro, el panel alar blancuzco y la mandíbula inferior anaranjada forman una combinación distintiva.

gris pálido típico, a veces ligera-mente parduzco, contrastando con el ala y la cola más oscuros

márgenes blancuzcos, sobre todo en las secundarias, que forman un panel alar distin-tivo (excepto en plumaje adulto en otoño, gastado)

la terciaria más larga sobrepasa las puntas de las secundarias (cf. zarcero lánguido)

oscuro, pardo negruzco

lista superciliar corta y estrecha; frecuentemente brida bastante patente delante del ojo

grueso; mandíbula inferior completamente naranja-amarillo

auriculares relativamente oscuras, a veces con un borde oscuro (cf. zarcero lánguido)

p1 no visible (más corta que las coberteras primarias)

proyección primaria larga (c. 100 %), generalmente con 8 puntas de primarias visibles

▼ Estructura del pico

completamente naranja-amarillo; base muy ancha y lados rectos

▼ Tipo adulto (mayo)
El flanco trasero relativamente oscuro es un rasgo que comparte con el zarcero lánguido, pero en el zarcero grande suele estar más concentrado en un mancha menos extensa cerca de los muslos.

márgenes blancuzcos caracterís-ticos en las coberteras grandes (especialmente las externas)

lista pileal lateral oscura

proyección primaria (casi) 100 % (cf. zarcero lánguido)

a menudo algunas listas oscuras

típica mancha difusa oscura cerca de la base del muslo, rodeada de plumas casi blancas (cf. zarcero lánguido)

r6 con punta y margen blanco patente

▼ Tipo adulto (abril)
Plumaje casi nuevo en primavera, puesto que realiza la muda completa a final de invierno (el zarcero lánguido muda antes, por lo cual ya muestra un cierto desgaste en primavera). En otoño, las aves de 1er año tienen el plumaje nuevo (parecido a los adultos en primavera), pero raramente se ven en Europa (probablemente migran a África poco después de abandonar el nido).

▼ Adulto (julio)
Este ejemplar muestra un cierto desgaste en el plumaje, pero el panel alar y los márgenes pálidos de las coberteras grandes siguen siendo muy patentes. En otoño, los adultos muestran un desgaste mayor.

Zarcero políglota *Hippolais polyglotta*

L 12,5 cm | Verano, SO Europa

▼ **Tipo adulto (mayo)**
Muy parecido al zarcero icterino a causa de las características compartidas, como las partes inferiores amarillas, las partes superiores y el píleo verdosos, y la mandíbula inferior amarillo-naranja. Sin embargo, el ala tiene una estructura diferenciada, con una proyección primaria mucho más corta; también tiene p1 bastante larga. La intensidad de los tonos amarillos varía en ambas especies, pero algunos zarceros políglotas muestran un amarillo más intenso y una garganta amarillo-naranja, lo cual no ocurre en el zarcero icterino. La muda completa se produce justo después de llegar a las zonas de invernada, por lo cual ya muestra un cierto desgaste cuando regresa a Europa durante la primavera siguiente.

▼ **Tipo adulto (mayo)**
Cuando están nuevas, las secundarias suelen tener márgenes pálidos patentes, como en el zarcero icterino pero, habitualmente, más estrechos; acostumbran a mostrar ya un cierto desgaste en primavera (a diferencia del zarcero icterino), lo cual resulta en un panel alar poco patente. El color de las patas varía entre pardo, más típico, y gris; en el zarcero icterino son siempre grises.

márgenes pálidos generalmente no muy patentes en primavera/verano, por lo cual el panel alar es más difuso (cf. zarcero icterino)

desgaste ya patente en primavera (cf. zarcero icterino)

proyección caudal c. 2× proyección primaria (cf. zarcero icterino)

brida pálida, como en el zarcero icterino (cf. por ejemplo, mosquitero musical)

amarillo variable, a menudo más conspicuo en la garganta

parduzco o grisáceo

márgenes pálidos patentes en este ejemplar

patas pardas en este ejemplar (típico), pero pueden ser más grisáceas, como en el zarcero icterino

márgenes pálidos de la cola generalmente débiles y estrechos

▼ **Tipo adulto (mayo)**
En primavera, algunos individuos muestran muy poco amarillo en las partes inferiores y en la cabeza. Estos pueden resultar parecidos al zarcero pálido y al zarcero bereber. Sin embargo, estas dos especies tienen las partes superiores más parduzcas, carecen de tonos amarillos o verdosos –por leves o limitados que sean–, suelen tener las patas más pálidas, tienen más blanco en la cola y una pequeña mancha negra delante del ojo que "rompe" el anillo ocular pálido. Véase zarcero pálido y zarcero bereber para apreciar las diferencias.

▼ **1er invierno (octubre)**
Muchas aves de 1er invierno también muestran poco amarillo en las partes inferiores, a menudo concentrado en la cabeza. En algunos casos, podrían confundirse con un carricero o, sobre todo, con un zarcero del género *Iduna*. La brida pálida, los dedos y uñas relativamente cortos y las infracoberteras caudales relativamente cortas son diferencias importantes con respecto a los carriceros; como estos, los zarceros del género *Iduna* carecen de tonos amarillos y verdes, y son más pardos. En otoño, el zarcero políglota de 1er invierno tiene el plumaje nuevo (más visible en las puntas de las primarias), mientras que los adultos ya lo tienen (muy) gastado.

tintes verdosos, a veces casi ausentes

nuevas, con puntas pálidas

bastante amarillo en este ejemplar, pero frecuentemente muy reducido y poco visible

a menudo gris puro en 1er invierno

Zarcero icterino *Hippolais icterina*

L 13 cm | Verano, gran parte de Europa excepto Islandia, de O a SO y extremo N

▼ **Tipo adulto (mayo)**
Diversas características le asemejan al zarcero políglota, como las partes superiores verdosas, las partes inferiores amarillentas, la mandíbula inferior amarillo-naranja, y una brida completamente pálida. Sin embargo, las alas largas con una proyección primaria muy larga son diagnósticas, los márgenes pálidos de terciarias y secundarias son muy evidentes, a menudo también en las coberteras grandes, y tiene el plumaje nuevo en primavera. Las patas son siempre grises; en el zarcero políglota varían entre pardo y gris.

▼ **Tipo adulto (mayo)**
Un ejemplar con poco amarillo (no raro), pero típico en todo lo demás: ala muy larga y márgenes pálidos muy patentes en casi todas las plumas del ala.

márgenes gris pálido
(cf. zarcero políglota)

brida pálida y mandíbula
inferior amarillo-naranja,
como en el zarcero políglota

márgenes pálidos en
terciarias y secundarias,
formando un panel alar
muy patente

generalmente
amarillo apagado,
también en la
garganta

en algunas aves,
apenas amarillo

p1 más corta que
las coberteras
primarias, general-
mente no visible

proyección primaria muy
larga, más larga o equivalente
a la proyección caudal
(cf. zarcero políglota)

gris

solo 2–3
emarginaciones

▼ **Adulto (agosto)**
Tanto jóvenes como adultos realizan una muda completa en invierno; por lo tanto, los adultos ya tienen el plumaje muy gastado al otoño siguiente, en comparación con las aves de 1er invierno. La proyección primaria de este ejemplar parece relativamente corta desde este ángulo (aún así, demasiado larga para ser un zarcero políglota). La identificación también se puede basar en las 8 puntas de primarias visibles por detrás de las terciarias, la p5 corta, los márgenes pálidos y anchos de terciarias, la ausencia de p1 visible (lo cual sugiere que es muy corta) y solo 2 emarginaciones en este caso.

▶ **1er invierno (agosto)**
En otoño, plumaje nuevo, a diferencia del adulto.

p5 corta

típicamente
gastado

▼ **1er invierno (agosto)**

márgenes pálidos
limitados, como en
el zarcero políglota

Estructura alar de los zarceros

▼ **Zarcero escita**

Fórmula alar parecida a la del zarcero de Sykes, pero p6 está claramente emarginada. El zarcero pálido tiene p6 más corta.

p1 relativamente larga, sobrepasando las puntas de las coberteras primarias

4 emarginaciones (p3–6)

p2 ≥ p7 (cf. zarcero de Sykes)

p2

p3

p6 p5 p4

p6 relativamente larga, apenas más corta que p3–5

▼ **Zarcero de Sykes**

La p6 apenas emarginada es típica, a diferencia del zarcero escita.

frecuentemente, p1 aún más larga que en el zarcero escita

4 emarginaciones (p3–6), como en el zarcero escita

p2 corta, < p7 (cf. zarcero escita)

p2

p3

p4

p5

p6

larga, como en el zarcero escita, a diferencia del zarcero pálido

▼ **Zarcero lánguido**

La estructura alar muestra algunas características específicas. La distancia mayor entre las puntas de p6 y p7, en comparación con las otras puntas de primarias, es a menudo visible, pero debe usarse con cautela. Tiene p1 corta (sobrepasando apenas las coberteras primarias), a diferencia del zarcero pálido. La longitud de p2 es, generalmente, más corta que en el zarcero grande, pero más larga que en el zarcero pálido (véanse aquellas especies).

p6

p5

p2 = p5/6 o = p6

2–3 emarginaciones (en p5 a veces poco marcada, aquí patente)

p1 variable; puede ser ligeramente más corta o ligeramente más larga que las coberteras primarias (aquí probablemente más corta, pero difícil de juzgar)

▼ **Zarcero grande**

Las características señaladas en la imagen son distintivas en comparación con el zarcero lánguido.

p1 muy corta, sin alcanzar las puntas de las coberteras primarias

p2 típicamente larga

p2

p3

p4

▼ **Zarcero icterino**

Todas las características señaladas difieren del zarcero políglota (compárese con aquella especie).

p5 corta (p3 y p4 forman la punta del ala)

p1 muy corta, sin alcanzar la punta de las coberteras primarias (y generalmente no visible)

p4

p2 larga; cae entre la punta de p4 y p5

2 (3) emarginaciones; ausente o muy débil en p5

▼ **Zarcero políglota**

La combinación de características destacadas es típica de la especie. La emarginación de p6 es a menudo (muy) débil. Compárese con el zarcero icterino.

p5 larga, casi formando la punta del ala con p3 y p4

p1 sobrepasa claramente las puntas de las coberteras primarias

3–4 emarginaciones; débil en p6

p2 corta; cae entre la punta de p6 y p7

Estructura y patrón caudal de los zarceros

▼ **Zarcero escita (aquí 1er invierno, septiembre)**
El patrón y la extensión de los márgenes pálidos en las rectrices se solapan con el zarcero de Sykes.

par central (r1) más corto (como en el zarcero de Sykes)

márgenes y puntas pálidos con borde difuso en r5–6 (habitualmente, más limitados en r5)

▼ **Zarcero de Sykes (aquí 1er invierno, agosto)**
Este ejemplar muestra unos márgenes pálidos limitados en r6, y apenas tiene en r5. En los adultos, los márgenes pálidos suelen ser más extensos y con borde más definido. Las diferencias en el patrón caudal se solapan con el zarcero escita.

de promedio, márgenes y puntas pálidas de r5–6 ligeramente más blancos y más bien definidos, pero en las aves de 1er invierno, a menudo muy limitados y poco patentes

par central (r1) típicamente corto (como en el zarcero escita y, a veces, el zarcero pálido)

▼ **Zarcero pálido**

blanco relativamente bien definido, especialmente en la punta de la hemibandera interna de r5–6 (cf. zarcero escita y zarcero de Sykes)

▼ **Zarcero grande**
Muy parecido al patrón y la coloración del zarcero lánguido, pero con un poco menos de blanco en r5 y r6.

margen externo de r6 y puntas de r5–6 blancuzcos

cola oscura, contrastando con las supracoberteras caudales de un gris más pálido

▼ **Zarcero lánguido (aquí 1er invierno)**
El patrón caudal difiere especialmente del zarcero pálido, a causa de las puntas blancuzcas relativamente extensas en r5–6.

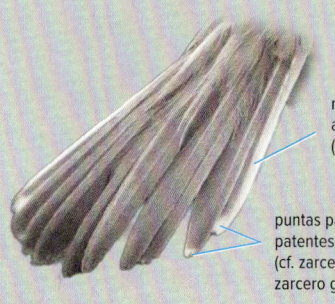

margen exterior pálido ancho y bien definido (cf. zarcero pálido)

puntas pálidas patentes en r5–6 (cf. zarcero pálido y zarcero grande)

Mosquiteros • Introducción

TOPOGRAFÍA DE UN AVE

La correcta denominación e interpretación de las diferentes partes de la anatomía de
un pájaro ofrecen un marco de conocimiento importante para la identificación en general.
En el caso concreto de los mosquiteros, es incluso esencial; la lista superciliar (o "ceja")
y la lista ocular, por ejemplo, son confundidas a menudo.
- La lista superciliar se encuentra justo por encima del ojo (en los mosquiteros es pálida).
- La lista ocular discurre a través del ojo (en los mosquiteros es oscura); la parte enfrente
  del ojo se llama brida (la brida forma parte, pues, de la lista ocular).

lista pileal central (si está presente, siempre es pálida en los mosquiteros)

lista pileal lateral; siempre oscura

terciarias (3)

lista superciliar; siempre pálida

brida

anillo ocular

auriculares

lista ocular (incluyendo brida); siempre oscura

proyección primaria

franja alar en las coberteras grandes

franja alar en las coberteras medianas

▲ **Mosquitero de Pallas**

terciarias (3); terciaria más corta ausente aquí

secundarias (6)

primarias (10)

álula

p1

p2

▲ **Mosquitero común siberiano**

PRIMARIAS

En los paseriformes, la numeración de las primarias empieza por la
más externa, p1 (vestigial, a veces diminuta), hasta la más interna
(p10), que se encuentra junto a la secundaria más externa (véase
p. 636). La longitud relativa de p1 y p2 son características importantes
para la identificación de muchas especies. Sin embargo, no todas las
aves constituyen ejemplos "de libro"; hay casos más dudosos y
también puede haber plumas caídas o en crecimiento, lo cual es
importante tener siempre presente. Cuando, por ejemplo, falta la
terciaria más larga, podría dar la sensación de que el ave tiene una
proyección primaria más larga de lo que realmente es.

a - parte visible de las terciarias

b - proyección primaria

aquí a = b, proyección primaria c. 100 %

▲ **Mosquitero boreal**

a   b

aquí a = 1½×b, proyección primaria c. 65 %

▲ **Mosquitero común**

PROYECCIÓN PRIMARIA

La longitud relativa de la proyección primaria es una medida usada frecuentemente para la identificación de muchas especies, incluyendo los mosquiteros. A veces, hay diferencias significativas en este aspecto en especies que, por lo demás, son muy similares. Un ejemplo muy conocido es el del mosquitero común (con una proyección corta) y el mosquitero musical (con una proyección larga). La proyección primaria está constituida por la parte de las primarias que, con el ala cerrada, sobresale (se "proyecta") por detrás de la punta de las terciarias. Se expresa en %, comparándose la longitud de la proyección primaria con la longitud de las terciarias visibles (véanse las imágenes). En el mosquitero boreal, la proyección primaria es más o menos equivalente a la longitud de las terciarias visibles; por lo tanto, es de c. 100 %. Cuando la proyección primaria ("b" en las imágenes) mide aproximadamente la mitad de la longitud de las terciarias, se dice que es de un 50 %; y así sucesivamente. Definir donde empiezan exactamente las primarias puede ser, a veces, relativamente subjetivo, por lo cual es recomendable dar un cierto margen a los porcentajes.

MUDA

Los mosquiteros se pueden dividir en 2 grupos principales con estrategias de muda diferenciadas:
- Grupo 1. Especies cuyos adultos llevan a cabo una muda completa a final de verano, poco después de terminar la reproducción: mosquitero bilistado, mosquitero de Hume, mosquitero de Pallas, mosquitero de Schwarz, mosquitero sombrío, mosquitero musical y todas las subespecies de mosquitero común (así como las especies más estrechamente emparentadas con este).
- Grupo 2. Especies cuyos adultos llevan a cabo una muda completa en invierno: mosquitero coronado, todas las especies estrechamente emparentadas con el mosquitero verdoso, mosquitero boreal, mosquitero papialbo, mosquitero oriental, mosquitero silbador y (de nuevo) mosquitero musical.
- Las aves de 1er invierno de todas las especies realizan una muda parcial a final de verano, en la cual reemplazan las plumas corporales y un número variable de coberteras alares. Las especies del grupo 1 también hacen una muda parcial en invierno; así, las aves de 2º año cal. en primavera se puedan reconocer por el desgaste marcado de las plumas de vuelo. Las del grupo 2, que mudan completamente en invierno, ya no se pueden distinguir de los adultos en primavera.

La siguiente información puede ser importante para la identificación y para el datado: tanto las aves de 1er invierno como los adultos del grupo 1 tienen el plumaje bastante nuevo en otoño; en primavera, los adultos muestran un desgaste moderado y las aves de 2º año cal. pueden, a veces, mostrar un desgaste muy acusado. Las aves de 1er invierno del grupo 2 tienen el plumaje nuevo en otoño, mientras que los adultos lo tienen gastado, y ambas edades tienen el plumaje nuevo en primavera. El mosquitero musical tiene una estrategia de muda destacable: los adultos realizan una muda completa a final de verano y otra en invierno; las aves de 1er invierno llevan a cabo una muda parcial en verano y una completa en invierno. En otoño, el datado de las especies del grupo 1 es, a menudo, imposible en una observación de campo, pero la forma de las rectrices puede ser, a veces, de utilidad (véase 1er invierno de mosquitero de Pallas).

Mosquitero verdoso *Phylloscopus trochiloides*

L 10 cm | Verano, E y NE Europa

SUBSPECIES

En Europa nidifica la subespecie *viridanus*, y se considera que todas las aves citadas al oeste del continente, tanto en primavera como en otoño, pertenecen a este taxón, que es el más occidental; por este motivo, es el único tratado. Otras subespecies habitan en el Himalaya o más al norte, pero no se conoce su aparición en Europa.

▼ Tipo adulto (junio)

lista superciliar larga y ancha; lista ocular larga (cf. mosquiteros musical y común)

en primavera, franja alar a menudo casi ausente por el desgaste de las plumas

oscuro (cf. mosquiteros musical y boreal)

▼ Patrón cefálico

lista superciliar ancha encima y detrás del ojo (cf. mosquitero boreal)

la lista superciliar y la lista ocular se alargan hasta casi la parte trasera de la cabeza (cf. mosquitero musical)

píleo a menudo un poco más oscuro que el resto de partes superiores, generando un indicio de capirote

una mancha redondeada delante del ojo es la parte más oscura de la lista ocular

la lista superciliar continúa fina y sutilmente por encima del pico (cf. mosquitero boreal)

sin mancha oscura o solo un indicio difuso (cf. mosquitero boreal)

pálido; como mucho, moteado oscuro difuso (cf. mosquitero boreal)

▼ Tipo adulto (junio)

Los adultos muestran un plumaje más gastado que las aves de 1er año y, en consecuencia, son más grisáceos y con patrón más difuso, incluyendo la(s) franjas alares. Tanto jóvenes como adultos realizan una muda completa en invierno y, por lo tanto, ya no se pueden datar en la primavera siguiente.

▼ 1er invierno (septiembre)

La confusión con el mosquitero boreal es posible, puesto que ambas especies muestran un patrón cefálico bien desarrollado y una franja alar; aunque muchos individuos solo tienen una, algunos muestran un indicio de 2ª franja alar en las coberteras medianas. En estos, la franja alar en las coberteras grandes acostumbra a ser más ancha, y podrían llegar a recordar a un mosquitero patigrís (véase aquella especie). Los ejemplares con plumaje nuevo –como el de la imagen–, son de 1er invierno; en otoño, los adultos muestran un desgaste acusado, pero raramente aparecen en Europa después de la época de reproducción, puesto que migran directamente hacia el SE.

verde-gris en plumaje nuevo

blanco brillante

bastante oscuro

▼ Estructura y patrón alar

coberteras grandes: puntas pálidas limitadas a las 4–6 más externas; franja alar desvaneciéndose hacia las internas

proyección primaria 60–75 %

4 emarginaciones

p1 larga, sobrepasando mucho la punta de las coberteras primarias

coberteras medianas: puntas pálidas a menudo poco contrastadas que generalmente no llegan a generar una 2ª franja alar bien definida

Mosquitero del Cáucaso *Phylloscopus nitidus*

L 11,5 cm | Verano, extremo SE Europa (Turquía)

Mosquiter verdós del Caucas CAT
Txio kaukasoarra EUS
Picafollas brillante GAL

▼ **Tipo adulto (mayo)**

Las aves con mucho amarillo –como la de la imagen–, son relativamente fáciles de distinguir del mosquitero verdoso. Sin embargo, en la parte occidental de su distribución (C y N de Turquía), las partes inferiores suelen ser mucho más blancas, con el amarillo restringido a la garganta, las auriculares y la lista superciliar; estas aves son muy similares a un 1er invierno de mosquitero verdoso, y representan un reto de identificación mayor en otoño. Tanto las aves de 1er invierno como los adultos realizan una muda completa en invierno y, por lo tanto, no se pueden datar en primavera, cuando todas tienen el plumaje bastante nuevo.

▼ **Patrón cefálico**

Muy parecido al mosquitero verdoso, pero típicamente muestra tonos amarillos más intensos.

longitud de la lista superciliar y de la lista ocular por lo menos como en el mosquitero verdoso, a menudo más largas y contrastadas

amarillo-verde relativamente pálido (cf. mosquitero verdoso)

mancha oscura en la brida similar al mosquitero verdoso, a veces mayor

plumas pálidas por encima del pico como en el mosquitero verdoso

pico ligeramente más largo y más grueso en la base que el mosquitero verdoso

verde intenso del mismo tono que los márgenes de las plumas de vuelo (cf. mosquitero verdoso en primavera)

a menudo bastante robusto

amarillo extenso (cf. mosquitero verdoso)

anillo ocular generalmente igual de amarillo que las auriculares (cf. mosquitero verdoso)

ligeramente rosado, a veces con punta oscura bastante patente en la mandíbula inferior (cf. mosquitero verdoso)

amarillo pálido

más blanco

en ejemplares típicos como este, amarillo hasta la parte superior del vientre

patas más a menudo parduzcas que las del mosquitero verdoso en primavera

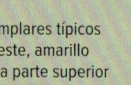

▶ **1er invierno (octubre)**

La identificación de las aves de 1er invierno se basa en los mismos rasgos que los adultos en primavera. En otoño, los adultos tienen el plumaje gastado, mientras que los ejemplares de 1er invierno lo tienen nuevo.

▼ **Estructura y patrón alar**

De promedio, la franja alar de las coberteras grandes es más ancha y larga que en el mosquitero verdoso, y termina de forma más abrupta; una 2ª franja alar en las coberteras medianas ocurre más a menudo.

la terciaria más larga es más corta que las secundarias en todas las especies del complejo taxonómico del mosquitero verdoso, que incluye el mosquitero del Cáucaso (cf. mosquitero boreal)

proyección primaria 70–75 %

4 emarginaciones

p1 larga, sobrepasando mucho la punta de las coberteras primarias (punta no visible aquí)

coberteras grandes: puntas pálidas limitadas a las 6–7 más externas; la franja alar se estrecha hacia las interiores

coberteras medianas: puntas pálidas poco contrastadas, generalmente formando una 2ª franja alar difusa

Mosquitero patigrís *Phylloscopus plumbeitarsus*

L 10,5 cm | Divagante de Siberia

EL COMPLEJO TAXONÓMICO DEL MOSQUITERO VERDOSO

Hasta recientemente, esta especie se consideraba una subespecie del mosquitero verdoso. Las aves de la zona central de su distribución son bastante diferenciadas y se usan aquí de referencia. Este complejo taxonómico, incluyendo *Phylloscopus trochiloides* ssp. *trochiloides* y ssp. *viridanus*, y también *Phylloscopus plumbeitarsus* tiene una distribución contigua con, supuestamente, transiciones graduales en cuanto a los rasgos característicos, allí donde los distintos taxones coinciden en época de reproducción.

▼ Tipo adulto (mayo)

El patrón cefálico, con una lista ocular completa y oscura, y las patas claras podrían llevar a confundirlo con el mosquitero boreal; la estructura alar, casi idéntica a la del mosquitero verdoso, es la mejor vía de diferenciación en aves que no reclaman.

terciarias uniformes (cf. mosquitero bilistado)

a menudo bastante pálidas, grisáceas; parte trasera frecuentemente más pálida

▼ 1er invierno (octubre)

La lista ocuar oscura, prominente y completa y las patas a menudo bastante pálidas podrían llevar a confusión con el mosquitero boreal. Además, este ejemplar muestra un cierto listado en el pecho y una pequeña mancha oscura en la mandíbula inferior, rasgos más típicos del mosquitero boreal. En la imagen se destacan las diferencias más importantes con aquella especie, especialmente referentes a la estructura alar.

infracoberteras caudales relativamente cortas

4 emarginaciones

p1 larga

ancha y larga, parecida a la franja alar del mosquitero bilistado

más oscuro que el manto

relativamente grueso (comparado con el mosquitero verdoso)

▼ Patrón cefálico

Muy parecido al mosquitero boreal. Sin embargo, la lista superciliar ancha encima del ojo y la unión más estrecha entre la brida y el anillo ocular son características típicas del "complejo taxonómico del mosquitero verdoso", que incluye el mosquitero patigrís; compárese con el mosquitero verdoso y el mosquitero boreal.

a menudo tendiendo a color ante (cf. mosquiteros boreal y verdoso), ancha encima del ojo (cf. mosquitero boreal)

dentro del complejo taxonómico del mosquitero verdoso, la lista superciliar y la lista ocular más patentes y marcadas

a menudo moteado oscuro patente, como en el mosquitero boreal (cf. mosquitero verdoso)

píleo relativamente oscuro, generando un cierto capirote

brida oscura que se alarga hacia el pico, como en el mosquitero boreal (cf. mosquitero verdoso)

la lista superciliar no se alarga hasta la base del pico; sin plumas pálidas encima del pico, como en el mosquitero boreal (cf. mosquitero verdoso)

sin o apenas sin mancha oscura (cf. mosquitero boreal)

relativamente grueso y ancho, anaranjado (cf. mosquitero verdoso)

▼ 1er invierno (octubre)

Puesto que la estructura es similar a la del mosquitero verdoso y el patrón cefálico similar al del mosquitero boreal, se podría confundir con ambas especies. Tiene el pico un poco más grueso que el mosquitero verdoso, con la mandíbula inferior de tonos ligeramente más intensos. La parte trasera de las patas puede ser bastante pálida. Las aves con plumaje nuevo son de 1er invierno; en otoño, los adultos tienen el plumaje muy gastado, pero nunca han sido citados en Europa.

anchura uniforme

sin una franja oscura en la base de las secundarias (cf. mosquitero bilistado)

a veces, parte delantera relativamente oscura (cf. mosquiteros bilistado y boreal)

generalmente, mandíbula inferior totalmente pálida y de tonos naranjas

liso, ligeramente amarillo en plumaje nuevo (cf. mosquitero boreal)

p1 sobrepasa la punta de las coberteras primarias (cf. mosquitero boreal)

▼ Estructura y patrón alar

Muy similar a la del mosquitero verdoso, pero difiere claramente de la del mosquitero boreal.

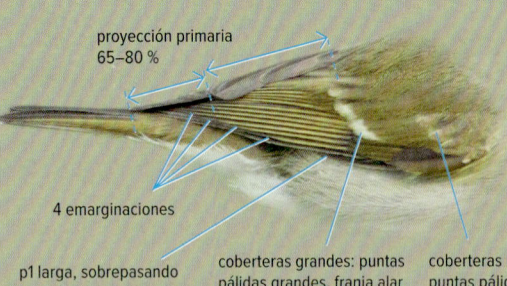

proyección primaria 65–80 %

4 emarginaciones

p1 larga, sobrepasando las coberteras primarias

coberteras grandes: puntas pálidas grandes, franja alar ancha, estrechándose solo un poco hacia la parte interna

coberteras medianas: puntas pálidas generando habitualmente una 2ª franja alar distintiva

Mosquitero boreal *Phylloscopus borealis*

L 12,5 cm | Verano, extremo N Europa

▼ Tipo adulto (junio)

Ejemplar típico en muchos aspectos. A diferencia de las especies del complejo taxonómico del mosquitero verdoso, la lista superciliar es fina, muy fina encima del ojo (a menudo ausente, pero quedan las plumas pálidas del anillo ocular). Nótense también las infracoberteras caudales largas y el patrón de las puntas pálidas en las coberteras grandes externas; solo la hemibandera externa es pálida, lo cual genera una franja alar "punteada". En este individuo las patas son bastante oscuras, lo cual no es raro. A causa del desgaste progresivo del plumaje, las partes superiores se van volviendo más grises.
Tanto las aves de 1er invierno como los adultos realizan una muda completa en invierno y, por lo tanto, ya no se pueden datar en primavera.

gris, con un listado difuso (pero muy variable)

▼ Patrón cefálico

La lista ocular detrás del ojo es mucho más ancha que la lista superciliar. Este ejemplar muestra algunas plumas pálidas encima del anillo ocular.

píleo del mismo color que el manto, sin capirote

brida oscura; unión ancha con el anillo ocular (cf. mosquiteros verdoso y patigrís)

lista superciliar larga pero muy fina; lista ocular ancha

la lista superciliar no se extiende hasta el pico; sin plumas pálidas encima del pico, como en el mosquitero patigrís (cf. mosquitero verdoso)

mancha oscura difusa (cf. especies del complejo taxonómico del mosquitero verdoso)

relativamente largo, con la base ancha

moteado difuso pero patente

▼ Estructura y patrón alar

coberteras grandes: franja alar corta que termina abruptamente, puntas pálidas (3–6) solo en la hemibandera externa, generando una franja alar más "punteada" (menos uniforme)

coberteras medianas: márgenes pálidos generalmente poco contrastados, a veces generando una 2ª franja alar

terciaria más larga generalmente alineada con las puntas de las secundarias (cf. complejo tax. mosquitero verdoso)

proyección primaria 85–100 %

p1 corta, sin alcanzar la punta de las coberteras primarias (punta no visible)

3 emarginaciones

el raquis sobresale ligeramente en forma de "pincho"

▼ 1er invierno (septiembre)

Este ejemplar tiene las partes inferiores casi blancas, lo cual no es raro, especialmente en aves de 1er año; a veces, los adultos en primavera también pueden tener el listado difuso del pecho ausente o casi ausente. En otoño, los adultos muestran un cierto desgaste y son más grisáceos que las aves de 1er año, que tienen el plumaje nuevo.

mismo color (cf. mosquiteros verdoso, del Cáucaso y patigrís)

lista superciliar corta delante del ojo (sin llegar al pico) y frecuentemente más amarilla que en la parte posterior

punta de la terciaria más larga en línea con las puntas de las secundarias (a veces incluso un poco más larga); en los mosquiteros verdoso, del Cáucaso y patigrís, la terciaria más larga es ligeramente más corta que las secundarias

blanco en este ejemplar, como en los mosquiteros verdoso y patigrís

franja alar corta, solo en las coberteras grandes externas

a menudo tonos amarillo-naranja pálidos bastante patentes

▼ Parte trasera

Difiere un poco de las especies pertenecientes al complejo taxonómico del mosquitero verdoso.

relativamente corta

infracoberteras caudales largas, sobrepasando bastante la punta del ala

■ **Mosquitero verdoso**

relativamente larga

infracoberteras caudales no muy largas, sobrepasando solo ligeramente la punta del ala

Mosquitero coronado *Phylloscopus coronatus*

L 12 cm | Divagante de E Asia

▼ **Tipo adulto (mayo)**
Además del patrón cefálico típico, la coloración de las partes inferiores es característica (blanca, con las infracoberteras caudales amarillas). A menudo se mueve por la parte alta de las copas de los árboles, por lo cual el dibujo típico del píleo es difícil de ver.

▼ **Patrón cefálico**

lista pileal central pálida, más ancha hacia la parte trasera

lista superciliar detrás del ojo tan ancha o más ancha que la lista ocular (cf. mosquitero boreal)

límite posterior de la lista pileal lateral bien definido

lista pileal lateral muy ancha y oscura

lista superciliar amarilla y fina delante del ojo; blanca y ancha detrás

lista superciliar amarilla, fina delante del ojo

lista pileal lateral muy oscura, también patente desde este ángulo

moteado difuso

largo, con base ancha; mandíbula inferior completamente pálida (cf. mosquitero boreal)

blanco puro, a veces con un poco de amarillo

amarillo característico

a veces blanco bastante patente en la punta de la hemibandera interna de r5–6

1 franja alar distintiva pero estrecha; a veces indicio de una 2ª franja en las coberteras medianas

fuerte contraste (cf. complejo taxonómico del mosquitero verdoso y mosquitero boreal)

▶ **1er invierno o adulto (octubre)**
La combinación de características señaladas es típica en comparación con otros mosquiteros citados en Europa. Tanto los adultos como las aves de 1er invierno tienen el plumaje nuevo en otoño y son prácticamente idénticos. Las partes superiores verdes son llamativas.

lista pileal central pálida a menudo difícil de ver desde el lateral o desde abajo

grisáceo, contrastando con el manto verdoso

parte delantera del tarso bastante oscura, dedos pálidos

coberteras pequeñas a menudo llamativamente pálidas

▼ **Estructura y patrón alar**

coberteras grandes: franja alar amarillenta y estrecha, desvaneciéndose hacia la parte interna; a menudo consistente básicamente en márgenes amarillos en las hemibanderas externas

proyección primaria 55–70 %

p1 sobrepasa ligeramente las coberteras primarias

p2

p3

3 emarginaciones, no visibles aquí a causa del ala mal cerrada (p2–3)

p2 corta, alineada aproximadamente con la punta de p8 (en el mosquitero boreal, alineada con p5/6)

Mosquitero de Pallas *Phylloscopus proregulus*

L 9,5 cm | Migrador e invernante raro, procedente de Siberia

▼ **1er invierno (octubre)**
Una especie distintiva con un patrón cefálico único y el obispillo amarillo pálido. Los adultos realizan una muda completa a final de verano y, en consecuencia, tanto estos como las aves de 1er año tienen el plumaje nuevo en otoño. En este ejemplar se puede apreciar la forma típica de las rectrices juveniles (estrechas y puntiagudas); las de tipo adulto son más anchas y un poco más redondeadas, pero la punta sigue siendo un poco puntiaguda. Una buena proporción de las aves es difícil de datar porque no es raro encontrar aves con una forma de rectrices intermedia.

estrechas y puntiagudas, típicas de 1er invierno

obispillo pálido (a menudo difícil de ver)

▼ **Patrón cefálico**
Cabeza relativamente grande con patrón único.

lista pileal lateral ancha y oscura; más oscura que el manto

lista pileal central pálida y bien desarrollada

lista superciliar muy prominente con la parte delantera amarillo intenso

frecuentemente mandíbula inferior totalmente oscura, a lo sumo base ligeramente pálida

moteado sobre fondo amarillento

▼ **Estructura y patrón alar**
Parecido al mosquitero bilistado, incluso con más contraste.

coberteras medianas: puntas pálidas generando una 2ª franja alar patente

márgenes blancuzcos en terciarias

centros de las plumas muy oscuros, negruzcos

franja oscura ancha

coberteras grandes: puntas pálidas anchas generando una franja alar de anchura uniforme desde las externas a las internas

▼ **2º año cal. o adulto (mayo)**
A causa del desteñido progresivo producido por la radiación solar y el paso del tiempo, los centros de las plumas son más grisáceos que en otoño. Las plumas de la cabeza son mudadas a menudo durante el invierno, lo cual resulta en una listas de un amarillo intenso.

▶ **1er invierno (octubre)**
A menudo se cierne y lo hace durante un tiempo más largo que otros mosquiteros; entonces, el obispillo pálido destaca claramente. Sin embargo, cuando esta parado en las ramas resulta difícil de ver.

Mosquitero bilistado *Phylloscopus inornatus*

L 10 cm | Migrador otoñal e invernante raro, procedente de Siberia

▼ Tipo adulto (junio)

Con el paso de los meses, las plumas de la cabeza y de las partes superiores se van destiñendo y se vuelven progresivamente más grisáceas. El ala relativamente nueva encaja mejor con un adulto en esta época del año, pero no excluye completamente a un 2º año cal. La apariencia grisácea podría llevar a confusión con el mosquitero de Hume; véanse las diferencias.

escapulares y márgenes de las plumas de vuelo verdosas

franja oscura conspicua en la base de las secundarias

▼ Patrón cefálico

generalmente verdoso en otoño, sin gris (cf. mosquitero de Hume)

lista pileal central pálida y difusa, poco patente (como en el mosquitero de Hume)

en otoño, a menudo amarillento (cf. mosquitero de Hume)

lista superciliar y lista ocular largas y anchas, desde el pico hasta la parte posterior de la cabeza

mandíbula inferior pálida con punta oscura

moteado difuso

▼ 1er invierno o adulto (septiembre)

En Europa y en otoño, el plumaje no es muy variable. El ala es contrastada, con 2 franjas blancuzcas y anchas muy patentes y centros oscuros de las plumas. Solo comparte esta característica con el mosquitero de Pallas y con el mosquitero de Hume. Muchas aves muestran un cierto listado difuso y grisáceo en el pecho, lo cual no se produce en el mosquitero de Hume. El pico y las patas pueden ser, a veces, oscuros; parecidos entonces al mosquitero de Hume. En otoño, los adultos también tienen el plumaje nuevo, puesto que han realizado una muda completa a final del verano.

▼ Probable 2º año cal. (junio)

En primavera, los ejemplares con el plumaje muy gastado como el de la imagen son probablemente de 2º año cal. Las aves de 1er invierno llevan a cabo una muda parcial muy reducida durante el invierno, y retienen todas las plumas del ala; las plumas de tipo juvenil no solo son más "viejas" que las de los adultos (mudadas a final de verano); también son de una "calidad" inferior. Por esta razón, el plumaje de las aves de 2º año cal. está más deteriorado que el de los adultos. En esta época, y a causa del desgaste, las diferencias con el mosquitero de Hume son mucho menores, pero este ejemplar aún muestra el patrón cefálico típico del mosquitero bilistado. Las vocalizaciones son especialmente importantes para la identificación en primavera.

▼ Estructura y patrón alar

márgenes blancos en las terciarias

coberteras medianas: puntas pálidas anchas, formando una 2ª franja alar

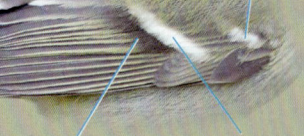

franja oscura ancha

coberteras grandes: puntas blancuzcas anchas, formando una franja alar uniforme, tanto en las internas como en las externas

Mosquitero de Hume *Phylloscopus humei*

L 10 cm | Migrador tardootoñal e invernante raro, procedente de Asia

▼ **1er invierno o adulto (noviembre)**

En esta época del año parece un mosquitero bilistado desteñido y pálido. La 2ª franja alar (a menudo poco patente) en las coberteras medianas es casi siempre menos pálida que la franja alar en las coberteras grandes (véase el mosquitero bilistado). En el caso de encontrar un ejemplar especialmente colorido y contrastado –lo cual sucede a veces–, el reclamo característico es una gran ayuda para la identificación. En otoño, los adultos tienen el plumaje nuevo, puesto que han realizado una muda completa a final del verano.

▼ **Patrón cefálico**

Las diferencias señaladas con respecto al mosquitero bilistado son a menudo sutiles pero, en su conjunto, suelen dar a la especie una apariencia distintiva.

lista pileal central pálida pero difusa y poco patente, no visible aquí; véase mosquitero bilistado

tintes grisáceos, también en plumaje nuevo

lista superciliar a menudo puntiaguda en la parte posterior

lista superciliar y lista ocular difusas entre el ojo y el pico; lista superciliar de color crema

a menudo con tintes grisáceos o parduzcos pálidos (cf. mosquitero bilistado)

corto y fino

base pálida poco patente

blanco "sucio" (cf. mosquitero bilistado)

crema

auriculares a menudo pálidas y con moteado escaso y difuso

▼ **1er invierno o adulto (noviembre)**

Un ejemplar típico. Superficialmente puede parecer un mosquitero bilistado con plumaje apagado y grisáceo. La franja oscura en la base de las secundarias acostumbra a ser más estrecha que en el mosquitero bilistado, pero aun así variable.

la franja oscura por debajo de la franja pálida de las coberteras grandes, en este ejemplar, típicamente poco patente

▼ **2º año cal. o adulto (junio)**

En primavera, frecuentemente tiene una apariencia muy similar al mosquitero bilistado, pero el patrón cefálico es más débil y las auriculares un poco más pálidas. El pico y las patas más oscuros son típicos (el mosquitero bilistado tiene la base de la mandíbula inferior más pálida y las patas también más pálidas). Como sucede en el mosquitero bilistado, las aves que en primavera muestran un plumaje muy gastado acostumbran a ser de 2º año cal.

gris parduzco

pardo pálido o crema

a lo sumo, ligeros trazos verdosos tenues

pálido

franja oscura no tan contrastada como en el mosquitero bilistado

sin listado (cf. mosquitero bilistado)

generalmente grisáceo o verdoso apagado, menos brillante que en el mosquitero bilistado

▶ **Estructura y patrón alar**

Las partes superiores y los márgenes de las plumas de vuelo son, generalmente, de un verde menos brillante que en el mosquitero bilistado. En este ejemplar, la franja oscura por debajo de la franja pálida de las coberteras grandes se encuentra en el extremo oscuro y ancho de la variabilidad individual.

márgenes pálidos de terciarias habitualmente más apagados que en el mosquitero bilistado

coberteras medianas: puntas ligeramente pálidas pero no blancuzcas, que generan una 2ª franja alar (cf. mosquitero bilistado)

franja oscura variable, a menudo bastante estrecha y/o poco patente (cf. mosquitero bilistado)

coberteras grandes: puntas blancuzcas formando una franja alar de anchura uniforme

Mosquitero sombrío *Phylloscopus fuscatus*

L 11,5 cm | Migrador otoñal e invernante raro, procedente de E Asia

▼ **1ᵉʳ invierno o adulto (septiembre)**
Además de las características señaladas en la imagen, el patrón cefálico difiere del mosquitero de Schwarz.

típicamente pardo (gris), sin tintes oliváceos (cf. mosquitero de Schwarz)

generalmente, poca diferencia de color con el resto de las partes inferiores (cf. mosquitero de Schwarz)

patas pálidas; generalmente de tonos apagados (cf. mosquitero de Schwarz)

cara exterior de las uñas y a menudo de los dedos más oscuros que la cara interna (cf. mosquitero de Schwarz)

▼ **Patrón cefálico**
La mayor posibilidad de confusión se encuentra en el mosquitero de Schwarz. Véanse las diferencias más destacadas en el patrón cefálico.

lista pileal lateral difusa, un poco más oscura y patente entre el ojo y el pico

lista superciliar fina y bien definida, más estrecha hacia el pico (sin llegar a este)

lista superciliar pardo pálido detrás del ojo, más blancuzca delante

brida oscura y bien definida, extendiéndose hasta el pico

mancha oscura extensa

bastante largo y fino

generalmente moteado difuso

▼ **1ᵉʳ invierno o adulto (octubre)**
Habitualmente muy difícil de ver; se mantiene oculto dentro de la vegetación y a menudo cerca del suelo. Muchas veces detectado en primer lugar por su reclamo, un "tek" corto y seco.

▼ **Tipo adulto (mayo)**
Un ejemplar típico, pero por la falta de características muy llamativas, se podría confundir con otros pequeños paseriformes pardos y lisos. Difiere –por ejemplo–, del mosquitero común en el patrón cefálico (más marcado), las patas pálidas, la ausencia de márgenes verdosos en las plumas de vuelo, la estructura alar y el reclamo muy diferenciado.

pardo-gris frío, a veces en invierno/primavera notablemente grisáceo (cf. mosquitero de Schwarz)

un poco redondeada (como también sucede a menudo en el mosquitero de Schwarz)

▼ **Estructura alar**
Casi idéntica a la del mosquitero de Schwarz, incluyendo la p1 típicamente muy larga, cuya punta coincide con la emarginación de p3.

4 emarginaciones muy marcadas (4ª en p6 no visible aquí)

p1 muy larga

Mosquitero de Schwarz *Phylloscopus schwarzi*

L 12 cm | Divagante de E Asia

▼ 1er invierno o adulto (octubre)

Casi todas las citas europeas corresponden a aves con este plumaje. Las infracoberteras caudales y la parte trasera del vientre, de tonos canela relativamente vivos, contrastan con el resto de las partes inferiores, y son típicas de la especie (véase el mosquitero sombrío); un rasgo probablemente más llamativo en aves de 1er invierno.

a menudo con tonos verdosos u oliváceos (cf. mosquitero sombrío)

frecuentemente un poco redondeada, también en el mosquitero sombrío (pero no en otros mosquiteros)

color canela típico, contrastando con el resto de las partes inferiores (cf. mosquitero sombrío)

patas pálidas, habitualmente rosadas o anaranjadas

▼ Patrón cefálico

lista superciliar más blancuzca detrás del ojo que delante (cf. mosquitero sombrío)

lista pileal lateral oscura más patente detrás del ojo, poco patente o ausente entre el ojo y el pico (cf. mosquitero sombrío)

lista superciliar bastante ancha, más difusa delante del ojo (cf. mosquitero sombrío)

lista ocular ancha, como en el mosquitero sombrío

brida poco contrastada (cf. mosquitero sombrío)

a menudo moteado patente

bastante grueso y poco puntiagudo; mancha oscura menos patente en la mandíbula inferior (cf. mosquitero sombrío)

▼ Tipo adulto (mayo)

En primavera, apariencia bastante similar al otoño. El desgaste marcado de este ejemplar apunta a un ave de 2º año cal. La muda completa de los adultos tiene lugar a final del verano. Las plumas juveniles no solo son más "viejas", también tienen una estructura más débil que la de tipo adulto (lo cual las hace más vulnerables al desgaste). Por esta razón, las aves de 2º año cal. muestran un desgaste mayor que los adultos en primavera.

patas anaranjadas típicas

▼ 1er invierno (octubre)

infracoberteras caudales de color canela y parte central del vientre amarillenta, más bien desarrollados en aves de 1er invierno (aquí en su extremo máximo de variación)

patas pálidas típicas, rosa anaranjado brillante

dedos y uñas uniformemente pálidos (cf. mosquitero sombrío)

▼ Estructura alar

La estructura alar del mosquitero de Schwarz es, junto a la del mosquitero sombrío, única entre las especies del género.

tintes verdosos u oliváceos (cf. mosquitero sombrío)

p2 relativamente corta, que queda muy atrás con respecto a la punta del ala (formada por p3–4), como en el mosquitero sombrío

4 emarginaciones muy marcadas

p1 muy larga

Mosquitero papialbo *Phylloscopus bonelli*

L 11 cm | Verano, SO Europa

Mosquiter pàl·lid CAT
Txio lepazuria EUS
Picafollas de papo branco GAL

▼ Tipo adulto (abril)

El mosquitero papialbo y el mosquitero oriental son dos especies con plumaje muy parecido, cuya identificación segura es extremadamente difícil y, a veces, incluso imposible (basándose únicamente en rasgos del plumaje). En cambio, el reclamo de ambos es muy distintivo (el canto, sutilmente distintivo); estas son, generalmente, las únicas características concluyentes. Los rasgos señalados, junto con el patrón cefálico débil, son similares en ambas especies en comparación con otros mosquiteros. Sin embargo, las partes superiores relativamente "oscuras" con tintes verdes y pardos en el píleo son más típicos del mosquitero papialbo. El patrón cefálico y el pico varían poco entre las dos especies. Tanto las aves de 1er año como los adultos realizan una muda completa en invierno y, por lo tanto, el datado ya no es posible en primavera.

▼ Patrón cefálico

Para apreciar las diferencias con el mosquitero oriental, véase aquella especie. La estructura del pico puede ayudar en los casos más típicos y llamativos: si es relativamente largo y grueso encaja mejor con el mosquitero papialbo, mientras que fino y corto es más típico del mosquitero oriental. Sin embargo, hay mucho solapamiento.

lista superciliar no muy patente en una cabeza bastante pálida y uniforme

a menudo lista pileal lateral verde oscuro bastante ancha (cf. mosquitero oriental)

lista ocular muy débil

brida generalmente pálida

relativamente largo y ancho

anillo ocular blancuzco completo (cf. mosquitero común)

pálido

terciarias negruzcas con margen gris pálido

gris con trazos verdes (a veces parduzco) (cf. mosquitero oriental)

tintes pardos y verdes (cf. mosquitero oriental)

supracoberteras caudales y obispillo verdes

las coberteras grandes no contrastan con el resto del ala (cf. mosquitero oriental)

blanco puro brillante

márgenes verdes pálidos en las plumas de vuelo y las rectrices, contrastando con el resto del plumaje grisáceo

▼ 1er invierno (agosto)

La identificación de un ejemplar como el de la imagen es probablemente posible, basándonos en las características destacadas. Sin embargo, a veces el mosquitero papialbo tiene las partes superiores, incluida la cabeza, de tonos grises casi puros, márgenes grises en las coberteras grandes y patas relativamente oscuras, rasgos más típicos del mosquitero oriental. El plumaje nuevo revela que se trata de un 1er invierno; los adultos muestran más desgaste en otoño.

▼ Tipo adulto (julio)

Se vuelve más grisáceo a través del desgaste, lo cual complica aún más la distinción del mosquitero oriental. Los adultos a menudo mudan algunas terciarias y rectrices en las zonas de cría (nótese la terciaria central nueva en este ejemplar).

tintes pardos (cf. mosquitero oriental)

márgenes verdes en coberteras grandes (cf. mosquitero oriental)

patrón cefálico débil con anillo ocular completo, típico del mosquitero papialbo y del mosquitero oriental

patas bastante pálidas (cf. mosquitero oriental)

▼ Estructura alar

La proyección primaria es de c. 70 %. Tiene 4 emarginaciones (compárese con el mosquitero silbador).

p6 p7

p2

p2 relativamente corta, más corta que p6; aquí equivalente a p7 (cf. mosquitero oriental)

Mosquitero oriental *Phylloscopus orientalis*

L 11,5 cm | Verano, SE Europa

Mosquiter pàl·lid oriental CAT
Txio ekialdetarra EUS
Picafollas do levante GAL

▼ Tipo adulto (marzo)
Las características señaladas destacan las sutiles diferencias con el mosquitero papialbo, que tienen bastante solapamiento. Tanto las aves de 1er invierno como los adultos realizan una muda completa en invierno y, por lo tanto, ya no se pueden datar en primavera.

coberteras grandes con márgenes grises pálidos, que contrastan un poco con el resto del ala, como un "panel alar" (cf. mosquitero papialbo)

habitualmente, gris bastante puro y frío, sin tintes pardos (cf. mosquitero papialbo)

a menudo muy oscuro

▼ Tipo adulto (marzo)
Un ejemplar "típico" con auriculares parduzcas, píleo y cuello gris frío, patas oscuras, anillo ocular completo y patente (también en la parte superior), y panel alar gris. En primavera, las terciarias y las coberteras grandes a menudo muestran ya un cierto desgaste. El mosquitero papialbo muda frecuentemente estas plumas a final de invierno, por lo que las tiene más nuevas en primavera. Aunque todas las características indicadas son más propias del mosquitero oriental, también pueden estar presentes en el mosquitero papialbo. La identificación de ejemplares que no reclamen fuera de sus zonas de distribución regular es, pues, muy dificultosa.

en primavera, típicamente muestra un poco más de desgaste que el mosquitero papialbo

▼ Estructura alar
La proyección primaria y p2 son, de promedio, más largas que en el mosquitero papialbo. Aquí p2 queda aproximadamente en línea con p6, solapándose con el mosquitero papialbo. Una p2 más larga, cercana o equivalente a p5 es típica del mosquitero oriental. Tiene 4 emarginaciones (véase el mosquitero silbador).

p6

p2

p2 relativamente larga = p5–6 (cf. mosquitero papialbo)

▼ Patrón cefálico
Este ejemplar muestra las "diferencias típicas" en cuanto al patrón cefálico, comparado con el mosquitero papialbo. En conjunto, la cabeza tiene un patrón ligeramente más marcado y contrastado y un anillo ocular más ancho. Sin embargo, la variabilidad individual y el solapamiento entre ambas especies es demasiado grande como para procurar una identificación clara en aves fuera de su área de distribución regular. La combinación de características destacadas podría apuntar a mosquitero oriental, pero las vocalizaciones son necesarias para confirmar la identificación.

lista ocular generalmente bastante oscura

gris bastante uniforme, sin trazos verdes (o apenas algunos); lista pileal lateral apenas más oscura

brida a menudo sutilmente oscura

fino y corto

auriculares relativamente oscuras (a veces parduzcas)

anillo ocular completo también visible en la parte superior, sobre la lista superciliar de tonos más parduzcos, lo cual genera un cierto efecto de "gafas"

▶ 1er invierno (octubre)
El píleo y el cuello gris frío (sin verde) y las auriculares oscuras facilitan que el anillo ocular completo destaque. Una p2 relativamente larga, equivalente a p5, es típica. Como sucede con otros plumajes, la identificación segura de aves de 1er invierno basándose únicamente en rasgos de plumaje probablemente no es posible. Solamente el reclamo es una característica diagnóstica en otoño.

▼ Adulto (julio)
En otoño, y en comparación con las aves de 1er invierno, un desgaste acusado del ala y la cola es característico de los adultos. La muda completa tiene lugar en invierno, pero las terciarias son mudadas frecuentemente en verano. La impresión general gris y el anillo ocular completo y blanco (con efecto de "gafas") solo sugieren la identidad, puesto que el mosquitero papialbo también puede volverse muy gris.

terciarias recientemente mudadas

desgaste típico (cf. 1er invierno)

Mosquitero silbador *Phylloscopus sibilatrix*

L 12 cm | Verano, gran parte de Europa excepto SO, Islandia y N

▼ Tipo adulto (mayo)
Una especie distintiva, a causa de una coloración brillante y un patrón facial contrastado. La cantidad de amarillo en la garganta y el pecho es variable. Se podría confundir con el mosquitero musical, pero nótese el patrón cefálico aún más marcado, las partes superiores de un verde más brillante, el ala más contrastada y las auriculares pálidas sin margen oscuro que las delimite. Tanto las aves de 1er invierno como los adultos llevan a cabo una muda completa a final de invierno y, por lo tanto, tienen el plumaje nuevo en primavera, época del año en que no se pueden datar.

▼ Patrón cefálico
Las auriculares pálidas no tienen un borde oscuro, a diferencia del mosquitero musical.

listas superciliar y ocular anchas y largas (cf. mosquitero musical)

lista superciliar ancha también delante del ojo, que se extiende hasta la base del pico

brida ancha que alcanza el pico

auriculares amarillas y pálidas

verde prominente formado por los márgenes de las bases de las plumas

márgenes anchos y pálidos de terciarias, como en los mosquiteros papialbo y oriental

verde brillante

amarillo brillante pálido; centro de la garganta y del pecho más blancos, pero algunas aves tienen estas zonas completamente amarillas

ala muy larga

contraste marcado en el ala; todas las plumas con centros negruzcos y márgenes verdes

blanco puro y brillante

típicamente amarillo

▼ 1er invierno (septiembre)
En otoño, un ejemplar con el plumaje nuevo es de 1er invierno; los adultos muestran un cierto desgaste.

mucho contraste en el ala, con centros oscuros y márgenes pálidos en todas las plumas

algunas aves de 1er invierno tienen poco amarillo

patas bastante pálidas

▼ Tipo adulto (mayo)
Un posadero de canto típico en un bosque caducifolio abierto.

▼ Patrón y estructura alar

coberteras grandes: centro negruzco y margen pálido, grisáceo o verdoso

terciarias: margen y punta blancuzcos

proyección primaria muy larga: > 100 %

2–3 emarginaciones

p1 corta, sin alcanzar la punta de las coberteras primarias

Mosquitero musical *Phylloscopus trochilus*

L 12 cm | Verano, toda Europa excepto S (donde es migrante) e Islandia

▼ **Tipo adulto, nominal *trochilus* (abril)**
En esta imagen se pueden apreciar las diferencias típicas con el mosquitero común. Véanse también los detalles correspondientes al patrón cefálico y la estructura alar.

patrón cefálico bien marcado, con la lista superciliar (significativamente) más llamativa que la mitad inferior del anillo ocular

típicamente verde grisáceo

blancuzco o ligeramente amarillento, más "limpio" que las partes inferiores del mosquitero común

proyección primaria larga con espaciado ancho entre las puntas de las plumas externas

patas típicamente pálidas, también los dedos, a menudo anaranjadas (pero a veces pueden ser relativamente oscuras)

▼ **Patrón cefálico**

lista superciliar de anchura bastante uniforme

lista ocular bastante patente

pico relativamente grueso con la base bastante ancha (cf. mosquitero común)

naranja-amarillo bastante patente (cf. mosquitero común)

parte central de las auriculares pálida, con un borde un poco más oscuro habitualmente visible (cf. mosquitero común)

anillo ocular general-mente poco llamativo (cf. mosquitero común)

▶ **Adulto (septiembre)**
En otoño, los adultos son significativamente menos amarillos y verdosos que las aves de 1er invierno. Las alas, incluyendo las coberteras primarias y las coberteras grandes, son nuevas y muestran márgenes pálidos bien delimitados. Esta especie realiza dos mudas completas al año, lo cual es muy raro entre las especies europeas. Después de la muda completa invernal, las aves de 2° año cal. ya no se pueden distinguir de los adultos.

▼ **Tipo adulto (abril)**
Muchos ejemplares muestran una franja pectoral amarilla, sutil pero típica.

franja pectoral amarilla débil y variable

▼ **1er invierno (septiembre)**
En este plumaje, es el mosquitero más amarillo entre las especies europeas. Existe un cierto riesgo de confusión con el zarcero políglota o el zarcero icterino; ambas especies tienen, por ejemplo, la brida pálida y una lista superciliar corta que apenas llega más allá del ojo. También tienen las patas grises o pardo-grisáceas y márgenes pálidos en las terciarias y las coberteras grandes; compárese con aquellas especies. Aves como la de la imagen, con las partes inferiores muy amarillas y las superiores claramente verdes, son típicas de la subespecie nominal *trochilus*; en la subespecie *acredula*, las aves de 1er invierno son más grisáceas en las partes superiores y tienen las partes inferiores de un amarillo más apagado. Sin embargo, también existe variabilidad individual en ambas subespecies. Las coberteras primarias y las coberteras grandes muestran ya un desgaste incipiente, similar al que puede tener el adulto en septiembre de la imagen superior.

▼ **Estructura alar**

p6 relativamente corta (cf. mosquitero común y especies cercanas)

p2 relativamente larga, más larga que p6 (cf. mosquitero común y especies cercanas)

3 emarginaciones; p6 no emarginada (cf. mosquitero común y especies cercanas)

Mosquitero musical *Phylloscopus trochilus*

▼ Tipo adulto, mosquitero musical norteño, *acredula* (mayo)
De promedio, un poco más grisáceo en las partes superiores, más blanco en las inferiores y con patas más oscuras, pero incluso cuando las tres características están presentes en un ejemplar, también entran dentro de la variabilidad natural de la nominal *trochilus*. Además, dentro de *acredula* también hay aves más verdes por encima y amarillas por debajo, idénticas en este aspecto a la nominal *trochilus*. Por lo tanto, durante la migración, la identificación subespecífica no es posible donde ambas subspecies pueden estar presentes. El patrón cefálico (especialmente las auriculares), las partes inferiores "limpias" con, a menudo, una franja pectoral más amarilla, así como las patas más pálidas (cuando lo son), son rasgos distintivos en comparación con el mosquitero común.

▼ Tipo *yakutensis*, N(E) Siberia (mayo)
Este ejemplar, fotografiado en Egipto, muestra diversas características típicas de esta subspecie, que inverna en el E de África y migra a través de Oriente Medio. Sin embargo, un ejemplar norteño de la subspecie *acredula* quizá no se pueda excluir. A veces, en otoño aparecen ejemplares en Europa con rasgos que coinciden con esta subspecie, pero su estatus europeo es incierto puesto que algunas características se solapan con *acredula*. Los individuos con plumaje nuevo en otoño son, teóricamente, idénticos a este ejemplar, pero muestran a menudo un indicio de franja alar en las coberteras grandes.

borde posterior oscuro en las auriculares, típico de esta especie en general

patrón cefálico a menudo bien marcado

pardo-gris, sin verde

ala muy larga, con proyección primaria muy larga (aquí cercana al 100 %)

listado pardo-gris

blancuzco, sin amarillo

frecuentemente oscuro

Mosquitero común *Phylloscopus collybita*

L 11 cm | Verano, casi toda Europa; invierno, S Europa

Mosquiter comú CAT
Txio arrunta EUS
Picafollas europeo GAL

▼ Tipo adulto, nominal *collybita* (abril)
Un ejemplar bastante típico, pero existe mucha variabilidad individual, incluso dentro de la misma subspecie. Algunas aves pueden ser más parecidas al mosquitero musical a causa de unas partes inferiores más blancas y un patrón cefálico más definido y con más amarillo. Las primarias y coberteras primarias nuevas de este ejemplar indican que se trata de un adulto; en aves de 2º año cal., estas plumas muestran un desgaste marcado. Sin embargo, muchos individuos son difícilmente asignables a una edad concreta en primavera.

▼ Patrón cefálico
Combinación típica formada por el pico fino, el anillo ocular partido y prominente y la lista superciliar moderadamente desarrollada.

patrón cefálico moderadamente desarrollado con el anillo ocular frecuentemente más llamativo que la lista superciliar

pardo-gris con tintes verdes

fino

proyección primaria bastante corta

oscuro

partes inferiores de color blanco "sucio" con trazos finos amarillos

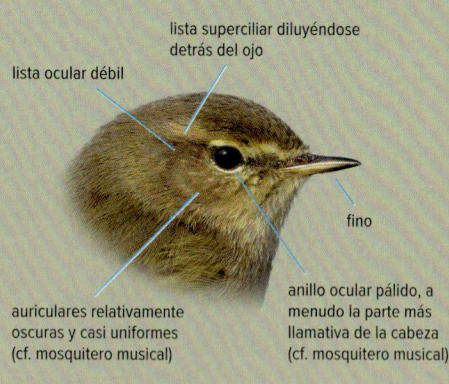

lista superciliar diluyéndose detrás del ojo

lista ocular débil

fino

anillo ocular pálido, a menudo la parte más llamativa de la cabeza (cf. mosquitero musical)

auriculares relativamente oscuras y casi uniformes (cf. mosquitero musical)

▼ 1er invierno o adulto, probablemente nominal *collybita* (octubre)
Un ejemplar con tonos verde-oliváceos muy marcados. Otros son más parduzcos o grisáceos pero, en la subespecie nominal *collybita*, las partes superiores siempre muestran una cierta cantidad de verde. El anillo ocular pálido es frecuentemente más llamativo que la lista superciliar. Tanto adultos como aves de 1er año cal. tienen el plumaje nuevo en otoño (los adultos realizan una muda completa a final del verano).

▼ 2º año cal. (marzo)
El datado es frecuentemente difícil, pero en este ejemplar se aprecian algunas características propias del 2º año cal. Las aves de 1er invierno se pueden reconocer por las mismas, puesto que los límites de muda ya están presentes en otoño. Sin embargo, el contraste es menos marcado que en primavera.

terciarias nuevas y primarias gastadas, más típico de un 2º año cal.

rectrices centrales nuevas contrastando con el resto (más gastadas), típico de un 2º año cal.

contraste de muda en el álula, típico de 2º año cal.

▼ Estructura alar
En ejemplares difíciles, la estructura alar es frecuentemente útil para la identificación y, en buenas fotografías, se pueden apreciar las características típicas.

proyección primaria 55–70 %

p6 relativamente larga (cf. mosquitero musical)

p2 corta; la punta queda igualada con p7/9 (cf. mosquitero musical y mosquitero ibérico)

p2

4 emarginaciones (cf. mosquitero musical)

p1 larga, también en las especies más cercanas y (generalmente) en el mosquitero musical

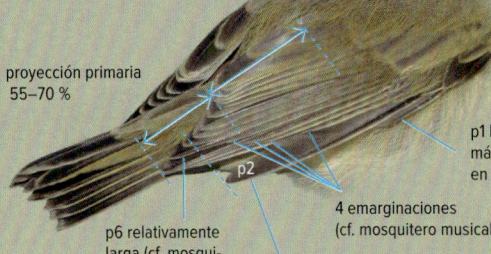

▼ 1er invierno o adulto, subespecie norteña *abietinus* (octubre)
La identificación de este ejemplar se basa en la localización (Finlandia). El patrón cefálico relativamente bien desarrollado y el plumaje más pálido, con las partes superiores pardo-verdosas, son típicos de esta subespecie. Sin embargo, en Europa occidental, la identificación subespecífica no es posible, puesto que hay un solapamiento significativo en la variabilidad individual, tanto de *collybita* como de *abietinus*.

▼ Tipo adulto, subespecie norteña *abietinus* (mayo)
De promedio, más pálido, más grisáceo en las partes superiores y más blanco en las inferiores que la nominal *collybita*. Sin embargo, un ejemplar como este también entra dentro de la variabilidad individual de la nominal *collybita*.

Mosquitero común siberiano *Phylloscopus collybita tristis*

L 11 cm | Migrante otoñal e invernante muy escaso, procedente de Siberia

Mosquiter comú "sibèrià" CAT
Txio arrunt siberiarra EUS
Picafollas siberiano GAL

IDENTIFICACIÓN

La identificación de ejemplares típicos es posible basándose en rasgos del plumaje. Sin embargo, al oeste de los Urales existe una zona de contacto –estrecha pero larga–, con el mosquitero común de la subespecie *abietinus*, donde las aves muestran características intermedias, tanto en el plumaje como en las vocalizaciones.

▼ Probable 1er invierno (diciembre)

Un ejemplar parecido a la mayoría de los observados en Europa. Las coberteras grandes juveniles tienen puntas pálidas más extensas que las de tipo adulto, y las externas son retenidas después de la muda postjuvenil. En este ejemplar, la franja alar pálida es más patente en las coberteras grandes externas, lo cual indica que se trata probablemente de un 1er invierno. La estructura alar es casi idéntica a la del mosquitero común de la subespecie nominal pero p2 es, de promedio, un poco más corta. Ejemplares como el de la imagen, con finos trazos verdosos en las partes superiores pero típicos en todo lo demás (incluyendo las vocalizaciones), se consideran, a veces tipo "*fulvescens*".

franja alar fina y débil presente a veces en aves con plumaje nuevo en otoño, especialmente de 1er invierno

gris, pardo o gris-pardo, generalmente sin trazos verdes, pero a veces algunos presentes

márgenes verdes de las plumas de vuelo a veces bastante llamativos en ausencia de otras partes verdes en el plumaje

blanco con trazos pálidos y difusos de tonos pardos; los ejemplares típicos no tienen amarillo

negro profundo, a menudo también en la cara interna de los dedos

▼ Patrón cefálico

En comparación con el mosquitero común de la subespecie nominal, la lista superciliar y la lista ocular son llamativas, pero el anillo ocular es a menudo menos patente.

lista superciliar detrás del ojo pardo pálido y bastante conspicua (cf. mosquitero común nominal)

pardo-gris, generalmente sin verde (cf. mosquitero común nominal)

la parte superior del anillo ocular queda diluida con la lista superciliar, y es poco conspicua (cf. mosquitero común nominal)

lista ocular bastante patente (cf. mosquitero común nominal)

pardo cálido (cf. mosquitero común nominal)

generalmente, totalmente o casi totalmente oscuro

anillo ocular fino (cf. mosquitero común nominal)

▼ Probable 2º año cal. (mayo)

Un ejemplar pardo "clásico" del centro de su distribución, prácticamente sin verde en los márgenes de las plumas de vuelo, pero con zonas pardas a los lados del pecho y en los flancos. Este tipo de ejemplares se observan menos regularmente en Europa que los "grises".

▼ Tipo adulto (junio)

Un ejemplar gris, como la mayoría de los que aparecen en otoño en Europa. Este ejemplar fue fotografiado en Rusia, en la zona occidental de su distribución donde, de promedio, las aves son más grises y más parecidas a la subespecie *abietinus* (subespecie que es más gris cuanto más al este de su distribución).

gris-pardo, sin verde

tonos verdosos casi limitados a los márgenes de las plumas de vuelo

negro profundo, incluyendo los dedos por la parte superior y la inferior

▼ 1er invierno o adulto (diciembre)

Nótese el patrón cefálico típico, con las auriculares de tonos pardos cálidos, el anillo ocular poco llamativo y las patas completamente negras, incluyendo los dedos por la parte superior y también la inferior.

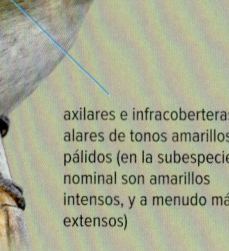

axilares e infracoberteras alares de tonos amarillos pálidos (en la subespecie nominal son amarillos intensos, y a menudo más extensos)

Mosquitero ibérico *Phylloscopus ibericus*

L 11,5 cm | Verano, O península Ibérica

▼ Tipo adulto (abril)

Apariencia intermedia entre un mosquitero musical y un mosquitero común, tanto en estructura como en coloración. En una observación de campo, la identificación segura sin escuchar vocalizaciones puede ser complicada.

verde, sin tonos pardos; se vuelve más grisáceo a través del desgaste

4ª emarginación presente (en p6), a diferencia del mosquitero musical

blanco liso con finos trazos amarillos

típicamente, amarillo

▼ Patrón cefálico

parte delantera de la lista superciliar al menos parcialmente amarilla (pálida); mitad superior del anillo ocular fundida con la lista superciliar

relativamente largo; culmen ligeramente "ganchudo"

naranja amarillento

anillo ocular a menudo poco llamativo (cf. mosquitero común)

a menudo amarillento

▼ Juvenil/1er invierno, probable mosquitero ibérico (julio)

Este ejemplar, fotografiado en España, causaría dolores de cabeza en cualquier otro lugar de Europa. Muestra un patrón cefálico (anillo ocular llamativo, lista superciliar débil) y un color de patas parecidos al mosquitero común; la imagen destaca algunas diferencias importantes con aquella especie. Sin embargo, las partes superiores tienen tonos verde-grisáceos (en cierto modo, parecidos a los del mosquitero silbador), y las inferiores son de un blanco más "limpio". El mosquitero musical tiene un plumaje similar, pero suele tener las patas más claras, las auriculares bordeadas de oscuro, un anillo ocular menos patente y las partes inferiores amarillentas más uniformes (sin trazos tan evidentes). La estructura alar (no visible aquí) también es importante (proyección primaria y número de emarginaciones). Las especies cercanas al mosquitero común, incluido el mosquitero ibérico, suelen mover la cola arriba y abajo (raramente el mosquitero musical).

▶ 2º año cal. (marzo)

Con el plumaje gastado, los tonos verdes y amarillos son más apagados, pero la identificación es posible por la combinación de patas relativamente pálidas, patrón cefálico con parte delantera de la lista superciliar amarilla, anillo ocular bastante débil, base del pico pardo anaranjado y proyección primaria relativamente larga en comparación con el mosquitero común.

primarias internas típicamente muy gastadas (pero en invierno muda un número variable de primarias externas, las cuales son nuevas)

verde-gris

amarillo pálido brillante

▼ Estructura alar

La p5 corta en combinación con las 4 primarias emarginadas es característica. La proyección primaria es de c. 70 %, similar al valor máximo que puede alcanzar el mosquitero común.

p5 < p3–4 (cf. mosquitero común)

p6

p7

p4

p3

p2

p2 relativamente larga, aquí aproximadamente equivalente a p6–7 (cf. mosquitero común)

Mosquitero montano *Phylloscopus sindianus*

L 10,5 cm | Divagante del extremo E Turquía y Cáucaso

▼ Tipo adulto (mayo)

La especie más parda del grupo cercano al mosquitero común. En el centro de su distribución, el mosquitero común siberiano también es bastante pardo y parecido a este (véase aquel taxón). Para una identificación segura fuera de su área de distribución se deben tener en cuenta todas las características, incluida la estructura alar. Las infracoberteras alares son blancuzcas, a lo sumo con leves trazos amarillos, pero algunos mosquiteros comunes siberianos pueden ser parecidos en este aspecto. En este ejemplar, el plumaje muy nuevo apunta a un adulto.

relativamente larga

terciarias y plumas de vuelo relativamente oscuras (cf. mosquitero común y taxones cercanos)

pardo puro sin tintes verdes

márgenes de las plumas de vuelo parduzcos (a veces blancuzcos o levemente verdosos en otoño) (cf. mosquitero común y taxones cercanos)

típicamente pardo pálido en esta zona

sin verde visible (infracoberteras alares a menudo blancuzcas)

pardo rosado

patas negras, incluidos los dedos (parte inferior de estos a veces amarilla)

▼ Tipo adulto (mayo)

lista ocular más oscura justo delante y detrás del ojo

pardo intenso, a menudo generando un efecto de capirote

lista superciliar blanca, bastante ancha y concentrada entre el ojo y el pico

lista superciliar extendiéndose hasta la base del pico

pardo liso

oscuro

blanco

anillo ocular blanco muy llamativo

▼ Probable 1er invierno (octubre)

En otoño, con el plumaje aún nuevo, el píleo y la zona dorsal son un poco menos pardos que en primavera, las plumas de vuelo tienen márgenes oliváceos y las escapulares muestran leves trazos verdosos (especialmente, o únicamente, en aves de 1er invierno). Por lo demás, las características típicas de la especie son las mismas que en primavera.

▼ Tipo adulto (mayo)

márgenes de terciarias y coberteras grandes difusos y poco patentes (a veces ausentes); ala con poco contraste

supracoberteras caudales y obispillo del mismo color que el resto de partes superiores (en el mosquitero común y otros taxones cercanos, incluyendo el mosquitero común siberiano, a menudo ligeramente verdosos)

ligeramente verdoso en este ejemplar

márgenes verdosos u oliváceos con plumaje nuevo

patrón cefálico típico, como en primavera

típicamente, patas totalmente negras incluyendo la parte inferior de los dedos

▼ Estructura alar

proyección primaria bastante corta, c. 50 %

p6 relativamente larga, cercana a la punta del ala

4 emarginaciones

p1 muy larga

Mosquiteros extremadamente raros

Mosquitero del Pamir *Phylloscopus griseolus*

L 11,5 cm | Divagante extremo de C Asia

Mosquiter del Pamir CAT
Txio pamirtarra EUS
Picafollas do Pamir GAL

▼ Tipo adulto (mayo)

Tiene una combinación única de rasgos, pero dada la extrema rareza de la especie, hay que tener siempre en cuenta otras especies más comunes. Por ejemplo, el polen de algunas flores puede teñir de amarillo la zona alrededor del pico, como sucede a veces en algunas currucas. El mosquitero sombrío es la especie más parecida en estructura y patrón cefálico, pero carece de tonos amarillos.

▼ Tipo adulto (mayo)

Combinación única entre los mosquiteros: parte delantera de la lista superciliar amarilla, partes inferiores amarillentas y partes superiores grisáceas. Algunos son más grises en las partes superiores y menos amarillos en las inferiores, en comparación con el ejemplar de la imagen.

lista superciliar llamativa, amarilla en la parte delantera, volviéndose blanca en la parte trasera

mandíbula superior a menudo completamente oscura

todas las partes superiores, ala y cola de color gris casi puro (ligeramente parduzco cuando el plumaje está gastado)

todas las partes inferiores teñidas de amarillento (variable)

p1 larga, casi alcanzando la emarginación de p3

patas bastante pálidas

4 emarginaciones

Mosquitero paticlaro *Phylloscopus tenellipes*

L 12 cm | Divagante de E Asia

Mosquiter camaclar CAT
Txio hanka-argia EUS
Picafollas de patas claras GAL

▶ Tipo adulto (mayo)

Las características más destacables de esta especie son la cabeza grisácea, las patas muy pálidas y el ala de color bronce verdoso. El mosquitero borealoide *Phylloscopus borealoides*, que nunca ha sido citado en Europa, es idéntico en plumaje y, con el conocimiento actual, solamente identificable por el canto (quizá también por otras vocalizaciones), medidas biométricas o ADN.

▼ Patrón cefálico

típicamente oscuro, generando un cierto efecto de capirote

lista superciliar muy larga y lista ocular larga y ancha detrás del ojo

píleo gris, frecuentemente oscuro, contrastando con el manto verdoso

1–2 franjas alares, a menudo poco patentes por no ser muy pálidas

bronce

patas muy pálidas, rosadas

Patrón cefálico de los mosquiteros

▼ Mosquitero verdoso

La lista superciliar ancha encima y detrás del ojo y la "conexión" fina de la brida con el anillo ocular son típicos del mosquitero verdoso y de los taxones cercanos a este (compárese con el mosquitero boreal).

lista superciliar ancha encima y detrás del ojo (cf. mosquitero boreal)

píleo a menudo un poco más oscuro que la zona dorsal

lista superciliar y lista ocular largas, llegan hasta casi la parte posterior de la cabeza (cf. mosquitero musical)

mancha oscura delante del ojo (parte más oscura de la lista ocular)

lista superciliar extendiéndose (finamente) hasta la base del pico (cf. mosquitero boreal)

sin mancha oscura o solo un indicio (cf. mosquitero boreal)

pálido; a lo sumo, moteado difuso (cf. mosquitero boreal)

▼ Mosquitero patigrís

a menudo tonos ante (cf. mosquiteros boreal y verdoso), ancha encima del ojo (cf. mosquitero boreal)

píleo relativamente oscuro, generando un cierto efecto de capirote

mancha oscura en la brida alargándose hacia el pico, como en el mosquitero boreal (cf. mosquitero verdoso)

la lista superciliar no se alarga hasta el pico, como en el mosquitero boreal (cf. mosquitero verdoso)

la lista superciliar y la lista ocular más conspicuas/contrastadas entre las especies cercanas al mosquitero verdoso

sin mancha oscura o solo un indicio (cf. mosquitero boreal)

a menudo moteado conspicuo, como en el mosquitero boreal (cf. mosquitero verdoso)

pico relativamente grueso, ancho y anaranjado (cf. mosquitero verdoso)

▼ Mosquitero del Cáucaso

Patrón cefálico parecido al mosquitero verdoso, pero con tonos verdes más intensos.

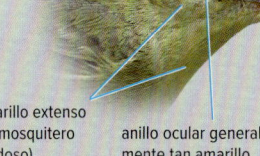

lista superciliar y lista ocular tan largas y patentes como en el mosquitero verdoso; a menudo más

amarillo-verde, relativamente pálido (cf. mosquitero verdoso)

mancha oscura en la brida parecida al mosquitero verdoso, a veces más alargada

plumas pálidas hasta la base del pico, como en el mosquitero verdoso

ligeramente más largo y con la base más gruesa que en el mosquitero verdoso

amarillo extenso (cf. mosquitero verdoso)

anillo ocular generalmente tan amarillo como las auriculares (cf. mosquitero verdoso)

ligeramente rosado, a veces con mancha oscura relativamente patente en la mandíbula inferior (cf. mosquitero verdoso)

▼ Mosquitero boreal

La lista ocular oscura es más ancha detrás del ojo que la lista superciliar. Este ejemplar tiene algunas plumas pálidas encima del anillo ocular; otras tienen menos o no tienen.

píleo del mismo color que el manto, sin efecto capirote

brida oscura formando una franja distintiva, con una conexión ancha con el anillo ocular (cf. mosquiteros verdoso y patigrís)

lista superciliar larga pero muy fina; lista ocular ancha

la lista superciliar no alcanza la base del pico, como en el mosquitero patigrís (cf. mosquitero verdoso)

mancha oscura (cf. mosquitero verdoso y especies cercanas)

relativamente largo con base ancha

moteado patente

▼ Mosquitero coronado

lista pileal central pálida, ensanchándose hacia la parte trasera

lista superciliar de la misma anchura que la lista ocular, o más ancha (cf. mosquitero boreal)

límite de la lista pileal lateral bien definido

lista pileal lateral oscura muy ancha

lista superciliar amarilla y fina delante del ojo; detrás, blancuzca y ancha

moteado difuso

▼ Mosquitero de Pallas

Cabeza bastante grande con patrón único.

lista pileal lateral ancha y oscura; más oscura que el manto

lista pileal central pálida y bien desarrollada

lista superciliar ancha y larga, llamativa; amarillo intenso delante del ojo

a menudo mandíbula inferior totalmente oscura, base solo ligeramente más pálida

moteado sobre fondo amarillento

▼ Mosquitero bilistado

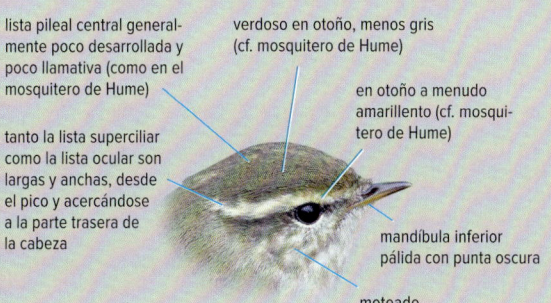

lista pileal central general-mente poco desarrollada y poco llamativa (como en el mosquitero de Hume)

verdoso en otoño, menos gris (cf. mosquitero de Hume)

en otoño a menudo amarillento (cf. mosqui-tero de Hume)

tanto la lista superciliar como la lista ocular son largas y anchas, desde el pico y acercándose a la parte trasera de la cabeza

mandíbula inferior pálida con punta oscura

moteado

▼ Mosquitero de Hume

Los rasgos señalados son solo sutilmente diferentes a los del mosquitero bilistado pero, en su conjunto, dan a la especie una apariencia distintiva.

lista pileal central fina y poco patente (no visible aquí, véase mosquitero bilistado)

tintes grisáceos, también con el plumaje nuevo

lista superci-liar a menudo puntiaguda

lista superciliar y lista ocular difusas entre el ojo y el pico; lista superciliar de tonos crema

corto y fino

base pálida poco patente

crema

a menudo pálido y difusamente moteado

▼ Mosquitero sombrío

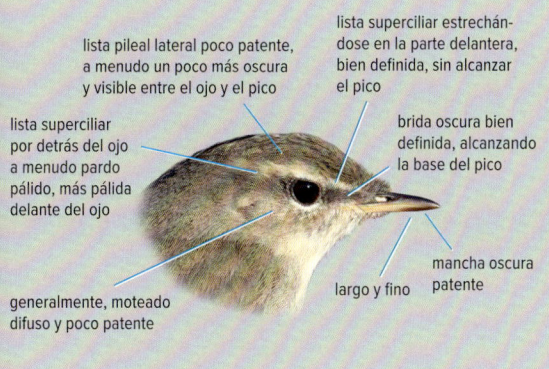

lista pileal lateral poco patente, a menudo un poco más oscura y visible entre el ojo y el pico

lista superciliar estrechán-dose en la parte delantera, bien definida, sin alcanzar el pico

lista superciliar por detrás del ojo a menudo pardo pálido, más pálida delante del ojo

brida oscura bien definida, alcanzando la base del pico

mancha oscura patente

largo y fino

generalmente, moteado difuso y poco patente

▼ Mosquitero de Schwarz

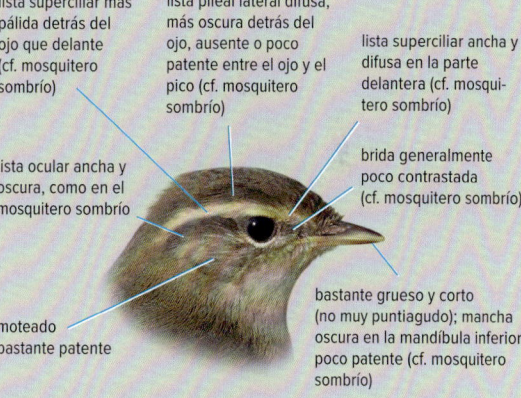

lista superciliar más pálida detrás del ojo que delante (cf. mosquitero sombrío)

lista pileal lateral difusa, más oscura detrás del ojo, ausente o poco patente entre el ojo y el pico (cf. mosquitero sombrío)

lista superciliar ancha y difusa en la parte delantera (cf. mosqui-tero sombrío)

lista ocular ancha y oscura, como en el mosquitero sombrío

brida generalmente poco contrastada (cf. mosquitero sombrío)

moteado bastante patente

bastante grueso y corto (no muy puntiagudo); mancha oscura en la mandíbula inferior poco patente (cf. mosquitero sombrío)

▼ Mosquitero papialbo

lista superciliar no muy llamativa en una cabeza bastante lisa y pálida

a menudo lista pileal lateral verde bastante visible (cf. mosquitero oriental)

brida poco definida

relativamente largo y grueso

lista ocular débil

anillo ocular pálido completo (cf. mosqui-tero común)

pálido

▼ Mosquitero oriental

En general, patrón un poco más definido, con un anillo ocular blanco más ancho y contrastado que el mosquitero papialbo. La combinación de rasgos señalados apunta a esta especie, pero las vocalizaciones son necesarias para confirmar la identificación.

lista ocular general-mente bastante oscura

gris bastante uniforme, sin tintes verdes; lista pileal lateral apenas más oscura

brida generalmente un poco más oscura que en el mosquitero papialbo

fino y corto

relativamente oscuro (a veces parduzco)

anillo ocular completo, también en la parte superior, contrastando con la lista superciliar de tonos pardos pálidos, y generando un cierto efecto de "gafas"

Patrón cefálico de los mosquiteros

▼ **Mosquitero silbador**
Las auriculares pálidas no tienen un borde más oscuro
(véase el mosquitero musical).

lista superciliar y lista ocular largas y anchas (cf. mosquitero musical)

lista superciliar ancha también delante del ojo, extendiéndose hasta la base del pico

brida ancha desde el ojo hasta el pico

pálido y amarillo

▼ **Mosquitero musical**

lista superciliar de anchura bastante uniforme en toda su longitud

lista ocular bastante patente

relativamente largo con base gruesa (cf. mosquitero común)

parte central de las auriculares pálida, generalmente con borde oscuro en la parte posterior (cf. mosquitero común)

generalmente, amarillo-naranja pálido conspicuo (cf. mosquitero común)

anillo ocular pálido generalmente poco llamativo (cf. mosquitero común)

▼ **Mosquitero común**
Combinación típica: pico fino, anillo ocular "partido" e incompleto pero prominente, y lista superciliar moderadamente desarrollada.

lista ocular débil

lista superciliar generalmente desvaneciéndose detrás del ojo

fino

anillo ocular, a menudo la parte más llamativa de la cabeza (cf. mosquitero musical)

auriculares bastante oscuras y uniformes (cf. mosquitero común siberiano y mosquitero musical)

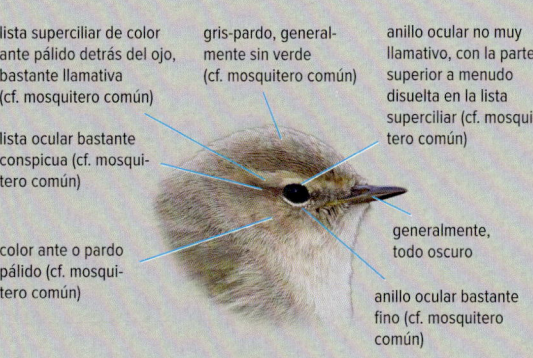

▼ **Mosquitero común siberiano**
En comparación con el mosquitero común, la lista superciliar y la lista ocular son más patentes, pero el anillo ocular a menudo lo es menos.

lista superciliar de color ante pálido detrás del ojo, bastante llamativa (cf. mosquitero común)

gris-pardo, generalmente sin verde (cf. mosquitero común)

anillo ocular no muy llamativo, con la parte superior a menudo disuelta en la lista superciliar (cf. mosquitero común)

lista ocular bastante conspicua (cf. mosquitero común)

color ante o pardo pálido (cf. mosquitero común)

generalmente, todo oscuro

anillo ocular bastante fino (cf. mosquitero común)

▼ **Mosquitero ibérico**

parte delantera de la lista superciliar amarillo (pálido), fundiéndose con la parte superior del anillo ocular

relativamente largo; culmen ligeramente "ganchudo"

naranja amarillento

anillo ocular a menudo poco llamativo (cf. mosquitero común)

frecuentemente amarillento

▼ **Mosquitero montano**

lista ocular más oscura directamente delante y detrás del ojo

pardo intenso, creando efecto capirote

lista superciliar ancha y blanca; más patente entre el ojo y el pico

lista superciliar extendiéndose hasta la base del pico

pardo liso

oscuro

blanco liso

anillo ocular blanco llamativo

Estructura y patrón alar de los mosquiteros

▼ **Mosquitero verdoso**

coberteras grandes: puntas pálidas limitadas a las 4–6 externas; franja alar desvaneciéndose hacia las internas

proyección primaria 60–75 %

coberteras medianas: puntas pálidas a menudo poco patentes, a veces sin generar una 2ª franja alar

4 emarginaciones

p1 larga, sobrepasando mucho las coberteras primarias

▼ **Mosquitero del Cáucaso**
La franja alar en las coberteras grandes es, de promedio, más ancha y larga que en el mosquitero verdoso, y termina más abruptamente. A menudo tiene una 2ª franja alar.

la terciaria más larga termina antes de las puntas de las secundarias en las 3 especies del grupo del mosquitero verdoso (mosquitero verdoso, mosquitero del Cáucaso y mosquitero patigrís)

proyección primaria 70–75 %

4 emarginaciones

p1 larga, sobrepasando bastante las coberteras primarias (punta no visible aquí)

coberteras grandes: puntas pálidas limitadas a las 6–7 externas; franja alar más estrecha hacia las internas

coberteras medianas: puntas pálidas poco patentes, generalmente creando una franja alar débil

▼ **Mosquitero patigrís**
La estructura alar difiere poco de la del mosquitero verdoso, pero significativamente de la del mosquitero boreal.

proyección primaria 65–80 %

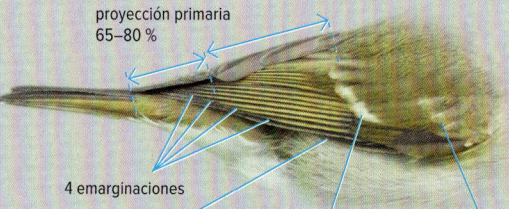

4 emarginaciones

p1 larga, sobrepasando bastante las coberteras primarias

coberteras grandes: puntas pálidas extensas creando una franja alar ancha y continua, ligeramente más fina en las internas

coberteras medianas: puntas pálidas generando habitualmente una 2ª franja alar bastante patente

Estructura y patrón alar de los mosquiteros

▶ Mosquitero boreal

Las puntas de los raquis ligeramente sobresalientes en las primarias son típicas de todos los *Phylloscopus*, pero en el mosquitero boreal frecuentemente se extienden más y son más llamativas. La punta de la terciaria más larga queda en línea con las puntas de las secundarias, a veces incluso sobresaliendo un poco más, lo cual genera una forma más angular en el ala. En el mosquitero verdoso y especies cercanas, la punta de la terciaria más larga no suele alcanzar la punta de las secundarias, lo cual genera una forma más redondeada en el ala. P2 es relativamente larga (la punta cae entre p5–6). En el mosquitero verdoso y especies cercanas, p2 cae entre p6–8 (pero nótese que esto es difícil de observar en el campo y frecuentemente también en fotografías, puesto que suele quedar oculta con el ala cerrada).

coberteras grandes: franja alar corta que termina abruptamente; puntas pálidas (3–6) solo en las hemibanderas externas, lo que da a la franja alar una apariencia más "punteada"

coberteras medianas: puntas habitualmente no muy pálidas, que solo ocasionalmente generan una 2ª franja alar patente

terciaria más larga típicamente en línea con las puntas de las secundarias (cf. mosquitero verdoso y especies cercanas)

proyección primaria 85–100 %

p1 corta, sin sobrepasar las coberteras primarias (generalmente, pues, no visible)

3 emarginaciones

puntas de los raquis sobresalientes

▼ Mosquitero coronado

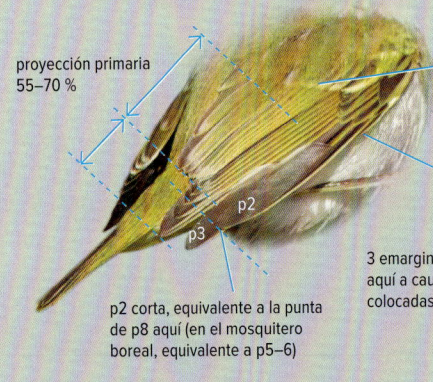

proyección primaria 55–70 %

coberteras grandes: franja alar estrecha y amarillenta, desvaneciéndose hacia las internas; a menudo margen amarillento sobre todo en las hemibanderas externas

p1 sobrepasa las puntas de las coberteras primarias

p2

p3

3 emarginaciones (no visibles aquí a causa de p2–3 mal colocadas)

p2 corta, equivalente a la punta de p8 aquí (en el mosquitero boreal, equivalente a p5–6)

▼ Mosquitero sombrío

Estructura alar casi idéntica al mosquitero de Schwarz, incluyendo p1 típicamente muy larga, cuya punta queda en línea con la emarginación de p3.

4 emarginaciones muy profundas (4ª en p6 no visible aquí)

p1 muy larga

▼ Mosquitero de Schwarz

El mosquitero de Schwarz y el mosquitero sombrío tienen una estructura alar única entre los mosquiteros, muy inusual entre los paseriformes migratorios de larga distancia.

tintes verde-oliváceos

p2 relativamente corta, que termina bastante por detrás de la punta del ala (formada por p3–4) (como en el mosquitero sombrío)

4 emarginaciones muy profundas

p1 muy larga

▼ Mosquitero de Pallas
El patrón alar es parecido al del mosquitero bilistado, pero muestra un contraste aún mayor.

márgenes blancuzcos
en terciarias

coberteras medianas: puntas
pálidas generando una 2ª franja
alar patente

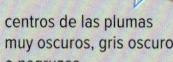

centros de las plumas
muy oscuros, gris oscuro
o negruzco

franja oscura
y ancha

coberteras grandes: puntas
pálidas extensas generando
una franja alar de anchura
uniforme en toda su longitud

▼ Mosquitero bilistado

márgenes blancos
en terciarias

coberteras medianas: puntas pálidas
generando una 2ª franja alar patente

franja oscura
y ancha

coberteras grandes: puntas pálidas extensas
generando una franja alar de anchura
uniforme en toda su longitud

▼ Mosquitero de Hume
La zona dorsal y los márgenes de las plumas de vuelo suelen ser de
tonos más apagados y menos verdosos que en el mosquitero bilistado.
En este ejemplar, la franja oscura en la base de las secundarias se
encuentra en el extremo más ancho de su variabilidad.

generalmente grisáceo o verdoso
apagado; menos brillante que en
el mosquitero bilistado

márgenes blancos en terciarias
a menudo menos brillantes
que en el mosquitero bilistado

coberteras medianas:
puntas pálidas pero no
blancas; 2ª franja alar
generalmente poco patente
(cf. mosquitero bilistado)

franja oscura variable; a menudo
bastante estrecha y poco patente
(cf. mosquitero bilistado)

coberteras grandes: puntas
pálidas generando una franja
alar de anchura uniforme

Estructura y patrón alar de los mosquiteros

▼ **Mosquitero papialbo**
La proyección primaria es de c. 70 %. Tiene 4 emarginaciones (cf. mosquitero silbador).

p2 relativamente corta: más corta que p6, equivalente a p7 aquí (cf. mosquitero oriental)

▼ **Mosquitero oriental**
La proyección primaria y p2 son, de promedio, más largas que en el mosquitero papialbo. Aquí p2 equivale a p6, solapándose con el mosquitero papialbo. Sin embargo, una p2 más larga, en línea con p5, es típica. Tiene 4 emarginaciones (véase mosquitero silbador).

p2 relativamente larga = p5–6 (cf. mosquitero papialbo)

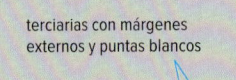

▼ **Mosquitero silbador**

terciarias con márgenes externos y puntas blancos

coberteras grandes: centros negruzcos y márgenes anchos grisáceos o verdosos

proyección primaria muy larga: > 100 %

2–3 emarginaciones

p1 corta, sin sobrepasar la punta de las coberteras primarias

▼ **Anillamiento**
La estructura alar (o "fórmula alar") ha sido, hasta hace poco, utilizada en la identificación fundamentalmente en el ámbito del anillamiento científico. Actualmente, con la fotografía digital de alta calidad, estos detalles también se pueden apreciar en aves fotografiadas en libertad.

▶ **Mosquitero musical**

p6 relativamente corta
(cf. mosquitero común
y especies cercanas)

p2 relativamente larga, más
larga que p6 (cf. mosquitero
común y especies cercanas)

3 emarginaciones; p6 no
emarginada (cf. mosquitero
común y especies cercanas)

▼ **Mosquitero común (el mosquitero común siberiano tiene una
estructura similar)**
Ante ejemplares difíciles, la estructura alar es útil para la identificación; los diversos detalles se pueden juzgar con la ayuda de buenas
fotografías, especialmente con una buena perspectiva y con el ala
ligeramente entreabierta. El mosquitero común siberiano tiene una
estructura parecida, en la cual p5 queda en línea con p3–4.

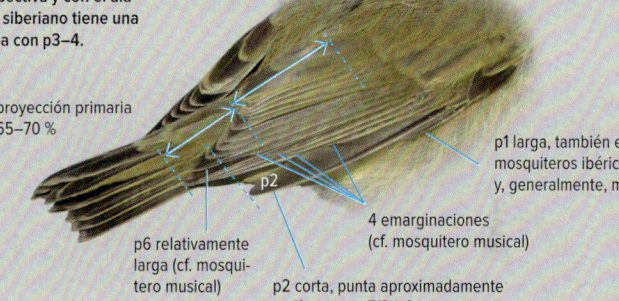

proyección primaria
55–70 %

p1 larga, también en los
mosquiteros ibérico, montano
y, generalmente, musical

4 emarginaciones
(cf. mosquitero musical)

p2

p6 relativamente
larga (cf. mosqui-
tero musical)

p2 corta, punta aproximadamente
en línea con p7/9 (cf. mosquiteros
musical e ibérico)

▼ **Mosquitero ibérico**
Como el mosquitero común, tiene 4 primarias
emarginadas. Nótese la emarginación en p6,
ausente en el mosquitero musical.

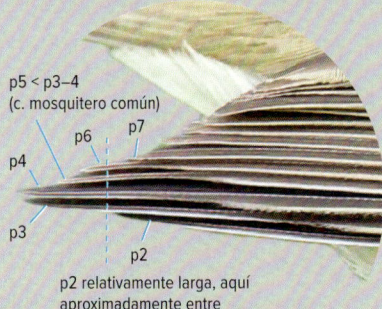

p5 < p3–4
(c. mosquitero común)

p6   p7

p4

p3

p2

p2 relativamente larga, aquí
aproximadamente entre
p6–7 (cf. mosquitero común)

▼ **Mosquitero montano**

proyección primaria
bastante corta, c. 50 %

p6 relativamente larga,
cercana a la punta del ala

4 emarginaciones

p1 muy larga

Currucas • Introducción

TOPOGRAFÍA

Los rasgos más importantes para la identificación de las currucas son el color del iris, la proyección primaria, el color de las patas y el patrón caudal.

iris (a menudo pálido)

coberteras grandes

anillo ocular (plumas)

proyección primaria (parte visible de las primarias sobresaliendo de las terciarias)

terciarias

blanco a los lados de la cola (a menudo llamativo y a veces importante para la identificación)

primarias

álula

coberteras primarias

patas robustas; coloración importante

▲ **Curruca zarcera** ♂

anillo orbital (piel) rojo, e iris pardo rojizo; rasgo típico en los adultos de las especies sureñas

muchas aves de 2º año cal. muestran un contraste de muda entre las terciarias nuevas y las primarias juveniles (con variaciones en función de la especie)

muchas aves de 2º año cal. muestran un contraste claro entre el álula nueva y las coberteras primarias juveniles, más gastadas y parduzcas

▲ **Curruca carrasqueña oriental, 2º año cal.** ♂ **(abril)**

EL DATADO Y EL ANILLO ORBITAL

Muchas especies de curruca se pueden reconocer en su 2º año cal. puesto que realizan una muda postjuvenil parcial. Lo ilustra en la imagen una curruca carrasqueña oriental. La muda parcial postjuvenil "estándar" incluye las plumas corporales (adquiriendo ya el tipo adulto) y todas o parte de las coberteras grandes, así como del álula y de las terciarias. En muchas especies, las secundarias, primarias y coberteras primarias son retenidas, y muestran tonos más parduzcos, apagados, y también un mayor desgaste, en comparación con las mudadas. Sin embargo, esta muda parcial "estándar" tiene muchas excepciones, a veces tan específicas que pueden ser importantes para la identificación. Aparte de las dos especies de curruca mirlona, la curruca enana, la curruca sahariana y la curruca tomillera, todas las especies sureñas (mediterráneas) tienen –a partir del 2º año cal.–, el anillo orbital (círculo de piel alrededor del ojo), así como el iris, de color rojizo; a veces, también el anillo ocular (círculo de plumas alrededor del ojo). El resto de especies, nidificantes también en otras partes de Europa, no muestran rojo alrededor del ojo. Sin embargo, nótese que casi todas las especies mediterráneas han sido citadas como divagantes en regiones norteñas del continente.

Curruca rabilarga *Curruca undata*

L 12,5 cm | Todo el año, SO y CS Europa hasta S Gran Bretaña

▼ **Tipo adulto ♂, nominal *undata* (marzo)**
En este plumaje, la identificación es relativamente sencilla, puesto que ninguna otra curruca muestra una combinación de características parecida. Los ♂♂ de la subespecie nominal *undata* no tienen –o tienen muy pocos– tintes pardos en las partes superiores. Las coberteras primarias y las primarias de tipo adulto tienen márgenes grises.

▼ **Tipo adulto ♀, nominal *undata* (marzo)**
Más pálida que el ♂, con las partes superiores teñidas de pardo. El ♂ de la subespecie noroccidental *dartfordiensis* también tiene las partes superiores un poco parduzcas, pero son claramente más oscuras (véase imagen en la página siguiente). Los márgenes grisáceos de las primarias y de las coberteras primarias indican, en este ejemplar, que se trata de un adulto.

♂ con la cabeza gris azulado uniforme

♂ con moteado blanco extenso (puntas blancas en las plumas de la garganta)

típicamente, rojo vinoso; resto de las partes inferiores más pardo-rojizas

parduzco (cf. ♂)

a menudo más pálido que en el ♂

pardo rojizo bastante pálido (cf. ♂ en primavera)

▶ **1er invierno ♂, nominal *undata* (octubre)**
Bastante parecido al adulto, pero véanse las diferencias señaladas en la imagen. Las plumas de la garganta ya tienen tonos vinosos oscuros y la cabeza ya es gris azulada; véase ♀ en otoño.

iris pardo apagado (cf. adulto)

plumas de vuelo y coberteras primarias con márgenes pardos (en el adulto, márgenes grises y bien definidos)

▼ **2º año cal. ♂, nominal *undata* (abril)**
Parecido al ♂ adulto, pero las coberteras primarias, las secundarias y las primarias (o la mayoría de ellas) son aún juveniles retenidas. Las plumas del álula han sido mudadas y son más nuevas, contrastando con las coberteras primarias. Los ♂♂ de 2º año cal. de la subespecie nominal *undata* a menudo tienen la zona dorsal un poco teñida de pardo, como los ♂♂ de *dartfordiensis* en todos los plumajes. La parte superior de la cabeza de este ejemplar es completamente gris, lo cual no encaja con *dartfordiensis*.

▼ **♀, supuesto 1er invierno, nominal *undata* (octubre)**
En comparación con un ♂ de 1er invierno en otoño, la garganta es más pálida, la cabeza es de tonos grises más apagados y la zona dorsal de color pardo tierra. Este ejemplar tiene márgenes parduzcos en las plumas de vuelo y las coberteras primarias, y un iris aún no muy colorido, indicando 1er invierno.

álula nueva contrastando con el resto del ala, mayormente aún juvenil, más gastada y parduzca

parduzco (cf. adulto)

típicamente pálido en las ♀♀

Curruca rabilarga *Curruca undata*

▼ **Tipo adulto ♂, subespecie norteña *dartfordiensis* (abril)**
Este ejemplar tiene una coloración bastante oscura y saturada, típica de esta subespecie. Las características señaladas indican las diferencias con la nominal *undata*. Fuera de sus áreas de distribución, la identificación a nivel subespecífico no siempre es fácil, puesto que algunos ♂♂ de la nominal *undata* pueden ser también muy oscuros y, en el 2° año cal., tienen tintes pardos en el dorso y el ala (véase aquella subespecie).

▼ **Tipo adulto ♀, subespecie norteña *dartfordiensis* (marzo)**
Claramente una ♀, basándose en las partes inferiores relativamente pálidas, con tonos anaranjados no uniformes. Las partes superiores con tonos pardos bastante intensos, incluidas la cabeza y el ala, son típicas de esta subespecie, pero algunas ♀♀ de la nominal *undata* pueden acercarse a esta coloración. El datado es un poco ambiguo en este ejemplar: el iris pardo es típico del inmaduro (2° año cal.) pero las plumas de vuelo con márgenes grises apuntan a un adulto.

parduzco, también en los ♂♂ adultos

pardo también en el ala

motas blancas pequeñas

rojizo intenso

pardo, bien distribuido

▶ **Patrón caudal, ♂ (diciembre)**
Muchos individuos, especialmente inmaduros y ♀♀, tienen aún menos blanco a los lados de la cola que el que muestra el ejemplar de la imagen. En este aspecto, la variación se asemeja a la que tienen la curruca sarda y la curruca balear.

relativamente poco blanco, casi limitado a r6 (extensión máxima aquí)

■ ♀, **Curruca sarda (mayo)**

▼ ♀, **nominal *undata* (octubre)**

■ ♀, **Curruca balear (julio)**

Curruca del Atlas *Curruca deserticola*

L 12 cm | Divagante de NO África

▼ **Tipo adulto ♂ (marzo)**
La combinación de características destacadas es típica. Solo los ♂♂ de curruca carrasqueña occidental y de curruca rabilarga tienen un plumaje relativamente parecido, pero ninguna de estas especies muestra un panel alar pardo rojizo. El plumaje aún bastante nuevo y los márgenes bien definidos y pálidos de las coberteras primarias y de las primarias indican que se trata de un adulto.

▼ **1er invierno ♂ (enero)**
Las partes inferiores de los ♂♂ de 1er año aún son de tonos relativamente apagados. Además, el píleo y, a veces, el manto muestran manchas pardas, y el iris es más anaranjado que rojo. Además del panel alar pardo rojizo, el patrón caudal es útil en comparación con la curruca rabilarga; esta muestra menos extensión de blanco y un blanco menos puro en las rectrices externas.

gris azulado

anillo ocular blanco

infrabigotera difusa

panel alar
pardo rojizo

rojizo

fuerte contraste,
blanco puro (cf.
curruca rabilarga)

▼ **Tipo adulto ♀ (abril)**
Como una versión descolorida y más pálida del ♂ pero, a efectos de identificación, sirven los mismos rasgos. Las plumas del ala aún muy nuevas indican que se trata de un adulto.

▼ **2º año cal. ♀ (marzo)**
Las plumas del ala muy gastadas, incluyendo las puntas de las primarias, son típicas de las aves de 2º año cal. en primavera.

algunas plumas pardas

panel alar pardo
bastante pálido,
a diferencia del ♂

más pálido que
en el ♂

▶ **1er invierno ♀ (enero)**
El plumaje con coloración más apagada, a menudo con las partes inferiores blancas o rosadas. En este plumaje, se parece mucho a la ♀ de 1er invierno de curruca tomillera. La imagen destaca las principales diferencias. Una curruca tomillera ♀ de 1er invierno tiene, típicamente, la brida más pálida que el resto de la cabeza, las supracoberteras caudales y el obispillo grisáceos, y la garganta completamente blanca, que a veces contrasta levemente con el pecho y el vientre ligeramente grisáceos-rosados.

supracoberteras
caudales parduzcas

cabeza casi uniformemente gris,
incluyendo la brida

garganta y lados del
pecho de tonos
rosados variables;
característico cuando
es patente

blanco liso

Curruca sarda *Curruca sarda*

L 12,5 cm | Prácticamente todo el año, Córcega y Cerdeña

CURRUCA SARDA Y CURRUCA BALEAR

Estas dos especies son muy parecidas entre ellas y también parecidas a la curruca rabilarga, especialmente en plumaje juvenil y de 1er invierno. Comparten la ausencia de contraste entre las partes superiores y las inferiores y la cola larga con poco blanco en las rectrices externas. Sin embargo, las áreas de reproducción están bien diferenciadas, y se considera a la curruca balear una especie residente. Al menos una parte de la población de curruca sarda es migradora de corta distancia y, teóricamente, podría ocurrir en las islas Baleares en migración.

▼ **Tipo adulto ♀ (mayo)**
Las ♀♀ son parecidas a los ♂♂ pero más pálidas y apagadas, con tintes pardos tanto en las partes superiores como en las inferiores y la brida menos oscura.

▼ **Adulto ♂ (marzo)**
Típicamente oscuro y de color gris azulado liso y casi uniforme, con la brida y zonas próximas negruzcas. La garganta es, generalmente, apenas un poco más pálida que el resto de las partes inferiores, con pequeñas puntas pálidas en el mentón (véase la curruca balear).

negruzco en el ♂

márgenes de primarias y secundarias gris-azulados, de tono similar al resto del plumaje (cf. 2º año cal.)

naranja-rosa (cf. curruca balear)

plumas del mentón a menudo con pequeñas punta pálidas

garganta oscura (cf. curruca balear)

gris-azul uniforme, incluyendo el flanco (a veces con un leve tono ante) (cf. curruca balear)

más corta que en las currucas balear y rabilarga (distancia entre la punta del ala y la punta de la cola < que la longitud visible del ala desde la zona carpal hasta la punta de las primarias)

▼ **2º año cal. ♂ (marzo)**
Como el ♂ adulto, pero nótese el contraste de muda, característico de las aves de 2º año cal. En la imagen se puede apreciar qué plumas han sido mudadas y cuales han sido retenidas durante la muda postjuvenil: todas las coberteras grandes, las terciarias y el álula son nuevas; todas las plumas de vuelo y las coberteras primarias son juveniles.

plumas de vuelo y coberteras primarias aún juv., pardo-grisáceas y gastadas, contrastando con el resto (cf. adulto)

▼ **1er invierno ♂ (septiembre)**
Además del contraste de muda indicado en la imagen, a menudo reemplaza algunas terciarias durante la muda postjuvenil. Esto es útil para el datado (también en la curruca balear y en otras especies del género). Este ejemplar se puede identificar como ♂ por la brida y zonas próximas bastante oscuras y por las partes superiores de tonos grises prácticamente puros.

▼ **1er invierno ♀ (septiembre)**
Las aves con este plumaje son muy parecidas a la curruca balear. Las diferencias más importantes visibles aquí son la cola (que no es extremadamente larga) y el pico casi completamente rosado. Las puntas pálidas de las coberteras grandes son bastante anchas en este ejemplar.

contraste de muda entre el álula nueva y las coberteras primarias juveniles, típico de esta edad

Curruca balear *Curruca balearica*

L 12 cm | Todo el año, Mallorca, Ibiza y Formentera

▼ **Tipo adulto ♂ (marzo)**
En la imagen se destacan las diferencias con la curruca sarda ♂. En general, coloración un poco más pálida, especialmente en la garganta, que contrasta con la brida oscura. Las aves de 2º año cal. se distinguen de los adultos del mismo modo que la curruca sarda (véase allí), pero la diferencia es menos evidente a causa de la coloración general más pálida. A pesar de que en este ejemplar las coberteras primarias y las plumas de vuelo muestran un cierto desgaste, no se percibe contraste de muda con las terciarias o las coberteras grandes, lo cual es indicativo de un adulto. Sin embargo, estos individuos no se pueden datar con total certeza.

▼ **Tipo adulto ♀ (marzo)**
Las ♀♀ se distinguen de la curruca sarda del mismo modo que el ♂ (izquierda), pero véase también la curruca rabilarga, una especie que, en todos los plumajes, tiene las partes inferiores de tonos pardo-rojizos más intensos, a menudo una mancha pálida en la brida o una cierta lista superciliar corta, y una garganta pálida y moteada. Las ♀♀ de 2º año cal. no se pueden datar en una observación de campo a no ser que se aprecie claramente un contraste de muda, como en la imagen de curruca sarda ♂ de 2º año cal.

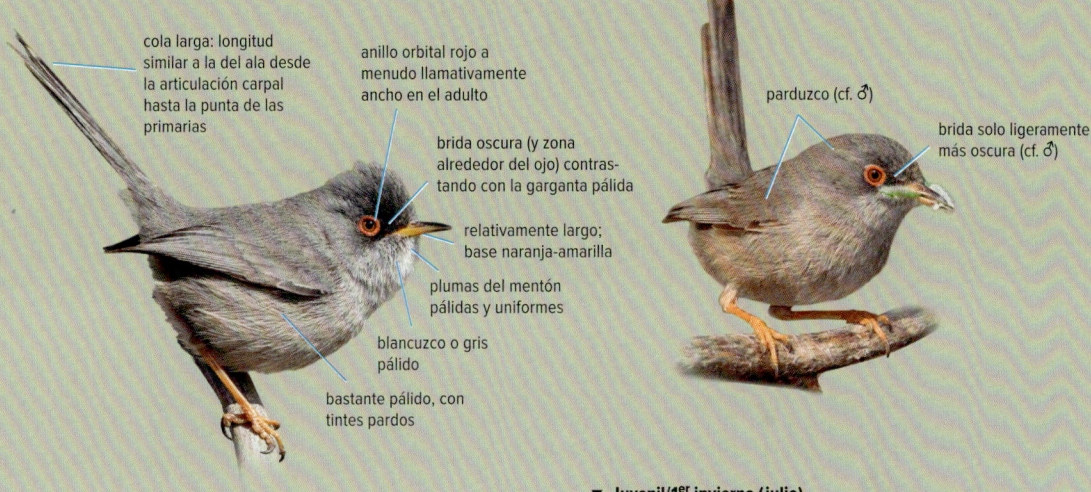

cola larga: longitud similar a la del ala desde la articulación carpal hasta la punta de las primarias

anillo orbital rojo a menudo llamativamente ancho en el adulto

brida oscura (y zona alrededor del ojo) contrastando con la garganta pálida

relativamente largo; base naranja-amarilla

plumas del mentón pálidas y uniformes

blancuzco o gris pálido

bastante pálido, con tintes pardos

parduzco (cf. ♂)

brida solo ligeramente más oscura (cf. ♂)

▼ **Patrón caudal, tipo adulto ♂ (abril)**
Patrón caudal similar al de la curruca sarda. Nótense otros rasgos típicos, como la garganta y el pecho relativamente pálidos, tintes parduzcos en los flancos y el vientre (también en los ♂♂) y un pico relativamente largo con la base amarillenta.

▼ **Juvenil/1er invierno (julio)**
Coloración general parecida a la curruca cabecinegra, pero aquella especie tiene la cola más corta, con mayor extensión de blanco a los lados, generalmente márgenes pálidos conspicuos en las terciarias, y la base del pico grisácea en todos los plumajes.

muy larga, sin blanco muy patente a los lados (cf. curruca cabecinegra)

tintes pardos (cf. curruca sarda)

iris bastante oscuro y apagado (cf. tipo adulto)

coloración y estructura típicas, con base amarillenta y punta oscura difusa en la mandíbula inferior (cf. currucas sarda, rabilarga y cabecinegra)

margen pálido poco extenso, solo en la hemibandera externa y en una porción de r6 (a veces también r5)

Grupo de la curruca carrasqueña

TAXONOMÍA

Existen 3 especies reconocidas en este complejo, previamente consideradas todas formas de una misma especie: la curruca carrasqueña occidental, la curruca carrasqueña oriental y la curruca tirrénica. Son todas muy similares en el plumaje. La combinación del reclamo con el patrón caudal y, en los ♂♂ adultos, la coloración (y distribución) de los tonos rojizos de las partes inferiores son los rasgos más útiles para la identificación específica. Se muestran aquí los principales plumajes con rasgos comunes entre ellas.

▼ Tipo adulto ♂ (curruca carrasqueña oriental, marzo)

Los ♂♂ se pueden reconocer con facilidad como pertenecientes a este complejo. Las diferencias entre especies pueden ser más dudosas cuando no se trata de un ejemplar típico. La distribución de los tonos rojizos en las partes inferiores es a menudo el rasgo más característico.

gris azulado liso

anillo orbital y anillo ocular rojos

infrabigotera blanca

naranja, rosa o rojizo, en función de la especie

▼ 2º año cal. ♂ (curruca carrasqueña occidental, julio)

Como el ♂ adulto, pero con secundarias, primarias y coberteras primarias retenidas, que muestran un desgaste aparente y un contraste con las coberteras grandes. El 2º año cal. –y el adulto– de curruca tirrénica a menudo hace una muda completa en invierno, por lo cual, en primavera, tiene ya el plumaje nuevo y uniforme.

coberteras grandes mudadas, del mismo color que el manto y las escapulares

bastante desgaste

▼ Tipo adulto ♀ (curruca tirrénica, mayo)

Algunas ♀♀ tienen tonos anaranjados más vivos en las partes inferiores y pueden llegar a parecerse a los ♂♂ más pálidos. El anillo ocular blanco puro es típico de las ♀♀. Estas pueden ser datadas del mismo modo que los ♂♂, pero las diferencias entre las plumas de tipo adulto y las juveniles a menudo son más difíciles de ver. El color del iris también es un rasgo útil; rojizo en los adultos y gris-pardo apagado en las aves de 2º año cal.

▼ 1er invierno (supuesta curruca carrasqueña occidental ♀, julio)

La combinación de patrón cefálico, márgenes pardos pálidos en las terciarias y patas oscuras es útil en comparación con otras especies similares, como la curruca zarcera o la curruca tomillera. La identificación como curruca carrasqueña occidental está aquí basada en la localización (S de Francia).

anillo ocular blanco; anillo orbital pardo rojizo pálido

pardo

blanco con tintes crema

crema o anaranjado

grisáceo-azulado

"lista superciliar" –muy difusa– y lados del cuello de tonos grisáceos, contrastando ligeramente con las auriculares más parduzcas, y creando un patrón sutil pero característico

márgenes pardos pálidos generando un panel alar pálido

obispillo y supracoberteras caudales a menudo un poco más grises que el manto

pardo-gris oscuro

anillo ocular pálido, generalmente casi completo (no claramente partido delante y detrás del ojo como en otras especies similares)

blancuzco, contrastando con el flanco y los lados del pecho; ocasionalmente ya una cierta infrabigotera blanca

pardo-ante cálido

Curruca carrasqueña occidental *Curruca iberiae*

L 12,5 cm | Verano, península Ibérica y SO Francia

Tallarol de garriga CAT
Txinbo papargorrizta iberiarra EUS
Papuxa carrasqueira GAL

▼ **Tipo adulto ♂ (febrero)**
Fácilmente reconocible como perteneciente al grupo de las currucas carrasqueñas, como todos los ♂♂ adultos de las 3 especies. La coloración rojiza intensa de la garganta y del pecho se funde con la de los flancos. Los centros negruzcos de las plumas alares, el desgaste escaso y uniforme, y el iris rojizo apuntan a un adulto.

márgenes pardo-grisáceos
(cf. *cantillans* ♂)

naranja rojizo típico, gradualmente
más pálido hacia los flancos y el
vientre (cf. *cantillans* ♂)

▼ **♀, supuesto 2º año cal. (junio)**
Muchas ♀♀ tienen una coloración bastante discreta. Tienen el anillo ocular blanco casi completo, el anillo orbital pardo rojizo pálido, la parte superior de la cabeza grisácea, el obispillo y las supracoberteras caudales grises, y márgenes pardos pálidos en las terciarias y las coberteras (rasgos compartidos también con las otras 2 especies del grupo). En este ejemplar, con plumaje bastante gastado, no todas las características son muy patentes. Algunos individuos tienen una coloración más viva, con un indicio de infrabigotera blanca, y pueden parecer una versión apagada y pálida del ♂. La estructura alar es útil, en combinación con el resto de características. Este ejemplar muestra una p1 claramente larga, típica de la curruca carrasqueña occidental (pero una p1 más corta o igual a las coberteras primarias se da en las 3 especies). En la curruca tirrénica, p1 acostumbra a quedar en línea con las coberteras primarias y la proyección primaria es, de promedio, un poco mayor. En la curruca carrasqueña oriental, p1 es generalmente un poco más corta y la proyección primaria claramente más larga (c. 65 %).

proyección primaria
corta, c. 50 %

p1 sobrepasa claramente
la punta de las
coberteras primarias

▼ **1ᵉʳ invierno (julio)**
La identificación como *iberiae* se basa en la localización (S de Francia), en combinación con la época del año. La proyección primaria corta es indicativa, pero, fuera de su distribución regular, el reclamo y el patrón caudal son necesarios para la identificación segura. En julio, el iris pardo grisáceo y las primarias nuevas son típicos del juvenil/1ᵉʳ invierno.

anillo orbital rojizo
(cf. currucas zarcera y tomillera)

la infrabigotera blanca ya destaca
un poco, a causa de una garganta
ligeramente colorida (cf. currucas
zarcera y tomillera)

▼ **Patrón caudal**
El patrón de r5 es indicativo en comparación con la curruca carrasqueña oriental (léanse las excepciones en la descripción de la imagen a pie de página), pero compartido con la curruca tirrénica.

r5 con punta blanca, sin forma
de cuña (cf. *cantillans*)

de promedio, zona
oscura más extensa
que en la curruca
carrasqueña oriental

cuña blanca y larga en r5,
característica en comparación con *iberiae* y *subalpina*

■ **Patrón caudal, curruca carrasqueña oriental**
Este patrón se aplica en todos los plumajes, pero suele ser menos obvio en las rectrices juveniles. En algunas aves que conservan rectrices juveniles y también en ♀♀ de tipo adulto, la cuña blanca en r5 puede ser más pequeña o incluso inexistente, por lo cual solo una cuña blanca clara y larga en r5 es característica. A veces, r4 también tiene una pequeña cuña o punta blanca.

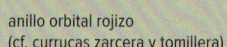
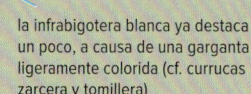

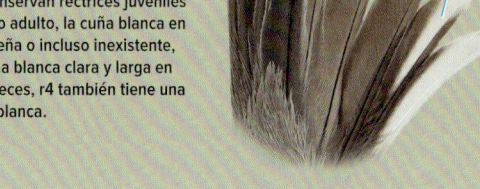

Curruca carrasqueña oriental *Curruca cantillans*

L 13 cm | Verano, Italia y península Balcánica

Tallarol de garriga oriental CAT
Txinbo papargorrizta mediterraneoa EUS
Papuxa balcánica GAL

▼ Tipo adulto ♂ (marzo)

En ♂♂ típicos como este, la identificación es sencilla. En primavera, los ♂♂ adultos tienen las plumas del ala bastante nuevas, con márgenes grisáceos; la mayoría de aves de 2º año cal. tienen un desgaste marcado en el ala, y algunos ♂♂ de esta edad tienen una coloración más apagada, también en el pecho y la garganta.

▼ 2º año cal. ♂ (marzo)

Este ejemplar no muestra una división clara entre el pecho rojizo oscuro y los flancos y, en consecuencia, se podría confundir con *iberiae*. Sin embargo, una curruca carrasqueña occidental típica tiene las partes inferiores más lisas. La garganta y el pecho bastante oscuros y la proyección primaria relativamente larga son rasgos útiles en comparación con las otras especies del grupo pero, en aves como esta y para una identificación segura, se debe estudiar el patrón caudal. El contraste de muda entre el álula y las terciarias nuevas, y el resto del ala más gastado, es típico de aves de 2º año cal. Los tintes amarillentos en la frente son manchas causadas por polen, algo habitual en las currucas cuando buscan alimento en plantas en floración.

a menudo, gris azulado un poco más pálido que en *iberiae* ♂

proyección primaria larga (cf. *iberiae*)

infrabigotera a menudo bastante ancha

márgenes de tonos pardos fríos y pálidos o blancuzcos (cf. ♂ *iberiae*)

típicamente, pecho rojizo oscuro con una división bastante clara del flanco más pálido

▼ Adulto ♀ (marzo)

La imagen señala las diferencias con los ♂♂. No se aprecian aquí diferencias claras con las ♀♀ de *iberiae* y *subalpina*, pero la coloración general pálida y la proyección primaria larga (c. 60 %) son indicativas. En primavera, las ♀♀ son más difíciles de datar que los ♂♂, pero las primarias y coberteras primarias aún bastante nuevas y la aparente ausencia de límites de muda son típicos del adulto.

▼ 2º año cal. ♀ (abril)

El desgaste acusado en las coberteras y en las plumas de vuelo es típico en aves de 2º año cal. Además, el álula, las terciarias y las rectrices centrales son más nuevas que el resto de plumas. La imagen destaca las diferencias con *iberiae* y *subalpina*.

típicamente pálido, incluyendo terciarias y márgenes de coberteras

anillo ocular blancuzco más patente que el anillo orbital rojizo apagado

parduzco

variable, pero los tonos rojizos son siempre limitados y no uniformes

estructura alar característica: proyección primaria larga y p1 corta (cf. *iberiae*)

patrón de r5 a menudo no diagnóstico

▶ 1ᵉʳ invierno (septiembre)

La identificación específica se basa aquí en la localización (Turquía), a pesar del patrón caudal visible. La punta pálida de r5 (juvenil) es difusa, sin un dibujo claro, lo cual dificulta la identificación. P1 es corta y el ala cerrada probablemente produciría una proyección primaria relativamente larga. Los márgenes pálidos poco patentes de las coberteras y las terciarias también son indicativos de esta especie. El iris pardo-gris oscuro es típico del 1ᵉʳ invierno.

patrón de las rectrices juveniles a menudo con menos blanco y dibujo más difuso

p1 no sobrepasa la punta de las coberteras primarias

Curruca tirrénica *Curruca subalpina*

L 12,5 cm | Verano, Baleares, Córcega, Cerdeña y N Italia

▼ **Adulto o 2º año cal. (mayo)**
Además del reclamo característico, parecido al del chochín, las partes inferiores de tonos rosados o "salmón" también son típicas de la especie. El ala muy nueva es una característica útil: tanto los adultos de *iberiae* como de *cantillans* tienen un cierto desgaste en esta época del año (aún más acusado en aves de 2º año cal.).

plumas del ala completamente mudadas en invierno y, por lo tanto, relativamente nuevas en primavera (aquí, con la excepción de una terciaria, una secundaria y una cobertera grande

rosa anaranjado relativamente pálido y casi liso

MUDA

Una proporción elevada tanto de aves de 1er año como de adultos realiza una muda (casi) completa en invierno; en consecuencia, estas aves tienen el plumaje nuevo en primavera (incluyendo el ala). Los adultos de *iberiae* y de *cantillans* realizan la muda completa a final del verano, mientras que las aves de 1er año retienen las plumas alares hasta el 2º año cal.; por lo tanto, en primavera las dos edades de aquellas especies tienen las plumas alares más gastadas. Una proporción desconocida (pero supuestamente no pequeña) de *subalpina* muestra una estrategia de muda más parecida a *iberiae* y *cantillans*, por lo cual un ejemplar con el plumaje gastado en primavera no excluye *subalpina*.

▼ **Tipo 2º año cal. ♂ (junio)**
El color de las partes inferiores es típico, pero fuera de su distribución regular, la identificación se debe confirmar con el reclamo característico. Aunque no completamente nueva, el ala de este ejemplar muestra relativamente poco desgaste para tratarse de junio, lo que sugiere que se ha producido una muda completa durante el invierno anterior. El iris pardo-gris apunta fuertemente hacia 2º año cal.

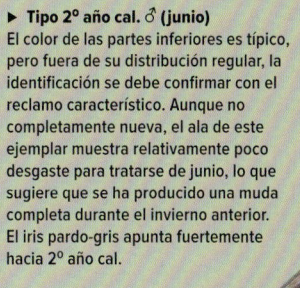

▼ **Tipo adulto ♀ (mayo)**
El plumaje de las ♀♀ es similar en las 3 especies del grupo, excepto el patrón caudal. En *subalpina*, este es parecido al patrón caudal de *iberiae*, y distinto de *cantillans*. El iris pardo-gris apunta a un 2º año cal.; el ala aún bastante nueva en primavera indica *subalpina*.

▼ **1er invierno (septiembre)**
Las aves de 1er invierno no se pueden diferenciar de las otras 2 especies del grupo. Sin embargo, la característica destacada aquí es a menudo apreciable en ejemplares de 1er invierno de *subalpina* pero, fuera de su distribución regular, su validez es aún desconocida. Tanto *iberiae* como *cantillans* suelen mostrar márgenes pardo-grisáceos de coloración similar tanto en las terciarias como en las plumas de vuelo.

a menudo, contraste de color entre los márgenes pardos cálidos de secundarias, y los márgenes más grisáceos de terciarias

▼ **Patrón caudal**

r5 con punta blanca rectangular o en forma de cuña pequeña (con la misma variabilidad que en *iberiae*)

Curruca zarcera *Curruca communis*

L 14 cm | Verano, casi toda Europa excepto extremo N e Islandia

▼ Tipo adulto ♂ (abril)

En gran parte de Europa es la única curruca con un panel alar pardo rojizo y una cabeza grisácea. En primavera, los ♂♂ tienen la cabeza gris azulada de tonos variables y el pecho y los flancos con tonos rosados o ante bastante suaves y pálidos. Las aves con una coloración más viva podrían llevar a confusión con la curruca tomillera, pero se pueden distinguir por la ausencia de una brida negruzca, la ausencia de un panel alar pardo rojizo "sólido", así como por una proyección primaria más larga. En primavera, el datado es generalmente imposible, excepto en aves con mucho desgaste, pero el iris de color naranja muy vivo de este ejemplar apuntan a un adulto. Tanto los adultos como las aves de 2º año cal. muestran un contraste de muda entre las coberteras primarias y las primarias, más gastadas, y las terciarias, más nuevas.

auriculares iguales o apenas más oscuras que el píleo en todos los plumajes

gris azulado, típico de los ♂♂

panel alar pardo rojizo, característico en todos los plumajes, pero véase la curruca tomillera

proyección primaria relativamente larga (a diferencia de las currucas tomillera y zarcerilla)

garganta blanca, contrastando con el resto de partes inferiores pardo-rosadas

tintes rosados variables, típicos de los ♂♂

▼ ♂, supuesto 2º año cal. (abril)

Ejemplares como este pueden parecer una ♀, pero el panel alar extenso y los tonos rosados de las partes inferiores son típicos de los ♂♂. Las diferencias con la curruca zarcerilla son fáciles de confirmar incluso desde lejos: panel alar pardo rojizo, ausencia de auriculares oscuras y patas pálidas. Solo los individuos con las primarias y coberteras primarias muy gastadas, en las cuales se aprecie un contraste de muda claro con el resto de plumas, y que además muestren un iris pardo-gris apagado, pueden ser identificados como 2º año cal.

primarias y coberteras primarias bastante gastadas, contrastando con las coberteras grandes y las terciarias, más nuevas: típico de 2º año cal.

parduzco (cf. ♂ adulto)

iris pardo-gris (cf. adulto)

tintes rosados típicos de los ♂♂

▼ 1er invierno (septiembre)

Se parece a la ♀, pero tiene el plumaje nuevo en otoño, y el iris oscuro. Más avanzada la estación, los adultos (de la subespecie nominal *communis*) pueden haber mudado completamente y, por lo tanto, tener también el plumaje nuevo, pero el iris de los adultos es pardo-rojo más pálido. Las aves de 1er invierno no se pueden sexar.

▼ ♀ (mayo)

Las ♀♀ son básicamente pardo-grisáceas, aparte del panel alar típico, de tonos más vivos y la garganta blanca. El sexado es, sin embargo, a menudo dificultoso. Este ejemplar tiene el iris rojizo de tipo adulto, pero las coberteras primarias y las primarias muestran un desgaste moderado, lo cual también dificulta el datado.

auriculares pardas (cf. ♂)

sin (o apenas con) gris azulado (cf. ♂)

sin (o apenas con) tintes rosados (cf. ♂)

pardo cálido, típico en la ssp. nominal *communis*

iris oscuro

centros oscuros de terciarias llamativos

el panel alar pardo rojizo es la parte más llamativa del plumaje

coberteras grandes juv. con centros oscuros difusos (cf. adulto)

▶ Patrón caudal

En comparación con especies similares como la curruca tomillera y el grupo de currucas carrasqueñas, r5 tiene poco blanco, y solo en la punta.

r5

▼ 1er invierno, subespecie asiática *rubicola* (noviembre)
Junto con *icterops*, esta subespecie tiene el manto y el píleo de tonos grises más puros en el plumaje de 1er invierno, pero las diferencias son demasiado sutiles (y se solapan con la nominal *communis*), como para permitir una identificación segura en Europa.

▼ ♂, subespecie de Turquía *icterops*, supuesto 2º año cal. (mayo)
En esta subespecie propia de Turquía y de Oriente Medio, la zona dorsal de los ♂♂ es, en primavera, ligeramente más gris que en la subespecie nominal *communis* (especialmente en los adultos). El panel alar es más pálido y de tonos menos vivos, y las partes inferiores, de promedio, más pálidas. La muda completa no tiene lugar, generalmente, hasta invierno y, en consecuencia, las aves tienen el plumaje más nuevo en primavera, comparados con la subespecie nominal *communis*. Aparentemente, una pequeña proporción de las aves de 1er invierno de la nominal *communis* también mudan buena parte de las plumas del ala en invierno, y también tienen el plumaje nuevo en primavera.

grisáceo (cf. ssp. nominal *communis* de 1er invierno)

primarias aún nuevas, con puntas blancuzcas

Curruca tomillera *Curruca conspicillata*

L 12,5 cm | Verano, S y SO Europa

Tallarol trencamates CAT
Ezkai-txinboa EUS
Papuxa tomiñeira GAL

▼ Tipo adulto ♂ (abril)
Se parece a la curruca zarcera en todos los plumajes, pero la identificación de los ♂♂ de tipo adulto es bastante sencilla, gracias a la brida negruzca que contrasta con el anillo ocular blanco bien desarrollado (en este ejemplar, relativamente débil), y las partes inferiores, variables, pero generalmente de tonos rosados bastante vivos. En todos los plumajes, los márgenes pardo-rojizos de las coberteras grandes, las terciarias y las secundarias forman un panel alar extenso y "sólido": generalmente, los centros oscuros de las plumas no son visibles (compárese con todos los plumajes de curruca zarcera). El datado es difícil, pero las aves con el plumaje más gastado (primarias y coberteras primarias) y el iris pardo grisáceo apagado son, habitualmente, de 2º año cal.

▼ Tipo adulto ♀ (abril)
A causa de la ausencia de una brida oscura, las ♀♀ se parecen más a la curruca zarcera que los ♂♂. Para apreciar las principales diferencias con aquella especie, véase también el 1er invierno y el 2º año cal.

brida pálida (cf. ♂)

panel alar pardo rojizo extenso, típico y patente también desde este ángulo

brida negra típica, a menudo extendida hasta la frente.

panel alar pardo rojizo liso y uniforme en las coberteras grandes, terciarias y secundarias (cf. curruca zarcera)

la garganta blanca contrasta claramente con el pecho y los flancos rosados

patas pálidas, naranja rosado (en la curruca zarcera ligeramente más oscuras y menos brillantes)

Curruca tomillera *Curruca conspicillata*

▼ 1er invierno ♂ (noviembre)

Como un ♂ adulto en otoño, pero con el patrón facial aún no completamente desarrollado. Las características típicas de la especie, como el color de las patas, el panel alar pardo rojizo uniforme, las supracoberteras caudales y el obispillo grisáceos, y la proyección primaria muy corta, son útiles para diferenciarla del 1er invierno de curruca zarcera. El panel alar puede parecer más o menos extenso y uniforme. La curruca zarcera también puede tener un anillo ocular blanco muy patente (véase aquella especie).

■ **Curruca zarcera**

En comparación con la curruca tomillera, la estructura alar es característica. Además, el panel alar es interrumpido por los centros oscuros de las plumas (en la curruca tomillera aparece uniforme o casi uniforme).

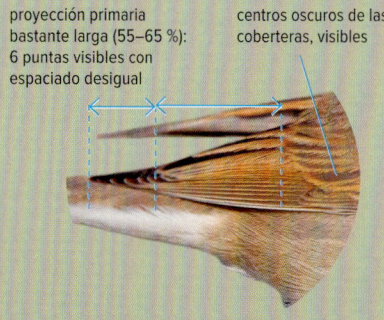

proyección primaria bastante larga (55–65 %): 6 puntas visibles con espaciado desigual

centros oscuros de las coberteras, visibles

iris pardo-gris, típico del 1er invierno

brida negruzca parcialmente desarrollada

panel alar uniforme, pardo cálido, en todos los plumajes (cf. curruca zarcera)

proyección primaria corta (40–50 %), con 5 puntas visibles, muy juntas y uniformemente espaciadas

punta fina (cf. curruca zarcera)

grisáceo

anillo ocular blanco más ancho y llamativo encima del ojo que debajo

▶ 2º año cal. (marzo)

Las características señaladas se aplican a todos los plumajes y constituyen diferencias importantes con la curruca zarcera. La forma del pico y el color de las patas pueden coincidir, a veces, con aquella especie. Las partes inferiores de coloración débil, la cabeza grisácea no uniforme y la cola poco contrastada apuntan a una ♀, pero la brida ligeramente oscura y la zona oscura encima del ojo sugieren un ♂; es preferible no sexar aves ambiguas como esta. Sin embargo, las puntas de las primarias un poco gastadas y el iris pardo-gris son típicos de un 2º año cal.

centros oscuros de las terciarias (pequeña y mediana) estrechos y puntiagudos

proyección primaria corta

fino y puntiagudo

p1 larga, sobrepasando bastante las coberteras primarias

patas pálidas, anaranjadas

blanco extenso

▼ Adulto ♀ (noviembre)

En esta imagen, la proyección primaria corta, el panel alar pardo rojizo bastante uniforme y las patas de color naranja vivo constituyen las diferencias más importantes con la curruca zarcera. La brida pálida, en combinación con el iris pardo cálido, es característica de la ♀. Las ♀♀ de 1er invierno son casi idénticas pero tienen el iris pardo-gris. El contraste de color señalado en la imagen es a menudo más notorio que en la curruca zarcera, pero no diagnóstico.

▼ Patrón caudal y del obispillo; estructura alar

Esta imagen muestra las diferencias más importantes con la curruca zarcera, una especie que tiene: p1 corta (sin alcanzar la punta de las coberteras primarias), p2 larga (casi igualada con p3–4), un contraste menor entre el obispillo pardo-gris y la cola, un blanco no tan bien definido en las rectrices externas, un contraste más débil en la cola a causa de un color menos oscuro, así como unas patas un poco más oscuras.

contraste de color entre el panel alar pardo rojizo y los márgenes de primarias grisáceos

gris casi puro y relativamente pálido, contrastando con la cola más oscura

blanco brillante y bien definido, muy patente a causa de una coloración oscura del resto de la cola

p1 sobrepasa las coberteras primarias

p2 bastante más corta que la punta del ala (p3–4)

pálido

Curruca enana *Curruca nana*

L 12 cm | Divagante de Asia

▼ **1ᵉʳ invierno o adulto (noviembre)**
Fácilmente reconocible como *nana/deserti* por la coloración general ocrácea pálida, el iris amarillo brillante y las patas y pico amarillentos.

ocre-gris
(cf. curruca sahariana)

centros oscuros característicos a lo largo de los raquis en la terciaria pequeña y mediana; la terciaria más larga tiene un centro oscuro más extenso
(cf. curruca sahariana)

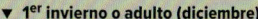

▶ **1ᵉʳ invierno o adulto (noviembre)**
La cola semiabierta muestra un patrón contrastado, con las rectrices centrales ocráceas o rojizas (r1), negruzco extenso en r2–5, y r6 casi blanca. Véase también el patrón caudal de la curruca sahariana.

▼ **1ᵉʳ invierno o adulto (diciembre)**
A través del desgaste de las plumas, las partes superiores se van volviendo más oscuras y grisáceas, y aumenta el contraste con el obispillo y las supracoberteras caudales, de tonos ocráceos cálidos. En otoño/invierno, las aves con las primarias negruzcas con puntas pálidas intactas son probablemente adultas.

▼ **Supuesto 1ᵉʳ invierno (noviembre)**
El contraste entre las partes superiores ocráceas-grisáceas y el obispillo y las supracoberteras caudales más anaranjadas es característico. El datado es a menudo imposible, pero en esta época del año las coberteras primarias bastante gastadas y las puntas de primarias parduzcas de este ejemplar encajan mejor con un **1ᵉʳ invierno** que con un adulto.

contraste de color patente (cf. curruca sahariana)

Curruca sahariana *Curruca deserti*

L 12 cm | Divagante de N África

Tallareta pàl·lida africana CAT
Txinbo sahararra EUS
Papuxa do deserto GAL

▼ **1ᵉʳ invierno o adulto (febrero)**
El pico y las patas amarillentos tienen un cierto tinte rosado. A diferencia de la curruca enana, el culmen y la punta del pico a menudo son de coloración similar al resto (aunque en este ejemplar no muy diferentes de la curruca enana). En cuanto al datado, se aplican los mismos criterios que en la curruca enana y es, por lo tanto, imposible excepto en algunos ejemplares muy evidentes.

casi sin diferencia de color con el obispillo y las supracoberteras caudales (cf. curruca enana)

terciarias lisas, sin centros oscuros (cf. curruca enana)

flanco casi blanco (cf. curruca enana)

negro en r1 muy limitado al raquis (cf. curruca enana)

▲ **1ᵉʳ invierno o adulto (febrero)**
El patrón caudal es parecido al de la curruca enana, pero con menos negro en r2–5. En este ejemplar, con plumaje relativamente gastado, las partes superiores y el píleo se mantienen pardo-anaranjadas (compárese con la imagen de diciembre de curruca enana). La parte oscura del pico es típicamente más limitada a la punta.

Curruca cabecinegra *Curruca melanocephala*

L 13,5 cm | Todo el año, SO a SE Europa

▼ Adulto ♂ (mayo)
Si se ven bien, los ♂♂ son inconfundibles; no hay otra especie con esta combinación de características.

cabeza negra, garganta blanca y anillo orbital rojo; un patrón característico

gris puro y liso

blanco puro, contrastando con la cabeza y los lados del pecho oscuros en todos los plumajes

adulto sin límites de muda, poco desgaste y márgenes grises en todas las plumas del ala

▼ Adulto ♀ (enero)
La cabeza gris bien definida y la zona dorsal parda son rasgos típicos, así como el contraste entre la garganta blanca y los flancos pardos. En este ejemplar, las plumas alares bastante nuevas y uniformes y el iris rojizo indican que se trata de un adulto. Algunas ♀♀, probablemente de edad avanzada, tienen la cabeza más negruzca y el dorso grisáceo, pareciéndose a los ♂♂, pero el dorso y el ala nunca son uniformemente grises, como sucede en los ♂♂.

pardo típico, contrastando con la cabeza gris

pardo un poco más pálido que la zona dorsal contrastando claramente con la garganta blanca

▼ 1er invierno ♂ (diciembre)
Apariencia general ya parecida a la del ♂ adulto, en este ejemplar incluso con el iris rojizo, pero el contraste de muda en el ala es característico del 1er invierno; ha reemplazado todo el plumaje excepto las secundarias, las primarias y las coberteras primarias. En primavera/verano, el contraste se vuelve más aparente.

plumas juveniles parduzcas, contrastando con las terciarias y las coberteras grandes grises

▼ 1er invierno ♀ (noviembre)
Como el ♂ de 1er invierno, apariencia ya parecida al adulto. El patrón del pico puede ayudar en las ♀♀ menos típicas; todas las especies similares tienen la base de la mandíbula inferior anaranjada o rosada y, generalmente, una punta oscura más difusa. Los rasgos destacados en la imagen señalan las diferencias con la ♀ adulta.

iris pardo-gris

terciaria mudada, nueva

base de la mandíbula inferior grisácea y punta oscura bien definida (en todos los plumajes)

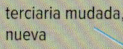

plumas de vuelo juveniles, ya bastante gastadas

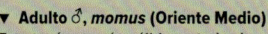

▶ Juvenil/1er invierno (julio)
Los juveniles son parecidos a las ♀♀. La identificación de la especie se basa en la cabeza gris uniforme, la garganta blanca, el anillo orbital rojo y la base de la mandíbula inferior grisácea.

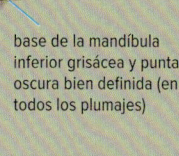

▼ Patrón caudal, tipo adulto ♂
Un patrón muy contrastado es típico.

▼ Adulto ♂, *momus* (Oriente Medio)
Este taxón es más pálido en todos los plumajes, con la parte central de la zona ventral más blanca; los tonos grises o parduzcos de los flancos son menos extensos que en la subespecie nominal *melanocephala*. Esta subespecie podría ocurrir como divagante en el extremo SE de Europa, por ejemplo, en Chipre.

Curruca de Ménétries *Curruca mystacea*

L 12,5 cm | Verano, extremo SE Europa (SE Turquía)

▼ **Adulto ♂, subespecie nominal *mystacea* (mayo)**
En la imagen se destacan las principales claves de identificación. El color de las partes inferiores varía geográficamente pero, hasta cierto punto, también individualmente. La subespecie suroccidental *rubescens* apenas tiene tonos rosados en las partes inferiores; la nororiental, nominal *mystacea*, suele ser claramente rosada. Sin embargo, la identificación subespecífica fuera de su distribución habitual es cuestionable; por ejemplo, este ejemplar, fotografiado en el NE de Turquía, tiene las partes inferiores muy poco coloridas.

gris (cf. curruca cabecinegra ♂, *momus*)

gris azulado pálido y liso

terciarias con márgenes grises, anchos y difusos (cf. curruca cabecinegra, *momus*)

anillo ocular más pálido que el anillo orbital; blancuzco o rosado pálido (cf. curruca cabecinegra ♂, *momus*)

en algunos ejemplares, infrabigotera blanca conspicua

tonos rosados en las partes inferiores, a menudo un poco más intensos en la garganta

▼ **♀ (marzo)**
Las ♀♀ y las aves de 1er invierno pueden parecerse al grupo de las currucas carrasqueñas y a la curruca cabecinegra ♀ de la subespecie *momus*; en la imagen se destacan las principales diferencias. En comparación con la curruca cabecinegra ♀, *momus*, muestra un anillo ocular pálido patente, la base de la mandíbula inferior más rosada con la punta oscura más difusa, márgenes de terciarias más anchos, partes inferiores pálidas y partes superiores pardo-grisáceas desde la parte posterior del píleo hasta las supracoberteras caudales. El datado de las ♀♀ es más difícil que en los ♂♂; el iris pardo y el álula nueva contrastando con las coberteras primarias aparentemente más "viejas" apuntan a un 2o año cal.

márgenes de terciarias anchos y con borde difuso

gris-pardo

oscuro, contrastando con las partes superiores

corto y a menudo relativamente grueso

proyección primaria corta

▶ **♂, supuesto 2o año cal., *rubescens* (abril)**
Especialmente esta subespecie, que tiene las partes inferiores muy poco coloridas, puede parecerse a la curruca cabecinegra ♂ de la subespecie *momus*; sin embargo, los flancos de la curruca cabecinegra son más grises y el negro de la cabeza alcanza las auriculares. Las plumas alares relativamente gastadas (pero el álula más nueva), el iris pardo-gris y los leves tonos parduzcos en la zona dorsal indican que se trata de un 2o año cal. Muchos individuos de esta edad han mudado algunas primarias externas.

▼ **1er invierno/2o año cal. ♂ (febrero)**
Ya parecido al ♂ adulto, pero nótese el contraste de muda. El iris es de un tono más apagado. Las otras características destacadas se aplican a todos los plumajes.

contraste de muda típico: coberteras grandes internas y terciarias más grises, mudadas; plumas de vuelo y coberteras primarias más parduzcas, juveniles

márgenes pálidos del álula a veces llamativamente anchos

punta oscura difusa

▶ **1er invierno (noviembre)**
En otoño, las ♀♀ de 1er invierno son pálidas y bastante uniformes, con la cola llamativamente oscura; junto con el resto de rasgos señalados, se crea una combinación característica.

cola negruzca a menudo levantada, que balancea frecuentemente y abre ocasionalmente (típico de la especie)

▼ **Patrón caudal**
Similar a la curruca cabecinegra, incluyendo la variabilidad (aquí poco blanco en r5). Sin embargo, la cola negruzca es a menudo más patente a causa del resto del plumaje más pálido y por el hábito de moverla y abrirla frecuentemente.

márgenes de terciarias característicamente anchos y con borde difuso

base rosada, punta oscura difusa

Curruca chipriota *Curruca melanothorax*

L 13 cm | Verano, Chipre

▼ Adulto ♂ (abril)
En este plumaje es inconfundible. Las partes inferiores y la garganta con un barrado grueso y las plumas de vuelo negruzcas con márgenes grises apuntan a un adulto.

▼ ♀ (abril)
Las partes inferiores con moteado negruzco son diagnósticas. Las aves con un moteado menos conspicuo podrían confundirse con una ♀/1er invierno de curruca de Rüppell o de curruca cabecinegra; véanse las diferencias señaladas en la imagen. El pico más largo es otra diferencia con la curruca cabecinegra, pero no con la de Rüppell.

grisáceo, más o menos del mismo color que la cabeza (cf. curruca cabecinegra ♀)

en primavera, moteado negro variable

proyección primaria corta (cf. curruca de Rüppell)

▶ 1er invierno ♂ (otoño/invierno)

contraste de muda típico (como en la mayoría de currucas de 1er año): primarias y coberteras primarias juveniles, álula, coberteras grandes y terciarias mudadas

iris aún parduzco apagado en otoño/invierno

negro de la cabeza y de las partes inferiores aún poco desarrollado, pero el moteado de la garganta y del pecho es diagnóstico

▼ 1er invierno ♀ (noviembre)
A pesar de tener un plumaje poco llamativo, la combinación de características señaladas es típica. El 1er invierno (y la ♀) de curruca carrasqueña oriental suele tener los márgenes de terciarias con menos blanco, las infracoberteras caudales lisas, una proyección primaria más larga y el obispillo más gris.

todas las partes superiores (incluyendo el obispillo y las supracoberteras caudales) de tonos pardo-grisáceos fríos (cf. curruca de Rüppell)

generalmente sin moteado; flanco gris parduzco similar a las partes superiores

▼ 2º año cal. ♂ (abril)
Algunas ♀♀ adultas tienen un plumaje similar, por lo cual el datado correcto es indispensable para el sexado. El contraste de muda en el ala indica que se trata de un 2º año cal. Este ejemplar, con un moteado extenso en la garganta y las partes inferiores, solo puede ser un ♂. Además, las ♀♀ adultas raramente (o nunca) muestran tanto negro en la cabeza. El contraste de muda en el ala es similar al del 1er invierno (imagen superior) y se vuelve más patente en primavera, a medida que aumenta el desgaste de las plumas juveniles retenidas.

infracoberteras caudales con marcas oscuras (a menudo difíciles de ver desde los lados)

márgenes pálidos llamativos en las coberteras grandes y las terciarias (compartidos con la curruca de Rüppell)

contraste de muda típico, como en el ♂ de 1er invierno

♂ de 2º año cal. a menudo menos moteado que el adulto

▼ Patrón caudal
La diferencia de tamaño entre la punta blanca de r6 y la de r5 es mayor que en la curruca cabecinegra y la curruca de Rüppell.

r5 y especialmente r4 con punta blanca pequeña

punta blanca extensa en r6 (en las ♀♀ y en las plumas juv. con una línea negra y fina a lo largo del raquis)

Curruca de Rüppell *Curruca ruppeli*

L 13,5 cm | Verano, SE Europa

▼ Adulto ♂ (mayo)
A partir de la primavera del 2º año cal., los ♂♂ son inconfundibles, con un patrón cefálico único. Las plumas de vuelo y las coberteras primarias negras con márgenes grises patentes, la ausencia de contrastes de muda y el iris rojizo son característicos del adulto.

▼ Tipo adulto ♀ (marzo)
Combinación característica de rasgos destacados. Los márgenes pálidos de las coberteras grandes y de las terciarias podrían causar confusión con la ♀ de curruca chipriota, que no tiene moteado en las partes inferiores, y con la ♀ de curruca carrasqueña oriental. En todos los plumajes, la curruca chipriota tiene las infracoberteras caudales listadas (centro oscuro y margen pálido).

márgenes pálidos en las coberteras grandes y las terciarias (compartidos con la curruca chipriota)

relativamente largo y robusto

proyección primaria relativamente larga

cola larga

obispillo y supracoberteras caudales gris pálido

infrabigotera blanca patente aunque difusa

▶ 2º año cal. ♂ (mayo)
Parecido al ♂ adulto, pero con un contraste de muda patente, típico de esta edad, entre las primarias (con puntas gastadas y más parduzcas) y las terciarias mudadas. También se aprecia contraste entre las coberteras grandes y el álula (mudadas) y las coberteras primarias (juveniles). Los adultos a menudo mudan también algunas terciarias durante el invierno, pero el contraste con el resto de plumas es menor.

▼ 1er invierno (septiembre)
Combinación característica: márgenes pálidos muy patentes, sobre todo en las coberteras grandes y en las terciarias, y contraste de color entre el obispillo y la cola. En otoño, los adultos tienen las primarias más nuevas, con puntas blancas relativamente extensas. A veces se pueden sexar las aves de 1er invierno, en el caso de los ♂♂, si se aprecia ya algo de negro en el píleo, las auriculares y/o la garganta.

▼ Patrón caudal
La gran cantidad de blanco en r6 se aplica a todos los plumajes; pueden acercarse a este patrón algunas subespecies de curruca zarcerilla, algunas aves del grupo de las currucas carrasqueñas, y la curruca mirlona occidental.

r6 casi completamente blanca, típica

márgenes anchos y pálidos en las terciarias y las coberteras grandes

puntas de primarias gastadas (a diferencia del adulto en otoño)

contraste patente entre la cola negra y el obispillo gris, en todos los plumajes

Curruca zarcerilla *Curruca curruca curruca*

L 13 cm | Verano, casi toda Europa excepto extremo NO y N, y península Ibérica

▼ Tipo adulto (marzo)

Una curruca sin rasgos de plumaje muy característicos, pero las auriculares oscuras contrastando con el píleo más gris, la coloración similar de las partes superiores pardo-grisáceas y el ala, las patas negras, y el anillo ocular partido y blanco forman una combinación característica (que no excluye, sin embargo, otros taxones de esta especie). En primavera, el datado es difícil, puesto que tanto las aves de 1er año como los adultos realizan una muda parcial en invierno, sustituyendo aproximadamente las mismas plumas (terciarias y, a veces, coberteras grandes). El álula es a menudo retenida en aves de 1er año, a diferencia de muchas otras currucas. El desgaste y desteñido de las primarias y las coberteras primarias, así como el color del iris, son frecuentemente los únicos criterios de datado apreciables, pero no siempre son fáciles de interpretar.

▼ Tipo 2º año cal. (mayo)

iris oscuro, gris-pardo, indicativo de 2º año cal.

márgenes gastados y desteñidos (más pardos), indicativos de 2º año cal.

combinación típica: "máscara" negruzca, píleo gris, garganta blanca bien definida, anillo ocular blanco (a menudo solo conspicuo en la mitad inferior) y a veces un indicio de lista superciliar

gris-pardo frío

liso; mismo color que la zona dorsal (cf. curruca zarcera)

los centros negruzcos y los márgenes grisáceos de las primarias y las coberteras primarias apuntan a un adulto

partes inferiores blancas con flancos ligeramente gris-parduzcos

cobertera grande más externa con margen pardo, generando un contraste de muda con el resto de coberteras, mudadas, con margen más grisáceo, indicativo de 2º año cal.

coberteras primarias muy gastadas, con márgenes pardos, contrastando con el álula más nueva, indicativo de 2º año cal.

▼ Adulto (septiembre)

Este ejemplar fue recapturado en una estación de anillamiento de los Países Bajos durante varios años, lo cual prueba que es un adulto. Las diferencias con las aves de 1er invierno suelen ser sutiles y, generalmente, no apreciables en una observación de campo. En este ejemplar los márgenes de las coberteras primarias muestran un desgaste mínimo, y son anchas y redondeadas, lo cual es típico de las plumas adultas. A diferencia de este ejemplar, el iris de los adultos acostumbra a ser pardo cálido y a menudo más pálido que en las aves de 1er año, a veces con una media luna pálida en la parte superior del iris.

▼ Tipo 1er invierno (septiembre)

En este ejemplar, las partes superiores de un tono pardo cálido que se extienden hasta el píleo podrían causar confusión con las raras (en Europa) subespecies orientales: curruca zarcerilla siberiana y curruca zarcerilla asiática. Sin embargo, esta coloración no es rara en la subespecie nominal, en plumaje de 1er invierno. El iris gris-pardo es uniforme, a veces más grisáceo; en este individuo, su coloración es realzada por la incidencia de la luz.

iris de este ejemplar pardo bastante uniforme

coberteras primarias y plumas de vuelo negruzcas

r6 con mucho blanco (a diferencia de r6 juv.)

ligeramente más pardo y más cálido que en primavera; pardo alcanzando el píleo

tono pardo cálido en los márgenes de las coberteras grandes externas (aún juv. retenidas) y margen pardo en las coberteras primarias (cf. adulto)

parduzco en otoño

Curruca zarcerilla siberiana *Curruca curruca blythi*

13,5 cm | Divagante (migrante e invernante raro) de Siberia

Tallarol xerraire "d'estepa" CAT
Sasi-txinbotxo siberiarra EUS
Papuxa de Blyth GAL

TAXONOMÍA

La taxonomía de la curruca zarcerilla es compleja y aún relativamente incierta, pero los taxones *blythi* y *halimodendri* son genéticamente más cercanos a la curruca zarcerilla de Hume (*althaea*) que a la subespecie nominal de curruca zarcerilla (*curruca*). Los análisis de ADN realizados en aves capturadas muestran que *blythi* en particular es un migrante e invernante muy escaso, pero regular en Europa. La identificación en una observación de campo –incluyendo la separación de la subespecie nominal– es uno de los rompecabezas más complicados en el ámbito de los paseriformes europeos. Aún no existe un conjunto de características bien definidas para alcanzar una identificación segura, pero el color de las partes superiores, incluyendo el píleo, la longitud relativa de p2, el color del iris y el patrón caudal en aves de 1er año que aún tienen las rectrices juveniles son indicativas de su identidad. Sin embargo, un análisis de ADN es aún la única manera de asegurar la identificación.

▼ Adulto (octubre)

Las puntas de las rectrices redondeadas y nuevas, las primarias sin desgaste y con puntas pálidas, y los márgenes grisáceos de las coberteras primarias encajan con un adulto. La identificación de este ejemplar fue confirmada por un análisis de ADN.

gris azulado bastante pálido y auriculares negruzcas, lo cual crea un contraste mayor que en la mayoría de taxones de la especie

pardo bastante pálido, en este ejemplar no cálido (como en la curruca zarcerilla asiática, *halimodendri*)

▼ Estructura alar

P2 suele ser más corta que en la subespecie nominal *curruca*; generalmente queda en línea con la punta de p6/7. En la nominal *curruca* queda en línea con p5/6, por lo cual hay solapamiento cuando p2 = p6. En este ejemplar, p2 es muy corta (casi igualada con p8), por lo cual se solapa con *halimodendri*, en lugar de con la nominal *curruca*. El hecho de que el ala esté un poco más abierta o un poco más cerrada no influye significativamente en las distancias relativas entre las puntas de primarias, siempre que la línea (azul en la imagen) se sitúe perpendicularmente a las primarias centrales.

p6 bastante más corta que p5 (cf. *halimodendri*)

p8
p7
p6
p5
p2

▼ Supuesto 1er invierno (octubre)

El iris gris-pardo uniforme, las rectrices con cierto desgaste y los márgenes pardos de las coberteras primarias también un poco gastados encajan mejor con un 1er invierno. En lo demás, es muy similar al adulto. La identificación de este ejemplar fue confirmada por un análisis de ADN.

a menudo algo de pardo extendiéndose hasta la parte posterior del píleo

gris azulado, de promedio algo más pálido que en la subespecie nominal *curruca*

de promedio, ligeramente más pálido y de un tono pardo más cálido que en la subespecie nominal *curruca*

▼ 1er invierno (septiembre)

Supuestamente perteneciente a la subespecie *blythi*. Este ejemplar, fotografiado en Kazajistán, muestra la coloración cálida típica en las partes superiores, con tintes grises en la cabeza. Sin embargo, no se puede excluir a la curruca zarcerilla asiática. A veces, tanto la curruca zarcerilla siberiana como la asiática muestran un iris relativamente pálido en el 1er invierno, a diferencia de la nominal *curruca* en el mismo plumaje.

▼ Patrón caudal, 1er invierno (octubre)

En este caso, el patrón caudal es de poca utilidad (o de ninguna utilidad) para la distinción de la nominal *curruca*, a no ser que se pueda determinar si las rectrices son juveniles o de tipo adulto.

r6 juv. con blanco puro también en la hemibandera interna

Curruca zarcerilla asiática *Curruca curruca halimodendri*

12 cm | Divagante de C Asia

Tallarol xerraire "sibèrià" CAT
Sasi-txinbotxo asiarra EUS
Papuxa do Turquestán GAL

▼ **Tipo adulto (febrero)**
La identidad de este ejemplar, que fue citado en los Países Bajos durante dos inviernos consecutivos, fue confirmada por un análisis de ADN.

pardo extendién-dose hasta el píleo

en adultos, iris a menudo pardo rojizo

pardo pálido

▼ **Adulto (noviembre)**
Las currucas zarcerillas siberianas o asiáticas invernantes en Europa se observan a menudo en jardines con comederos. Este ejemplar es el mismo que el de la izquierda.

▼ **Supuesta curruca zarcerilla asiática, adulto (mayo)**
Este ejemplar fue fotografiado en el S de Kazakstán. De promedio, es el taxón más pardo y uniforme citado en Europa; zona dorsal, flancos, alas y parte superior de la cola bastante uniformes, pardo-grisáceos. Una combinación de los siguientes rasgos es la mejor indicación de este taxón, al menos en teoría:
• proyección primaria corta
• cola parda y larga
• partes superiores y ala de tonos pardo-arenosos pálidos
• partes inferiores casi del mismo color que las superiores (la garganta blanca destaca más)
• cabeza grande
• pico pequeño
• iris pálido

▼ **1er invierno (octubre)**
Este ejemplar, fotografiado en Gran Bretaña, muestra rasgos que aparentemente encajan con la curruca zarcerilla asiática. El píleo es completamente pardo grisáceo, todas las partes superiores (incluyendo el ala) son pardo-grisáceas bastante pálidas, la proyección primaria es muy corta, y la cola relativamente larga. Aun así, todas estas características aún deben ser más estudiadas, en base a ejemplares cuya identidad se haya confirmado con análisis de ADN.

▼ **Estructura alar**
P2 es más corta que en la nominal *curruca*; suele quedar en línea con la punta de p7/8 (en *curruca* generalmente en línea con p5/6). Véase también *blythi*, que puede tener una p2 igualmente corta. El hecho de que el ala esté un poco más abierta o un poco más cerrada no influye significativamente en las distancias relativas entre las puntas de primarias, siempre que la línea (azul en la imagen) se sitúe perpendicularmente a las primarias centrales. La p6 relativamente larga es típica pero relativamente variable en todos los taxones.

p8
p7
p6
p5
p2

▶ **Patrón caudal, adulto (febrero)**
Una extensión mayor de blanco en las rectrices (como en la imagen) es típica tanto de *halimodendri* como de *blythi*, pero existe solapamiento con la nominal *curruca*. Como sucede en *blythi*, la r6 juvenil también tiene blanco en la hemibandera interna, pero ocasionalmente algunas aves de la nominal *curruca* pueden tener un patrón similar.

blanco puro y con borde bien definido

Patrón caudal de los taxones de curruca zarcerilla

▼ **Curruca zarcera, nominal *curruca*, adulto (agosto)**

a menudo blanco puro, pero con bordes difusos

en otoño, todas las rectrices anchas y nuevas (a diferencia de las rectrices juv.)

▶ **Curruca zarcera, nominal *curruca*, 1er invierno (agosto)**
Las partes pálidas de r6 son de un blanco "sucio"; compárese con las rectrices de tipo adulto y con los patrones de *halimodendri* y *blythi*.

partes pálidas de r6 (especialmente la hemibandera interna) típicamente de un blanco "sucio"

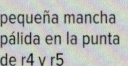

pequeña mancha pálida en la punta de r4 y r5

r6

r5

···

■ **Curruca zarcerilla de Hume, *althaea***
Esta especie, propia de las montañas del centro de Asia, ha sido citada recientemente en Europa, con individuos anillados en Finlandia y en los Países Bajos, y con su identidad confirmada por análisis de ADN. Es muy parecida a la curruca zarcerilla nominal *curruca*, con el pico robusto, partes superiores grises y uniformes y una cola larga con mucho blanco. Puede pasar fácilmente desapercibida tanto en una observación de campo como en un estudio en mano; su verdadero estatus en Europa es aún incierto. El patrón de r5 solo se parece al de algunas *halimodendri*; el mostrado aquí es, supuestamente, típico de la curruca zarcerilla de Hume. Como sucede en todos los taxones asiáticos, p2 es (de promedio) más corta que en la nominal *curruca*.

blanco puro y extenso

cuña blanca bastante profunda en r5, típica

▼ **Curruca zarcera, nominal *curruca*, 1er invierno, con una extensión extrema de blanco puro (agosto)**
Este ejemplar muestra gran extensión de blanco casi puro en la hemibandera interna de r6, con un patrón casi idéntico al adulto, o al juvenil de *halimodendri* y *blythi*. Este patrón es probablemente extremo, pero sirve para ilustrar que la extensión de blanco en r6 no necesariamente es una característica sólida para la identificación de taxones raros de curruca zarcerilla.

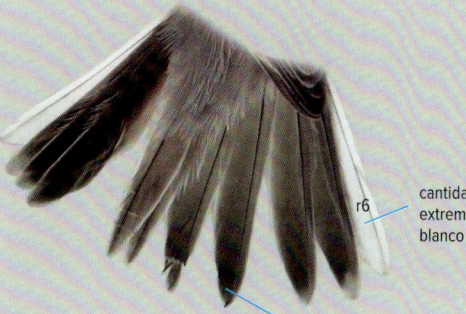

cantidad extrema de blanco

r6

rectrices juv. relativamente puntiagudas y un poco gastadas en otoño

▼ **Curruca zarcerilla siberiana, *blythi* 1er invierno (octubre)**

r6 juv. generalmente con blanco puro, también en la hemibandera interna

r6

▼ **Curruca zarcerilla asiática, *halimodendri* adulto (febrero)**

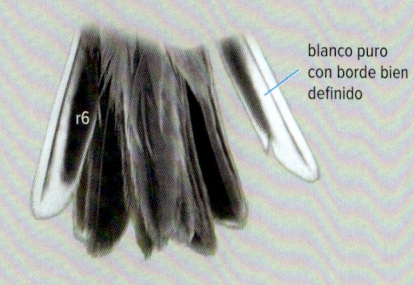

blanco puro con borde bien definido

r6

Curruca mirlona occidental *Curruca hortensis*

L 15 cm | Verano, SO Europa

▼ **Tipo adulto ♂ (mayo)**
En primavera, tanto los adultos como los ♂♂ de 2º año cal. tienen el iris blancuzco. En la curruca mirlona oriental, a menudo este es aún oscuro en el 2º año cal., y a veces incluso en los adultos. No muestra un anillo ocular pálido y tiene las auriculares y la frente negruzcas.

▼ **Tipo adulto ♂ (julio)**
La combinación de un iris muy pálido y una cabeza negruzca es característica de los ♂♂ de ambas "currucas mirlonas". A menudo, *crassirostris* tiene el iris menos pálido (véase aquella especie). El patrón caudal y las partes inferiores son diagnósticas de *hortensis*.

iris blancuzco en el tipo adulto (a partir del 2º cal.); anillo ocular blanco ausente (cf. curruca zarcerilla)

frente negruzca

iris blancuzco a partir del 2º año cal.; ausencia de anillo ocular pálido (cf. curruca zarcerilla)

terciarias con márgenes anchos pero muy difusos, finos más pálidos alrededor de la punta

pico grueso (cf. curruca zarcerilla)

variable; típicamente pardo-gris cálido y liso (cf. curruca mirlona oriental)

blanco extenso (cf. curruca zarcerilla)

patas robustas (cf. curruca zarcerilla)

hemibandera interna de r6 prácticamente blanca (cf. curruca mirlona oriental)

CURRUCAS MIRLONAS

Las dos especies de curruca mirlona son muy similares, y el plumaje de 1er invierno de ambas especies puede parecerse también a la curruca zarcerilla; la diferencia considerable de tamaño y de estructura puede resultar difícil de apreciar en una observación de campo, por lo cual la confusión es posible.

base gruesa

márgenes de terciarias anchos pero muy difusos

sin o casi sin anillo ocular pálido

proyección primaria relativamente larga con bastante espacio entre las puntas

pardo-gris cálido, extendiéndose hasta las infracoberteras caudales (en *crassirostris*, blancuzco con centros oscuros en las infracoberteras caudales)

patas robustas

■ **Curruca zarcerilla (marzo)**
La imagen muestra las diferencias con las dos especies de curruca mirlona. Ocasionalmente, el anillo ocular blanco puede estar ausente, y las auriculares ser más oscuras, lo cual aumenta la semejanza.

▲ **1er invierno (julio)**
Las dos especies de curruca mirlona pueden parecerse a la curruca zarcerilla de 1er año; las 3 especies muestran, en este plumaje, un iris oscuro. La diferencia de tamaño es considerable, pero a veces sorprendentemente difícil de juzgar. La imagen muestra las diferencias con la curruca zarcerilla en plumaje y estructura.

auriculares generalmente no uniformemente negras, con poco contraste o sin contraste con el resto de la cabeza (pero a veces casi como en la "curruca mirlona")

iris oscuro o pardo-gris un poco más pálido

corto y bastante fino

márgenes de terciarias estrechos y bien definidos

anillo ocular blanco variable (a menudo solo completo en la mitad inferior; siempre partido delante y detrás del ojo)

blancuzco y liso (en *hortensis*, pardo rosado cálido y liso; en *crassirostris* blancuzco con centros de las plumas oscuros)

gris-pardo poco extenso

▼ 1er invierno (julio)

La coloración de la parte posterior de los flancos, la región ventral y las infracoberteras caudales es diagnóstica. Este ejemplar ya ha mudado las terciarias; véase 1er invierno de *crassirostris*.

iris gris oscuro (cf. tipo adulto)

lista superciliar variable

color y patrón diagnóstico (liso) en la parte posterior del flanco y en las infracoberteras caudales

coberteras primarias ya un poco gastadas (contrastando con las coberteras grandes mudadas)

▼ 1er invierno (agosto)

Muchas aves de 1er invierno muestran una lista superciliar bastante marcada entre el ojo y el pico. El iris de los ♂♂ se va volviendo más pálido a partir de otoño.

lista superciliar variable pero a menudo patente; característico en combinación con ausencia de anillo ocular blanco, en comparación con la curruca zarcerilla (véase también *crassirostris*)

▼ 2º año cal. ♂ o adulto ♀ (julio)

Los ♂♂ de 2º año cal. y las ♀♀ adultas pueden ser muy parecidos, sobre todo si el iris es pálido y la extensión de negro en el píleo es limitada. Las plumas alares gastadas y el contraste de muda entre las coberteras grandes internas y las terciarias –ligeramente más nuevas y más grises–, y el resto del ala –más parduzco y gastado–, no excluyen un adulto.

▼ Adulto (otoño)

La identificación de este ejemplar como *hortensis* y no como *crassirostris* se basa en la coloración parda cálida de los flancos traseros y de las infracoberteras caudales visibles, y en los ligeros tintes pardos de las partes superiores. El patrón de r6 es variable en ambas especies pero, generalmente, *crassirostris* muestra menos blanco en la hemibandera interna. En este ejemplar, el blanco se extiende hasta la base de la pluma. Los adultos realizan, generalmente, una muda postnupcial muy extensa a final de verano. Este ejemplar ha mudado las primarias (muy nuevas), así como las rectrices centrales. La extensión de negro en la cabeza indica que probablemente se trata de un ♂.

gris, a menudo con tintes parduzcos (cf. *crassirostris*)

de promedio, ligeramente más corto, con la base más gruesa y con el culmen más recto que *crassirostris*, pero hay mucho solapamiento

blanco extenso, típicamente también en la hemibandera interna de r6

infracoberteras caudales habitualmente sin centros oscuros (visibles) en las plumas (cf. *crassirostris*)

gris-pardo cálido, típico (cf. *crassirostris*)

puntas blancas relativamente extensas en r4–5; cuña corta en la hemibandera interna de r5

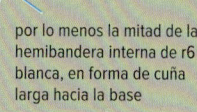

▶ Patrón caudal

Patrón característico, pero algunos ejemplares de *crassirostris* pueden mostrar más extensión de blanco de lo habitual en la hemibandera interna de r6 y, entonces, acercarse a este patrón. En cambio, no se han registrado casos de *hortensis* acercándose al patrón de *crassirostris*, con la hemibandera interna de r6 básicamente oscura (véase aquella especie).

por lo menos la mitad de la hemibandera interna de r6 blanca, en forma de cuña larga hacia la base

Curruca mirlona oriental *Curruca crassirostris*

L 15,5 cm | Verano, SE Europa

Tallarol emmascarat oriental CAT
Ekialdeko zozo-txinboa EUS
Papuxa oriental GAL

▶ **Tipo adulto ♂ (abril)**
Los ♂♂ tienen la frente y parte del píleo negruzcos, creando un "casco" uniforme y oscuro en conjunción con las auriculares. Tanto jóvenes como adultos siguen una estrategia de muda característica, que puede ser usada como método de identificación para distinguirla de *hortensis*. Los adultos mudan las primarias a final del verano, pero parte de las secundarias son mudadas meses más tarde, generando una ligera diferencia en el desgaste (visible en buenas fotografías). Unas primarias y coberteras primarias poco gastadas con márgenes grises indican adulto y son, generalmente, más fáciles de apreciar que la mencionada diferencia de desgaste. El iris aún bastante oscuro no es inusual en el adulto de esta especie, aunque posiblemente apunta a un adulto joven, por ejemplo, de 3er año cal. La forma del pico es típica de *crassirostris*: bastante fino con el culmen bien curvado.

gris bastante pálido, a lo sumo con leves tintes pardos, creando un contraste marcado con las partes oscuras de la cabeza (cf. *hortensis*)

iris en muchos ♂♂ (¿jóvenes?) no muy pálido (cf. *hortensis*)

patrón difuso en las terciarias de ambas especies de curruca mirlona (cf. curruca zarcerilla)

secundarias externas más nuevas que las primarias

blanco o gris pálido, sin tonos cálidos (cf. *hortensis*)

▼ **Tipo adulto ♂ (mayo)**
Un ejemplar típico, a causa de unas partes inferiores blancuzcas, marcas oscuras en las infracoberteras caudales e iris no muy pálido. El patrón caudal de este ejemplar se solapa con *hortensis*, a causa de una significativa extensión de blanco en la hemibandera interna de r6.

▼ **Adulto ♂ (noviembre)**
La zona dorsal de tonos grises bastante puros y pálidos contrasta con el "casco" negro y las partes inferiores grisáceas. Junto con las infracoberteras caudales blancuzcas (aquí apenas visibles), forman una combinación diagnóstica en comparación con *hortensis*.

▼ **1er invierno (septiembre)**
Como en los otros plumajes, es muy parecido a la curruca mirlona occidental, pero la coloración de los flancos posteriores y las infracoberteras caudales con centros oscuros son rasgos distintivos ya presentes. También es bastante similar a la curruca zarcerilla. Este ejemplar es un 1er invierno; se aprecia un contraste de muda claro en las coberteras grandes (las externas, retenidas, son más cortas y más pardas que las mudadas), y el iris es oscuro. Las terciarias aún son juveniles, con un margen pálido y fino bastante patente (a diferencia de las terciarias de tipo adulto), lo cual incrementa la semejanza con la curruca zarcerilla.

lista superciliar generalmente muy débil, difusa o ausente (cf. *hortensis* de 1er invierno)

contraste de muda

centros oscuros

gris-pardo frío

▼ **2º año cal. (marzo)**
Aunque relativamente parecido a una curruca zarcerilla, este ejemplar se puede reconocer como "curruca mirlona" por las patas y el pico robustos y la ausencia de anillo ocular blanco (nótese, sin embargo, que el anillo ocular de la curruca zarcerilla puede ser mínimo en algunos casos). Las partes inferiores son típicas de *crassirostris*: flanco gris-pardo frío y pálido y centros oscuros extensos en las infracoberteras caudales. La forma del pico no difiere de *hortensis* en este individuo, lo cual ilustra el solapamiento en este rasgo. Este ejemplar es difícil de sexar: las auriculares negruzcas que contrastan con el píleo más gris forman un patrón cefálico más típico de las ♀♀, pero la frente, el píleo y la brida son muy oscuros, como en muchos ♂♂ de 2º año cal, aunque esto podría ser efecto de la luz.

▼ **Contraste de muda en un 2º año cal. (marzo)**
El estado de la muda es característico tanto de la especie como de la edad. La muda postjuvenil es considerablemente más extensa que en la curruca mirlona occidental; tanto las secundarias internas como las primarias externas han sido ya reemplazadas en este ejemplar, así como la mayoría de coberteras grandes y terciarias. Las plumas de vuelo y las coberteras primarias retenidas están típicamente gastadas en primavera.

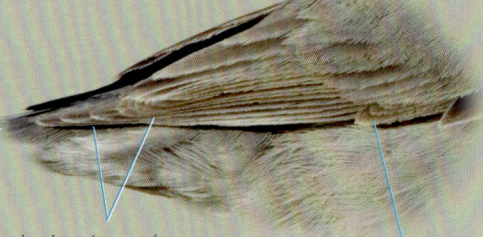

centros oscuros en las infracoberteras caudales blancuzcas, en todos los plumajes (cf. *hortensis* y curruca zarcerilla)

primarias externas más nuevas que las internas y las secundarias

coberteras primarias gastadas

▼ **2º año cal. ♀ (marzo)**
Las ♀♀ tienen el píleo gris y las auriculares más oscuras, no necesariamente negras, creando un patrón cefálico más similar al de la curruca zarcerilla. El anillo ocular blanco está presente a veces (supuestamente con más frecuencia en ♀♀ de 2º año cal.); cuando es así, suele ser un anillo completo, no partido enfrente y detrás del ojo, como en la curruca zarcerilla (véase aquella especie). De perfil, los centros oscuros de las infracoberteras caudales pueden ser difíciles de ver, y pueden estar parcialmente cubiertos por las plumas circundantes. El estadio de muda de este ejemplar encaja con un ave de 2º año cal, con las secundarias y las primarias externas más nuevas que las coberteras primarias y las primarias internas (véase también la descripción del otro ejemplar de 2º año cal. en la fotografía superior).

▼ **Patrón caudal**
Un patrón como el que muestra el ejemplar de la imagen difiere significativamente de la curruca mirlona occidental. Esto se aplica a todos los plumajes, pero suele ser menos evidente en rectrices juveniles. Algunos individuos muestran más blanco en la hemibandera interna de r6, por lo cual existe solapamiento con la curruca mirlona occidental.

anillo ocular blanco; si está presente, es completo (cf. curruca zarcerilla)

robusto

gris pálido y casi puro (cf. *hortensis* y curruca zarcerilla)

negro (cf. curruca zarcerilla)

patas robustas (cf. curruca zarcerilla)

blanco en la hemibandera interna de r6 limitado a la punta

r5 con punta blanca pequeña; sin cuña blanca o cuña muy limitada en la hemibandera interna

Curruca gavilana *Curruca nisoria*

L 16,5 cm | Verano, de E a SE Europa

▼ **Adulto tipo ♂ (mayo)**

Las aves de tipo adulto son inconfundibles, con barrado oscuro en las partes inferiores e iris amarillo. La brida oscura es típica de los ♂♂. El barrado de la garganta, el pecho y los flancos es variable; muchos ♂♂ adultos son incluso más barrados que este ejemplar. Las primarias y coberteras primarias bastante nuevas, con márgenes grisáceos, son típicas de los adultos. Nótese que estos también tienen un ligero contraste de muda entre las primarias y coberteras primarias más viejas y las secundarias, álula y coberteras, ya que son mudadas más tarde y, en consecuencia, están más nuevas en primavera.

▼ **Adulto tipo ♀ (mayo)**

La identificación también es sencilla en las ♀♀, pero los ♂♂ de 2º año cal. pueden ser idénticos. Los adultos mudan las primarias y las coberteras primarias a final del verano, y las secundarias en invierno, lo cual genera un contraste de muda en el ala. Las aves de 1er año solo mudan algunas secundarias, pero no las primarias (a lo sumo, algunas externas). Por lo tanto, las 2 edades pueden mostrar un contraste de muda entre las secundarias y las primarias. Sin embargo, en aves de 2º año cal. este suele ser más evidente. Además, a diferencia de las aves de 1er año, en los adultos no hay contraste entre el álula y las coberteras primarias, indicando que ambos grupos de plumas son de la misma generación.

coberteras primarias bastante oscuras, con márgenes pálidos aún casi intactos, lo cual apunta a adulto (cf. 2º año cal.)

brida relativamente pálida (cf. ♂ primavera)

barrado relativamente fino

▼ **Adulto ♀ (septiembre)**

Las ♀♀ adultas comparten las partes inferiores con patrón débil y las partes superiores parduzcas con algunas aves (posiblemente ♂♂) de 1er invierno, pero nótese el iris amarillo brillante, el patrón adulto de las supracoberteras caudales (gris con una fina franja subterminal oscura y una franja terminal blanca) y las patas parduzcas en lugar de grises. En otoño, el plumaje de los ♂♂ adultos difiere poco del plumaje primaveral, excepto por estar más nuevo y uniforme.

▼ **2º año cal. tipo ♂ (junio)**

Una vez datado, un ejemplar como el de la imagen puede ser fácilmente sexado. Basándose en la muda, este es un 2º año cal. típico. En la imagen se destacan las características de datado (independientemente del sexo). En un ave de 2º año cal., el iris bastante amarillo, la cabeza gris con la brida oscura, y las partes inferiores bastante barradas apuntan a un ♂. Las ♀♀ adultas pueden tener un plumaje casi idéntico, pero tienen las plumas alares más nuevas, sin un contraste de muda tan claro (pero nótese que las secundarias también son más nuevas que las primarias en estos casos).

primarias bastante gastadas

contraste de muda muy patente entre el álula nueva y las coberteras primarias gastadas

aún un poco parduzcas

▼ 1ᵉʳ invierno (septiembre)
Una curruca grande y grisácea. El patrón del pico y de las infracoberteras caudales son los rasgos más importantes.

▼ 1ᵉʳ invierno (septiembre)
El patrón de las infracoberteras caudales, con marcas oscuras en forma de V, es típico en todos los plumajes.

puntas pálidas en las coberteras y en las terciarias, generando un patrón alar contrastado

pardo-gris relativamente pálido

patrón cefálico débil; las aves más marcadas muestran una cierta lista superciliar y auriculares oscuras

patrón típico de las infracoberteras caudales

pico grueso y típicamente bicolor, con la base pálida (no muy patente aquí por estar manchada)

barrado oscuro típico

barrado débil y difuso

2º año cal. con terciarias mudadas, aquí también secundarias, coberteras, álula, primarias externas y coberteras primarias externas, contrastando con las primarias internas y las coberteras primarias internas, más gastadas

► 2º año cal. ♀ (mayo)
Las aves de 2º año cal. que aún tienen el iris oscuro y apenas muestran barrado en las partes inferiores centrales son ♀♀. Las plumas mudadas se destacan en la imagen.

▼ Patrón caudal
Esta es la cola de un adulto. Los juveniles tienen un patrón similar, pero con puntas blancas más pequeñas.

▼ 1ᵉʳ invierno (septiembre)
Ejemplar bastante grisáceo. En otoño, a menudo buscan alimento en arbustos con bayas.

Curruca mosquitera *Sylvia borin*

L 14 cm | Verano, casi toda Europa excepto Islandia y extremo N

▼ 1er invierno (septiembre)

Se trata de una especie con poca variación en el plumaje a lo largo del año, en todas las edades. La ausencia de características muy llamativas podría llevar a confusión con otras especies, como algunos mosquiteros, carriceros o zarceros. Sin embargo, ninguna especie muestra la combinación de (sutiles) características señaladas en la imagen. Tanto la muda parcial de los adultos como la de las aves de 1er año cal. (en Europa, a final de verano) suele ser bastante limitada; la muda completa se realiza en invierno, en África. Por lo tanto, las aves adultas y las de 2º año cal. no son diferenciables en primavera.

▼ Tipo adulto (mayo)

Véase 1er invierno para la descripción de rasgos típicos de la especie.

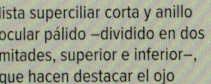

proyección primaria larga (c. 100 %)

lados del cuello difusamente grises; rasgo sutil pero característico

lista superciliar corta y anillo ocular pálido –dividido en dos mitades, superior e inferior–, que hacen destacar el ojo

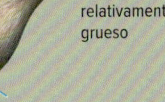

relativamente grueso

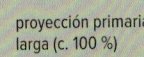

coberteras grandes a menudo un poco más pálidas que el resto del ala, generando un cierto panel alar

patas robustas y grises

▼ (Septiembre)

En otoño, los adultos tienen el plumaje más gastado que las aves de 1er año cal. y son más grisáceos (dentro de una misma población), pero en todo lo demás son muy parecidos. Los adultos no mudan después de la reproducción, sino que la muda completa se produce en invierno, en África. El plumaje de este ejemplar parece un poco deteriorado, pero esto se debe, probablemente, al hecho de tener las plumas mojadas o sucias.

▼ Subespecie oriental *woodwardi* o ejemplar intermedio (abril)

La subespecie *woodwardi*, del extremo E de Europa hasta Rusia oriental, es más pálida y gris que la nominal *borin*, que es más pardo-grisácea. La transición entre ambas subespecies es gradual. Este ejemplar, fotografiado en Finlandia, muestra ciertos tintes pardos en las partes superiores e inferiores y, por lo tanto, es probablemente un ejemplar intermedio. En todo lo demás, es un ejemplar típico, con los lados del cuello más grises, una proyección primaria muy larga, una lista superciliar poco patente y, en este caso, un anillo ocular un poco más evidente que en la mayoría de aves.

Curruca capirotada *Sylvia atricapilla*

L 14,5 cm | Todo el año, SO Europa; verano, resto de Europa, excepto extremo N e Islandia

Tallarol de casquet CAT
Txinbo kaskabeltza EUS
Papuxa das amoras GAL

▼ **Adulto o 2º año cal. ♂ (mayo)**
Identificación sencilla. Los únicos paseriformes que también tienen un "casco" negro relativamente parecido son los carboneros palustre, montano y lúgubre; sin embargo, estas especies tienen el mentón o la garganta negros, los lados de la cabeza blancos o pálidos y una cabeza más grande. Además, su "casco" se extiende más hacia la nuca. En este ejemplar, los márgenes grisáceos en las plumas de vuelo y en las coberteras primarias, con poco desgaste, apuntan a un adulto.

▼ **Adulto o 2º año cal. ♀ (enero)**
Además del "casco" pardo rojizo, las ♀♀ son un poco más pardas que los ♂♂ tanto en las partes superiores como en las inferiores. Los juveniles de ambos sexos tienen el "casco" pardo rojizo (un poco más apagado que las ♀♀ adultas). En primavera, las aves con las primarias, las coberteras primarias y/o las plumas internas del álula muy gastadas se pueden identificar como 2º año cal., pero en muchos individuos esto es difícil de apreciar.

▶ **1er invierno ♂ (noviembre)**
Casi igual que el ♂ adulto, pero el "casco" negro a menudo muestra trazos pardos. Muchos ♂♂ tienen el "casco" completamente negro y son difíciles de datar, a no ser que las plumas de vuelo muestren márgenes pardos muy claros o sea visible un contraste de muda en las coberteras grandes. Los adultos tienen el plumaje nuevo en otoño. Las ♀♀ de 1er invierno no son, generalmente, separables de los adultos, pero algunas veces se pueden reconocer por los márgenes de las plumas alares ya relativamente gastados (como en este ♂), por ejemplo, en las coberteras primarias.

terciarias mudadas más grises que el resto del ala

"casco" opaco, con trazos pardos en este ejemplar (cf. ♂ adulto)

márgenes parduzcos y un poco gastados (más nuevos y oliváceos en los adultos)

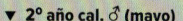

▼ **Juvenil mudando a 1er invierno ♂ (septiembre)**
Este ejemplar aún muestra gran parte del plumaje juvenil, que es sustituido poco después de abandonar el nido. El píleo es pardo rojizo en todos los juveniles; en los ♂♂ se vuelve negro en otoño.

▼ **2º año cal. ♂ (mayo)**
Casi idéntico al ♂ adulto, pero con gran parte de las plumas alares aún juveniles. Parte de las aves son más difíciles de distinguir del adulto.

parduzco y relativamente gastado

Ampelis europeo *Bombycilla garrulus*

L 20 cm | Verano, NE Europa; invierno, NE a O y C Europa

▼ Adulto ♂ (marzo)
Una especie inconfundible. Después de la muda postjuvenil todos los plumajes tienen una franja terminal amarilla en la cola y puntas blancas en las coberteras primarias y las secundarias. Otras características típicas son el plumaje pardo anaranjado con las infracoberteras caudales rojizas, y la máscara y la garganta negras.

▼ Adulto ♀ (octubre)
La presencia de puntas blancas ("ganchos") en las primarias es característica de los adultos.

márgenes anchos y blancos en la hemibandera interna (cf. 1er invierno y ♀ adulta)

borde bien definido (cf. ♀)

borde difuso (cf. ♂)

de promedio, franja más estrecha que el ♂

márgenes blancos estrechos y cortos (cf. ♂ adulto)

de promedio, franja más ancha que la ♀

▼ 1er invierno ♀ (octubre)

puntas "sedosas" limitadas o ausentes

patrón típico de la punta de las primarias en el 1er invierno; en las ♀♀ a menudo sin amarillo

borde difuso típico de las ♀♀ en todas las edades

▼ 2º año cal. ♂ (abril)
Las aves de 1er año son parecidas a los adultos, pero se pueden reconocer fácilmente por la ausencia de márgenes blancos en las puntas de las primarias. En otoño, mudan el plumaje juvenil, excepto las plumas de vuelo, y mantienen esta configuración hasta el verano del 2º año cal., cuando llevan a cabo una muda completa.

la ♀ de 1er invierno tiene la franja terminal más fina de todos los plumajes y edades

amarillo apagado o blancuzco en las hemibanderas externas de las primarias, sin "ganchos" blancos (cf. adulto)

puntas blancas en las coberteras primarias y en las secundarias, en todos los plumajes

en todos los ♂♂, borde bien definido en plumaje postjuvenil, independientemente de la edad

infracoberteras caudales pardo-rojizas en todos los plumajes postjuveniles

puntas rojas "sedosas" en las secundarias (de promedio, más cortas y en menor número en ♀♀ de 1er invierno; más largas y en mayor número en ♂♂ adultos)

▶ Silueta de vuelo
En vuelo, puede recordar a un estornino a causa de la mano triangular y larga. Las partes inferiores pálidas (incluida la parte inferior de las alas) y las infracoberteras caudales pardo-rojizas, relativamente oscuras, se pueden ver desde lejos.

▶ **Juvenil mudando a 1er invierno (octubre)**
Casi como un 1er invierno, pero aún con la cabeza y el pecho mayormente juveniles. En plumaje completamente juvenil tiene las partes inferiores difusamente listadas y no presenta tonos pardo-rojizos en la frente.

cresta corta

patrón facial poco desarrollado

listado difuso

▼ **Grupo (enero)**
Proclive a producir irrupciones, algunos años, en el O de Europa.

Ampelis americano *Bombycilla cedrorum*

L 18 cm | Divagante de Norteamérica

Ocell sedós americà CAT
Buztanori amerikarra EUS
Picoteiro americano GAL

▼ **Tipo adulto ♂ (abril)**
Aunque superficialmente similar al ampelis europeo, la identificación es sencilla si se puede ver bien; la imagen destaca las principales diferencias. La franja terminal amarilla más ancha es típica del ♂.

▼ **1er invierno (octubre)**
Las características señaladas en el ejemplar primaveral (izquierda) también son válidas en aves de 1er invierno. En otoño, algunas aves de 1er invierno conservan plumas juveniles en las partes inferiores, difusamente listadas.

sin puntas blancas en las coberteras primarias y las secundarias

franja pálida en la hemibandera interna de las terciarias, típica

sin márgenes pálidos

mentón negro de extensión relativamente pequeña y borde siempre difuso (también en el adulto)

amarillo o amarillento

infracoberteras caudales blancas

franja blanca (variable) por encima de la máscara

cresta aún no completamente desarrollada

ala (excepto las terciarias) sin marcas conspicuas

franja pálida en la hemibandera interna de las terciarias ya presente

infracoberteras caudales blancas y vientre amarillento; rasgos diagnósticos

Trepador azul *Sitta europaea*

L 13,5 cm | Todo el año, casi toda Europa excepto extremo NO y N; invierno, también NE Europa

▼ Tipo adulto ♂, grupo *caesia* (septiembre)
Una especie distintiva, tanto en plumaje como en comportamiento. Los ♂♂ del grupo *caesia* tienen las partes inferiores de coloración bastante uniforme, pardo-anaranjada. Las coberteras grandes de este ejemplar son del mismo tono que la zona dorsal, y las secundarias y coberteras primarias tienen márgenes azulados, rasgos indicativos del adulto.

máscara negra y larga

pardo anaranjado bastante intenso, contrastando con los lados de la cara (cf. ♀)

pardo anaranjado oscuro característico (cf. ♀), con anchas puntas blancas

▼ Tipo ♀, grupo *caesia* (noviembre)
Partes inferiores un poco más pálidas que los ♂♂ de la misma subespecie. Sin embargo, las diferencias entre sexos suelen ser pequeñas o incluso ausentes.

más pálido que el ♂ (de la misma subespecie)

patrón menos marcado que en el ♂

transición gradual del color (cf. ♂)

▼ ♂, grupo *europaea* (marzo)
Un ejemplar típico de este grupo de subespecies.

azulado ligeramente más pálido que en el grupo *caesia*

pico más corto que en el grupo *caesia*

blanco o blancuzco; en los ♂♂, contrastando fuertemente con los flancos pardo-rojizos

VARIACIÓN GEOGRÁFICA

Existen numerosas subespecies con diferencias de plumaje bastante sutiles. Se pueden dividir en 2 grupos reconocibles: el grupo *caesia*, de la mayor parte de Europa central y el grupo *europaea*, de Escandinavia y el E de Europa. Ejemplares con características intermedias ocurren allí donde las distribuciones de ambos grupos se encuentran. Todas las subespecies tienen las partes superiores azuladas o gris-azuladas, una lista ocular negra o "máscara" muy larga y bastante ancha, e infracoberteras caudales pardo-rojizas con puntas blancas. El color del pecho, los flancos y el vientre varía entre naranja intenso y blanco, en función de la geografía, el sexo y las diferencias individuales.

▼ ♂, grupo *caesia*, tipo 1er año cal. (septiembre)
Las aves de 1er año solo mudan las plumas corporales, las coberteras pequeñas y (generalmente) las medianas. Las plumas de vuelo y las coberteras primarias juveniles apenas muestran tonos azulados, y las coberteras grandes tienen una coloración más apagada que las escapulares. Sin embargo, las diferencias con los adultos son sutiles y frecuentemente difíciles de apreciar en una observación de campo, por lo cual el datado no siempre es posible.

coloración un poco más apagada que la zona dorsal, indicando 1er año

▼ Tipo ♀, grupo *europaea* (mayo)

lista superciliar ancha pero difusa, a veces extendiéndose hasta la frente; rasgo bastante habitual en las subespecies de este grupo

puntas blancas en
las coberteras
grandes generando
una fina franja alar

azul grisáceo más intenso que en
otras subespecies ("azul acero")

▶ ♂, grupo *caesia*
(diciembre)

lista superciliar blanca,
bastante bien definida y
extendiéndose hasta la frente

mancha negruzca en
las infracoberteras
primarias

pico pequeño

todo blanco
(a menudo liso)

◀ **Subespecie asiática *asiatica***
(octubre)
Algunos años se producen irrupciones de esta subespecie, procedente de Siberia, fundamentalmente
hacia Escandinavia. Ligeramente
más pequeño que *europaea*.

extensión de blanco
máxima en la especie

Trepador rupestre occidental *Sitta neumayer*

L 15 cm | Todo el año, SE Europa

Pica-soques roquer occidental CAT
Mendebaldeko haitz-garrapoa EUS
Agatuñadeira do levante GAL

▼ **Tipo adulto, subespecie nominal *neumayer*, de los Balcanes (mayo)**
Superficialmente parecido a una ♀ de trepador azul del grupo *europaea*,
pero las aves de aquella especie cuya distribución se solapa con el trepador
rupestre occidental pertenecen al grupo *caesia*, y tienen una coloración más
intensa. Véanse las diferencias señaladas en la imagen. Los sexos son prácticamente idénticos; sutiles diferencies son apreciables, a veces, en comparación directa de una pareja, teniendo el ♂ colores más vivos en la zona ventral y en
las infracoberteras caudales, y una máscara más negra. El **trepador rupestre
oriental** (*Sitta tephronota*) de la subespecie *dresseri*, que ocurre a poca
distancia de la región cubierta en esta obra (E de Turquía), difiere marcadamente de esta especie por tener una máscara negra mucho más ancha que se
extiende hasta el cuello, y una región ventral de tonos cálidos, incluidas las
infracoberteras caudales (véase imagen más abajo).

pico robusto en comparación
con el trepador azul, con el
culmen ligeramente curvado

▼ **Tipo adulto, subespecie *syriaca*,
de Turquía (abril)**
Esta subespecie es, de promedio, un
poco más pálida, tanto en las partes
superiores como en las inferiores.

ausencia de blanco en el
anillo ocular; negro encima
del ojo (cf. trepador azul)

la máscara se
estrecha hacia la
parte posterior
(cf. trepador azul)

liso
(cf. trepador azul)

patas oscuras y grisáceas
(cf. trepador azul)

máscara muy
ancha detrás del ojo
(cf. trepador rupestre
occidental)

muy robusto

a menudo tonos
bastante cálidos en
las poblaciones
occidentales

■ **Trepador rupestre oriental *Sitta tephronota* (mayo)**
Este ejemplar de la subespecie *dresseri*, propia de Turquía,
difiere del trepador rupestre occidental de forma más acusada
que otros taxones. En regiones más orientales (fuera del ámbito
de este libro), el reto de identificación es a menudo más complicado, puesto que las 2 especies son más parecidas.

Trepador de Krüper *Sitta krueperi*

L 12 cm | Todo el año, islas griegas orientales y Turquía

Pica-soques de Krüper CAT
Garrapo turkiarra EUS
Agatuñadeira de Krüper GAL

▼ ♂ (abril)
La identificación de esta especie no es problemática.

poco desgaste en plumas con márgenes azules-grisáceos, indicando adulto

pardo rojizo con puntas pálidas en todos los plumajes (más o menos igual que en el trepador azul)

▼ ♂ (mayo)

borde bien definido en el ♂

lista superciliar ancha en todos los plumajes

característica mancha pectoral pardo-rojiza y extensa en todos los plumajes

plumas alares desteñidas, sin azul, indicando 2º año cal.

borde difuso (cf. ♂)

brida más pálida o grisácea que en el ♂

plumas alares parduzcas sin tonos azules indican 2º año cal.

▶ ♀, supuesto 2º año cal. (abril)
Las aves de 1er año retienen las plumas de vuelo y gran parte de las coberteras alares hasta el verano del 2º año cal. Estas muestran habitualmente un mayor desgaste que las de los adultos en la misma época del año.

Trepador corso *Sitta whiteheadi*

L 11,5 cm | Todo el año, Córcega

Pica-soques de Còrsega CAT
Garrapo korsikarra EUS
Agatuñadeira corsa GAL

▼ ♂ (marzo)
Fácil de distinguir de otros trepadores por los rasgos del plumaje, pero también por ser el único representante del género en Córcega.

negro en el ♂

ancho

la lista superciliar se extiende muy hacia atrás

▶ ♂ (marzo)

parduzco-grisáceo apagado y pálido en todos los plumajes

manchas grises; color de fondo apenas diferente del resto de partes inferiores

▼ ♀, supuesto 2º año cal. (marzo)

apenas más oscuro que la zona dorsal (cf. ♂)

plumas de vuelo parduzcas y aparente límite de muda en las coberteras grandes, indicativos de 2º año cal.

borde oscuro (variable) en las auriculares, típico en todos los plumajes

Treparriscos *Tichodroma muraria*

L 16,5 cm | Todo el año, Pirineo, cordillera Cantábrica, Alpes y montañas del SE Europa; invierno, a menor altitud

▼ ♀, supuesto 2º año cal./1er verano (julio)
Una parte significativa de las ♀♀ mantienen la garganta y el pecho blancos durante todo el año. Sin embargo, en primavera, algunas desarrollan una cantidad variable de negro en la parte central de la garganta, siempre bordeada de blancuzco (véase más abajo). Las plumas de vuelo, terciarias y coberteras grandes gastadas y muy desteñidas (parduzcas) indican que se trata de un ave de 2º año cal. Poco después de abandonar el nido, las aves de 1er año mudan las plumas corporales y las coberteras pequeñas y medianas, pero retienen las plumas de vuelo, las terciarias y las coberteras grandes hasta el otoño del 2º año cal. Nótense las patas con dedos y uñas muy largos.

◄ **♂ estival (julio)**
Único e inconfundible.

negro liso y extenso en verano, en el ♂

▼ Detalle, cabeza ♀ (mayo)
Un ejemplar con una mancha negra en la garganta.

en primavera/verano, a veces con negro en la parte central de la garganta, rodeado de blancuzco

▼ **♂ estival (junio)**
Inconfundible también desde lejos.

▼ Invierno (febrero)
En invierno, todos los plumajes tienen la garganta y el pecho blancos, por lo cual tanto los adultos de ambos sexos como las aves de 1er año resultan similares. Los treparriscos a menudo entreabren brevemente las alas, momento en que llama la atención el rojo del ala y los topos blancos sobre fondo negro de las primarias.

▼ Invierno (noviembre)
Inconfundible también en vuelo. Las alas muy anchas y redondeadas con topos blancos, que pueden recordar a una pequeña abubilla o a una mariposa gigante, son únicas entre los paseriformes europeos.

topos blancos

Agateador europeo *Certhia brachydactyla*

L 13 cm | Todo el año, Europa continental (O y SO a SE)

Raspinell comú CAT
Gerri-txori arrunta EUS
Subidor común GAL

▼ **Tipo adulto (marzo)**

Ante un ave silenciosa, son necesarias unas condiciones de observación muy buenas para poder distinguir al agateador europeo del agateador euroasiático (incluyendo la subespecie norteña). Nótese que tanto sus cantos como sus reclamos difieren marcadamente. La imagen destaca las diferencias principales con el agateador euroasiático (incluyendo el agateador euroasiático norteño). Las manchas blancas, pequeñas y redondeadas, en la punta de las coberteras primarias apuntan claramente a un adulto.

pardo; lista superciliar desvaneciéndose o terminando encima de la brida, no extendiéndose sobre el pico; listas pálidas en el píleo atenuadas en la parte delantera

pico largo en comparación con *familiaris* típico; punta de la mandíbula inferior habitualmente pálida

blanco sucio; la garganta blanca contrasta

uña posterior más corta que el dedo posterior, a menudo muy curvada

"marco" oscuro de las auriculares más ancho que la mancha pálida del centro, típico pero variable

extensión variable de tonos pardos, típica cuando es tan patente como en este ejemplar

▼ **Adulto (enero)**

Las características destacadas en la imagen son variables, hasta cierto punto, en ambas especies, por lo cual la identificación siempre se debe basar en un conjunto de rasgos lo mayor posible. La indicación para el datado (medida y forma de las manchas blancas de las coberteras primarias) solo es útil en los casos más claros y se puede apoyar en el desgaste de las puntas de las primarias: desgaste notable (2º año cal.) o desgaste mínimo o inexistente (adultos en primavera).

manchas muy pequeñas y redondeadas en las coberteras primarias, indicativas de adulto (en ambas especies)

álula grande con punta pálida en diagonal y margen externo característico

bastante oscuro (parte distal de la hemibandera interna de la terciaria más larga)

borde inferior de las manchas pálidas en diagonal, puntiagudo

puntas blancuzcas bien definidas, triangulares o en forma de diamante

relativamente pálido (parte distal de la hemibandera interna de la terciaria más larga)

b
a

la mancha pálida en p4 queda en línea o por "debajo" de la mancha de p5, y no genera una forma cóncava por encima de la franja alar; a veces la mancha en p4 puede ser muy pequeña o inexistente

puntas pálidas en forma del logo de "Nike"

distancia entre la punta de p6–7 (a) < 2× la distancia entre p7–8 (b)

▼ **Agateador europeo de Chipre *dorotheae* (abril)**

Esta subespecie de Chipre y Creta es la más grisácea, de promedio, y a menudo apenas muestra tonos pardos en la zona ventral y en las infracoberteras caudales. El patrón de la cabeza y del ala son los típicos de la especie.

■ **Agateador euroasiático *macrodactyla*, 2º año cal. (abril)**

Las diferencias en el patrón alar son sutiles y variables, pero, combinadas, también son características y válidas para todas las subespecies. Lo más importante es la forma de la punta blanca de la pluma grande del álula, la posición de la mancha pálida en p4 y la forma recta (en lugar de puntiaguda) del margen inferior de la manchas pálidas de las primarias internas. El datado a través de las manchas pálidas de las coberteras primarias solo es posible en los ejemplares más evidentes; los adultos tienen las manchas (puntos) redondeadas y pequeñas, a veces incluso no muestran ninguna en las coberteras primarias internas.

álula grande con una punta pálida bastante extensa; la ausencia de margen externo pálido es típica

manchas pálidas alargadas en las coberteras primarias, indicando 2º año cal. (válido en las 2 especies)

la mancha pálida más externa en primarias (p4) en una posición más "elevada" que la mancha de p5, creando una forma cóncava oscura por encima de la franja alar

borde inferior de las manchas pálidas más o menos recto

b
a

distancia entre la punta de p6–7 (a) aprox. el doble de la distancia entre p7–8 (b)

Agateador euroasiático *Certhia familiaris*

L 13,5 cm | Todo el año, casi toda Europa excepto zonas del SO

Raspinell pirinenc CAT
Basoetako gerri-txoria EUS
Subidor do norte GAL

▼ **Agateador euroasiático norteño, subespecie nominal** *familiaris* **(noviembre)**
Un ejemplar típico de esta subespecie. Las características señaladas indican las diferencias con el agateador europeo (véanse también los detalles del patrón alar). Estas diferencias son válidas para todas las subespecies de agateador euroasiático, pero a menudo más pronunciadas en la subespecie nominal *familiaris*: esta tiene, de promedio, las partes inferiores más blancas, con la zona ventral y las infracoberteras caudales frecuentemente completamente blancas, así como el pico más corto.

▼ **Subespecie** *macrodactyla*, **de Europa central, 2º año cal. (abril)**
Las diferencias entre las distintas subespecies son a menudo sutiles y están sujetas a variabilidad individual. Según la época del año (con plumaje más nuevo o más gastado) a menudo se obtiene una impresión sobre la extensión de blanco puro, pero este rasgo no es útil para la identificación fuera de sus distribuciones regulares. La subespecie *macrodactyla* es, de promedio, un poco más oscura que *familiaris*, tanto en las partes superiores como en la zona ventral; por lo tanto, se asemeja más al agateador europeo. El ejemplar de la imagen tiene el pico bastante largo, solapándose también con el agateador europeo (esto sucede más frecuentemente en *macrodactyla* que en *familiaris*). Aquí, todas las características típicas relativas al patrón de la cabeza y del ala están presentes. La forma de las manchas en la punta de las coberteras primarias es típica de un 2º año cal. (véase el detalle del ala en la página anterior).

pico corto característico; punta oscura (variable) en la mandíbula inferior

blanco puro, no contrasta con la garganta

las listas blancas en el píleo alcanzan claramente la frente; la lista superciliar se extiende por encima del pico

mancha blanca en las auriculares a menudo bastante grande; "marco" oscuro típicamente más estrecho que la mancha, pero variable

uña posterior larga; por lo menos de la misma longitud que el dedo posterior

moteado blancuzco grueso, típico de esta subespecie; las otras muestran solapamiento con el agateador europeo en este aspecto

variable: completamente blanco en la subespecie nominal *familiaris*, pero puede ser pardo pálido en otras

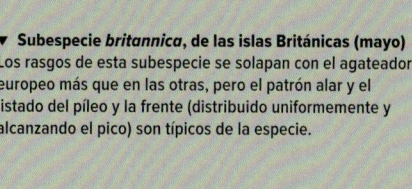

▼ **Subespecie** *britannica*, **de las islas Británicas (mayo)**
Los rasgos de esta subespecie se solapan con el agateador europeo más que en las otras, pero el patrón alar y el listado del píleo y la frente (distribuido uniformemente y alcanzando el pico) son típicos de la especie.

largo

frecuentemente bastante largo

de promedio, es la subespecie con tonos pardos más cálidos

muchos ejemplares muestran tonos parduzcos aquí

◄ **Subespecie** *corsa*, **de Córcega (abril)**
Muy parecido a otras subespecies en cuanto a rasgos de plumaje, especialmente a *britannica*, sobre todo por los tonos pardos en la zona ventral. Sin embargo, el pico es tan largo como el del agateador europeo. Es una subespecie endémica de la isla de Córcega.

Chochín paleártico *Troglodytes troglodytes*

L 9,5 cm | Todo el año, casi toda Europa excepto N; verano, incluyendo N

▼ Adulto, subespecie nominal *troglodytes* (enero)
Una especie familiar y fácil de reconocer, no solo por su plumaje con barrado denso, muy característico, sino también por su postura típica con la cola frecuentemente levantada. Las aves de 1er año y los adultos son muy similares. Los adultos tienen puntas blancas en las coberteras grandes externas, y a menudo un número mayor de manchas pálidas en las primarias más largas (+10).

puntas blancas en las coberteras grandes externas, indicando adulto

barrado

es el único paseriforme pequeño europeo con barrado en las plumas de vuelo y en las rectrices

▼ Subespecie *borealis/fridariensis*, Escocia, islas Feroe (octubre)
Pardo oscuro con las partes inferiores muy barradas. La población de las islas Shetland se conoce a veces como "*zetlandicus*", siendo generalmente un poco más oscura y pequeña que *borealis* (islas Feroe); véase también *hirtensis*, más abajo. El aparente límite de muda en las coberteras grandes (las internas con puntas pálidas, las externas sin y más rojizas) indican que se trata de un 1er invierno.

límite de muda

▶ Chochín de San Kilda, *hirtensis* (mayo)
Comparado con las subespecies/poblaciones próximas de Shetland y las islas Feroe, *hirtensis* es más grisáceo y más pálido en las partes superiores, y tiene el barrado más concentrado en los flancos traseros y la parte trasera del vientre.

VARIACIÓN GEOGRÁFICA

Se ha descrito un número elevado de subespecies, pero las diferencias entre ellas, y en comparación con la nominal *troglodytes*, de Europa continental, son muy limitadas y muestran mucho solapamiento. A menudo estas diferencias son de tipo biométrico (por ejemplo, medidas del ala, el pico y las patas); estas subespecies no se tratan aquí. Desde el NO de las islas Británicas a Islandia, las diferencias son un poco más pronunciadas: estas sí son tratadas, junto con las propias del este del Mediterráneo.

▼ 1er invierno (septiembre)
Las aves de 1er año ya son muy parecidas a los adultos y, generalmente, no se pueden reconocer en una observación de campo. Muestran una mezcla de coberteras grandes externas aún juveniles, e internas, mudadas, de tipo adulto. Las coberteras grandes juveniles son ligeramente más pardas y más cortas, y no tienen una punta pálida. Además del límite de muda, nótese también el número limitado de manchas pálidas en las primarias más largas (aquí c. 7; a lo sumo, 9), y compárense con el adulto.

tipo adulto

juv.

▶ Subespecie *islandicus*, Islandia (junio)
Esta subespecie, aislada geográficamente, es relativamente pálida y grisácea en las partes inferiores, y tiene un barrado más limitado (generalmente solo en los flancos). Las partes superiores son pardas relativamente pálidas.

▶ Subespecie *cypriotes*, E Grecia, Creta, Chipre y Turquía (mayo)
Sutilmente diferente de la nominal *troglodytes*, pero con mucho solapamiento en ambos taxones; identificación basada en la localización geográfica.

gris-pardo bastante pálido

relativamente grueso

grisáceo y apenas marcado

relativamente largo

tintes grises pálidos

barrado grueso y denso

Mirlo acuático europeo *Cinclus cinclus*

L 18,5 cm | Todo el año, casi toda Europa, pero poblaciones localizadas en base a su preferencia de hábitat

Merla d'aigua CAT
Ur-zozoa EUS
Merlo rieiro europeo GAL

▼ **Adulto, nominal *cinclus*, de Escandinavia (febrero)**
Una especie inconfundible, tanto por sus hábitos como por su plumaje. En la subespecie nominal *cinclus*, las partes inferiores –por detrás del pecho blanco– son las más oscuras entre todos los taxones. Nótese, sin embargo, que las ♀♀ particularmente pueden mostrar ciertos tonos pardo-rojizos en esta zona. Los adultos mantienen las coberteras grandes bastante nuevas, con márgenes grisáceos y poco desgaste, hasta bien entrado el invierno.

VARIACIÓN GEOGRÁFICA

Las poblaciones de Escandinavia y las del C de Francia hasta el NO de España pertenecen a la subespecie nominal *cinclus*, mientras que las poblaciones de Bélgica, Europa central y los Balcanes (parcialmente situadas en medio de la distribución de la subespecie nominal) se consideran *aquaticus*. La categorización de las subespecies se basa principalmente en la coloración de la zona ventral y la parte inferior del pecho. Sin embargo, dentro de una misma población las aves que habitan zonas boscosas más frías y húmedas acostumbran a ser más oscuras que las aves que habitan zonas más abiertas y secas, lo cual dificulta la identificación subespecífica, que a menudo es imposible en aves que se encuentran fuera de su distribución habitual.

pardo oscuro y frío

negruzco; sin pardo o con trazos pardos limitados

▼ **Subespecie *aquaticus*, Europa central (abril)**
La cabeza y el manto de tonos pardos no muy oscuros, así como una franja del mismo color por debajo del pecho blanco, son típicas de esta subespecie. Las aves más oscuras pertenecientes a *aquaticus* y las más pálidas de la nominal *cinclus* se solapan en la coloración.

pardo relativamente pálido

ancha franja pardo-rojiza

▼ **1er invierno, subespecie nominal *cinclus*, de Escandinavia (febrero)**
Después de la muda postjuvenil, las aves de 1er año tienen una apariencia muy similar a los adultos. Sin embargo, retienen las coberteras grandes externas, las terciarias, las coberteras primarias y las plumas de vuelo. Estas plumas juveniles muestran un mayor desgaste que las de los adultos en la misma época del año y tienen pequeñas puntas pálidas que se van desgastando a medida que avanza el invierno.

▼ **Detalle, coberteras alares**

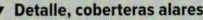

▼ **Subespecie *gularis*, Gran Bretaña e Irlanda (abril)**
Una subespecie intermedia entre la nominal *cinclus* y *aquaticus*, pero más cercana a esta última a causa de una franja pardo-rojiza bastante extensa en la parte inferior del pecho, por debajo de la mancha pectoral blanca. La identificación segura fuera de su distribución habitual no es posible.

coberteras grandes externas y coberteras primarias con pequeñas puntas pálidas, parcialmente desgastadas (cf. adulto)

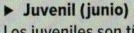
▶ **Juvenil (junio)**
Los juveniles son típicamente grisáceos, pero este plumaje es sustituido pronto por otro más parecido al adulto.

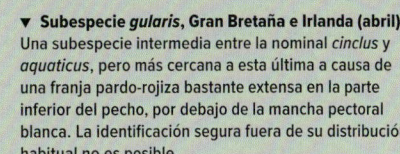

Estornino rosado *Pastor roseus*

L 21 cm | Verano, SE Europa

▼ Adulto ♂ (mayo)
Inconfundible. Las características señaladas son típicas de los ♂♂ adultos. Algunas ♀♀ adultas (posiblemente de edad más avanzada) pueden aproximarse a este plumaje, pero no tienen las plumas de la cabeza y del pecho alargadas.

plumas muy largas

rosa puro

negro casi uniforme (márgenes muy finos)

▼ ♀ (mayo)
Las ♀♀ son variables en primavera; diferencias supuestamente relacionadas con la edad. Las aves de coloración más apagada son ♀♀ de 2º año cal. Los ♂♂ de 2º año cal. pueden ser relativamente parecidos, pero este ejemplar tiene mucho blanco en las infracoberteras caudales, lo cual es típico de las ♀♀. Muchas ♀♀ de 2º año cal. tienen el cuello y la garganta más pálidos.

márgenes pálidos muy finos; plumas no (muy) brillantes

rosa "sucio"

▼ Juvenil (septiembre)
Si se puede observar en buenas condiciones, es fácil de distinguir incluso de los estorninos pintos de 1er año con el plumaje más pálido, o anormalmente pálido, gracias a la forma y color del pico y al ala oscura, que contrasta con el cuerpo más pálido. Los primeros juveniles no llegan a Europa occidental hasta la segunda mitad de Agosto. Para entonces, los estorninos pintos juveniles ya han adquirido el plumaje de 1er invierno.

mayoritariamente blanco

culmen curvado (cf. estornino pinto con coloración pálida aberrante)

amarillo característico

moteado variable

ala oscura (cf. estornino pinto con coloración pálida aberrante)

obispillo pálido

▼ Juvenil mudando a 1er invierno (octubre)
Como sucede en el estornino pinto, la muda postjuvenil es completa o casi completa, pero se inicia mucho más tarde. La cara de este ejemplar está manchada de amarillo por alimentarse de bayas.

obispillo más pálido que el resto de las partes superiores, a menudo llamativo (especialmente en ejemplares con el manto y el dorso oscuros)

primeras plumas de tipo adulto ya apareciendo

▼ 1er invierno, supuesto ♂ (enero)
Muchos inmaduros retienen algunas secundarias juveniles y, a veces, también algunas primarias externas, hasta bien entrado el invierno (o hasta en primavera).

secundarias juv. retenidas

predomina el negro, lo cual apunta a ♂

▼ Tipo adulto (mayo)
La silueta de vuelo es casi idéntica a la del estornino pinto, aunque un poco más compacta. Gracias a su plumaje contrastado, un ejemplar en vuelo suele destacar mucho. La combinación de tonos rosados no puros en las partes superiores, la cabeza de un negro apagado y las infracoberteras caudales fundamentalmente negras, sugieren que se trata de un ♂ de 2º año cal.

▼ Juvenil (agosto)
obispillo más pálido, contrastando con las alas y la cola oscuras

zona ventral pálida, llamativa en un ejemplar mezclado con estorninos pintos

patrón bien marcado, típico

Estornino pinto *Sturnus vulgaris*

L 21 cm | Todo el año, de NO a SE Europa; verano, incluyendo N a NE Europa; invierno, incluyendo SO Europa

▼ ♂ (marzo)
Una especie bien conocida y fácil de reconocer fuera de las regiones donde coincide con el estornino negro. Las características destacadas en la imagen muestran las diferencias con las ♀♀. A partir de final de invierno o principio de primavera, el pico se vuelve amarillo (de promedio, más tarde en las ♀♀ y en las aves de 2º año cal.); los ♂♂ desarrollan una coloración gris azulada en la base. El color del iris es, habitualmente, importante para el datado, pero también sujeto a variaciones.

▼ ♂ (febrero)
Desde un ángulo adecuado y con una determinada incidencia de la luz, aparecen iridiscencias brillantes de diversos colores. En este ♂, la luz también realza el color del iris; este es pardo y no gris pálido como en la mayoría de las ♀♀. Además del color gris azulado de la base del pico, el moteado reducido de las partes inferiores y las plumas de la garganta alargadas también son típicos de los ♂♂. Existen variaciones geográficas en las medidas biométricas y en la distribución de los brillos púrpuras y verdes, pero dentro de Europa las diferencias son muy pequeñas.

iris completamente oscuro

gris azulado

pequeñas motas blancuzcas

▼ ♀ (marzo)
Las características destacadas muestran las diferencias con los ♂♂. Un anillo pálido y patente dentro del iris es típico de las ♀♀, pero existe solapamiento entre sexos en este aspecto, cuando el iris es pardo pálido.

iris grisáceo pálido

base amarilla, blancuzca o rosada

manchas blancas relativamente grandes

▼ Tipo adulto (junio)
Especialmente en los ♂♂, las motas blancas de la garganta y del pecho desaparecen completamente durante la primavera, a causa del desgaste. Más adelante (a partir de junio) las motas de las partes superiores también pueden desaparecer o casi desaparecer, lo cual puede causar confusión con el estornino negro en esta época. Sin embargo, el estornino negro apenas muestra puntas y márgenes pálidos en las plumas a partir de final de invierno. Incluso con el plumaje nuevo, en otoño, el estornino negro ya muestra un moteado mucho más pequeño en las partes superiores que el ejemplar de la imagen, que ya tiene el plumaje gastado. Véase aquella especie. La base del pico se vuelve más pálida en verano en los dos sexos; entonces, esta característica pierde su valor para el sexado. Más adelante, se vuelve completamente oscuro.

◀ Adulto o 2º año cal. (febrero)
Después de la muda completa a final de verano o inicio de otoño, las aves de 1er año ya son muy similares a los adultos. En las poblaciones más sureñas, el pico se vuelve gradualmente amarillo a partir de enero. El cambio en la coloración del pico es más temprano en los ♂♂; las ♀♀ de 2º año cal. son las más tardías en este aspecto.

Estornino pinto *Sturnus vulgaris*

▼ **Juvenil (julio)**
Variable, tanto individual como geográficamente. Algunas aves son muy oscuras y casi uniformes, por ejemplo *faroensis* (islas Feroe) y *zetlandicus* (Shetland).

listado difuso bastante variable, algunas aves son lisas

■ **Estornino pinto con coloración aberrante, muy pálida (septiembre)**
Los estorninos pintos con coloraciones aberrantes ocurren con relativa frecuencia. Superficialmente, pueden resultar parecidos al juvenil de estornino rosado, pero nótense las diferencias señaladas.

pico fino y oscuro

ala y cola básicamente pálidas

▼ **1er año mudando a tipo adulto (agosto)**
A diferencia de muchos otros paseriformes, las aves de 1er año realizan una muda completa (incluyendo, pues, las plumas de vuelo), poco tiempo después de abandonar el nido. Este ejemplar muestra un plumaje intermedio típico, con una mezcla de plumas juveniles y de tipo adulto. La cabeza es, generalmente, la última parte en ser mudada y, a principio de otoño es habitual que se vuelva muy pálida y contraste con el resto del cuerpo, ya más oscuro. Una vez finalizada la muda completa, las aves de 1er invierno son difíciles de distinguir de los adultos en una observación de campo. Las aves de 1er invierno suelen tener el plumaje menos brillante; especialmente las ♀♀ tienen márgenes pálidos más anchos en las plumas y no muestran la franja subterminal oscura en las rectrices, típica del adulto. El anillo pálido del iris y las manchas blancas extensas del flanco sugieren que este ejemplar es una ♀.

▼ **1er invierno (septiembre)**
Después de la muda completa, parte de las aves inmaduras aún se puede reconocer, hasta el 2º año cal., por el patrón de las plumas de 2ª generación. Se muestra aquí la forma y patrón típicos, pero algunos individuos son más parecidos a los adultos.

▼ **Adulto (octubre)**
Patrón y forma típicos de las rectrices de tipo adulto.

r6 sin centro oscuro patente, y con margen pálido difuso

r1 redondeada, con margen subterminal oscuro difuso

r1 puntiaguda, con franja subterminal oscura y bastante definida

r6 con centro oscuro y puntiagudo y margen pálido cerca de la punta

plumas de tipo adulto

plumas juv.

▶ **Subespecie *purpurascens*, E Turquía y Cáucaso (mayo)**
Esta subespecie nidifica fuera de Europa, pero podría aparecer en el extremo SE fuera de la época de reproducción. Tiene un moteado más pequeño en plumaje nuevo, y es prácticamente negro liso a partir de primavera, similar a las subespecies asiáticas: estas son, pues, más parecidas al estornino negro. Tiene brillos púrpuras más extensos (el estornino negro no muestra una mezcla conspicua de reflejos verdes y púrpuras, véase aquella especie). Geográficamente, la distribución de este taxón y la del estornino negro son muy distantes, pero cuando un presunto estornino negro se cita fuera de su área de distribución, la subespecie *purpurascens* del estornino pinto también se debe tener en consideración.

Estornino negro *Sturnus unicolor*

L 21 cm | Todo el año, península Ibérica, extremo S Francia, Córcega, Cerdeña y Sicilia

▼ ♂ (marzo)

La base del pico gris azulada, a veces gris bastante oscuro, es característica de los ♂♂, igual que en el estornino pinto.

negro puro con brillo "aceitoso" en todo el plumaje; iridiscencias relativamente débiles y fundamentalmente de tonos púrpura (cf. estornino pinto)

pico a menudo un poco más corto y grueso que el estornino pinto (pero con solapamiento) y de un amarillo más brillante en esta época del año

plumas de la garganta muy alargadas

finos márgenes pálidos (cf. ♂ en primavera)

rosa intenso (más apagado en otoño)

▼ ♀, supuesto 2º año cal. (abril)

El número muy reducido de pequeñas motas blancas es típico de la especie; muchas ♀♀ adultas ya son prácticamente lisas en primavera. En esta época, un estornino pinto, aún con plumaje muy gastado, suele tener puntas pálidas, por ejemplo, en las escapulares y márgenes pálidos bastante anchos en las infracoberteras caudales. Si está presente, un anillo pálido en el iris es típico de las ♀♀ (como en el estornino pinto, pero a menudo menos patente); en este ejemplar no se aprecia, pero el resto de rasgos apuntan a una ♀.

plumas desteñidas, apuntando a 2º año cal.

todo el plumaje ligeramente más apagado y menos brillante que en el ♂ en primavera

base del pico blancuzca o rosada (cf. ♂)

plumas menos alargadas que en el ♂, pero aun así características en comparación con el estornino pinto

▼ 1er invierno ♀ (diciembre)

Este es el plumaje más moteado y, por lo tanto, el más parecido al estornino pinto. Las plumas nuevas con puntas pálidas, además de los rasgos destacados en la imagen, son típicas de esta especie y de esta edad. La época del año es importante cuando se trate de distinguir un estornino negro de un estornino pinto; es preferible comparar ejemplares de un mismo período. En otoño e inicio de invierno, el estornino pinto con el moteado más reducido/pequeño es el ♂ adulto. La cabeza y el vientre pueden ser muy parecidos a este ejemplar, pero el estornino pinto tiene márgenes pálidos más anchos en las infracoberteras caudales y en las coberteras medianas. La ♀ de estornino pinto, en primavera, podría aproximarse a este plumaje, pero en aquella época del año el estornino negro ya muestra un moteado muy reducido o incluso es inexistente.

escapulares con puntas/márgenes pálidos y finos en forma de punta de flecha (cf. estornino pinto)

coberteras medianas con márgenes pálidos y finos en forma de V (cf. estornino pinto)

márgenes pálidos muy finos (cf. estornino pinto)

márgenes pálidos bastante finos, apenas más anchos en la punta (cf. estornino pinto)

▼ 1er invierno (septiembre)

Igual que el estornino pinto, los juveniles llevan a cabo una muda completa a final de verano, y adquieren una apariencia de adulto. Las plumas de la cabeza son las últimas en reemplazarse y a menudo se van destiñendo, como sucede en el estornino pinto. Las plumas nuevas permiten la identificación de este ejemplar; las aves en plumaje completamente juvenil son idénticas a las variantes más oscuras y uniformes de estornino pinto juvenil.

márgenes pálidos muy finos en forma de V, a veces con el centro "abierto"

▼ ♂ (febrero)

Silueta de vuelo igual que la del estornino pinto, pero la parte inferior del ala es también más oscura. Desde un ángulo apropiado, se aprecia una p2 ligeramente más corta o equivalente a p3 (en el estornino pinto, p2 es equivalente o más larga que p3).

negruzco

p2

negruzco, con márgenes pálidos muy finos (cf. estornino pinto)

oscuro

◀ Juvenil/1er invierno (julio)

Como sucede en el plumaje de tipo adulto, las infracoberteras alares son tan oscuras como las plumas de vuelo. En el estornino pinto, tanto las plumas de vuelo como las infracoberteras alares son más pálidas, estas últimas a menudo incluso grisáceas pálidas.

Pájaro gato gris *Dumetella carolinensis*

L 20,5 cm | Divagante de Norteamérica

▼ **Adulto (abril)**
Inconfundible; ninguna otra especie europea tiene el plumaje completamente gris-plomo liso, el píleo negro, la cola negruzca y las infracoberteras caudales pardo-rojizas. Hay muy poca variación entre edades y épocas del año. El ala nueva y uniforme y las infracoberteras caudales de coloración viva son típicas del adulto.

▼ **1er invierno (de otoño a primavera)**
Ya muy parecido al adulto, pero véanse las diferencias destacadas.

normalmente aún un poco grisáceo o parduzco

contraste entre las coberteras mudadas, gris-plomo, y el resto de plumas, aún juveniles y más parduzcas

límite de muda (coberteras grandes externas juv., más cortas y parduzcas)

rectrices más puntiagudas y un poco gastadas

pardo rojizo intenso

▼ **2º año cal. (abril)**

gris (cf. adulto)

pardo rojizo más apagado que en el adulto

plumas de vuelo gastadas en primavera

▼
Se considera que una parte de los paseriformes norteamericanos que llegan a tierra en Europa han podido reposar en embarcaciones durante su viaje. Especies como el pájaro gato gris o el sinsonte norteño no están capacitadas, probablemente, para realizar el vuelo transoceánico por sí mismas, sin algún tipo de ayuda, y son dependientes de los navíos para conseguirlo.

Sinsonte norteño *Mimus polyglottos*

L 13,5 cm | Divagante de Norteamérica

Mim políglota CAT
Mimo-txori iparramerikarra EUS
Mimo do norte GAL

▼ **Tipo adulto (enero)**
Bastante fácil de reconocer cuando se ve bien, pero se podría confundir con un alcaudón grande y gris desde lejos. La imagen destaca algunas diferencias. Esta especie muestra poca variación de plumaje a lo largo del año, pero las aves de 1er invierno pueden a veces ser reconocidas por un límite de muda en las coberteras grandes y, en el 2° año cal., por el desgaste más acusado de las plumas de vuelo que los adultos en la misma época del año. Hay otras especies del género que podrían citarse en Europa a partir de escapes de cautividad. Entre estas, el **sinsonte tropical** (*Mimus gilvus*) es el más parecido al sinsonte norteño. El sinsonte tropical tiene un patrón cefálico más marcado, con una lista superciliar más ancha y una lista ocular más negra y distintiva, que genera un efecto de "máscara"; además, (casi) no muestra blanco en las coberteras primarias y en la base de las primarias.

iris pálido

coberteras primarias fundamentalmente blancas y base de las primarias blanca; rasgo muy llamativo en vuelo

▼ **Tipo adulto**
Desde lejos, podría recordar a un "alcaudón gris" en vuelo, pero la distribución del blanco en el ala es diferente.

blanco muy extenso en las coberteras primarias (a diferencia de los alcaudones)

▼ **Juvenil (abril)**
Este plumaje es de aparición muy improbable en Europa. En aves de 1er invierno, el iris acostumbra a ser más oscuro que en los adultos. El moteado oscuro de las partes inferiores desaparece después de la muda postjuvenil, pero parte de las plumas del ala se retienen, lo cual genera límites de muda.

iris oscuro

▶ **Tipo adulto**
Algunos individuos tienen mucho blanco en las primarias; una característica posiblemente relacionada con la edad, siendo los de edad más avanzada los que tienen mayor extensión de blanco. Sin embargo, este es un rasgo que probablemente también está relacionado con variaciones geográficas.

Zorzales • Introducción

TOPOGRAFÍA Y DATADO

lista superciliar

brida

infrabigotera (siempre pálida)

lista malar (siempre oscura)

coberteras medianas

coberteras grandes

coberteras primarias

terciarias

longitud visible de terciarias

proyección primaria (% de la longitud visible de terciarias; aquí casi 100 %)

terciaria(s) juv. con punta pálida

rectrices juv. puntiagudas

◀ **Zorzal alirrojo, 1ᵉʳ invierno (octubre)**

DATADO

Esta imagen muestra el límite de muda más habitual en túrdidos de 1ᵉʳ invierno. Teniendo en cuenta que el mirlo es una especie común en gran parte de Europa, este es un buen ejemplo para ilustrar la apariencia de los límites de muda, y para entender como funciona la muda postjuvenil; pocas semanas después de abandonar el nido, el ave reemplaza la mayor parte de las plumas corporales, así como las coberteras pequeñas y medianas. En cambio, solo una parte de las coberteras grandes –internas– son mudadas. Nótese la diferencia de longitud entre las nuevas, más negras, y las juveniles retenidas, más pardas y más cortas. Las partes no mudadas del ala, que incluyen un número variable de coberteras grandes externas, así como las coberteras primarias y las plumas de vuelo, son retenidas hasta el verano del 2º año cal., cuando el ave lleva a cabo la primera muda completa. Estas plumas se van volviendo más pardas a causa del desgaste y la incidencia de los rayos solares. Todos los túrdidos de 1ᵉʳ invierno (y muchos otros paseriformes de la misma edad) siguen la misma estrategia de muda, pero el número de coberteras grandes mudadas es variable, también dentro de una misma especie.

límite de muda típico: coberteras medianas y grandes –internas– mudadas a tipo adulto; coberteras grandes –externas– y resto del ala con plumas más parduzcas aún juv.

▲ **Mirlo común, 1ᵉʳ invierno ♂ (enero)**

Zorzal común *Turdus philomelos*

L 21 cm | Todo el año, O Europa; invierno, S Europa; verano, C, N y NE Europa

▼ Adulto (marzo)
En Europa, es un zorzal numeroso y de distribución muy amplia. La forma del listado/moteado de las partes inferiores es diferente de otras especies relativamente parecidas. En el zorzal común, las manchas son más aisladas y no forman franjas muy patentes (véase, por ejemplo, el zorzal alirrojo). Además, son más alargadas en la zona ventral.

puntas pálidas en las coberteras medianas y grandes, formando 2 franjas alares (también en los adultos)

grisáceo (ssp. nominal) o pardo (ssp. occidentales)

píleo pardo bastante oscuro (cf. zorzal charlo)

manchas triangulares o en forma de corazón invertido, distribuidas bastante uniformemente por todas las partes inferiores

flanco parduzco con moteado difuso (cf. zorzal charlo)

▼ 1er invierno (diciembre)
Similar al adulto. El datado puede ser dificultoso puesto que los adultos también tienen puntas pálidas en las coberteras. Sin embargo, por lo menos las más externas son retenidas hasta el 2° año cal., y la punta pálida de las plumas juveniles tiene una forma diferente de las de tipo adulto.

límite de muda; las 3 coberteras grandes más internas son de tipo adulto, el resto son juveniles

en todos los plumajes, las coberteras medianas tienen puntas pálidas relativamente grandes, en las plumas de tipo adulto a veces también triangulares

▼ Detalle, 1er invierno (diciembre)

coberteras grandes juv. con una punta pálida en forma de cuña a lo largo del raquis

▼ Nominal *philomelos*, de Escandinavia (abril)
Un ejemplar típico de la subespecie nominal *philomelos* tiene las partes superiores bastante grisáceas, con un obispillo que tiende a ser gris puro. Sin embargo, en muchos individuos la identificación a nivel subespecífico no es clara.

grisáceo, contrastando un poco con el ala más parda

gris (cf. *clarkei*)

color de fondo crema pálido (cf. *clarkei*)

manchas relativamente pequeñas

▼ Subespecie *clarkei*, Gran Bretaña e Irlanda (junio)
Los individuos típicos de la parte septentrional de estas islas son claramente más pardos que los ejemplares más grises de la nominal *philomelos*, de Escandinavia. Las poblaciones continentales de Europa occidental son intermedias, con ejemplares más pardos y más grises.

más pardo que en la nominal *philomelos*, pero la diferencia es a menudo pequeña

ocráceo característico

▶ Tipo adulto (octubre)
El color de las infracoberteras alares es una característica importante en muchas especies de zorzal.

Zorzal charlo *Turdus viscivorus*

L 27,5 cm | Todo el año, O y S Europa; verano, N a NE Europa

▼ **Adulto (mayo)**
Generalmente, solo se puede confundir con el zorzal común; nótense las características señaladas. Además de un tamaño bastante más grande, cabe destacar el píleo más pálido, la proyección primaria muy larga y la forma de las motas de las partes inferiores.

▼ **Tipo adulto (febrero)**
Además de las características señaladas, nótese el píleo y la frente bastante pálidos y la forma típica de las motas en los flancos traseros.

proyección primaria muy larga, más del 100 % (cf. zorzal común)

grisáceo con tintes oliváceos (a veces más parduzco)

grisáceo, no muy oscuro (cf. zorzal común)

color de fondo uniforme (cf. zorzal común)

a menudo una zona más oscura aquí

el moteado alcanza las infracoberteras caudales (cf. zorzal común)

franjas oscuras y pálidas bastante conspicuas

patas amarillentas, a veces anaranjadas

motas más anchas que largas, redondeadas u ovaladas (cf. zorzal común)

▼ **1er invierno (enero)**
Casi idéntico al adulto, pero nótese el límite de muda en las coberteras grandes. Las rectrices juveniles son más estrechas y puntiagudas, pero este aspecto no se puede apreciar en esta imagen.

▼ **Tipo adulto (abril)**
En vuelo, el obispillo más pálido suele ser llamativo en todos los plumajes.

a menudo, límite de muda principalmente apreciable por las diferencias en la longitud entre las coberteras grandes mudadas, más largas, y las juveniles, más cortas

más pálido que el resto de las partes superiores (sin contraste en el zorzal común)

puntas pálidas

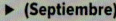

mucho blanco visible

blanco (a veces con franja ligeramente oscura y poco conspicua)

▶ **(Septiembre)**
Las sombras pueden acentuar la impresión de una franja oscura en las infracoberteras alares, que bajo otra luz es poco conspicua. Esto podría llevar a confusión con el zorzal dorado pero, en aquella especie, la franja es muy oscura, ancha y contrastada, lo cual nunca sucede en el zorzal charlo.

el moteado alcanza las infracoberteras caudales

Zorzal dorado *Zoothera aurea*

L 29 cm | Divagante de Siberia

Griva daurada siberiana CAT
Urre-birigarro siberiarra EUS
Tordo dourado GAL

▼ **1er invierno (octubre)**

Inconfundible cuando se puede ver bien, pero acostumbra a ser difícil de observar. Es la única especie relativamente parecida al zorzal charlo, por tener un plumaje muy moteado. Sin embargo, el zorzal charlo juvenil no tiene manchas estrechas en forma de media luna en las partes inferiores ni tampoco en las superiores. Además, el zorzal dorado no acostumbra a ser citado en Europa antes de mediados de septiembre, cuando los zorzales charlos de 1er año ya han mudado, y son casi idénticos a los adultos. Los zorzales dorados adultos y de 1er invierno son casi idénticos.

▼ **Límite de muda, 1er invierno (octubre)**

El datado puede ser difícil, pero en este ejemplar se aprecia un límite de muda muy claro en las coberteras grandes; las de tipo adulto son un poco más pálidas y uniformes. Las puntas pálidas en las rectrices centrales juveniles son, a menudo, un rasgo útil (ver más abajo).

ala con patrón muy contrastado

mancha oscura

muy escalado

manchas en forma de media luna

límite de muda

coberteras grandes de tipo adulto más largas con hemibandera externa más uniforme

coberteras grandes juveniles con la hemibandera externa más negra hacia la punta y cerca del raquis, y más cortas que las de tipo adulto

▼ **Adulto (septiembre)**

▼ **1er invierno (octubre)**

El patrón de la parte inferior del ala es muy llamativo y contrastado en todos los plumajes, y característico de la especie en combinación con el cuerpo muy moteado/barrado. El zorzal siberiano tiene un patrón similar en la parte inferior del ala, pero difiere, por ejemplo, por tener las partes superiores más oscuras y lisas.

todas las coberteras grandes con el mismo patrón; hemibandera externa lisa (excepto punta y margen), sin negro

▼ **Patrón caudal, 2º año cal. (abril)**

Esta especie tiene 7 pares de rectrices en lugar de 6 (el número más habitual en los paseriformes); una característica excepcional. La más externa es, por lo tanto, r7. Las aves con puntas pálidas en las rectrices centrales son inmaduras.

■ **Zorzal charlo, juvenil (julio)**

A pesar de tener las partes superiores y el píleo moteados/listados, la forma de las manchas es muy distinta; en el zorzal dorado tienen forma de media luna. Además, el zorzal charlo juvenil realiza una muda parcial antes del otoño, en la cual reemplaza las plumas corporales a tipo adulto, antes de que los zorzales dorados divagantes alcancen Europa.

r4–5 mudadas; más anchas y redondeadas, y más nuevas

rectrices juv. ligeramente puntiagudas y más estrechas, todas con puntas pálidas (en el adulto, r1–2 sin puntas pálidas)

Mirlo común *Turdus merula*

L 26 cm | Todo el año, casi toda Europa excepto extremo N a NE; verano, incluyendo N a NE

▼ Adulto ♂ (febrero)

Una especie bien conocida que es inconfundible en este plumaje completamente negro, con el pico y el anillo orbital amarillos.

▼ Adulto ♀ (enero)

Ejemplares como este, con el pecho anaranjado y, a veces, un moteado oscuro bastante bien definido, son habituales (véase también el ejemplar muy pálido en la página del zorzal americano, p. 832). Podrían llevar a confusión con algunas otras especies de zorzal, pero la combinación formada por el anillo orbital amarillo y las infracoberteras caudales oscuras y uniformes es diagnóstica.

▶ Adulto ♀ (abril)

Las ♀♀ tienen las partes superiores de tonos pardo-negruzcos, y las partes inferiores difusamente moteadas/listadas, con un color de fondo que varía entre grisáceo y pardo anaranjado. Muchos individuos desarrollan un pico (parcialmente) amarillento o anaranjado.

▼ Juvenil (octubre)

El plumaje juvenil es reemplazado pocas semanas después de abandonar el nido (plumas corporales, manto, escapulares y algunas coberteras alares). Este ejemplar pertenece probablemente a una puesta tardía puesto que, en octubre, la mayoría de juveniles ya han finalizado su muda parcial (véase 1er invierno).

▼ 1er invierno ♂ (enero)

límite de muda típico: coberteras grandes internas mudadas a tipo adulto, más largas y negras; plumas alares parduzcas aún juv.

aún mayoritariamente negro

listas finas y pálidas, típicas del plumaje juv.

▶ 2º año cal. ♀ (junio)

Después de la muda postjuvenil a final de verano, el ave ya se encuentra en plumaje de 1er invierno; se mantendrá con la misma apariencia hasta el verano del 2º año cal. Los inmaduros se pueden reconocer por el límite de muda en las coberteras grandes. En las ♀♀, este límite puede ser más difícil de apreciar, puesto que la diferencia de color entre las plumas de tipo adulto y las juveniles es menor que en los ♂♂. Sin embargo, la diferencia de longitud entre unas y otras (aquí muy clara), también es útil.

límite de muda

ala bastante redondeada (cf. mirlo capiblanco)

▲ ♀ (octubre)

Mirlo capiblanco *Turdus torquatus*

L 25,5 cm | Verano, montañas del NO, N y C Europa

Merla de pit blanc CAT
Zozo paparzuria EUS
Merlo de colar GAL

▼ Adulto ♂ (abril)

Fácil de identificar en una observación cercana o duradera. Los mirlos comunes con anomalías de pigmentación, como el leucismo, pueden tener algunas plumas blancas, y podrían causar confusión si estas se encuentran en el pecho. Nótense las características señaladas en la imagen. Como se puede apreciar en este ejemplar, las coberteras grandes internas de los adultos tiene márgenes pálidos muy finos y poco evidentes, mientras que las externas tienen los márgenes más anchos, lo cual podría sugerir un falso límite de muda; nótese que todas estas plumas son de una longitud similar. Los márgenes se vuelven más anchos hacia la punta, como en los inmaduros.

los márgenes blancuzcos de las plumas alares son visibles desde lejos

anillo orbital oscuro (cf. mirlo común)

proyección primaria larga (cf. mirlo común)

amarillento pálido

franja pectoral blanca en forma de media luna

en primavera, márgenes blancos debilitados, algunos ejemplares son prácticamente negros

▼ 2º año cal. ♂ (abril)

En primavera del 2º año cal. los ♂♂ ya son muy parecidos a los adultos. Sin embargo, nótese el límite de muda en las coberteras grandes; las externas son más cortas y tienen márgenes pálidos más anchos.

algunos con márgenes parduzcos pálidos

en esta época del año, escalado un poco más patente que en el adulto

límite de muda

▼ Tipo adulto ♀ (mayo)

Un ejemplar típico: las partes oscuras son un poco parduzcas y la franja pectoral no es uniforme. Las ♀♀ de 2º año cal. son casi idénticas, pero muestran un límite de muda en las coberteras grandes (como sucede en los ♂♂), no presente en los adultos. Algunas ♀♀ (supuestamente de edad más avanzada) pueden ser muy parecidas a los ♂♂, prácticamente sin manchas marrones en la franja pectoral, y con el plumaje muy negruzco.

escalado pardo variable, a veces casi ausente, entonces más parecidas a los ♂♂

▶ 1er invierno ♂ (octubre)

En este plumaje, muy parecido a una ♀ adulta, pero nótese el límite de muda, que indica 1er invierno; un 1er invierno con una franja pectoral conspicua es un ♂.

franja pectoral con escalado parduzco variable (como en la ♀ adulta)

límite de muda

▼ 1er invierno ♀ (octubre)

Este es el único plumaje sin una franja pectoral pálida patente. La parte superior del pecho, por encima de la zona donde se sitúa la franja pectoral más adelante, es más pálida que en otros plumajes. Para la identificación de la especie, nótense los característicos márgenes blancuzcos en las plumas alares y el escalado de las partes inferiores.

parte superior del pecho más pálida que en otros plumajes con franja pectoral patente

márgenes pálidos característicos

oscuro

escalado patente

▶ Adulto ♂, *alpestris*, Europa central (abril)

Esta subespecie es típicamente más pálida que la nominal *torquatus* en la misma época del año, con un escalado blanco más extenso y marcado en las partes inferiores, y un panel alar blanco más patente.

▼ ♂ (abril)

En vuelo, la mano bastante larga y estrecha del ala es un rasgo útil para descartar al mirlo común.

a menudo apariencia más larga y fina, en comparación con el mirlo común

listas blancas y anchas a lo largo del raquis, características de la ssp.

◀ Detalle

Algunos nominales *torquatus* (sobre todo ♂♂ inmaduros) pueden acercarse a la apariencia de *alpestris* en cuanto al escalado, pero no tienen las características listas blancas y anchas a lo largo del raquis de las infracoberteras caudales y (a menudo) en las plumas posteriores del vientre.

mano ligeramente más estrecha que en el mirlo común, con 4 primarias externas largas (con escalón entre p5 y p6)

grisáceo, llamativo incluso desde lejos

Zorzal real *Turdus pilaris*

L 25 cm | Verano, N a C Europa; invierno, gran parte de Europa excepto N

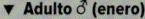

▼ **Adulto ♂ (enero)**
Una especie distintiva. Comparados con las ♀♀, los ♂♂ tienen, de promedio, una coloración anaranjada más viva y extensa en el pecho, un píleo un poco más listado y una cola de color negro puro.

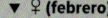

▼ **♀ (febrero)**
Muy parecida al ♂, pero nótense las diferencias señaladas. Este ejemplar es fácil de sexar, pero muchos otros no lo son.

combinación diagnóstica: parte superior de la cabeza gris, dorso, escapulares y parte del ala de color marrón, obispillo y supracoberteras caudales grises, y cola negra

listado oscuro, fino y difuso (cf. ♂)

centros de las plumas no muy oscuros

no negro puro, tintes parduzcos al menos en la base (cf. ♂)

color de fondo ocráceo más pálido y menos extenso (cf. ♂)

listado/moteado grueso y negro en el pecho y los flancos; color de fondo anaranjado-ocráceo en el pecho, característico

▼ **Juvenil (mayo)**
Las partes inferiores de los juveniles son muy parecidas a otras especies de zorzal, como el zorzal común. El obispillo gris y las terciarias pardas, sin embargo, típicas. Pocas semanas después de abandonar el nido, los juveniles realizan una muda parcial y adquieren una apariencia ya parecida al adulto.

▼ **1er invierno ♂ (enero)**
Las aves de 1er invierno son casi idénticas a los adultos, pero nótense las diferencias señaladas. El sexo se puede determinar, a veces, fijándose en los mismos rasgos que en los adultos. En este ejemplar, por ejemplo, nótese la cola completamente negra y el listado bastante grueso en el píleo.

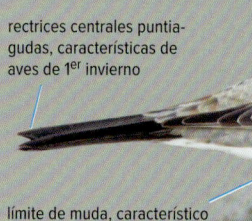

rectrices centrales puntiagudas, características de aves de 1er invierno

límite de muda, característico en aves de 1er invierno

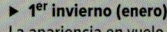

▶ **1er invierno (enero)**
La apariencia en vuelo es similar en todos los plumajes; compárese con el zorzal charlo, que también tiene las infracoberteras alares blancas.

contraste marcado, visible desde lejos

▼ **1er invierno (enero)**
En las partes superiores, la combinación de rasgos señalados es característica.

zona dorsal parda

obispillo gris

cola negra

Zorzal alirrojo *Turdus iliacus*

L 21 cm | Verano, NO a NE Europa; invierno, O a S Europa

▼ Adulto, nominal *iliacus* (abril)
Un zorzal característico, con los flancos rojizos y un patrón cefálico muy contrastado. La extensión de los tonos rojos en el flanco varía y puede ser menor en otras aves, pero suele ser apreciable.

patrón cefálico llamativo, con lista superciliar blanca y larga, e infrabigotera también destacada

todas las coberteras grandes de tipo adulto (cf. 1er invierno)

terciarias de tipo adulto, con margen pálido limitado a la punta

las motas oscuras forman franjas (cf. otros zorzales)

flanco rojizo característico

▼ 1er invierno, nominal *iliacus* (marzo)
Casi idéntico al adulto, pero nótense algunas diferencias señaladas en la imagen. En otoño, las aves de 1er invierno suelen tener coberteras grandes (externas) y terciarias con puntas pálidas con borde bien definido. Como en todos los zorzales, las rectrices son aún juveniles (retenidas hasta el verano del 2º año cal.), más estrechas y puntiagudas que en los adultos.

límite de muda: coberteras grandes externas juv., más cortas y con puntas más pálidas

terciarias juv. con márgenes pálidos más anchos hacia la punta, a menudo creando una cuña corta pero conspicua a lo largo del raquis

▼ Nominal *iliacus* (octubre)
Un ejemplar típico, pero otras aves pueden tener las motas/listas del pecho más anchas. En la imagen se destacan las diferencias con *coburni*.

listas más finas en la base

extensa zona sin manchas

▼ Nominal *iliacus* (abril)

el flanco rojizo se extiende a las infracoberteras alares

lista superciliar muy patente, incluso desde lejos

► Zorzal alirrojo de Islandia, *coburni* (abril)
Un ejemplar típico, fuera de la variabilidad individual de la nominal *iliacus*.

a menudo solo una pequeña mancha blanca

manchas anchas en la base

zona sin manchas estrecha

► Zorzal alirrojo de Islandia, *coburni*, 1er invierno (noviembre)
Un ejemplar típico en todos los aspectos y bastante fácil de distinguir de la subespecie nominal *iliacus*. Sin embargo, muchas aves muestran un patrón menos evidente, por lo cual la identificación subespecífica fuera de Islandia solo es posible en los individuos más evidentes. Las características destacadas señalan las (a veces sutiles) diferencias con la subespecie nominal *iliacus*.

▼ Zorzal alirrojo de Islandia, *coburni*, tipo adulto (julio)
Algunos individuos, especialmente adultos, pueden ser bastante parecidos a la subespecie nominal *iliacus*; la identificación fuera de Islandia es, por lo tanto, problemática. El listado/moteado de las partes inferiores de este ejemplar se solapa con la subespecie nominal *iliacus*, pero las patas oscuras y la coloración parda muy oscura de la zona dorsal y del píleo son típicas de esta subespecie.

pardo negruzco

pardo oscuro, sin tintes grises

la lista malar puede quedar parcialmente fundida con una infrabigotera bastante estrecha

color de fondo oscuro que genera una zona oscura casi lisa

manchas muy grandes (anchas también en la base) en una área muy extensa

listado/manchado grueso

pardo rosado oscuro

Zorzal eunomo *Turdus eunomus*

L 24,5 cm | Divagante de Asia

▼ **Adulto ♂ (febrero)**
Casi inconfundible en todos los plumajes, pero los híbridos con otros zorzales asiáticos son frecuentes (véase ZORZALES HÍBRIDOS, p. 828). En comparación con especies europeas, el zorzal eunomo puede recordar al zorzal alirrojo por tener una lista superciliar también muy marcada, pero nótese el panel alar pardo rojizo y los flancos con moteado negro sobre fondo blanco.

lista superciliar blanca muy ancha, auriculares lisas y negruzcas, y semicollar blanco, típico en todos los plumajes

centros negros de las plumas del manto y las escapulares, característicos en el ♂ (adulto)

todas las coberteras grandes de tipo adulto, de coloración similar al resto del ala, solo con pequeñas puntas pálidas

coberteras primarias con puntas negras bien definidas, características del ♂ (adulto)

centros de las plumas negros y anchos, característicos en todos los plumajes, más extensos en los ♂♂

▶ **1er invierno ♂ (octubre)**
La apariencia de este ejemplar es típica de la especie, edad y sexo.

límite de muda en las coberteras grandes (2 internas mudadas, resto juv.)

patrón de coberteras primarias típico tanto de ♀ adulta como de ♂ de 1er invierno

▼ **Adulto ♀ (febrero)**
La imagen destaca las diferencias con el ♂ adulto; el patrón facial de las ♀♀ es solo un poco menos prominente que en los ♂♂ adultos típicos, con la garganta un poco listada, y con la zona entre la infrabigotera y el pecho con un moteado fino. El ala nueva y uniforme, sin límites de muda, es típico del adulto en esta época del año. Algunas ♀♀ adultas pueden ser muy parecidas a los ♂♂ adultos, pero el patrón de las coberteras primarias es característico.

▼ **1er invierno ♂ (febrero)**
Las aves de 1er invierno son variables, pero suelen parecerse a los adultos de su sexo correspondiente. La diferencia en el patrón de las coberteras grandes de tipo adulto (internas) y juveniles (externas) es marcada en este ejemplar, lo cual facilita el datado. Nótese también un cierto desgaste en las primarias. Este individuo es un ♂, pero no todos son fáciles de sexar. La coloración pardo-rojiza viva del ala y el listado/escalado muy extenso en los flancos, con centros de las plumas negros y anchos, son rasgos más típicos de los ♂♂, pero la variabilidad entre sexos es considerable.

centros oscuros moderadamente desarrollados (como en muchos ♂♂ de 1er invierno)

márgenes pardos en las terciarias limitados a las hemibanderas externas

pardo rojizo muy limitado en las coberteras primarias, restringido a la base de las hemibanderas externas

centros de las plumas negros, típicos del ♂

algo de pardo rojizo en la base de la cola es normal en individuos puros

límite de muda en las coberteras grandes que indica 1er invierno

▼ **1er invierno ♂ (octubre)**
Este patrón de la parte inferior del ala es válido en todos los plumajes.

infracoberteras alares de color canela, alcanzando las plumas de vuelo

▼ **2º año cal. ♀ (mayo)**
Tanto el sexo como la edad de este ejemplar son bastante claros (véanse detalles señalados en la imagen). Las partes superiores y el flanco tienen un patrón débil; esto –junto a los tonos pardo-rojizos en el pecho y parte posterior del flanco–, podría ser indicativo de una influencia del zorzal de Naumann en este individuo. En este caso, las supracoberteras caudales y la base de la cola no muestran tonos pardo-rojizos, como sucede en muchos híbridos.

pardo grisáceo, típico de la ♀, especialmente de 1er año

sin centros oscuros en las plumas de la zona dorsal, típico de la ♀, especialmente de 1er año

coberteras primarias uniformemente oscuras: típico de la ♀, especialmente de 1er año

coberteras grandes juv. con márgenes descoloridos, típico de esta edad

patrón bastante débil; típico de las aves jóvenes hasta bien entrado su 2º año cal.

Zorzal de Naumann *Turdus naumanni*

L 23,5 cm | Divagante de Asia

► **Adulto ♂ (otoño/invierno)**
Las plumas del pecho y de los flancos con centros muy anaranjados, la cola pardo-anaranjada, y los márgenes pardo-anaranjados del ala dan a las aves con este plumaje una apariencia inconfundible (pero véase también el zorzal papirrojo y el zorzal americano).

▼ **♀ (mayo)**
Las ♀♀ típicas no tienen una coloración anaranjada conspicua en las escapulares, y tienen manchas oscuras extensas alrededor de la lista malar y el mentón, también en primavera. Generalmente, durante esta estación, las aves de 2º año cal. y los adultos ya no son distinguibles. En este ejemplar, el pequeño escalón en las coberteras grandes podría ser un límite de muda (apuntando pues a un 2º año cal.), pero la diferencia en el patrón de estas plumas es muy pequeña o inexistente a causa del desgaste.

blancuzco en muchas ♀♀

pardo grisáceo bastante liso

ala bastante lisa y uniforme (cf. ♂)

manchas negras extensas, tanto en ♀♀ como en ♂♂ de 1er invierno, hasta el 2º año cal.

característico pecho y flanco anaranjado, con efecto escalado a causa de los márgenes pálidos de las plumas, alcanzando las infracoberteras caudales

▼ **♀ (otoño/invierno)**
Incluso los individuos de coloración más discreta y con patrón menos marcado (♀♀ de 1er invierno) son, habitualmente, fáciles de identificar. Estos no tienen, o apenas tienen, tonos pardo-anaranjados en el obispillo, las supracoberteras caudales y la base de la cola. Este ejemplar es probablemente un adulto con apariencia aún inmadura; todas las plumas alares parecen ser de tipo adulto, y no se aprecian límites de muda. Las partes inferiores con tonos anaranjados no muy acentuados, con finas listas oscuras a lo largo de los raquis, son más típicas de las ♀♀ de 1er invierno.

▼ **1er invierno ♂ (noviembre)**
Un ejemplar típico en todos los aspectos. Las aves con tanta extensión de pardo anaranjado en plumaje de 1er invierno, y con manchas anaranjadas en las escapulares y en la lista superciliar, son ♂♂. Las ♀♀ de tipo adulto pueden tener, a veces, casi tanto pardo anaranjado en la cola como los ♂♂.

límite de muda en las coberteras grandes, típico de esta edad

pardo anaranjado extenso, característico (pero no tan extenso como aquí en todos los individuos)

moteado anaranjado característico

▼ **Adulto ♀ o 1er invierno ♂ (enero)**
Superficialmente, puede parecer un zorzal alirrojo, pero el listado/moteado de las partes inferiores no es muy oscuro. En el zorzal papirrojo, la coloración anaranjada está circunscrita al pecho, y las infracoberteras caudales son blancas y lisas. La lista malar negruzca y muy ancha, y la aparente ausencia de tonos anaranjados en la lista superciliar y en las supracoberteras caudales sugieren que se trata de una ♀ adulta, pero desde este ángulo un ♂ de 1er invierno puede parecer idéntico.

infracoberteras alares anaranjadas, rasgo compartido con los zorzales eunomo, papinegro y papirrojo

anaranjado (cf. zorzal papirrojo y zorzal alirrojo)

Zorzal papinegro *Turdus atrogularis*

L 24,5 cm | Divagante de Siberia central

▼ **Adulto ♂ (enero)**
Inconfundible. En algunos ♂♂ adultos, la garganta y el pecho ya son uniformemente negros durante el invierno.

▼ **Adulto ♀ (marzo)**
Muchas ♀♀ adultas tienen la garganta más oscura que este ejemplar, también con el plumaje nuevo, pero la parte central y superior del pecho generalmente se mantiene blanca. Las rectrices relativamente puntiagudas también se dan en los adultos (efecto aquí realizado por la perspectiva).

grisáceo en todos los plumajes

sin límite de muda, todas las coberteras grandes son de tipo adulto y resto del ala nuevo y uniforme; rasgos típicos del adulto

plumas negras con puntas blancas (cf. ♂ de 1er invierno y ♀♀ en todos los plumajes)

borde muy bien definido entre el pecho negro y el vientre blanco (cf. ♀ y ♂ de 1er invierno)

todas las plumas alares de tipo adulto; coberteras grandes sin puntas blancas (cf. 1er invierno)

▼ **1er invierno ♂ (diciembre)**
Un ave de 1er invierno con este patrón pectoral es un ♂. En este ejemplar, la edad se puede determinar gracias al límite de muda en las coberteras grandes.

en aves de 1er invierno, un pecho negro ya llamativo es típico del ♂ (parecido a la ♀ adulta)

coberteras grandes juv. con puntas blancuzcas, contrastando con las internas, mudadas

▼ **1er invierno ♀ (febrero)**
Un ejemplar bastante listado, pero típico en todo lo demás. Las plumas del ala están muy nuevas para tratarse de un ejemplar de 2º año cal. a final de invierno, pero el límite de muda en las coberteras grandes es típico de esta edad. A diferencia de las ♀♀ adultas y los ♂♂ de todas las edades, este es el único plumaje sin un pecho oscuro patente.

límite de muda en las coberteras grandes, indicando 1er invierno

ausencia (o casi ausencia) de un pecho oscuro, típica de este plumaje

ejemplar con listado bastante contrastado; no raro en este plumaje

▼ **♂ (enero)**
Todos los plumajes tienen un patrón similar en la parte inferior del ala, no muy distinto del que muestran los zorzales papirrojo, eunomo y de Naumann; estas dos últimas especies, sin embargo, tienen las partes rojizas o canela más extensas.

tintes rojizos en las plumas de vuelo, quizá indicando una influencia de zorzal eunomo o de Naumann

típicamente, color canela

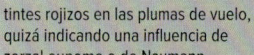

Zorzal papirrojo *Turdus ruficollis*

L 24,5 cm | Divagante de Siberia central

Tord gola-roig CAT
Birigarro papargorria EUS
Tordo de papo rubio GAL

▼ **Adulto ♂ (mayo)**

Inconfundible, pero dada la extrema rareza de esta especie en Europa, se deben tener en consideración otros zorzales, quizá con plumaje aberrante, o escapados de cautividad.

rojizo-anaranjado liso (incluyendo lista superciliar) donde el ♂ de zorzal papinegro es negro

▼ **1er invierno ♂ (octubre)**

Como sucede en el zorzal papinegro, los ♂♂ de 1er invierno y las ♀♀ adultas son muy similares en otoño. El datado correcto es esencial para poder sexar un individuo. En este caso, el límite de muda en las coberteras grandes indica que se trata de un 1er invierno.

límite de muda en las coberteras grandes, indicando 1er invierno

patrón y coloración típicos tanto de ♂ de 1er invierno como de ♀ adulta

tonos rojizos extensos

▶ **2º año cal. ♀ (mayo)**

Este plumaje es similar al de 1er invierno en otoño. En este ejemplar, parece que todas las coberteras grandes han sido retenidas y, por lo tanto, son aún de tipo juvenil. Las aves con tonos rojizos menos desarrollados pueden parecerse al zorzal papinegro, pero siempre muestran algo de rojizo en la garganta, la lista superciliar y la base de la cola. Los tonos rojizos alrededor del ojo son casi iguales que los del lateral del cuello, también en aves poco coloridas (en el zorzal de Naumann, la lista superciliar es más pálida, sin tonos rojizos conspicuos).

coberteras grandes con márgenes blancuzcos, típicos de esta edad

pardo rojizo en todos los plumajes

▼ **Adulto ♀ (otoño/invierno)**

En un ♂ adulto, la garganta y el pecho serían rojizos y uniformes. Los tonos rojizos muy conspicuos en la base de la cola difieren del zorzal papinegro, pero la zona dorsal y las partes inferiores traseras son idénticas. La ausencia de manchas anaranjadas en los flancos traseros y en las infracoberteras caudales son un rasgo útil para descartar un ejemplar de zorzal de Naumann poco colorido.

siempre algo de rojizo en la lista superciliar

típicamente rojizo, pero más limitado en las ♀♀

blanco liso (cf. zorzal de Naumann)

todas las plumas alares de tipo adulto (coberteras y terciarias sin puntas pálidas)

▶ **Tipo adulto ♂ (junio)**

Las infracoberteras alares son pardo-rojizas o anaranjadas en todos los plumajes. Solo los ♂♂ adultos muestran, a veces, algo de rojizo en las infracoberteras caudales.

parte inferior de la cola rojiza o anaranjada en todos los plumajes

Zorzales híbridos

HIBRIDACIÓN

La hibridación entre los zorzales eunomo, de Naumann, papinegro y papirrojo parece ocurrir regularmente en Siberia central, allí donde las distintas distribuciones se encuentran. El retrocruzamiento es posible, puesto que los híbridos son (por lo menos en parte) fértiles. Esto resulta en una gran variabilidad de plumajes. Todas las aves con rasgos intermedios podrían ser resultado de una hibridación, o bien estos rasgos ser la manifestación de un flujo genético ancestral perteneciente a otra especie.

ZORZAL EUNOMO × ZORZAL DE NAUMANN

Los supuestos híbridos de este tipo muestran una o más de las siguientes características (pero a veces pueden mostrar otras irregularidades):
- mezcla de manchas anaranjadas y negras en las partes inferiores, o presencia de pardo y negro en cada mancha/pluma
- flanco con patrón relativamente débil
- patrón cefálico más débil que en un zorzal eunomo puro, pero parecido a esta especie en lo demás
- base pardo-rojiza de la cola en aves parecidas al zorzal eunomo en todo lo demás

▼ Tipo zorzal eunomo × zorzal de Naumann
Un híbrido muy claro, con una mezcla de rasgos de ambas especies. Algunos ejemplares pueden ser muy parecidos al zorzal eunomo, pero tienen la base de la cola pardo-rojiza.

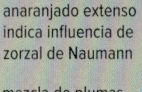

anaranjado extenso indica influencia de zorzal de Naumann

mezcla de plumas negras y anaranjadas

▶ Tipo zorzal eunomo × zorzal de Naumann
Las partes inferiores son parecidas a las del zorzal de Naumann, pero el ala es más típica del zorzal eunomo. Las auriculares y el píleo son demasiado oscuros para un zorzal de Naumann; muchos híbridos de este tipo tienen un pecho con un patrón muy denso, más típico del zorzal eunomo.

▼ Tipo zorzal eunomo × zorzal de Naumann
Este ejemplar muestra una mezcla de características de ambas especies. El patrón cefálico y la parte visible de las escapulares (con centros oscuros y anchos), tienen mucha semejanza al zorzal eunomo.

manchas negras triangulares, típicas del zorzal eunomo

patrón y coloración intermedia entre especies

naranja, típico del zorzal de Naumann

▶ Tipo zorzal eunomo × zorzal de Naumann, 1er invierno (octubre)
Este ejemplar tiene un patrón alar que recuerda al del zorzal eunomo y un patrón cefálico más típico del zorzal de Naumann; las partes inferiores son una mezcla de ambas especies.

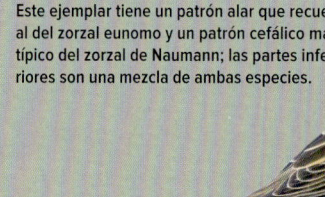

ZORZAL PAPINEGRO × ZORZAL PAPIRROJO

Los supuestos híbridos de estas dos especies muestran una o más de las siguientes características:
- mezcla de rojizo y negro en el pecho
- plumas rojizas en el cuello y/o en la lista superciliar en aves parecidas al zorzal papinegro
- base de la cola rojiza en aves parecidas al zorzal papinegro

▶ **Híbrido parecido al zorzal papirrojo (noviembre)**
Aunque bastante parecido al zorzal papirrojo, este ejemplar es bastante fácil de reconocer como híbrido por los tonos negruzcos del pecho.

▼ **Supuesto híbrido entre zorzal papinegro × zorzal papirrojo, 1er invierno ♂ (febrero)**
Este ejemplar es muy parecido a un zorzal papinegro puro, pero algunas características indican una cierta influencia de zorzal papirrojo (o, posiblemente, zorzal de Naumann, como ha sido probado genéticamente en un divagante de Bélgica). El hecho de que los híbridos de primera generación puedan ser muy similares a uno de sus dos progenitores es aún incierto; quizá para este ejemplar un retrocruzamiento es una mejor explicación. Téngase en cuenta que los márgenes pardos de las secundarias no son signo de hibridación, puesto que estos se dan en ambas especies.

anillo ocular rojizo y algunas plumas ligeramente rojizas en la lista superciliar y en el cuello

▼ **Detalle, cola, supuesto zorzal papinegro × zorzal papirrojo, 1er invierno ♂ (febrero)**

pardo rojizo bastante extenso

rectrices centrales puntiagudas, típicas de 1er invierno (de ambas especies)

Zorzal rojigrís *Turdus obscurus*

L 22 cm | Divagante de Siberia

▼ 1er invierno ♂ (octubre)
La identificación de un ejemplar con este plumaje es bastante sencilla. La determinación de la edad se basa, fundamentalmente, en las puntas pálidas y bien definidas de las coberteras grandes. Un ave de 1er invierno con la cabeza grisácea y el flanco anaranjado es un ♂.

patrón cefálico llamativo en todos los plumajes

coberteras grandes aún juv. con puntas pálidas triangulares

pardo anaranjado liso, contrastando con el vientre blanco, característico en todos los plumajes

patas amarillentas y pálidas en todos los plumajes

▼ 1er invierno ♀ (febrero)
Las ♀♀ adultas son a menudo similares a las ♀♀ de 1er invierno, con la garganta blanca y una infrabigotera pálida y larga. Sin embargo, las aves adultas tienen todas las coberteras grandes de tipo adulto (véase ♂ adulto) y, generalmente, la cabeza y el cuello un poco más grisáceos.

partes superiores pardo-oliváceas (cf. ♂ de 1er invierno)

garganta e infrabigotera blancuzcas, típicas de las ♀♀

anaranjado pálido

puntas pálidas típicas del 1er invierno

▼ Adulto ♂ (mayo)
Algunas ♀♀ (supuestamente de edad avanzada) pueden tener un plumaje similar, pero la mayoría tienen los tonos grises-azulados en las auriculares muy restringidos, la garganta más pálida, una lista malar marcada (oscura) y una infrabigotera también definida (clara), como sucede en aves de 1er invierno.

todas las coberteras grandes de tipo adulto (sin punta blancuzca triangular y aún sin desgaste)

gris azulado liso extendiéndose hacia el pecho (cf. ♂ de 1er invierno)

▼ 1er invierno ♀ (noviembre)
Visto desde atrás, se podría llegar a confundir con un zorzal alirrojo, pero las partes superiores, el flanco y las patas tienen una coloración más pálida. A diferencia del ♂ de 1er invierno (arriba a la izquierda), este ejemplar ha reemplazado diversas coberteras grandes, lo cual ha creado un límite de muda patente.

límite de muda en las coberteras grandes (las internas son nuevas, mudadas, y sin puntas blancuzcas)

cabeza apenas más gris que la zona dorsal (cf. ♂)

anaranjado pálido, a menudo con un cierto moteado difuso (cf. ♂ de 1er invierno)

▶ 2º año cal. ♂ (mayo)
Las infracoberteras alares son grisáceas en todos los plumajes.

grisáceo

Zorzal siberiano *Geokichla sibirica*

L 21 cm | Divagante de Siberia

▼ **1er invierno ♂ (septiembre)**
Imagen infrecuente de un ejemplar en un espacio abierto. Algunos ♂♂ de 1er invierno aún tienen las partes inferiores parecidas a las de las ♀♀.

▼ **2º año cal. ♂ (mayo)**
Los ♂♂ son inconfundibles, pero a causa de sus hábitos muy discretos son difíciles de observar bien. En otoño, los ♂♂ de 1er invierno son casi idénticos pero, en este ejemplar, las puntas pálidas de las coberteras grandes juveniles casi han desaparecido a causa del desgaste. Además, este ejemplar ha mudado la cabeza a un patrón ya parecido al del ♂ adulto.

coberteras grandes parduzcas con puntas pálidas en forma de cuña

lista superciliar muy llamativa

plumas de vuelo juv. parduzcas contrastando con la zona dorsal más azulada (cf. ♂ adulto)

moteado pálido variable

▼ **Adulto ♂ (junio)**
Es poco probable que un divagante con este plumaje aparezca en Europa en esta época del año; la mayor parte de citas corresponden a aves de 1er invierno en otoño.

lista superciliar aún más llamativa que en el ♂ inmaduro, a causa de un plumaje negro azulado uniforme (cf. ♂ inm.)

plumas alares azuladas (cf. ♂ inm)

los adultos también tienen puntas blancas en las infracoberteras caudales (pero más pequeñas que las aves de 1er año)

patas amarillas, incluidas las uñas

▼ **2º año cal. ♀ (mayo)**
En otoño, las ♀♀ de 1er invierno son casi idénticas. Las coberteras medianas de este ejemplar han sido mudadas a tipo adulto. Las ♀♀ adultas también son muy parecidas, pero tienen puntas pálidas más pequeñas en las coberteras grandes, parecidas a las de las coberteras medianas.

patrón cefálico muy moteado en el cual resalta la lista superciliar, la brida, la infrabigotera y la lista malar

coberteras grandes juv. con puntas pálidas relativamente grandes, en forma de cuña

pico grueso

manchas características en forma de media luna (como en el zorzal dorado)

patas anaranjadas o amarillentas, pálidas

▼ **♂ (abril)**

blanco extenso

patrón característico compartido con el zorzal dorado

► **♀ (mayo)**
Parecido al zorzal dorado en esta imagen, pero la zona ventral tiene un patrón menos marcado.

Zorzal americano *Turdus migratorius*

L 24 cm | Divagante de Norteamérica

▶ Adulto ♂ (abril)
Inconfundible. Los ♂♂ tienen la cabeza negra y las partes inferiores de color rojo anaranjado intenso; algunas ♀♀ pueden aproximarse a una coloración parecida. La extensión de negro en la garganta varía tanto geográfica como individualmente, y también lo hace la extensión de negro hacia la nuca.

distribución característica de blanco alrededor del ojo (en todos los plumajes)

▶ Tipo adulto ♀ (junio)
En primavera, las ♀♀ tienen generalmente la cabeza más gris, ligeramente más pálida, y las partes inferiores anaranjadas un poco menos uniformes que los ♂♂. La mandíbula superior suele ser parcialmente oscura (a menudo enteramente amarilla en el ♂ adulto).

▼ ♀, supuesto 1er invierno (enero)
Un ejemplar con una extensión mínima de naranja en las partes inferiores y también muy poco negro en la cabeza. Esto podría llevar a confusión con otras especies de zorzal. El datado puede ser complicado cuando el límite de muda en las coberteras grandes no es apreciable (o cuando todas ellas han sido mudadas). Aquí, las coberteras grandes internas parecen ser más largas y no tienen una punta pálida; por otro lado, las primarias son bastante puntiagudas y parecen tener un cierto desgaste. Esto, junto con el plumaje bastante pálido, es indicativo de un 1er invierno.

▼ 1er invierno/2º año cal., probable ♂ (abril)
En aves de 2º año cal., las partes negras de la cabeza y los tonos anaranjados intensos del flanco (como en el ejemplar de la imagen) indican ♂. El límite de muda en las coberteras grandes es característico de esta edad.

el límite de muda indica 1er invierno/2º año cal.

parte trasera del vientre e infracoberteras caudales blancas (cf. ♀ de mirlo común con coloración anaranjada)

■ Mirlo común ♀ (diciembre)
Algunas ♀♀ de mirlo común tienen el pecho bastante rojizo, pero ni siquiera los ejemplares más extremos se acercan a la coloración intensa del zorzal americano.

▶ ♂ (octubre)

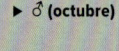

naranja intenso, como el pecho y el flanco, en todos los plumajes

puntas blancas

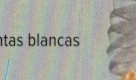

Zorzales europeos en vuelo

▶ Zorzal rojigrís

▶ Zorzal charlo

▶ Zorzal papinegro (tipo híbrido)

▶ Zorzal eunomo

▲ Zorzal siberiano

▲ Zorzal papirrojo

▲ Zorzal real

▲ Zorzal dorado

▲ Zorzal alirrojo

▲ Zorzal de Naumann

▶ Mirlo común

◀ Zorzal común

◀ Mirlo capiblanco

CATHARUS

Los zorzales del género norteamericano *Catharus* son más pequeños que las especies europeas y pueden recordar, superficialmente, al zorzal común. Las 4 especies tratadas aquí comparten diversas características, destacadas en esta imagen de zorzalito carigrís. Un ave de 1er invierno se puede distinguir de un adulto por las puntas blancuzcas de las coberteras grandes juveniles y, a veces, de las terciarias (si han sido retenidas). En fotografías muy buenas y desde un ángulo adecuado, las rectrices más estrechas y puntiagudas también son indicativas de aves inmaduras.

coberteras grandes juv.
con puntas pálidas en
forma de cuña

sin puntas pálidas en las coberteras
medianas (o puntas muy pequeñas)
(cf. zorzal común)

proyección primaria larga y
proyección caudal relativamente
corta (ambas de longitud similar)
(cf. zorzal común)

moteado oscuro diluyéndose hacia los
flancos, que son parduzcos o grisáceos
bastante lisos (cf. zorzal común)

tarso a menudo con la parte delantera oscura
(excepto zorzalito rojizo; cf. zorzal común)

◀ **Zorzalito carigrís, 1er invierno**

todas las especies del género
Catharus tienen una franja pálida y
ancha en la parte inferior del ala

Con un vuelo rápido y hábitos muy discretos, el
patrón de la parte inferior del ala acostumbra a ser
difícil de observar. Por la parte superior, la franja
pálida queda oculta bajo las coberteras grandes.

◀ **Zorzalito colirrufo**

Patrón cefálico de los zorzalitos

▼ **Zorzalito de Swainson**

sin diferencia de color

anillo ocular ancho y completo

lista superciliar pálida delante del ojo, a menudo amarillenta

mancha oscura en la brida

▼ **Zorzalito carigrís**

anillo ocular débil y a menudo incompleto

diferencia de color (auriculares más grises)

sin lista superciliar patente; brida bastante uniforme

▼ **Zorzalito colirrufo**

anillo ocular (casi) completo, frecuentemente más oscuro (partido) aquí

más gris que el píleo

moteado oscuro bastante extenso, que genera un cierto capirote

brida bastante pálida y uniforme

lista malar a menudo muy evidente

▼ **Zorzalito rojizo**

anillo ocular habitualmente poco patente, a veces casi inexistente

auriculares pálidas, grisáceas

brida pálida y uniforme

lista malar variable (a veces casi ausente)

Zorzalito de Swainson *Catharus ustulatus*

L 17,5 cm | Divagante de Norteamérica

Griveta de Swainson CAT
— EUS
Tordiño de Swainson GAL

▼ 1er invierno (octubre)

Con un patrón cefálico no muy distinto (véase PATRÓN CEFÁLICO DE LOS ZORZALITOS, p. 835), este es el *Catharus* más parecido al zorzal común. Sin embargo, aquella especie tiene puntas pálidas patentes en las coberteras medianas, un moteado negro más contrastado y uniformemente distribuido en las partes inferiores, y patas rosadas más uniformes (exceptuando el zorzalito rojizo, los *Catharus* tienen el tarso más oscuro en la parte delantera). Las puntas pálidas en forma de cuña en las coberteras grandes juveniles son diagnósticas de 1er invierno. Mientras que el zorzalito de Swainson tiene 2 emarginaciones, las otras especies del género tienen 3.

▼ Tipo adulto (mayo)

Combinación característica: patrón cefálico bien definido, color de fondo amarillento en la cara y partes superiores y cola muy uniformes. El zorzalito colirrufo tiene un contraste de color entre la zona dorsal y la cola, y el zorzalito carigrís tiene un patrón cefálico más débil, sin tonos amarillos.

gris-pardo

moteado oscuro sobre color de fondo amarillento, convirtiéndose gradualmente en un moteado más difuso en la parte inferior del pecho

solo 2 emarginaciones

Zorzalito carigrís *Catharus minimus*

L 18,5 cm | Divagante de Norteamérica

Griveta galtagrisa CAT
— EUS
Tordiño de fazulas cinsentas GAL

▼ 1er invierno (octubre)

Un ejemplar con moteado bastante denso. El patrón cefálico constituye la diferencia más importante con otras especies del género *Catharus*; véase ZORZALITOS (GÉNERO CATHARUS) • INTRODUCCIÓN, p. 834.

▼ 1er invierno (noviembre)

La extensión y el grosor del moteado del pecho es variable en todas las especies del género *Catharus*. En comparación con las otras especies, el zorzalito carigrís tiene las partes superiores, de promedio, más oscuras y de tonos pardos más fríos.

puntas pálidas en las coberteras grandes, típicas del 1er invierno

generalmente, moteado denso en todo el pecho; manchas más anchas que largas

pardo-gris bastante oscuro

moteado más pequeño y menos denso en este ejemplar, más parecido al del zorzalito de Swainson

Zorzalito colirrufo *Catharus guttatus*

L 17,5 cm | Divagante de Norteamérica

▼ **1ᵉʳ invierno (octubre)**
Un ejemplar bastante pardo, típico de las poblaciones nororientales de Norteamérica, donde ocurren diversas subespecies (en las que las partes superiores y la parte trasera de los flancos se vuelven más grises cuanto más al oeste). Las puntas pálidas de las coberteras grandes son diagnósticas de un 1ᵉʳ invierno. Para apreciar los detalles del patrón cefálico, véase PATRÓN CEFÁLICO DE LOS ZORZALITOS, p. 835.

▼ **1ᵉʳ invierno (octubre)**
Un individuo bastante grisáceo, fotografiado en la costa este de Norteamérica durante la migración, posiblemente perteneciente a las poblaciones/subespecies occidentales.

pardo rojizo típico, contrastando con el resto de las partes superiores

moteado grueso y denso, en algunas partes formando franjas; el moteado alcanza el vientre

lista superciliar muy débil o ausente

coberteras grandes juv. con puntas blancuzcas

pardo rojizo característico, contrastando con la zona dorsal

márgenes pardo-rojizos en las plumas de vuelo, típicos

a menudo 4ª emarginación (débil)

Zorzalito rojizo *Catharus fuscescens*

L 17,5 cm | Divagante de Norteamérica

▼ **1ᵉʳ invierno (octubre)**
El representante del género más pálido y menos moteado.

▼ **2º año cal. (mayo)**
Casi idéntico al adulto, pero nótese el límite de muda en las coberteras grandes.

pardo ocráceo relativamente pálido

puntas pálidas diagnósticas de 1ᵉʳ año

moteado débil y difuso, poco patente

gris pálido

límite de muda en las coberteras grandes: las internas de tipo adulto son más largas y carecen de puntas pálidas

Roquero rojo *Monticola saxatilis*

L 18,5 cm | Verano, montañas de S y C Europa

▼ Adulto ♂ (mayo)

Inconfundible. Además de los colores vivos y contrastados de los ♂♂, la estructura única facilita la identificación. El datado no siempre es fácil, pero en este ejemplar todas las plumas de vuelo son muy oscuras y parecen de una misma generación; no se aprecian diferencias o contrastes en las coberteras medianas y grandes. La cabeza de color gris azulado, la mancha blanca extensa en el dorso y las puntas pálidas poco patentes en la zona ventral también son rasgos indicativos de adulto.

▼ 2º año cal. ♂ (marzo)

Además del contraste de muda señalado (siendo aquí todas las coberteras grandes aún juveniles), las puntas pálidas bastante extensas en las plumas corporales también indican que se trata de un ave de 2º año cal. Estas plumas han sido mudadas durante el invierno, y sus puntas pálidas están aún muy nuevas y tardan más tiempo en desgastarse que las puntas más pequeñas de los adultos. Muchas aves de 2º año cal. tienen la cabeza más grisácea (no tan azulada) y una mancha dorsal blanca más pequeña, (que desde este ángulo parece inexistente). Este ejemplar es relativamente fácil de datar, pero otras aves son más parecidas a los adultos.

mancha blanca en el dorso de extensión variable (muy extensa en este individuo)

supracoberteras caudales rojizas, especialmente llamativas en vuelo

cola corta con los lados rojizos

ala muy larga que (casi) alcanza la punta de la cola

combinación diagnóstica: cabeza gris azulada, dorso blanco y partes inferiores de color naranja vivo

contraste de muda entre las coberteras medianas, más nuevas y oscuras, y las coberteras grandes, más parduzcas y gastadas, aún juv. (así como también el resto de las plumas alares)

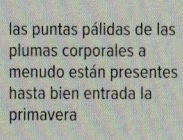

las puntas pálidas de las plumas corporales a menudo están presentes hasta bien entrada la primavera

▶ 1er invierno (octubre)

Durante el otoño, todos los plumajes y sexos son bastante similares. Los adultos realizan una muda completa poco después de la reproducción y adquieren un plumaje muy moteado/barrado, pero también más nuevo. Si se perciben tonos de fondo azulados en el dorso y la cabeza, se trata de un ♂.

ya con un cierto desgaste (a diferencia del adulto)

▼ ♀, supuesto 2º año cal. (mayo)

La ♀ tiene un plumaje más discreto pero es, aun así, característico, con las partes inferiores muy escaladas. La estructura de esta especie es única entre los paseriformes europeos. Las ♀♀ son más difíciles de datar que los ♂♂, pero las plumas de vuelo parduzcas de este ejemplar indican que se trata de un 2º año cal. Sin embargo, nótese que las diferencias con los adultos son pequeñas.

listado/moteado fino

escalado oscuro sobre fondo anaranjado, típico

patas relativamente cortas

▶ ♂ (junio)

En todos los plumajes, las infracoberteras alares son de coloración parecida a la zona ventral. En las aves menos coloridas, puede tender a parduzco.

color similar a los flancos y el vientre

estructura característica en todos los plumajes: proyección primaria muy larga, cola corta e infracoberteras caudales muy largas

Roquero solitario *Monticola solitarius*

L 22 cm | Todo el año, S Europa

▼ **Adulto ♂ (mayo)**
El pico y la cola largos y las patas cortas crean una silueta alargada muy característica.

inconfundible: azul con las alas y la cola casi negras

largo

coberteras primarias azuladas, típicas del adulto

▼ **1er invierno ♂ (septiembre)**
En aves de 1er invierno, los tonos azulados que afloran en la cabeza, el dorso y las partes inferiores son típicos de los ♂♂.

algunas coberteras grandes nuevas, contrastando con el resto del ala, descolorido y apagado, típico del 1er invierno

▼ **2º año cal. ♂ (febrero)**
Las aves de esta edad acostumbran a ser parecidas a los adultos, pero con la mayor parte del ala y la cola aún juveniles. Además, el límite de muda en las coberteras grandes (las internas más nuevas con márgenes azulados) es a menudo visible. Muchas aves también tienen algunas plumas corporales y escapulares más oscuras, apagadas o parduzcas, como en este ejemplar. En esta imagen se aprecia la silueta típica, muy alargada; suele pararse en esta postura sobre piedras, a la vista, durante largos períodos.

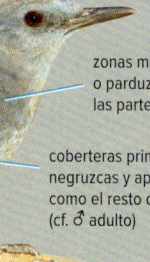

zonas más apagadas o parduzcas (también en las partes superiores)

coberteras primarias negruzcas y apagadas, como el resto del ala (cf. ♂ adulto)

▼ **♀ supuesto adulto (septiembre)**
Las ♀♀ son grisáceas, relativamente pálidas, a menudo con tintes azulados y muy moteadas/barradas. El moteado pálido, grueso y extenso de la garganta es típico de la ♀; compárese con el ♂ de 1er invierno. En este ejemplar, el ala nueva y uniforme apunta a un adulto.

▼ **2º año cal. ♀ (febrero)**
La mayoría de ♀♀ tienen una apariencia similar a este ejemplar, con las partes inferiores muy moteadas y las partes superiores pardas o, a lo sumo, gris plomizo. Algunas ♀♀ (supuestamente de edad más avanzada) pueden ser más azuladas, pero aun así muestran un cierto moteado en la garganta y en el pecho. Muchas aves de 2º año cal. son difíciles de datar, pero este ejemplar puede ser asignado a esta edad gracias al límite de muda en las coberteras grandes. Además, las rectrices bastante puntiagudas también apuntan a esta edad.

1 cobertera grande interna mudada (más gris) indica 2º año cal.

moteado pardo pálido y escalado oscuro, típico de las ♀♀ en primavera

▼ **Adulto ♂ (mayo)**
En vuelo y desde lejos, apariencia oscura y uniforme.

Alzacola rojizo *Cercotrichas galactotes*

L 16 cm | Verano, extremo SO (subespecie nominal *galactotes*) y extremo SE Europa (subespecie *syriacus*)

Cuaenlairat CAT
Buztantentea EUS
Rabiteso rubio GAL

▼ **Tipo adulto, nominal *galactotes*, occidental (mayo)**
Inconfundible en todos los plumajes. El patrón facial marcado y la cola rojiza con marcas blancas y negras en la punta forman una combinación única entre las especies europeas. Su comportamiento también es llamativo en muchas ocasiones: levanta la cola casi verticalmente y la abre en abanico. La zona dorsal y el píleo pardo-rojizos son típicos de la subespecie nominal *galactotes*. A diferencia de la subespecie oriental, las manchas negras de la cola no son muy extensas o incluso pueden ser inexistentes en las poblaciones más occidentales. Este ejemplar fue fotografiado en Israel, en el extremo oriental de la distribución de la subespecie nominal. En esta región, las aves tienen frecuentemente una coloración intermedia entre las poblaciones occidentales y las orientales, y la mayor extensión de negro en la cola, dentro de su subespecie.

▼ **1ᵉʳ invierno, subespecie nominal *galactotes*, occidental (septiembre)**
Las aves de 1ᵉʳ invierno son casi idénticas a los adultos, pero con el plumaje relativamente nuevo en otoño. La muda postjuvenil incluye, generalmente, solo las plumas corporales, por lo cual no hay contraste de muda en el ala. En otoño, los adultos tienen el plumaje muy gastado, a veces con algunas plumas nuevas que forman contraste de muda. El patrón caudal típico se aprecia mejor con la cola abierta o por debajo. En este ejemplar, un divagante fotografiado en los Países Bajos, las franjas negras de las rectrices son inexistentes, lo cual indica una procedencia occidental.

rectrices centrales uniformemente pardo-rojizas (cf. *syriacus*)

cola larga y de color pardo-rojizo intenso, incluidas las supracoberteras caudales

pardo-rojizo; solo un poco más pálido que la cola (cf. *syriacus*)

patrón facial llamativo en todos los plumajes

1ᵉʳ invierno, en otoño con el plumaje bastante nuevo y puntas pálidas en las primarias

patrón caudal característico pero variable; la ssp. occidental *galactotes* tiene la mayor extensión de blanco en r6, pero la menor extensión de negro; hacia el este, gradualmente menos blanco y más negro

▼ **Tipo adulto, subespecie nominal *galactotes*, occidental (abril)**
Este ejemplar fue fotografiado en Túnez. De oeste a este, la extensión de negro en la cola aumenta gradualmente, mientras que la extensión de blanco disminuye. Las poblaciones de Israel y regiones cercanas muestran la mayor extensión de negro dentro de esta subespecie. La ausencia total de negro en las rectrices centrales es típica de este taxón; compárese con *syriacus*.

▼ **Tipo adulto, subespecie oriental *syriacus*, Balcanes y S Turquía (mayo)**
Las aves de las 2 subespecies orientales (*syriacus* y *familiaris*) tienen la zona dorsal y la cabeza pardo-grisácea. Solo *syriacus* ocurre en Europa como nidificante. El patrón de r1 con una mancha negruzca muy larga, difiere claramente de la nominal *galactotes*. La subespecie *familiaris*, del O Asia es aún más grisácea.

rectrices centrales (par de r1) con el centro negro alargándose hacia la base, típico de las subespecies orientales (cf. nominal *galactotes*)

patrón facial aún más pronunciado que en la subespecie nominal *galactotes*; lista superciliar más larga y bigotera más marcada

rectrices centrales (par de r1) pardo-rojizas y uniformes, características de la subespecie occidental, nominal *galactotes*

pardo-grisáceo frío, contrastando con la cola (cf. nominal *galactotes*)

mayor extensión de negro y puntas blancas relativamente pequeñas (cf. nominal *galactotes*)

Petirrojo europeo *Erithacus rubecula*

L 13,5 cm | Todo el año, gran parte de Europa excepto N y NE; verano, N y NE Europa

▼ Adulto (noviembre)

Una especie muy conocida e inconfundible. No hay ningún otro paseriforme europeo con la cara y el pecho rojizos, bordeados de gris.

▼ Subespecie *melophilus*, Gran Bretaña e Irlanda (mayo)

Se destacan en la imagen las sutiles diferencias con la subespecie continental *rubecula*. Fuera de su distribución, la identificación subespecífica solo es posible (quizá) en los ejemplares más evidentes.

pardo más puro y ligeramente más oscuro

obispillo a menudo casi pardo rojizo (aquí no patente)

a menudo rojizo-anaranjado más intenso

frecuentemente, rojizo-anaranjado extendiéndose más hacia abajo

▼ Adulto (enero)

Muchos adultos (pero no todos) también tienen puntas pálidas en las coberteras grandes, como las aves de 1er invierno. Estas suelen ser más pequeñas y con el borde más difuso. Además, nótese la coloración olivácea y uniforme de todas las plumas alares, típico del adulto.

▼ 1er invierno (noviembre)

Las características señaladas muestran las diferencias con el adulto. La presencia de una franja alar pálida no es, en sí misma, un carácter de datado, puesto que los adultos también la pueden tener. Sin embargo, en muchas aves de 1er invierno, las puntas pálidas son más anchas y más bien definidas. El color de las coberteras grandes externas y de las coberteras primarias es, a menudo, el mejor rasgo de datado.

terciarias a menudo con puntas pálidas

▼ Detalle, adulto (enero)

todas las coberteras grandes verde-oliváceas y uniformes; puntas pardo-amarillentas a menudo también en los adultos

coberteras primarias nuevas, con margen verdoso-oliváceo

rectrices puntiagudas (en los adultos, más anchas y redondeadas)

▼ Detalle, 1er invierno (noviembre)

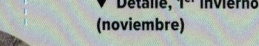

coberteras grandes juv. ligeramente más pardas que las plumas mudadas (cf. adulto)

márgenes pardos en las coberteras primarias, ya un poco gastados en otoño (cf. adulto)

▶ Juvenil (junio)

Este plumaje, reemplazado en gran parte pocas semanas después de abandonar el nido, es relativamente parecido al de los ruiseñores y colirrojos juveniles. La coloración de fondo pardo-amarillenta y la ausencia de tonos rojizos en la cola es útil para descartar otras especies. Además, los ruiseñores tienen las emarginaciones de las primarias más cercanas a la punta del ala. Cuando se inicia la muda parcial postjuvenil, empiezan a aparecer plumas rojizas en la garganta y el pecho.

Ruiseñor común *Luscinia megarhynchos*

L 16 cm | Verano, S a C Europa

▼ **Tipo adulto, posiblemente 2º año cal. (abril)**
Como sucede con el ruiseñor ruso, suele ser difícil de observar, especialmente en otoño. A pesar de no tener rasgos de plumaje muy característicos, es relativamente fácil de reconocer por su plumaje pardo rojizo uniforme, combinado con un anillo ocular pálido y patente, y unas patas largas y pálidas. En primavera, tanto adultos como aves de 2º año cal. son casi idénticos, pero los adultos tienen el plumaje más nuevo. En este ejemplar, las plumas de vuelo un poco gastadas y aparentes restos de puntas pálidas en las coberteras grandes externas indican que posiblemente se trate de un ave de 2º año cal.

▼ **Estructura alar**
En la imagen se señalan las diferencias diagnósticas con el ruiseñor ruso.

proyección primaria ≤ 100 %

2 emarginaciones

7 puntas de primarias visibles por detrás de las terciarias

p1 sobrepasa un poco la punta de las coberteras primarias

anillo ocular llamativo (cf. ruiseñor ruso)

lista superciliar grisácea poco patente

pardo liso y uniforme (cf. ruiseñor ruso)

cola y supracoberteras caudales de coloración viva pardo-rojiza (cf. ruiseñor ruso)

gris-pardo bastante liso (cf. ruiseñor ruso)

álula bastante uniforme (cf. ruiseñor ruso)

▼ **Juvenil (junio)**
La cola larga y rojiza es la principal diferencia, no solo con el petirrojo europeo, también con el ruiseñor ruso.

puntas pálidas en las coberteras grandes de pequeña extensión (cf. petirrojo europeo juv.)

▼ **1er invierno (agosto)**
Ejemplares como este, con coberteras grandes juveniles sin puntas pálidas patentes, son muy parecidos a los adultos.

▼ **Ruiseñor común oriental, *golzii*, de Asia occidental y oriental, 1er invierno (noviembre)**
Esta subespecie es un divagante en Europa. Tiene el plumaje más pálido y menos rojizo que la subespecie nominal *megarhynchos* y, cuando está nuevo, muestra franjas alares patentes. La subespecie *africana*, que nidifica en el E de Turquía, el Cáucaso e Irán, es intermedia.

lista superciliar ancha y larga pero difusa

▼ **Detalle, 1er invierno**

límite de muda en las coberteras grandes (las internas, mudadas, son un poco más largas)

puntas pálidas patentes que generan franjas alares

pardo rojizo más pálido que en la ssp. nominal

a menudo bastante oscuro, contrastando con la garganta pálida (no muy patente aquí)

desgaste en las coberteras primarias

supracoberteras caudales a menudo con puntas pálidas

Ruiseñor ruso *Luscinia luscinia*

L 16 cm | Verano, NE Europa

▼ Tipo adulto (mayo)

Muy parecido al ruiseñor común; en la imagen se señalan las principales diferencias. También se podría confundir con un –muy raro– zorzalito (*Catharus*), especialmente con el zorzalito colirrufo. Sin embargo, los zorzalitos tienen el moteado del pecho más conspicuo y contrastado. La diferencia más importante en comparación con el ruiseñor común se encuentra en las supracoberteras caudales, que son tan pardo-grisáceas como la zona dorsal, y contrastan con la cola. En el ruiseñor común las supracoberteras caudales son del mismo color que las rectrices, y la zona dorsal solo es un poco más pálida. Las infracoberteras caudales tienen a menudo pequeñas manchas oscuras, pero también pueden ser lisas como en el ruiseñor común.

▼ Tipo adulto (mayo)

Los rasgos destacados son característicos en comparación con el ruiseñor común. En una visión frontal son más patentes; desde este ángulo, el ruiseñor común muestra, a lo sumo, una lista malar fina y difusa.

lista malar ancha y pecho difusamente moteado

dorso y supracoberteras caudales del mismo color, contrastando con la cola

pardo-gris, típicamente más frío y grisáceo que en el ruiseñor común

anillo ocular habitualmente débil e incompleto

comisura del pico amarilla, parecida a la del juvenil en todas las edades

moteado difuso, a veces generando una franja pectoral

álula en 2 tonos

▶ Estructura alar

La estructura alar difiere del ruiseñor común en diversos aspectos.

proyección primaria > 100 %

8 puntas de primarias visibles por detrás de las terciarias

solo 1 emarginación

p1 aquí no visible; no sobrepasa la punta de las coberteras primarias

▲ Tipo adulto, posiblemente 2º año cal. (junio)

La cola es la única área verdaderamente pardo-rojiza. En este ejemplar, las partes superiores son bastante pardas. La comisura del pico amarilla y patente, la estructura alar, la lista malar y el pecho moteado son rasgos característicos que se deben tener en cuenta en aves de difícil identificación. Las plumas alares muy gastadas de este ejemplar indican que se trata posiblemente de un 2º año cal., pero a partir de final de primavera los adultos también tienen el plumaje bastante gastado.

▶ 1er invierno (noviembre)

Las puntas pálidas en las coberteras grandes y en las terciarias son típicas de aves de 1er año, plumas que, en gran parte, son retenidas hasta el siguiente año. Estas puntas, bastante patentes, también difieren del ruiseñor común de 1er invierno (nominal *megarhynchos*), que suele tenerlas más pequeñas y menos definidas. Sin embargo, nótese que las aves de las subespecies orientales de ruiseñor común, *africana/golzii*, también pueden mostrar puntas pálidas bastante patentes, especialmente *golzii*.

límite de muda; coberteras grandes internas mudadas a tipo adulto (más largas y sin punta pálida)

▼ Juvenil (junio)

Con una coloración no muy rojiza en la cola, este plumaje se parece más al petirrojo europeo juvenil que el del ruiseñor común. Sin embargo, los tonos pardo-rojizos se intuyen en la cola, las puntas pálidas en las coberteras grandes son pequeñas y el color de fondo del pecho y el cuello es grisáceo; rasgos que lo diferencian del petirrojo europeo juvenil.

terciarias y coberteras grandes juv. a menudo con puntas pálidas bastante grandes de forma triangular

Ruiseñor pechiazul *Luscinia svecica*

L 13,5 cm | Verano, SO, O, C y N Europa

▼ **Ruiseñor pechiazul de "medalla blanca",** *cyanecula*, **Europa continental occidental, adulto** ♂ **(mayo)**
En primavera/verano, los ♂♂ de todas las subespecies son inconfundibles. Dentro de la subespecie *cyanecula* se encuentra la variante conocida como "*wolfi*"; ejemplares extremos que carecen de una mancha blanca en el pecho. Las 2 subespecies que suelen tener el pecho azul sin mancha blanca son *azuricollis* (península Ibérica) y *magna* (E de Turquía y Armenia).

▼ **Ruiseñor pechiazul de "medalla roja",** *svecica*, **Escandinavia y montañas de C Europa, 2º año cal.** ♂ **(junio)**
La mancha pectoral rojiza y grande es típica de esta subespecie, pero véase también la variante de "medalla roja" de la subespecie *cyanecula*. La subespecie *pallidogularis*, propia de Asia occidental (y no tratada aquí), también tiene una mancha rojiza, pero suele ser más pequeña y redondeada; además, tiene el azul del pecho más pálido.

partes superiores lisas y pardo-grisáceas en todos los plumajes después del plumaje juv.

azul brillante liso

mancha blanca de tamaño variable (a veces solo unas pocas plumas blancas)

base de la cola rojiza, característica en todos los plumajes

ancha franja rojiza

mancha rojiza grande y ancha

franja rojiza variable, a menudo bastante estrecha

▶ **Ruiseñor pechiazul de "medalla naranja",** ♂ **(abril)**
Aunque raros, ejemplares con la mancha central del pecho de color anaranjado pálido ocurren en las poblaciones de "medalla blanca".

▶ **Ruiseñor pechiazul de "medalla blanca",** *cyanecula*, **2º año cal.** ♂ **(mayo)**
Muchas aves de 2º año cal. no se pueden distinguir de los adultos. A causa del desgaste del plumaje, los contrastes de muda pueden ser menos patentes y las puntas pálidas de las coberteras grandes pueden haber desaparecido; en este ejemplar aún son muy patentes para tratarse de mayo, e incluso conserva puntas pálidas en las coberteras primarias.

coberteras grandes juv. retenidas (con puntas pálidas)

▼ **Subespecie** *azuricollis*, **península Ibérica, 2º año cal.** ♂ **(mayo)**
La mayoría de aves de esta subespecie carecen de mancha pectoral central, pero, muy ocasionalmente, algunos ejemplares de *cyanecula* también pueden carecer de ella. La identificación fuera de su distribución en época de reproducción es, por lo tanto, imposible. El solapamiento en la anchura (variable) de la franja negra representa una dificultad añadida para la distinción de *cyanecula*.

azul liso (sin mancha central)

a menudo fina franja negra

RUISEÑOR PECHIAZUL DE "MEDALLA NARANJA"
Existen buenas razones para considerar que este patrón de coloración corresponde a ejemplares de "medalla blanca" con plumaje aberrante y no a un taxón diferenciado; el resto de rasgos del plumaje suelen encajar perfectamente con *cyanecula*: estos incluyen la franja inferior anaranjada muy ancha y la franja negra estrecha (sin una fina franja blanca entre ellas). Las aves de "medalla naranja" regresan pronto a sus territorios de reproducción, igual que los de "medalla blanca", pero contrariamente a los de "medalla roja", que no llegan antes de mayo. Después de la muda completa postreproductora, las aves de "medalla blanca" tienen a menudo una pequeña mancha anaranjada (con la base blanca de aquellas plumas). Las plumas del pecho (incluidas las de la mancha central) son mudadas por segunda vez a final de invierno, momento en que las diversas subespecies adquieren su coloración característica. Una posible explicación para los ejemplares de "medalla naranja" en primavera es que no hayan mudado por segunda vez, y que la mancha anaranjada corresponda a plumas retenidas. En estos ejemplares, la mancha tiene, a veces, una apariencia más desgastada que otras plumas del pecho, sugiriendo que la muda invernal fue suspendida o interrumpida. Además, en un estudio minucioso, frecuentemente se puede apreciar una base blanca en las plumas que configuran la mancha (a diferencia de las aves de "medalla roja"); una coloración que puede ser visible en ♂♂ cantores, cuando las plumas pectorales están erizadas.

▶ Tipo adulto ♂ (septiembre)

Los adultos realizan una muda completa después de la reproducción, y en otoño tienen el plumaje nuevo, sin límites de muda. Los ♂♂ vuelven a mudar las plumas de la garganta y del pecho a final de invierno o a principio de primavera, generando el plumaje nupcial con el pecho azul uniforme. En las ♀♀, la muda invernal es más limitada o inexistente. En este ejemplar, el plumaje muy nuevo con todas las coberteras grandes de tipo adulto y una infrabigotera ya muy azul indican que se trata de un adulto.

▼ 1er invierno ♂ (septiembre)

Algunos ♂♂ de 1er invierno muestran ya un patrón pectoral de tipo adulto. Sin embargo, el datado de este ejemplar es posible por tener las plumas alares un poco gastadas, con algunas coberteras grandes internas mudadas. Algunas aves de 1er invierno mudan un número mayor de coberteras grandes y pueden ser más parecidas a los adultos.

todas las plumas alares uniformes y de tipo adulto, sin contraste de muda ni puntas pálidas en las coberteras grandes

patrón cefálico marcado, con lista superciliar larga y lista ocular alcanzando bastante por detrás del ojo

▶ Tipo adulto ♀ (noviembre)

Las ♀♀ de 1er invierno son casi idénticas, pero muestran un contraste de muda en el ala, con puntas pálidas en las coberteras grandes, como en el ♂ de 1er invierno

lista malar larga conectando con el pecho oscuro y moteado

límite de muda (2 coberteras grandes internas mudadas, sin puntas pálidas)

coberteras grandes juv. con puntas pálidas

proyección primaria corta

▶ Subespecie ibérica, *azuricollis* ♂ (mayo)

La base rojiza de la cola es muy llamativa, independientemente de la subespecie y del plumaje (edad, sexo).

base de las rectrices rojiza, especialmente llamativa en vuelo, contrastando con las partes superiores gris-parduzcas

▶ Tipo adulto, ♀ de tipo ♂ (junio)

Algunas ♀♀ tienen el plumaje más parecido al de los ♂♂, a veces incluso más extremo que el ejemplar de la imagen. Las características señaladas en la imagen las distinguen de los ♂♂. Este tipo de plumaje puede ocurrir tanto en *cyanecula* como en *svecica*.

en algunas aves, azul incluso más extenso

garganta blancuzca o más pálida que la parte inferior naranja

franja blanca por encima de la infrabigotera azul (cf. ♂ en primavera/verano)

negro extenso

base rojiza de la cola, diagnóstica (se percibe claramente una cola de 2 colores)

▶ Juvenil (junio)

Patrón contrastado típico, con moteado/listado más grueso y marcado que en el petirrojo europeo, el colirrojo real o los ruiseñores juveniles.

listado marcado (en el petirrojo europeo, el colirrojo real y los ruiseñores, más moteado que listado)

Ruiseñor calíope *Calliope calliope*

L 15,5 cm | Divagante de Asia

▼ **Adulto ♂ (junio)**
Los ♂♂ son inconfundibles en cuanto se puede apreciar el patrón cefálico. Combinación única: lista superciliar e infrabigotera blancas, brida negra y garganta roja brillante. Además del patrón de la cabeza y del pecho, la ausencia de límites de muda en el ala, sin contraste de color entre las coberteras grandes y medianas, indica que se trata de un adulto.

▼ **1ᵉʳ invierno ♂ (enero)**
Después de la muda postjuvenil poco después de abandonar el nido, los ♂♂ de 1ᵉʳ invierno son parecidos a los adultos, pero las plumas alares son mayoritariamente juveniles (todas las plumas de vuelo, todas o casi todas las terciarias y las coberteras grandes), lo cual se percibe sobre todo por las puntas pálidas en las coberteras grandes. Solo las coberteras pequeñas y medianas son mudadas y generan un leve contraste de color (son más grisáceas) con el resto.

la mayoría de adultos tienen una línea negra y una franja gris por debajo de la garganta roja

coberteras grandes aún juv. pero puntas pálidas ya muy gastadas

▼ **2º año cal. ♂ (mayo)**
Como el adulto, pero nótense las diferencias señaladas.

restos de puntas pálidas, indicando 2º año cal.

patrón de la cabeza y la garganta a menudo menos marcado que en el ♂ adulto; garganta negra sin borde negro o con borde incompleto

parduzco (cf. ♂ adulto)

▼ **Adulto ♀ (febrero)**
Muchas ♀♀ adultas desarrollan un patrón cefálico relativamente parecido al del ♂, pero mucho menos extenso y definido (aunque a veces más marcado que en el ejemplar de la imagen). Sin embargo, incluso en individuos extremos, la garganta roja carece de un borde negro en la parte inferior. Puesto que hay solapamiento con los ♂♂ de 1ᵉʳ invierno, un datado correcto es esencial para poder sexar estos individuos. En este caso, se aprecia un ala nueva y uniforme, sin puntas pálidas en las coberteras grandes y sin contrastes de muda.

▼ **1ᵉʳ invierno ♀ (marzo)**
Este plumaje es menos característico, por la ausencia de rojo en la garganta; podría recordar un ruiseñor pechiazul pero aquella especie tiene la base de la cola rojiza y una lista malar oscura que se extiende hasta una franja pectoral oscura.

pardo relativamente cálido y bastante oscuro; sin lista pileal lateral (cf. ruiseñor pechiazul ♀ de 1ᵉʳ invierno)

terciarias y coberteras grandes con pequeñas puntas pálidas, diagnósticas de 1ᵉʳ invierno

lista superciliar marcada y brida negra, pero ausencia de lista malar oscura (cf. ruiseñor pechiazul)

Ruiseñor azul *Larvivora cyane*

L 15 cm | Divagante de Asia

▼ Adulto ♂ (febrero)
Inconfundible. El ala uniforme con márgenes azules en todas las coberteras y plumas de vuelo es diagnóstica de adulto.

▼ 1er invierno ♂ (febrero)
En este plumaje es muy similar al que tiene en otoño, pero el número de coberteras azuladas, reemplazadas durante la muda postjuvenil, es variable. A menudo, esta muda incluye también las supracoberteras caudales y se genera un plumaje diagnóstico.

coberteras pequeñas y medianas mudadas, resto del ala juv.

supracoberteras caudales azules

plumaje escalado típico en muchas aves de 1er invierno y a veces en ♀♀ adultas

el tarso a menudo llama la atención por ser muy largo; patas rosadas y pálidas

▼ Tipo adulto ♀ (enero)
Aunque superficialmente el plumaje es bastante discreto, las características señaladas permiten su identificación.

ojo grande con anillo ocular llamativo

relativamente grueso

márgenes bastante pálidos creando un cierto panel alar (también en aves de 1er año, en ambos sexos)

moteado difuso, a veces con efecto escalado

patas largas y rosadas

cola corta; tonos azulados a menudo difíciles de apreciar con poca luz o en la sombra

▼ 1er invierno ♀ (febrero)
Plumaje idéntico al que muestra en otoño, y ya muy parecido al de la ♀ adulta. Este ejemplar aún se puede reconocer como 1er año por las coberteras grandes juveniles. Exceptuando las coberteras pequeñas y medianas, el resto del ala es aún juvenil, aunque la diferencia con las plumas de tipo adulto es muy pequeña. A partir de primavera las plumas juveniles empiezan a mostrar un desgaste más acusado que en los adultos durante la misma época del año.

a menudo tonos azulados poco desarrollados

▶ Detalle, coberteras juveniles

coberteras grandes juv. con pequeñas puntas pálidas y márgenes ligeramente parduzcos

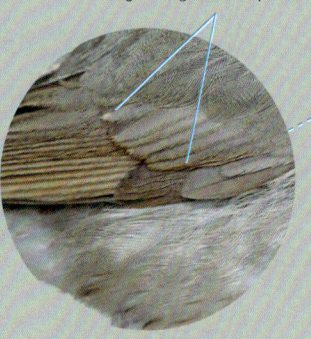

Petirrojo de Irán *Irania gutturalis*

L 17 cm | Verano, extremo SE Europa

Irània CAT
Irania txindorra EUS
Irania GAL

▼ Adulto ♂ (mayo)
En este plumaje resulta inconfundible.

gris-plomizo liso

cola enteramente negra

extensa máscara negra y garganta blanca de anchura variable

naranja variable, habitualmente parecido al de este ejemplar, pero a veces más apagado o menos extenso

▼ Adulto ♂ (mayo)
La máscara negra, garganta blanca y pecho naranja intenso forman un patrón único entre los paseriformes europeos.

► ♂ (mayo)

infracoberteras alares naranjas, como la zona ventral, pero en las ♀♀ a menudo no uniforme

▼ Adulto ♂ (mayo)
Algunos ♂♂ tienen las partes inferiores considerablemente más pálidas, independientemente de la edad.

contraste claro entre las plumas mudadas, de color gris azulado y las juveniles, más parduzcas (plumas de vuelo y coberteras primarias)

◄ 2° año cal. ♂ (mayo)
Ya parecido al adulto, pero nótese el contraste de muda. Además, el patrón cefálico aún no está plenamente desarrollado.

▼ 1er invierno ♂ (noviembre)
A final de otoño, las aves de 1er año mudan las plumas corporales a tipo adulto, lo cual permite reconocer a los ♂♂ y facilita la identificación.

▼ 1er invierno ♀ (noviembre)
Este es el plumaje menos colorido, pero aún así es parecido al de algunas ♀♀ en primavera. Para la identificación en este plumaje es útil la cola completamente negra, el pico robusto, la cabeza bastante lisa y las partes superiores grisáceas.

plumas de vuelo y coberteras primarias gastadas, aún juv.; estas últimas con puntas pálidas

cola completamente negra

a menudo tonos anaranjados muy limitados (a principio de otoño, a veces ausentes)

puntas pálidas, diagnósticas de 1er año

▼ Adulto ♀ (mayo)
En este plumaje, la coloración de las partes inferiores y de la garganta es muy variable.

gris-azulado, a menudo ligeramente más pálido que en los ♂♂ y con tintes parduzcos

bastante grueso

todas las coberteras grandes y coberteras primarias de tipo adulto (aún relativamente nuevas y más azuladas), diagnósticas de adulto (cf. 2º año cal.)

muchas ♀♀ adultas con la garganta blanca parecida al ♂

naranja variable

negruzco uniforme

▼ 2º año cal. ♀ (mayo)
En primavera, este plumaje puede parecerse superficialmente al de la ♀ de colirrojo real, pero nótese el mayor tamaño, y el pico, la cola y las patas más largas. Las coberteras mudadas son uniformes, de color gris plomizo y sin márgenes pálidos, y la cola es completamente negruzca. El contraste de muda en el ala distingue a este ejemplar de una ♀ adulta (del mismo modo que los ♂♂ de 2º año cal.). Muchas ♀♀ adultas tienen los flancos ligeramente más anaranjados pero, por lo demás, son muy parecidas.

anillo ocular pálido y llamativo, pero resto de la cabeza con patrón poco marcado

partes superiores lisas, pardo-grisáceas con tintes plomizos

contraste de muda diagnóstico de 2º año cal.

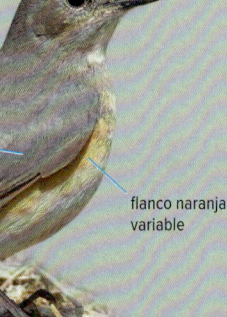

flanco naranja variable

Colirrojo real *Phoenicurus phoenicurus*

L 14 cm | Verano, casi toda Europa excepto Islandia

Cotxa cua-roja CAT
Buztangorri argia EUS
Rabirrubio de testa branca GAL

▼ **Adulto ♂ (abril)**
La máscara y garganta negras, el píleo y el dorso grises, la lista superciliar blanca (o frente blanco que se diluye detrás del ojo) y el pecho anaranjado que se va palideciendo hacia los flancos resultan en un patrón distintivo y una identificación sencilla en este plumaje. La zona ventral central suele ser blancuzca.

todas las coberteras grandes de tipo adulto, y márgenes blancuzcos en las secundarias, típicos de adulto

▼ **Adulto ♂ (agosto)**
Con el plumaje recién mudado, las puntas de las plumas blancas y pardas cubren parcialmente los colores "verdaderos", pero no tanto como en aves de 1er invierno. La brida es ya completamente negra.

negro (casi) uniforme (cf. ♂ de 1er invierno)

todas las coberteras con márgenes grises (cf. ♂ de 1er invierno); puntas pardas también en el adulto con el plumaje nuevo

▼ **1er invierno ♂ (septiembre)**
La garganta negra suele ser poco aparente en los ♂♂ de 1er invierno, a causa de las extensas puntas blancas de las plumas nuevas. En invierno (en África), las puntas pálidas se van gastando, y la garganta completamente negra queda al descubierto: véase el ♂ de 2º año cal., que no ha mudado, pero tiene una apariencia muy diferente del ♂ de este ejemplar, a causa del desgaste.

coberteras grandes internas mudadas, con márgenes grises, resto con márgenes pardos (típicos del 1er invierno, cf. ♂ adulto, agosto)

partes oscuras tapadas por las puntas pálidas de las plumas (cf. ♂ adulto en otoño)

▼ **1er invierno ♂ (octubre)**
Un ♂ de 1er invierno menos obvio, con solo algunas manchas negruzcas en la garganta y en las escapulares. Sin embargo, la presencia de plumas oscuras en estas zonas, así como el pecho de color naranja ya bastante intenso, son típicos de los ♂♂ de 1er invierno.

▼ **2º año cal. ♂ (mayo)**
Ya muy parecido al ♂ adulto, pero nótese el contraste entre las coberteras pequeñas y medianas (mudadas y grises) y el resto del ala, aún juvenil, más parduzco.

mayor parte del ala aún juv. sin márgenes grises, contrastando con las coberteras pequeñas y medianas mudadas, grises, típico del 2º año cal.

▼ **Estructura alar**
Existen diversas diferencias en la estructura del ala, en comparación con el colirrojo tizón oriental. Estas pueden ser de utilidad ante ejemplares de difícil identificación. La punta del ala está formada por p3/4; siempre hay algo de espacio entre p5 y la punta del ala. En cambio, en el colirrojo tizón, p3, p4 y p5 son (casi) de la misma longitud.

p3/4 forman la punta del ala (cf. colirrojo tizón)

a
b

3 emarginaciones (cf. colirrojo tizón)

distancia entre p6–7 (a) ≥ distancia p5–6 (b) (cf. colirrojo tizón)

▼ ♀ (mayo)
Tanto las partes superiores como las inferiores son más pálidas y ocráceas que en el colirrojo tizón de tipo ♀, aunque en condiciones de poca luz esto puede ser difícil de juzgar. El obispillo, las supracoberteras caudales y los lados de la cola rojizos excluyen diversas especies de plumaje igualmente discreto. Existe una cierta variabilidad individual; algunos ejemplares desarrollan una garganta más oscura en primavera. En los individuos más difíciles de identificar, la estructura alar (visible también en esta imagen) puede ser de utilidad. En esta ave parece existir una cierta diferencia de color entre las coberteras pequeñas, medianas y grandes internas, por un lado (más grisáceas), y las coberteras grandes externas por otro (más pardas). En caso de que se tratara de un contraste de muda, esta ave sería un 2º año cal., pero en primavera las ♀♀ suelen ser difíciles de datar, a diferencia de muchos ♂♂.

▼ 1er invierno ♀ (septiembre)
Parecido a una ♀ adulta, pero los márgenes pálidos de las coberteras grandes y coberteras primarias indican que se trata de un 1er invierno. En otoño, la ♀ adulta tiene estos márgenes grisáceos y los centros de las plumas negruzcos.

pálido (cf. colirrojo tizón tipo ♀)

garganta pálida (cf. colirrojo tizón tipo ♀)

ocráceo pálido (cf. colirrojo tizón tipo ♀)

cola típica de "colirrojo"

pálido (cf. colirrojo tizón tipo ♀)

obispillo, supracoberteras caudales y lados de la cola rojizos; un rasgo importante en este plumaje

pardo anaranjado bastante pálido y ligeramente moteado (cf. colirrojo tizón tipo ♀)

▼ Colirrojo real oriental, *samamisicus*, adulto ♂ (febrero)
En esta subespecie, propia de Turquía, el Cáucaso y Oriente Medio, los ♂♂ adultos tienen un panel alar blanco muy extenso, por lo menos en las terciarias y las secundarias (en este ejemplar, muy desarrollado). Estos márgenes blancos y anchos solo aparecen en plumas de tipo adulto. Muchos ♂♂ adultos tienen, además, una garganta negra más extensa que la subespecie nominal *phoenicurus*, a veces extendiéndose hasta el pecho y el manto.

▼ Tipo ♀
Las infracoberteras alares pardas o anaranjadas difieren del colirrojo tizón. El colirrojo tizón oriental también tiene estas plumas pardas o anaranjadas.

▼ 1er invierno ♂, *samamisicus* (septiembre)
Muchos ejemplares de este sexo y edad tienen un plumaje más avanzado –que les da una apariencia más cercana a los adultos–, en comparación con la subespecie nominal *phoenicurus*. Nótese el límite de muda en las coberteras grandes y los márgenes parduzcos (en lugar de grisáceos) de las coberteras primarias, indicativos de 1er invierno. El ♂ de 1er invierno de la subespecie nominal *phoenicurus* puede tener también márgenes pálidos muy llamativos en las terciarias, pero no son tan blancos y suelen ensancharse hacia la punta, en vez de hacia la base.

patrón cefálico de ♂ ya bien desarrollado, a diferencia de los ♂♂ de 1er invierno de la subespecie nominal *phoenicurus*

ya gris (cf. ♂ de 1er invierno, nominal *phoenicurus*)

blanco, típicamente ensanchándose hacia la base

coloración variable; axilares del mismo color, aquí pardo rojizo (cf. colirrojo tizón)

▶ ♀, supuesto *samamisicus* (marzo)
Fuera de sus zonas de cría, la identificación de las ♀♀ no es posible con total certeza. Las aves más "típicas" tienen un panel alar blancuzco bastante patente, la zona dorsal grisácea, un anillo ocular llamativo y manchas rojizas en el pecho (o a los lados del pecho).

Colirrojo tizón *Phoenicurus ochruros*

L 14 cm | Todo el año, S y SO Europa; verano, O y C Europa

▼ **Adulto ♂, subespecie europea *gibraltariensis* (febrero)**
Los ♂♂ son fácilmente reconocibles por su plumaje gris pizarra, con la garganta negra y la cola rojiza –solo las rectrices centrales son oscuras–, incluyendo las infracoberteras caudales.

▼ **Adulto ♀ (diciembre)**
Las aves con plumaje de tipo ♀ son de color "gris ratón", con la cola rojiza. Muchas ♀♀ adultas tienen un cierto panel alar pálido allí donde los ♂♂ lo tienen blanco puro. El plumaje nuevo de este ejemplar, junto a las rectrices redondeadas, apuntan a un adulto y, en consecuencia, a una ♀.

panel alar blanco diagnóstico de adulto (menos patente a partir de primavera a causa del desgaste)

a partir de primavera, negro más liso a causa del desgaste de las puntas grisáceas

puntas nuevas, típicas de adulto

rectrices anchas y redondeadas con puntas oscuras en las externas, típico de adulto

cola típica de "colirrojo"

naranja limitado a las infracoberteras caudales y a la parte posterior del vientre

▼ **1er invierno (febrero)**
Las aves de 1er año que tienen apariencia de ♀ pueden ser también ♂♂ de tipo "*cairii*". Cuando mudan las terciarias, estos ejemplares tienen márgenes blancos y, entonces, el sexado es posible. Este ejemplar, sin embargo, conserva las terciarias juveniles, por lo cual el sexo no se puede determinar. Compárense las plumas de vuelo y las coberteras primarias bastante gastadas con las de la ♀ adulta en invierno (arriba a la derecha).

▼ **1er invierno, tipo "*paradoxus*" ♂, *gibraltariensis* (diciembre)**
Algunos ♂♂ de 1er año (en Europa probablemente una pequeña minoría) desarrollan plumaje de ♂ adulto en su 1er año cal., lo cual permite el sexado. Otros, en cambio, mudan primero a un plumaje tipo ♀, el tipo "*cairii*"; estos individuos no mudan a plumaje de ♂ adulto hasta el verano/otoño del 2º año cal. Un desarrollo del plumaje parecido al de "*cairii*" solo ocurre en un pequeño número de paseriformes ♂ (por ejemplo, el ruiseñor coliazul, el papamoscas papirrojo o el camachuelo carminoso).

gris oscuro (cf. colirrojo real de 1er invierno/ ♀ adulta)

límite de muda en las coberteras grandes, típico de 1er invierno

gris oscuro, casi igual que las partes superiores (cf. colirrojo real de 1er invierno/ ♀ adulta)

coberteras grandes externas juv. retenidas (más gastadas y parduzcas) contrastando con las internas, mudadas (grises); contraste de muda diagnóstico de 1er año

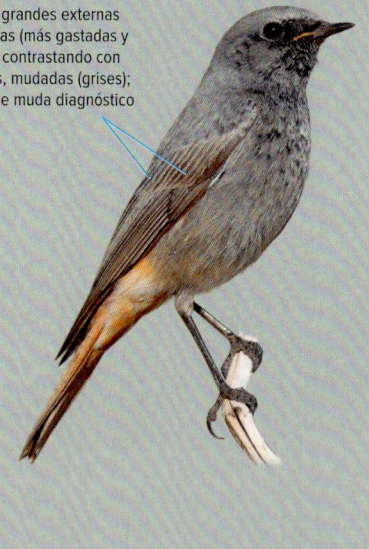

▶ **Juvenil (junio)**
Los juveniles no tienen un moteado pálido como otras especies de colirrojo, ruiseñores, el petirrojo europeo o el ruiseñor pechiazul. El plumaje "suelto" y esponjoso es típico de los paseriformes juveniles en general. Pocas semanas después de abandonar el nido, reemplazan las plumas corporales ya a tipo adulto.

▼ Adulto ♂, "aterrimus" (abril)
Algunos ♂♂ de la península Ibérica tienen las partes superiores y las coberteras completamente negras. No es una forma considerada como subespecie de forma generalizada, pero su apariencia es muy llamativa.

▼ 2º año cal. ♂, nominal ochruros (mayo)
Los ♂♂ de este taxón, propio de Turquía y el Cáucaso, tienen la zona ventral naranja, de extensión variable, sin llegar al pecho. A veces aparecen ejemplares con el vientre naranja en Europa occidental, muy parecidos a *ochruros*. Esto es probablemente una rara variación dentro de *gibraltariensis* que produce una apariencia similar a la subespecie nominal, pero tampoco se puede descartar una hibridación con colirrojo real. El ejemplar de la imagen es claramente un ♂. En este caso, el datado como 2º año cal. es sencillo gracias al contraste de muda en las coberteras grandes (las internas, mudadas, son nuevas y grises), con gran parte del ala aún juvenil, más parduzca y gastada. En consecuencia, se puede considerar a este ejemplar como tipo "*paradoxus*", una variante (no subespecie) en la cual los ♂♂ adquieren apariencia de adulto (excepto el ala) en su 1er año; existen evidencias de que esta forma es más común hacia el este, y menos en las poblaciones occidentales de *gibraltariensis*. La subespecie nominal *ochruros* puede considerarse intermedia entre la occidental *gibraltariensis* y los taxones asiáticos.

▼ Estructura alar
En ejemplares difíciles, las diferencias en la estructura alar entre el colirrojo tizón (oriental) y el colirrojo real pueden ser útiles, a través del análisis de buenas fotografías. La punta del ala está formada por p5, junto con (a menudo no visible) p4.

distancia entre p6–7 (a)
c. 2× distancia entre p5–6 (b)
(cf. colirrojo real)

a

b

4 emarginaciones
(cf. colirrojo real)

▼ 1er invierno o adulto ♀ (marzo)

gris parduzco (cf. colirrojo real y colirrojo tizón oriental)

■ Colirrojo real, estructura alar
Siempre hay algo de espacio entre la punta de p5 y la punta del ala; p3/4 y p5 nunca son de la misma longitud, como sucede en el colirrojo tizón. A menudo la punta de p5 está más cerca de la punta del ala (p3/4) que en este ejemplar.

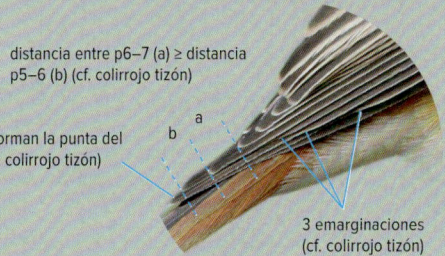

distancia entre p6–7 (a) ≥ distancia p5–6 (b) (cf. colirrojo tizón)

a

b

p3/4 forman la punta del ala (cf. colirrojo tizón)

3 emarginaciones
(cf. colirrojo tizón)

Colirrojo tizón oriental *Phoenicurus ochruros phoenicuroides*

Cotxa fumada "oriental" CAT
Buztangorri ilun ekialdetarra EUS
Rabirrubio tizón oriental GAL

L 14 cm | Divagante de Asia

COLIRROJOS TIZONES ORIENTALES

"Colirrojo tizón oriental" es el nombre con el que se conoce habitualmente al grupo de taxones asiáticos de colirrojo tizón. Entre estos, *phoenicuroides* y *murinus* se han citado en Europa como divagantes. Los ♂♂ de colirrojo tizón oriental tienen diversas características que les distinguen de las subespecies occidentales. En Oriente Medio y en el Cáucaso se encuentra la subespecie intermedia *ochruros* (p. 853) y también *semirufus*. En Europa, los divagantes suelen aparecer a partir de final de octubre, y también hay diversas citas invernales.

▼ 1er invierno ♂, tipo "*paradoxus*" (febrero)

Este es el único plumaje que se ha citado en Europa (para una explicación sobre "*paradoxus*", véase la ficha del colirrojo tizón). Superficialmente, se parece al ♂ de colirrojo real, pero el negro del pecho se extiende hasta más abajo y la coloración naranja de las partes inferiores es más uniforme e intensa. Algunos híbridos de colirrojo tizón × colirrojo real pueden tener un plumaje similar, pero casi siempre tienen una división más recta –pero menos definida– entre el pecho negro y las partes inferiores naranjas, que suelen ser blancuzcas en la zona ventral central y, a veces, en las infracoberteras caudales; además, es habitual que tengan algo de listado negro o gris en el flanco o el vientre. En los híbridos, la estructura alar suele ser intermedia entre el colirrojo real y el colirrojo tizón. En cambio, el colirrojo tizón oriental tiene la estructura alar idéntica al colirrojo tizón.

la coloración anaranjada entra en forma de cuña por los lados del pecho negro y muy redondeado (cf. híbrido colirrojo real × colirrojo tizón)

márgenes blancos de terciarias variables; a veces ausentes, otras bastante extensos

partes inferiores anaranjadas bastante uniformes hasta las infracoberteras caudales (general-mente, solo la parte central del vientre es un poco más pálida)

borde bien definido y redondeado entre el pecho negro y el vientre naranja (cf. colirrojo real ♂)

límite de muda típico de 1er invierno (coberteras grandes internas mudadas con márgenes grises)

► 1er invierno, ♀ o tipo "*cairii*" ♂ (noviembre)

Aún queda mucho por aprender sobre la identificación de este tipo de plumaje. Los ejemplares tipo ♀ son más pálidos que los de colirrojo tizón, a menudo con tonos pardo-rojizos en las partes infe-riores centrales; son pues, más parecidos a las ♀♀ más oscuras de colirrojo real. La estructura alar (igual que la del colirrojo tizón, véase aquella especie) es crucial para la identificación de un posible divagante en Europa. Las características señaladas son variables y posiblemente se solapan con ejemplares extremos de colirrojo tizón o coli-rrojo real. Basándose en la localización de este ejemplar, fotografiado en Omán, podría pertenecer a *phoenicuroides* o a *rufiventris*.

▼ 2º año cal. ♂, tipo "*paradoxus*" (mayo)

Es el mismo plumaje que el 1er invierno, pero las plumas del ala retenidas, aún juveniles, están ya muy gastadas y descoloridas, y contrastan fuertemente con las coberteras pequeñas y medianas, que fueron mudadas a tipo adulto.

▼ 1er invierno ♂ (octubre)

En comparación con el colirrojo tizón, las coberteras alares tienen tonos anaranjados característicos, idénticos a los que muestra el colirrojo real. Que esto pueda ser útil para detectar híbridos es aún incierto.

infracoberteras alares anaranjadas

bastantes ejemplares con franjas oscuras y pálidas alrededor de la infrabigo-tera y la lista malar

más oscuro que el vientre (cf. colirrojo tizón y colirrojo real ♀)

bastantes ejemplares con la parte central de la garganta pálida (bien patente aquí)

a menudo pardo rojizo

▼ **Híbrido de colirrojo real × colirrojo tizón, 2° año cal. ♂ (junio)**
Los híbridos como el de la imagen, fotografiado en Alemania, pueden ser muy similares al colirrojo tizón oriental. Se señalan las principales diferencias, entre las cuales la más típica es el patrón a los lados del pecho (con borde más bien definido en el colirrojo tizón oriental). Este ejemplar de 2° año cal. aún mantiene terciarias y plumas de vuelo juveniles, más parduzcas y gastadas, y por lo tanto no muestra panel alar blanco (véase el híbrido adulto).

▼ **Híbrido de colirrojo real × colirrojo tizón, adulto ♂ (abril)**
Este ejemplar muestra diversas características que permiten reconocerlo como híbrido con relativa facilidad. La estructura alar es intermedia entre el colirrojo real y el colirrojo tizón, con un espaciado también intermedio entre las puntas de p3–6.

blanco extenso

4 emarginaciones, como en el colirrojo tizón (oriental)

distancias intermedias entre p3–6 (cf. colirrojos real y tizón)

panel alar blanco relativamente extenso

mucho blanco (pero se solapa con la extensión máxima en el colirrojo tizón oriental)

pecho negro extendiéndose más abajo del codo del ala, con borde difuso

la coloración anaranjada forma un ángulo más abierto y el borde es más difuso, a veces un poco moteado

manchas oscuras

a veces tonos anaranjados bastante apagados

gris en el flanco

emarginación poco marcada en p6

zona ventral anaranjada pero pálida, aún más en las infracoberteras caudales

listado grisáceo en el flanco (aquí muy limitado)

Colirrojo diademado *Phoenicurus moussieri*

L 12,5 cm | Divagante de N África

Cotxa diademada CAT
Moussier buztangorria EUS
Rabirrubio mourisco GAL

▼ **Adulto ♂ (abril)**
Los ♂♂ son inconfundibles. El panel alar grande y bien definido, el píleo negro, la lista superciliar muy larga y las partes inferiores completamente naranjas, incluyendo la garganta, son únicas.

▶ **Tipo adulto ♀ (enero)**
En las ♀♀ más coloridas (quizá adultos de edad más avanzada), la coloración anaranjada se extiende hasta la garganta, a diferencia de las otras especies de colirrojo. Las partes superiores son gris plomizo.

grisáceo liso

partes inferiores anaranjadas, incluyendo la garganta (un poco más pálida)

▼ **1er invierno ♀ (febrero)**
Las ♀♀ de coloración más apagada (generalmente de 1er invierno) carecen de rasgos muy distintivos. Pueden recordar a una ♀ de tarabilla europea tanto por su estructura como por su comportamiento, más que a un colirrojo. Los rasgos estructurales típicos en combinación con las partes superiores lisas (no listadas) excluyen tanto a la tarabilla europea como al resto de colirrojos. Las plumas alares gastadas son típicas del 1er invierno.

píleo y zona dorsal lisos (cf. tarabilla europea ♀)

▼ **1er invierno ♂ (marzo)**
Como el adulto, pero nótese el contraste de muda.

solo un indicio de panel alar (a veces totalmente ausente)

proyección primaria corta c. 50 % (a diferencia de otros colirrojos)

parduzco-anaranjado, incluso en este plumaje

en este plumaje, más apagado, tonos anaranjados más débiles

la cola puede parecer toda oscura (en todos los plumajes); solo las rectrices externas son rojizas

contraste de muda muy evidente en el ala, típico del 1er invierno

cola corta

tarso largo

Ruiseñor coliazul *Tarsiger cyanurus*

L 13,5 cm | Verano, extremo NE Europa

Cotxa cuablava CAT
Txindor buztanurdin siberiarra EUS
Rabiazul de flancos rubios GAL

▼ **Adulto ♂ (junio)**
En este plumaje de ♂ adulto resulta inconfundible (pero no lo adquiere hasta el 2º invierno).

▼ **Adulto ♂ (octubre)**
Los adultos realizan una muda completa después de la reproducción. Una vez finalizada, los ♂♂ muestran una extensión variable de azul en las partes superiores, y una lista superciliar parcialmente azul. Las coberteras alares son azules. Durante el invierno va apareciendo más azul en la zona dorsal y en la cabeza, a medida que se gastan las puntas parduzcas de las plumas; al mismo tiempo, la lista superciliar se va volviendo más blanca. En otoño, algunos ♂♂ adultos ya son casi completamente azules en las partes superiores. Desde este ángulo, las rectrices aparentan ser bastante estrechas y puntiagudas, lo cual encaja mejor con un 1ᵉʳ invierno. Sin embargo, en esta especie las rectrices de los adultos también pueden ser algo puntiagudas. Para poderlo apreciar correctamente, hace falta verlas de frente.

▼ **Supuesto adulto ♀ (junio)**
En este ejemplar, las plumas alares bastante nuevas, incluyendo las coberteras primarias, indican que se trata de un adulto y, en consecuencia, de una ♀. En junio, un ave de 2º año cal. muestra generalmente un desgaste acusado en el plumaje. Los ♂♂ de 2º año cal. son parecidos a las ♀♀; esto sucede solo en algunas especies de paseriformes, como el papamoscas papirrojo y el camachuelo carminoso.

▼ **1ᵉʳ invierno o adulto ♀ (octubre)**
Una vista frontal que permite apreciar la garganta blancuzca larga y estrecha, que contrasta con los laterales más oscuros.

▼ **Supuesto 2º año cal. ♂ (mayo)**
En primavera, las aves de 2º año cal. son difíciles de sexar. La principal diferencia con una ♀ adulta se encuentra en el desgaste de las plumas alares y de la cola, que es bastante más acusado en el 2º año cal. El ejemplar de la imagen estaba cantando, por lo cual es supuestamente un ♂, aunque las ♀♀ también cantan algunas veces. Algunos ♂♂ de 2º año cal. tienen la cabeza y el dorso ya un poco azulados, igual que algunas ♀♀ adultas.

plumas gastadas, típicas de 2º año cal.

▶ **Supuesto 1ᵉʳ invierno (octubre)**
Los divagantes observados lejos de sus zonas de reproducción europeas son, habitualmente, de 1ᵉʳ invierno. En buenas condiciones de observación, se pueden reconocer fácilmente por tener un patrón cefálico sutil pero característico, con la garganta pálida, estrecha y larga, y un anillo ocular también pálido. Además, suelen mostrar un indicio de lista superciliar delante del ojo y tienen algo de naranja en los flancos, así como la cola y las supracoberteras caudales azuladas. En otoño, las aves de 1ᵉʳ invierno son difíciles de distinguir de las ♀♀ adultas. Este ejemplar parece tener coberteras grandes de tipo juvenil.

(sutil) diferencia de color entre las coberteras grandes (más parduzcas) y las coberteras medianas y pequeñas (más oliváceas), que sugiere 1ᵉʳ invierno

cola y supracoberteras caudales azuladas, pero de intensidad variable (en el ♂ a menudo coloración más viva que en la ♀)

cabeza y ojo grandes

garganta pálida, larga pero estrecha, con los lados más oscuros

flanco naranja (a veces más limitado en la ♀ de 1ᵉʳ invierno)

Tarabilla norteña *Saxicola rubetra*

L 13 cm | Verano, casi toda Europa excepto Islandia

▼ Adulto ♂ estival (abril)
Especie fácil de identificar, sobre todo en este plumaje. La garganta naranja bordeada de blanco, las auriculares oscuras y una lista superciliar blanca, ancha y larga, son características de los ♂♂ en plumaje estival. A final de invierno adquiere las plumas corporales propias de este plumaje. Nótese que este ejemplar tiene todas las plumas muy nuevas (incluyendo las supracoberteras caudales) excepto las plumas de vuelo y las rectrices, que no se han mudado en invierno.

▼ 2º año cal./1ᵉʳ verano ♂ (abril)
Las primarias y rectrices muy gastadas y parduzcas, así como la ausencia de blanco apreciable en la base de las coberteras primarias (aquí quizá oculto bajo las coberteras grandes) son rasgos típicos del 2º año cal. Los lados de la cara no son tan oscuros como en el ♂ adulto y las partes inferiores no son de un naranja tan intenso. La muda parcial de invierno, que resulta en el plumaje estival, es muy extensa (hecho poco común en paseriformes).

lista superciliar llamativa en todos los plumajes; más ancha y blanca en el ♂ adulto estival

auriculares muy oscuras, en algunos casi negro uniforme

en todos los plumajes, patrón muy marcado, con centros oscuros redondeados y márgenes pálidos formando franjas

en verano, naranja liso, un poco más apagado en los flancos

♂ con blanco bien definido en la base de las coberteras primarias

escapulares muy largas en un paseriforme, que a menudo cubren gran parte de las coberteras alares

patrón de la garganta típico del ♂, incluyendo la parte naranja "en punta" y los lados blancos

coberteras grandes gastadas y desteñidas

▼ ♀ estival (abril)
Las ♀♀ en plumaje estival tienen las auriculares más pálidas que los ♂♂, pero algunas pueden ser bastante parecidas a ♂♂ de 1ᵉʳ verano (2º año cal.). Este ejemplar podría ser un adulto, pero el datado de las ♀♀ es, a veces, difícil.

blanco no puro, especialmente cerca del pico (cf. ♂ en primavera); aun así, lista superciliar llamativa

relativamente pálido (cf. ♂)

patrón de la garganta difuso, con tonos anaranjados apagados (cf. ♂)

los centros negros de las coberteras grandes y de las coberteras primarias y el poco desgaste de estas encajan mejor con un adulto

► Supuesto 1ᵉʳ invierno (septiembre)
En otoño, la extensión del moteado del pecho es variable; en este ejemplar es bastante extenso, lo cual suele corresponder con aves de 1ᵉʳ invierno (aunque algunos adultos también pueden tener bastante moteado en esta zona).

► ♀, tipo 1ᵉʳ verano (mayo)
Los rasgos destacados indican 2º año cal. El patrón cefálico, con las auriculares pálidas, y la garganta y partes inferiores pálidas encajan con una ♀.

desgaste acusado

coberteras primarias con puntas pálidas bastante anchas

► Adulto ♂, plumaje invernal (septiembre)
En invierno, el plumaje de ambos sexos es casi idéntico, pero basándonos en el patrón de las coberteras primarias, este ejemplar es un ♂. Las ♀♀ adultas tienen menor extensión de blanco, y con un borde más fino en la base de estas plumas, así como en la cola.

coberteras primarias con la base blanca bien definida, típico del ♂ adulto

en otoño, el moteado oscuro del pecho puede estar presente en todos los plumajes

Tarabilla norteña *Saxicola rubetra*

▼ 1er invierno (septiembre)
En otoño, todos los plumajes son similares. Las aves con un patrón menos marcado pueden parecerse a las ♀♀ de tarabilla europea y siberiana con una lista superciliar más ancha y larga; sin embargo, la zona dorsal, el obispillo y las supracoberteras caudales son característicos de esta especie, con un moteado/listado grueso y patente y centros negruzcos en las plumas. La ausencia de blanco visible en las coberteras grandes internas y en la base de las coberteras primarias indica ♀, pero esta característica es variable y las largas escapulares pueden cubrir las coberteras grandes internas.

▼ 1er invierno ♂ (octubre)
Las puntas pálidas de las coberteras primarias y las rectrices bastante puntiagudas indican 1er invierno; aunque difícil de ver aquí, también el blanco brillante en la base de las coberteras primarias (las ♀♀ de 1er invierno no tienen blanco en la base de las primarias, o lo tienen muy limitado y no blanco puro).

lista superciliar crema pálido en el 1er invierno

plumas nuevas con pequeñas puntas blancas tanto en plumaje otoñal como primaveral, en todas las edades y sexos (cf. tarabilla europea ♀)

base del pico ligeramente más pálida, típico del 1er invierno

sin moteado en este individuo

proyección primaria larga c. 100 % (cf. tarabilla siberiana)

supracoberteras caudales muy largas y con patrón marcado en todos los plumajes (cf. tarabilla europea ♀)

coberteras primarias ya con un cierto desgaste y con puntas pálidas relativamente anchas, típico del 1er invierno

blanco en la base de las rectrices, típico en todos los plumajes; con borde bien definido, típico de los ♂♂

rectrices estrechas y puntiagudas, típicas del 1er invierno

Tarabilla europea *Saxicola rubicola*

L 12,5 cm | Todo el año, S y O Europa; verano, incluyendo C Europa

Bitxac comú CAT
Pitxartxar burubeltza EUS
Chasco europeo GAL

▼ ♂, probable adulto (mayo)
Una especie distintiva que suele dejarse ver bien. Los ♂♂ se reconocen fácilmente por su cabeza negra, los lados del cuello blancos y las partes inferiores anaranjadas. Sin embargo, cabe la confusión con la tarabilla siberiana o la tarabilla del Amur, ambas muy raras en Europa (véanse sus fichas). La cabeza y la zona dorsal se vuelven casi completamente negras a través del desgaste de las plumas, a partir de primavera.

▼ Adulto ♂ (diciembre)
Después de la muda completa a final de verano, los adultos tienen el plumaje completamente nuevo. El "plumaje estival" se desarrolla a medida que las puntas pálidas de las plumas se van gastando, y dejan al descubierto la parte basal (en el cuello, puntas anaranjadas, en la cabeza y el dorso, puntas pardo-grisáceas): véase adulto en primavera (izquierda).

cabeza negra y lados del cuello blancos, patrón típico

mancha blanca de extensión variable (que también depende de la postura del ave)

con blanco, a veces con pocas manchas negruzcas o pardas

naranja variable, a veces limitado al pecho, otras veces cubriendo también buena parte de la zona ventral

coberteras primarias negras con márgenes pardos muy finos, indicando adulto

con plumaje nuevo, puntas pardo-grisáceas y anaranjadas, que se desgastan más adelante

en otoño, cara ya negra en el ♂ adulto

centros de las coberteras negro puro, con márgenes pálidos que casi no alcanzan la base de las plumas, típico del adulto

coberteras primarias con márgenes pálidos pero de anchura uniforme, típico del adulto

♂ (febrero)

En primavera, ejemplares como este pueden ser muy parecidos a la tarabilla siberiana ♂ (véase aquella especie para apreciar las diferencias); estos son más típicos en la subespecie nominal *rubicola* en Europa central, pero también ocurren en el occidente del continente.

mancha blanca muy extensa a los lados del cuello (cf. tarabilla siberiana)

coberteras grandes internas con mucho blanco, pero a menudo parcialmente oculto por las largas escapulares

mucho blanco en este ejemplar (cf. tarabilla siberiana)

flanco solo un poco teñido en este ejemplar (cf. tarabilla siberiana)

▼ 1er invierno ♂ (septiembre)

En otoño, las aves de 1er año son parecidas a los adultos, pero nótense los detalles que indican la edad. Los márgenes y las puntas pálidas de las plumas son más anchos, lo cual da al plumaje una apariencia general más pálida.

terciarias ya mudadas contrastando con las plumas de vuelo juv., más descoloridas

partes más oscuras de la cabeza no negro puro, con puntas pálidas en la brida (cf. adulto)

aparentemente, todas las coberteras grandes mudadas, contrastando con las coberteras primarias y las plumas de vuelo juv., más gastadas y parduzcas

coberteras primarias juv., con puntas pálidas, más anchas hacia la punta (aunque ya bastante gastadas en otoño)

► 2º año cal. ♂ (mayo)

Casi como el adulto en primavera; algunos, apenas distinguibles, pero conservan las coberteras primarias y las plumas de vuelo juveniles, más gastadas y desteñidas que las de tipo adulto. Este ejemplar muestra un límite de muda claro en las coberteras grandes, lo que confirma que se trata de un 2º año cal.

en este ejemplar, tonos anaranjados casi limitados al pecho

límite de muda

▼ 1er invierno ♀ (septiembre)

Casi idéntico a la ♀ adulta; en una observación de campo, generalmente no distinguibles.

coberteras primarias juv. ya gastadas, con puntas pálidas más anchas hacia la punta

▼ ♀ (mayo)

Las ♀♀ carecen de rasgos muy distintivos y pueden resultar superficialmente parecidas a la tarabilla norteña. La combinación de características señaladas es diagnóstica.

listado moderado (cf. tarabilla norteña)

proyección primaria corta c. 50 %

lista superciliar generalmente no muy marcada

pardo-gris variable, a menudo con un fino listado a los lados de la garganta

mancha blanca a menudo presente

ocráceo apagado

en otoño, rectrices ya gastadas típico de 1er año

◄ Subespecie *hibernans*, de Europa occidental ♂ (febrero)

Un ejemplar típico de esta subespecie, con las partes inferiores pardo-anaranjadas, de tono intenso y saturado, pero también con el pileo y la zona dorsal de tonos pardos más cálidos. Raramente muestra partes pálidas en las supracoberteras caudales, a diferencia de muchas aves de la subespecie nominal *rubicola*. De promedio, las ♀♀ también son más oscuras, aunque su identificación subespecífica no es, generalmente, posible.

Tarabilla siberiana *Saxicola maurus*

L 12,5 cm | Divagante de Siberia occidental

Bitxac siberià CAT
Pitxartxar siberiarra EUS
Chasco asiático GAL

▼ ♂ (junio)
Un ejemplar típico; véanse las características destacadas. Algunos ♂♂ de tarabilla europea pueden ser casi idénticos, especialmente cuando no se pueden apreciar las supracoberteras caudales.

"lista superciliar" generada por algunas puntas pálidas no gastadas

poco negro en la nuca (collar blanco casi completo)

naranja concentrado en el pecho

blanco puro o casi puro

■ Tarabilla europea ♂ (febrero)
Ejemplares como este pueden ser muy parecidos al ♂ de tarabilla siberiana, pero nótense las supracoberteras caudales más largas, con listas oscuras (que en la tarabilla siberiana son completamente lisas y pálidas). Sin embargo, estas marcas oscuras pueden desaparecer con el desgaste, y algunas aves las tienen completamente blancas. En estos casos, solo se puede distinguir de la tarabilla siberiana por la ausencia de unas infracoberteras alares uniformemente negruzcas.

manchas oscuras (a partir de primavera, pueden desaparecer por desgaste)

▼ Adulto ♂ (septiembre)
A diferencia de los ♂♂ de 1er invierno, los ♂♂ adultos tienen mucha extensión de negro en la cabeza. En otoño, el tono melocotón de las partes inferiores es típico en todos los plumajes.

coberteras primarias negras, con margen pálido muy fino, típico del adulto

supracoberteras caudales del mismo color que la zona ventral, completamente lisas (cf. tarabilla europea ♂)

color melocotón (cf. tarabilla europea ♂)

"limpio": sin tintes grisáceos y sin listado difuso (cf. tarabilla europea ♂)

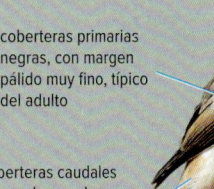

▼ ♀ (junio)
En primavera, las ♀♀ son a menudo más fáciles de distinguir de la tarabilla europea ♀. Rasgos característicos: garganta blancuzca, lista superciliar generalmente bastante marcada, partes inferiores "limpias" y sin listado, y obispillo y supracoberteras también lisos y muy pálidos. La impresión general es de un ave bastante más pálida que la ♀ de tarabilla europea.

lista superciliar pálida, variable

de promedio, color de fondo más pálido que en la tarabilla europea ♀

en primavera, garganta pálida (cf. tarabilla europea ♀ en primavera)

pálido y liso, sin listado difuso (cf. tarabilla europea)

más blanco en las coberteras grandes internas que en la tarabilla europea, pero en una observación de campo puede ser difícil de apreciar si queda oculto tras las escapulares

▼ ♀ (mayo)
Este ejemplar muestra el característico obispillo pálido y extenso, sin listado en las supracoberteras caudales. En verano, a menudo se vuelve completamente blanco, como en los ♂♂.

obispillo y supracoberteras caudales totalmente blancuzcas, con tintes anaranjados o rosados (cf. tarabilla europea ♀)

▼ 1er invierno (octubre)
Un ejemplar típicamente pálido, de apariencia similar a la que muestra la mayoría de divagantes en Europa a final de otoño. El obispillo pálido se extiende hacia arriba, hasta la altura de las dos terciarias superiores, pero su extensión verdadera suele ser visible solamente en vuelo. Las aves sin negro en la cabeza no se pueden sexar, pero los ♂♂ tienen las axilares y las infracoberteras alares negruzcas, más pálidas en las ♀♀.

márgenes relativamente anchos en las terciarias y secundarias, a menudo generando un cierto panel alar

obispillo y supracoberteras caudales crema pálido, completamente lisos

lista superciliar variable, pero a menudo bien desarrollada

listas/franjas pálidas

garganta blanca bastante bien definida

pálido; color salmón o melocotón

flanco pálido y "limpio"

▼ 1er invierno ♂ (octubre)

Un ejemplar otoñal típico, con tonos "melocotón", garganta blancuzca, flancos "limpios", supracoberteras caudales lisas y listas oscuras anchas en la zona dorsal. Una cierta "máscara" oscura es característica del ♂, pero en la subespecie nominal *maurus* algunos ♂♂ de 1er invierno carecen de negro visible en la cabeza (los ♂♂ de 1er invierno de la subespecie *hemprichii* y *variegatus*, supuestamente, siempre tienen algo de negro). Teóricamente, la mayoría de ♂♂ de 1er año mudan las plumas de la cabeza durante el invierno, y solo después pueden ser sexados. Algunas aves de 1er año también mudan algunas coberteras durante el invierno (véase ♂ de 2º año cal. en febrero). En la tarabilla europea, el sexo de las aves de 1er invierno se puede determinar directamente después de la muda postjuvenil, cuando los ♂♂ ya adquieren una cabeza oscura; la tarabilla europea realiza una muda prenupcial más limitada.

▼ 2º año cal. ♂ (febrero)

En aves de 1er año, las coberteras grandes son generalmente reemplazadas más tarde que en las tarabillas europeas de 1er año. Las coberteras nuevas pueden tener ya un patrón adulto, como en este ejemplar. En los ♂♂ de 1er invierno de tarabilla europea, las coberteras mudadas aún mantienen un patrón juvenil, con un margen pálido uniforme hasta la base (véase aquella especie).

plumas anaranjadas a los lados del cuello presentes por bastante tiempo, a menudo hasta mayo, a diferencia de la tarabilla europea

coberteras grandes mudadas con patrón ya adulto en este ejemplar: márgenes pálidos más finos hacia la base, sin alcanzarla

negro alrededor del ojo diagnóstico de ♂, pero algunos ♂♂ son idénticos a las ♀♀ en el 1er otoño

negro puro a menudo llamativo, acentuado por el resto del plumaje bastante pálido

márgenes de terciarias y secundarias bastante pálidos, frecuentemente generando un panel alar (cf. tarabilla europea de 1er invierno)

coberteras primarias juv. con márgenes pálidos ya un poco gastados y puntas pálidas más anchas

▼ 1er invierno ♂ (octubre)

Este ejemplar aún muestra manchas blancas extensas en las infracoberteras alares, pero las infracoberteras grandes son típicamente negruzcas y contrastan fuertemente con las plumas de vuelo pálidas.

■ Tarabilla europea ♂ (noviembre)

Algunos ♂♂ de tarabilla europea tienen las infracoberteras alares bastante oscuras, con las zonas pálidas más restringidas; un patrón, pues, bastante más parecido al de la tarabilla siberiana ♂. Sin embargo, las infracoberteras grandes casi siempre muestran algo de blancuzco, y las plumas de vuelo son más oscuras por debajo, lo cual reduce el contraste con las infracoberteras alares.

típicamente pálido, con márgenes blancos bastante anchos en las hemibanderas internas (cf. tarabilla europea)

negro puro; fuerte contraste con las infracoberteras caudales pálidas

típicamente negruzco (en plumaje nuevo, con zonas blancas)

pálido, como en las ♀♀ de otras especies de tarabilla

variable; de blancuzco a gris oscuro con franjas más pálidas, pero el blanco en las infracoberteras grandes es típico

◄ Patrón de la parte inferior del ala, ♀

El patrón de las infracoberteras alares es, generalmente, bastante similar al que presentan las ♀♀ de otras especies de tarabilla. Algunas tarabillas siberianas las tienen más oscuras, acercándose entonces a los ♂♂ en este aspecto.

Tarabilla siberiana *Saxicola maurus*

▼ Tarabilla del Caspio, subespecie *hemprichii*, norte del Cáucaso, 2º año cal. ♂ (febrero)
En los ♂♂, la gran extensión de blanco en la cola facilita la identificación. En lo demás, el plumaje es idéntico a la subespecie nominal *maurus*, pero junto a *variegatus*, esta es generalmente la subespecie con plumaje más contrastado. A partir de primavera, es prácticamente blanco y negro, con poca extensión de naranja en el pecho.

▼ Patrón caudal, tarabilla del Caspio *hemprichii* ♀ (mayo)
Las ♀♀ apenas tienen blanco visible en la base de las rectrices. En algunas, se puede apreciar algo de blanco en las hemibanderas internas. En lo demás, son idénticas a las ♀♀ de la subespecie *maurus*. En este ejemplar, la extensión de blanco en la cola es quizá extremo, lo cual permite su asignación a *hemprichii*.

parte superior de la cola

parte inferior de la cola

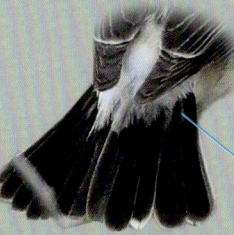

blanco a menudo más visible por debajo

blanco a veces (apenas) visible

mucho blanco a los lados de la cola (50–75 % de la rectriz más externa); "patrón de collalba"

▶ Tarabilla armenia, *variegatus*, sur del Cáucaso y E Turquía, ♂, supuesto adulto (febrero)
Si no fuera por el patrón caudal, este ejemplar sería idéntico a la subespecie nominal *maurus*. Con la cola cerrada, el blanco puede quedar completamente oculto. Las ♀♀ no tienen blanco visible en la cola y son, pues, idénticas a las ♀♀ de la nominal *maurus*.

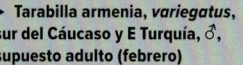

blanco alcanzando, a lo sumo, el 25 % de la longitud de la cola

Tarabilla del Amur *Saxicola stejnegeri*

L 12,5 cm | Divagante de Siberia oriental

Bitxac de l'Amur CAT
Pitxartxar mantxuriarra EUS
Chasco do Amur GAL

▼ 1er invierno (octubre)
Superficialmente, puede resultar similar a la tarabilla europea, a causa de una apariencia general relativamente oscura y una lista superciliar habitualmente no muy marcada. En la imagen se destacan los rasgos de "primera impresión" más importantes.

▼ Adulto ♂ (octubre)
Un ejemplar otoñal como el de la imagen, con todas las coberteras grandes de tipo adulto y márgenes uniformes en las coberteras primarias, es un adulto. Teóricamente, estos son difícilmente distinguibles de la tarabilla siberiana, especialmente en primavera. Sin embargo, los plumajes otoñales son típicamente más oscuros que la tarabilla siberiana y tienen las supracoberteras caudales de tonos anaranjados intensos, con –generalmente– listas oscuras en las más largas. Algunas tarabillas del Amur pueden carecer de estas listas, pero si están presentes son típicas de la especie. Es también parecida a la tarabilla europea, por lo cual ambas especies deben ser descartadas ante un ejemplar sospechoso. Hasta el presente, todas las citas europeas corresponden a ejemplares de 1er invierno a final de otoño.

garganta blanca bien definida

supracoberteras caudales lisas y anaranjadas

flancos traseros "limpios"

coberteras grandes de tipo adulto; centros negros y márgenes pardos que se estrechan y no alcanzan la base de las plumas

obispillo y supracoberteras caudales de tonos anaranjados más intensos que los de las partes inferiores (cf. tarabilla siberiana)

▼ 1er invierno ♂ (noviembre)
La identificación se debe basar en el mayor número posible de
rasgos característicos. Las aves citadas en Europa que mostraron
(casi) todas las características señaladas probaron, más tarde y
gracias a análisis de ADN, ser efectivamente de esta especie.

▼ 1er invierno ♂ (noviembre)
La mayoría de ejemplares son parecidos a la tarabilla siberiana
pero, en otoño, el color de fondo es más oscuro, con tonos más
anaranjados, en lugar de rosados/salmón. El obispillo y las supracoberteras caudales no muestran los tonos rosados de la tarabilla
siberiana de 1er invierno.

lista superciliar más débil que en la
tarabilla siberiana, a menudo no
extendiéndose por detrás del ojo

garganta blancuzca bien
definida, a menudo contrastando con el pecho de tonos
anaranjados patentes

coberteras primarias con márgenes
blancos más anchos hacia la punta,
ya con un cierto desgaste; patrón
típico de 1er invierno

márgenes pardo-anaranjados
en general más oscuros que
en la tarabilla siberiana

anaranjado oscuro, más
oscuro que el color del
flanco, típico de esta
especie; supracoberteras
más largas lisas o con
listas oscuras finas y bien
definidas

base ancha

puntas anaranjadas
en las coberteras
grandes

negro puro (como en
la tarabilla siberiana ♂)

infracoberteras alares negruzcas,
como en el ♂ de tarabilla siberiana,
pero plumas de vuelo no tan pálidas
y, por lo tanto, menos contrastadas

▶ 1er invierno ♂ (noviembre)
En aves de 1er invierno, muchas plumas
tienen puntas pálidas que van desapareciendo más tarde, con el desgaste. Como
sucede en la tarabilla siberiana y la tarabilla
europea, las ♀♀ tienen las infracoberteras
alares más pálidas.

■ 1er invierno, tarabilla siberiana o del Amur (octubre)
Este ejemplar, fotografiado en los Países Bajos, muestra
diversos rasgos que apuntan a la tarabilla del Amur: partes
inferiores y obispillo bastante anaranjados, garganta blancu-
cza bien definida que contrasta con el pecho anaranjado y
lista superciliar moderadamente desarrollada. En cambio, son
más típicos de la tarabilla siberiana las franjas pálidas en la
zona dorsal y las puntas de color salmón en las coberteras
grandes. El aparente flanco oscuro es resultado de tener las
plumas puestas de forma que queda a la vista su base. Sin un
análisis de ADN, la identificación de este ejemplar o de uno
similar es incierta.

Collalbas • Introducción

TOPOGRAFÍA

En la imagen se destacan algunos de los elementos más importantes tanto para la identificación como para el datado de las collalbas. En esta familia, el patrón caudal es importante, pero desde este ángulo no se puede juzgar. La proyección primaria se expresa en forma de porcentaje (véase MOSQUITEROS • INTRODUCCIÓN, p. 741). La proyección caudal se puede comparar con la proyección primaria. En las collalbas, las coberteras pequeñas y medianas no muestran un patrón diferenciado y son mudadas simultáneamente, a diferencia de las coberteras grandes.

coberteras "pequeñas" (incluyendo pequeñas y medianas)

coberteras grandes

coberteras primarias

terciarias (3)

proyección primaria

proyección caudal

secundarias

primarias

▲ Collalba gris, 1er invierno

DATADO EN PRIMAVERA

ADULTO, PRIMAVERA

Algunas aves muestran restos de puntas o márgenes pálidos, pero siempre limitados.

negro-parduzco uniforme, sin contraste de muda

▲ Collalba pía, adulto ♂

límite de muda entre las coberteras grandes internas (mudadas y negras), y las externas (retenidas, parduzcas y desteñidas)

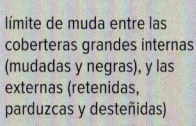

ala aún mayoritaria-mente juv., parduzca, desteñida y gastada

contraste de muda entre las coberteras pequeñas y medianas (negruzcas) y las coberteras grandes externas (parduzcas y gastadas)

coberteras primarias juv. parduzcas a menudo con márgenes pálidos más anchos hacia la punta

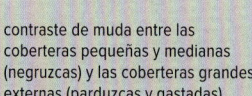

◄ Collalba gris, 2º año cal. ♂

2º AÑO CALENDARIO

En las especies "de ala negra", los individuos de esta edad se pueden distinguir a menudo de los adultos a través de los límites de muda en el ala. En primavera, estos contrastes de muda suelen ser más marcados y fáciles de ver que en otoño, en aves de 1er invierno. Las plumas alares juveniles son de una "calidad" relativamente inferior y, por lo tanto, más vulnerables al deterioro progresivo (descolorido, desgaste de las puntas) que las de tipo adulto. Así pues, el contraste entre ambos tipos de plumas aumenta con el paso del tiempo. Esta diferencia en la calidad de las plumas juveniles y adultas es válida en todas las especies de aves. En las ♀♀, el datado es difícil también en primavera, a no ser que el límite de muda sea obvio.

ADULTO ♂, OTOÑO
Las características señaladas muestran las diferencias con los ♂♂ de 1er invierno en todas las especies "de ala negra".

DATADO EN OTOÑO
En los ♂♂ de las especies "de ala negra" y "garganta negra", el datado es generalmente posible basándose en diversos rasgos. En cambio, en las ♀♀ de todas las especies (y, por ejemplo, en los dos sexos de collalba isabel) el datado es mucho más difícil, aunque a veces se puede apreciar un contraste de muda en las coberteras grandes, en algunos ejemplares de 1er invierno. Por otro lado, el patrón de las coberteras primarias se puede tener en consideración en todas las especies de collalba.

brida negra y lisa; otras partes de la máscara y/o de la garganta a menudo también uniformemente negras

márgenes pálidos en secundarias que no alcanzan la base de las plumas (a menudo también en las coberteras grandes externas y en las medianas, como aquí)

ausencia de contrastes de muda; todas las plumas de la misma generación

plumas de vuelo de color negro puro y nuevas

márgenes finos y bien definidos en las coberteras primarias, a menudo sin alcanzar la base de las plumas

◄ Collalba pía, adulto ♂

1er INVIERNO, ♂ EN OTOÑO
Las características destacadas en la imagen muestran las diferencias con los ♂♂ adultos en otoño. Aunque no siempre es visible en una observación de campo, muchas aves tienen un contraste de muda en las coberteras grandes, con un número variable de internas mudadas, y las externas aún juveniles; a veces, el contraste se encuentra entre las coberteras pequeñas y medianas mudadas, y las coberteras grandes retenidas. En este ejemplar no se aprecian contrastes de muda obvios. Por sí sola, una ausencia de contraste de muda no es, sin embargo, un método de datado fiable; solo su presencia identifica a un individuo como inmaduro.

puntas pálidas de las plumas en la máscara, incluyendo la brida y la garganta (cf. ♂ adulto en otoño)

márgenes pálidos en secundarias que alcanzan la base de las plumas

coberteras grandes con márgenes pálidos, anchos y completos (hasta la base)

márgenes pálidos de las coberteras primarias relativamente anchos, completos, un poco "deshilachados" y ligeramente más anchos en la punta

cierto desgaste; color un poco parduzco

▲ Collalba pía, 1er invierno ♂

Collalba gris *Oenanthe oenanthe*

L 15 cm | Verano, toda Europa

▼ Adulto ♂ estival (abril)
En este plumaje, la especie es fácil de reconocer por tener el píleo y la zona dorsal grises, una máscara negra, el ala negra y tonos amarillentos en la garganta y el pecho. La diferencia principal entre el plumaje primaveral y el otoñal es causada por el desgaste de los márgenes y las puntas de las plumas, que va revelando los tonos negros, grises y blancos.

▼ Adulto ♂ (agosto)
Las aves con una máscara de color negro puro en otoño son ♂♂ adultos, pero nótense también las características del ala. Los rasgos destacados, útiles para el datado, son válidos para todos los ♂♂ adultos de todas las especies de collalba que tienen el ala (mayoritariamente) negra. En particular, la base negra de las secundarias y, a veces, de las coberteras grandes, es característica.

gris puro característico pero, en primavera, a veces aún con tintes parduzcos en el manto (que van desapareciendo con el desgaste)

ala negra y ausencia de contrastes de muda, típico del adulto en primavera

amarillento variable

máscara negra típica, al menos entre el ojo y el pico, también en otoño

base negra en las secundarias (los márgenes pálidos no se extienden hasta la base, cf. 1er invierno)

coberteras primarias con márgenes finos y bien definidos, de anchura uniforme

▶ 1er invierno (septiembre)
Los ejemplares tan pálidos como este pueden llevar a una confusión con la collalba isabel, pero nótense los centros negruzcos de las coberteras y las manchas oscuras en las plumas que cubren la tibia. La subespecie del SE de Europa (*libanotica*) es ligeramente más pálida que la nominal *oenanthe* en todos los plumajes y, de promedio, tiene una franja terminal negra en la cola un poco más estrecha. Las ♀♀ y las aves de 1er invierno de collalba del Atlas también son más pálidas y con una franja caudal negra más estrecha (véase aquella especie).

▼ 1er invierno (septiembre)
En comparación con otras especies de collalba, las partes inferiores uniformes, de coloración cremosa o amarillenta son típicas en otoño. Exceptuando a los ♂♂ adultos, en esta época del año muchos individuos son difíciles de datar y sexar. Los márgenes pálidos muy anchos en las plumas del ala de este ejemplar, que casi ocultan por completo los centros negros, son típicos del 1er invierno. Nótese también el patrón de las coberteras primarias. Algunas aves de esta edad pueden tener unos márgenes más finos (y más negro visible), más parecidos entonces a los adultos. Los contrastes de muda entre las coberteras pequeñas y medianas, y las coberteras grandes o primarias son a menudo muy difíciles de detectar en el campo.

plumas de vuelo bastante oscuras por debajo

pálido con áreas oscuras variables

base blanca más ancha que la franja terminal negra

puntas pálidas de las coberteras primarias más anchas que los márgenes, típico de 1er invierno

◀ Adulto ♀ (septiembre)
El patrón caudal y la coloración de la parte inferior del ala son características importantes para descartar a la collalba isabel (véase también aquella especie).

▼ ♀ (abril)

En comparación con otras especies similares, como la collalba rubia (occidental u oriental) o la collalba isabel, las ♀♀ típicas –y las aves tipo ♀ en otoño– de collalba gris suelen tener las partes inferiores de tonos cremosos pálidos bastante uniformes. En primavera, la coloración gris de las partes superiores es más limitada que en los ♂♂ (más notable en las escapulares). El datado de las ♀♀ acostumbra a ser más difícil que la de los ♂♂. Este ejemplar tiene las plumas del ala aún relativamente nuevas y bastante oscuras, lo que encaja mejor con un adulto.

▼ Adulto ♀ (octubre)

Las plumas blancas en la parte posterior del píleo de este ejemplar son una aberración del plumaje. En general, los plumajes anormales son relativamente frecuentes en las collalbas.

mezcla variable de plumas parduzcas y grisáceas

plumas de vuelo y rectrices anchas, redondeadas y de color negro puro, indicando claramente adulto

todas las partes inferiores de tonos cremosos

márgenes de coberteras primarias finos y de anchura uniforme, también en la punta, indicando adulto

▼ 2º año cal. ♂ (marzo)

Muy parecido al adulto, pero véanse las diferencias. Este ejemplar, fotografiado en Italia, tiene la garganta y el pecho de color naranja muy intenso, lo que es típico de la collalba gris de Groenlandia, subespecie *leucorhoa*; sin embargo, el color del pecho se puede solapar con la nominal *oenanthe*. Sin poder tomar medidas de la longitud alar y de la anchura de la franja negra caudal, la identificación segura de este taxón no es posible. Aunque *leucorhoa* es, de promedio, mayor que la nominal *oenanthe*, también hay solapamiento en las medidas, por lo que solo las aves más grandes se pueden identificar con seguridad. El conocimiento actual indica que esta subespecie migra principalmente por Europa occidental.

▼ Supuesta collalba gris de Groenlandia, *leucorhoa* (octubre)

Junto con la localización sugerente (Azores) del ejemplar de la imagen, las partes inferiores anaranjadas son típicas de esta subespecie en otoño. Sin embargo, algunos ejemplares de la nominal *oenanthe* pueden acercarse o solaparse con este color en la zona ventral, por lo cual la identificación segura fuera de su distribución en época de reproducción solo se consigue a través de las medidas biométricas (longitud alar y anchura de la franja terminal de la cola).

2 coberteras grandes internas nuevas, supuestamente mudadas al mismo tiempo que las plumas corporales (final de invierno), que generan mucho contraste con el resto del ala

ala básicamente parduzca (cf. ♂ adulto en primavera)

contraste de muda entre las coberteras pequeñas y medianas mudadas en otoño, y las coberteras grandes, en su mayoría juv.

Collalba del Atlas *Oenanthe seebohmi*

L 14,5 cm | Divagante de NO África

▼ **Adulto ♂ (abril)**
Similar a una collalba gris pero con la garganta negra, lo que resulta inconfundible. Otras especies de collalba que también tienen la garganta negra no tienen el píleo y la zona dorsal gris pálido, en ningún plumaje. Además, existen otras diferencias más sutiles con la collalba gris. Por ejemplo, la forma del pico es a menudo ligeramente curvada.

▶ **♂ (abril)**
En algunos ejemplares, la garganta negra se extiende hacia el pecho y está conectada con el codo del ala.

pico ligeramente curvado, sobre todo en el culmen, cerca de la punta

variable, pero generalmente garganta negra extensa, a menudo extendiéndose hacia los lados y a veces hacia el pecho

habitualmente, tonos amarillos limitados o ausentes (en este ejemplar, cercanos al máximo)

franja caudal negra relativamente estrecha (de promedio, más estrecha que en la collalba gris)

▼ **Forma del pico**
Varía sutilmente, pero típicamente un poco más robusto y más curvado que en la collalba gris. Algunos (¿especialmente ♀♀?) con una forma cercana a la collalba gris, por lo cual esta característica solo es útil en los ejemplares en los que es más patente.

▶ **♀, garganta oscura (abril)**
Algunas ♀♀ tienen la garganta considerablemente oscura –acercándose a los ♂♂–, y más que en este ejemplar.

proyección caudal relativamente larga en relación con la proyección primaria (cf. collalba gris)

garganta oscura variable

base gruesa

relativamente grueso

culmen bastante curvado

■ **Forma del pico, collalba gris**
Poco variable, volviéndose más fino hacia la punta de forma progresiva (apariencia más puntiaguda).

base poco más gruesa que el resto del pico

fino

culmen poco curvado

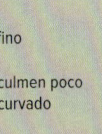

◀ **♀, garganta pálida (abril)**
Como una ♀ de collalba gris con plumaje más apagado; la coloración pálida es, generalmente, lo primero que se percibe en un ejemplar fuera de su distribución regular. Para su identificación, las diferencias estructurales son importantes.
• p1 relativamente larga, indicativa cuando la parte visible sobrepasando las puntas de coberteras primarias es ≥ ½ longitud del pico
• proyección primaria relativamente corta
• proyección caudal más larga que en la collalba gris
• la punta del ala no alcanza la franja caudal negra

▼ 1er invierno (agosto)

En otoño, casi idéntica a la collalba gris. A causa de una proyección primaria relativamente corta, la proyección caudal es bastante larga. Nótese también la base del pico un poco más ancha y el culmen más curvado cerca de la punta.

► 2º año cal. ♂ (abril)

Además del ala parduzca, generalmente con márgenes pálidos, muchos ejemplares muestran un límite de muda en las coberteras grandes, a diferencia de los adultos (igual que en la collalba gris).

ala parduzca apuntando a 2º año cal.

sin amarillo o tonos amarillentos muy limitados

▼ 1er invierno (agosto)

A causa de la proyección primaria relativamente corta, la proyección caudal es bastante larga. Las características señaladas en la imagen probablemente se solapan completamente con las collalbas grises más pálidas, especialmente las de la subespecie *libanotica*. La confusión con la collalba rubia occidental también es posible, a causa de una impresión general pálida. En otoño, muchas collalbas rubias occidentales de tipo ♀ tienen la brida completamente pálida, la garganta llamativamente blanca (contrastando con el pecho cremoso, y una lista superciliar más débil).

► Adulto ♂ (agosto)

Las ♀♀ tienen las infracoberteras alares pálidas, como la collalba gris.

brida bastante oscura y patente (cf. collalba rubia, occidental u oriental, en otoño)

más pálido y cremoso o parduzco que en la mayoría de collalbas grises de 1er invierno

proyección primaria relativamente corta: ≤ 100 % (cf. collalba gris)

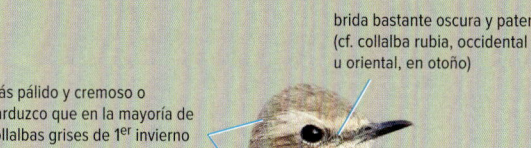

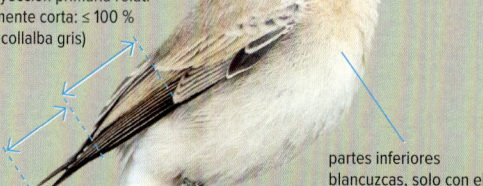

partes inferiores blancuzcas, solo con el pecho de tonos cremosos (como en las collalbas grises más pálidas)

negro, como en la mayoría de "collalbas de garganta negra" (cf. collalba gris ♂)

▼ 1er invierno (agosto)

el obispillo blanco se extiende bastante hacia arriba (cf. collalba gris)

franja terminal negra relativamente estrecha; parte blanca a menudo en forma de U, "comiéndose" la franja negra (un poco parecida a la de las collalbas rubias occidental y oriental)

Collalba isabel *Oenanthe isabellina*

L 15,5 cm | Verano, SE Europa

▼ ♂ (enero)

Una collalba de coloración general pálida, con una franja caudal negra muy ancha. Generalmente, la confusión solo es posible con la collalba gris, algunos ejemplares de la cual pueden ser también muy pálidos. Además de la franja caudal muy ancha, es importante el contraste entre el álula oscura y los centros de las coberteras grandes bastante pálidos (que en la collalba gris son negruzcos), así como el patrón facial diferenciado.

▼ Tipo ♀ (marzo)

En ejemplares con la brida no muy oscura, el sexado es generalmente imposible, a no ser que se pueda determinar la edad con certeza (si es adulto, es una ♀). Sin embargo, esto suele ser complicado; en esta imagen, imposible. El patrón caudal se aprecia mejor con la cola abierta o entreabierta.

lista superciliar más blanca y llamativa delante del ojo que detrás (cf. collalba gris)

brida ancha y negruzca en el ♂

más pálido que el píleo en todos los plumajes (cf. collalba gris)

zona blanca debajo del ojo (cf. collalba gris)

pardo-gris pálido

centro del álula negruzco contrastando con los centros de las coberteras grandes pardos y más pálidos (cf. collalba gris)

franja negra muy ancha en todos los plumajes

parte trasera de las auriculares a veces un poco más oscura, pero sin alcanzar la zona debajo del ojo

en primavera, las aves con la brida poco definida y no muy oscura son, probablemente, ♀♀ o ♂♂ de 2º año cal.

negro extenso pero, desde esta perspectiva, la collalba gris también puede aparentar mucho negro

▼ (Octubre)

Un ejemplar típico en todos los aspectos; con esta apariencia, a menudo muy difícil de sexar y datar. Las plumas que cubren la tibia pueden mostrar algunas manchas oscuras, pero habitualmente no tienen el moteado negro y extenso de la collalba gris.

▼ Supuesto adulto (noviembre)

Un individuo típico. Los márgenes de las coberteras primarias aún nuevos y bien definidos, las puntas pálidas de las primarias y de las rectrices, que tienen la franja de color negro puro, indican que se trata de un adulto.

patrón facial característico, con la lista superciliar más patente y blanca delante del ojo, las auriculares pálidas con una zona blanca debajo del ojo y la brida, y la brida ancha y oscura; sin embargo, algunos ejemplares pueden tener un patrón más parecido a la collalba gris

poco contraste de color entre la zona dorsal y la zona ventral

centro de la cobertera grande relativamente oscuro, pero aun así contrastando con el álula negruzca

pálido y liso (moteado oscuro en la collalba gris)

los flancos traseros pálidos son típicos (pero más oscuros en algunas aves)

▼ ♂ (mayo)
El patrón caudal, con el "palo de la T" más corto que la anchura de la franja terminal, es diagnóstico en combinación con el "obispillo" blanco que no se extiende mucho hacia la parte dorsal. En realidad, solo las supracoberteras caudales y una pequeña porción del obispillo son blancas.

▼ (Mayo)
La parte inferior del ala muy pálida, incluyendo las plumas de vuelo, es característica en todos los plumajes.

el "obispillo" blanco llega, a lo sumo, hasta el borde posterior del ala

típicamente muy pálido

p2 claramente más corta que p3 (en la collalba gris, casi igual)

franja negra muy ancha: en las rectrices externas, la parte negra es más larga que la parte blanca; en las centrales, la extensión de la parte negra hacia la base es más corta que la anchura de la franja (cf. collalba gris)

■ Collalba gris, 1er invierno (octubre)
Algunos ejemplares muy pálidos de esta especie se pueden solapar en coloración general con la collalba isabel. Las características destacadas en la imagen señalan las principales diferencias cuando la parte inferior del ala o el patrón caudal no son visibles. Nótese que, con la cola cerrada, la percepción del ancho de la franja negra puede ser engañosa.

lista superciliar habitualmente más blanca delante del ojo que detrás (en este ejemplar, extensión excepcional de blanco detrás del ojo)

▶ (Octubre)
Se destacan aquí las principales diferencias con una collalba gris (pálida) en reposo.

lista superciliar más patente (pálida) detrás del ojo que enfrente

auriculares oscuras extendiéndose por debajo del ojo

generalmente, blanco debajo del ojo

proyección primaria c. 2× proyección caudal

centros de las coberteras grandes negros, como el álula

proyección primaria solo un poco más larga o igual de larga que la proyección caudal

álula más negra que los centros de las coberteras grandes

manchas oscuras

sin manchas oscuras o algunas manchas poco conspicuas

▶ Supuesto 1er invierno (septiembre)
El patrón cefálico y el flanco relativamente oscuro pueden ser casi idénticos a algunas collalbas grises en otoño, pero nótese el contraste de color limitado entre la zona dorsal y la zona ventral y la proyección primaria relativamente corta. En estos casos, es deseable la observación de la parte inferior del ala o del patrón caudal. Este ejemplar tiene los márgenes de las plumas alares excepcionalmente anchos, y ya muestran un cierto desgaste a principio de otoño. Esto es típico de ejemplares de 1er invierno, pero muchos son difíciles de datar.

patrón cefálico menos típico a causa de unas auriculares bastante oscuras y una lista superciliar igual de patente delante y detrás del ojo

relativamente oscuro en este individuo (idéntico a un ejemplar pálido de collalba gris)

Collalba pía *Oenanthe pleschanka*

L 15 cm | Verano, SE Europa

▼ Adulto ♂ (junio)
En este plumaje, es una collalba casi enteramente blanca y negra, con el píleo y la zona ventral blancos. Los ♂♂ adultos tienen el ala negra prácticamente lisa.

▼ Adulto ♂ (septiembre)
En plumaje nuevo, el píleo, el manto y las coberteras tienen puntas/márgenes pálidos. Se podría confundir con la forma de garganta oscura de la collalba rubia oriental y con la collalba chipriota. La garganta negra muy extensa y las bases o centros negros de las plumas del manto son las mejores características para distinguirla de la collalba rubia oriental. Para apreciar las diferencias con la collalba chipriota, véase aquella especie.

puntas oscuras en el píleo, a veces presentes hasta bien entrada la primavera

píleo blanco a veces alcanzando el manto

garganta negra muy extensa, conectada con el manto y el ala

se entreven los centros negros de las plumas (cf. las 2 especies de collalba rubia)

píleo y manto con puntas parduzcas, que más adelante se desgastan y dejan al descubierto la coloración blanca y negra

blanco, con leves tintes amarillentos en el pecho hasta la primavera

base de las secundarias totalmente negra y, en este ejemplar, también de las coberteras primarias y las coberteras grandes, típico del ♂ adulto

negro puro casi liso (cf. ♂ de 1er invierno)

color crema en plumaje nuevo, más adelante blanco

▼ 1er invierno ♂ (noviembre)
Como sucede con los adultos, en este plumaje se debe distinguir de la collalba rubia oriental de garganta negra. A diferencia de las ♀♀, los ♂♂ son habitualmente fáciles de datar; véanse las características destacadas.

zona dorsal escalada, en la cual se intuyen los centros negros de las plumas (cf. collalba gris y las 2 collalbas rubias)

máscara negra, incluyendo la garganta, totalmente cubierta de puntas pálidas (cf. ♂ adulto en otoño)

los márgenes pálidos alcanzan la base de las plumas (cf. ♂ adulto en otoño)

pardo anaranjado variable

pardo negruzco (cf. ♂ adulto en otoño)

márgenes de las coberteras primarias relativamente anchos, alcanzando la base, un poco "deshilachados" y un poco más anchos en la punta

▼ ♀ (junio)
Una collalba de tonos pardos fríos, con las partes inferiores pálidas. El patrón caudal típico de "collalba rubia/collalba pía" excluye especies similares como la collalba de Finsch, pero con la cola cerrada este aspecto no se puede evaluar. Típicamente, tiene el pecho difusamente moteado y carece de tonos cálidos, una diferencia útil en comparación con las ♀♀ de collalba rubia (oriental y occidental).

pardo-gris oscuro y uniforme

típicamente oscuro, de tono variable; a veces uniforme con el pecho

pecho difusamente moteado o listado (cf. ♀ de collalbas rubias oriental y occidental)

blancuzco, contrastando fuertemente con las partes superiores oscuras

▼ ♀ (septiembre)
La zona dorsal gris, un poco escalada, y la ausencia de tonos cálidos son rasgos típicos en comparación con las "collalbas rubias". La garganta gris a menudo se extiende hasta el pecho, que generalmente es difusamente moteado o listado (véase la ♀ de collalba rubia oriental en otoño). La mayoría de aves no pueden ser datadas en el campo a no ser que se observe un límite de muda claro en las coberteras grandes; si es así, se trata de un 1er invierno.

▼ 2º año cal. ♂ (marzo)
La franja caudal fina es típica de esta especie. La parte más estrecha corresponde con el centro de cada sección, siendo mucho más ancha en las rectrices externas y en las centrales. La variabilidad que existe depende, supuestamente, tanto del sexo como de la edad, siendo los ♂♂ de edad más avanzada los que muestran menor extensión de negro. Los ejemplares más extremos casi carecen de negro en la punta de r2–4. Este patrón caudal, incluyendo sus variaciones, es idéntico al de las especies de collalba rubia.

gris-pardo frío con puntas pálidas que generan un cierto efecto escalado (típico)

a menudo bastante oscuro; gris alcanzando la parte superior del pecho (cf. "collalbas rubias")

gris-parduzco difusamente moteado (cf. "collalbas rubias")

variable, pero la franja negra siempre se estrecha en r2–3(4), y se ensancha en r(4)5–6

▼ Adulto ♂, "vittata", variante de garganta blanca (octubre)
Esta variante ocurre en la zona oriental de su distribución. Exceptuando la garganta blanca y la máscara negra resultante, es idéntica a la variante "normal" en todos los plumajes. En Europa es muy rara.

▼ ♀, collalba pía de coloración extrema, collalba rubia oriental o híbrido (septiembre)
Este ejemplar ejemplifica el difícil reto que puede significar la identificación en algunos casos. La garganta pálida, que contrasta con las partes inferiores lisas, "limpias" y de tonos relativamente cálidos, así como la proyección primaria bastante corta (< 100 %) encajan mejor con la collalba rubia oriental (nótese que la mayor parte de ejemplares de ambas especies suelen tener una franja pectoral difusa pero patente). En cambio, p1 no sobrepasa la punta de las coberteras primarias, la zona dorsal es de tonos bastante fríos y se perciben centros o bases oscuras en sus plumas, lo cual encaja mejor con la collalba pía.

máscara relativamente estrecha

blancuzco "limpio"

a menudo con una cuña oscura a los lados del pecho, única de esta variante

Collalba rubia occidental *Oenanthe hispanica*

L 14,5 cm | Verano, península Ibérica, SO Francia y N Italia

▼ **Adulto ♂, forma de garganta blanca (abril)**
Un ejemplar típico; la coloración de la zona dorsal y la forma de la máscara son rasgos característicos. Más avanzada la primavera o en verano, los tonos "rubios" van quedando descoloridos, pero rara-mente se pierde por completo en la zona del manto y el píleo trasero, a diferencia de muchos ♂♂ de collalba rubia oriental.

crema pálido y limpio, carac-terístico (cf. *melanoleuca*)

máscara no muy extensa; sin negro o apenas negro encima del ojo y el pico (cf. ♂ *melanoleuca*)

las partes pálidas se extienden bastante por las escapulares (cf. ♂ *melanoleuca*)

▼ **Adulto ♂, forma de garganta negra (agosto)**
El datado se basa en los criterios generales para las especies "de ala negra"; véase, por ejemplo, la collalba gris. En este ejemplar, la máscara es demasiado pequeña para ser una collalba rubia oriental, sin apenas negro encima del ojo y del pico, lo cual es característico. El píleo y la zona dorsal son de coloración "limpia" y de tonos cremosos, también característicos. La collalba rubia oriental tiene tintes grisáceos y "sucios" con plumaje nuevo.

base negra de secundarias, típico de ♂ adulto

negro liso (cf. ♂ de 1er invierno)

▼ **2º año cal. ♂, forma de garganta negra (abril)**
La máscara de este ejemplar alcanza prácticamente la extensión máxima en esta especie. Las características destacadas en la imagen muestran las dife-rencias con un ejemplar de garganta negra de collalba rubia oriental con una máscara no muy extensa. Los tonos cremosos son muy patentes en este ejem-plar. Muchos individuos de ambas especies tienen una proyección primaria de alrededor 100 %. Esta característica solo es útil cuando es claramente inferior al 100 % en la collalba rubia occidental, o claramente superior al 100 % en la collalba rubia oriental. Es típica de los ♂♂ de 2º año cal. el ala ya muy negra, parecida a la del adulto, con un contraste de muda difícil de apreciar. En la collalba rubia oriental de 2º año cal., el ala suele ser más parduzca y deste-ñida, con márgenes pálidos bastante extensos.

▼ **Adulto ♂ (abril)**
A diferencia de la collalba rubia oriental, los ♂♂ muestran muchas variaciones en la forma de la máscara. Algunos ejemplares, como este, tienen una "media garganta negra", forma que no ocurre en la especie oriental.

mezcla de escapu-lares pálidas y negras (cf. ♂ *melanoleuca*)

los ejemplares con una extensión máxima de negro encima del ojo y de la base del pico se pueden solapar con la collalba rubia oriental

proyección primaria hasta 100 % (cf. *melanoleuca*)

la máscara negra no alcanza el pecho (cf. ♂ *melanoleuca*)

contraste de muda entre las coberteras pequeñas y medianas negro puro y las coberteras grandes más parduzcas, apuntando a 2º año cal.

pardo anaranjado bastante uniforme

proyección primaria relativa-mente corta, aquí < 100 % (cf. *melanoleuca*)

▶ **♀ (mayo)**
Un ejemplar típico con las partes superiores de tonos pardos cálidos bastante pálidos y con una proyección primaria relativamente corta. Sin embargo, también ocurren aves más oscuras y grisáceas, que son difíciles de distinguir de la collalba rubia oriental.

▼ 1er invierno (agosto)
Las aves de 1er invierno son frecuentemente de tonos pardo-anaranjados notablemente cálidos. En la imagen se destacan las diferencias con la collalba gris (todos los rasgos indicados) y con la collalba rubia oriental de 1er invierno (el color de las partes superiores).

▼ 1er invierno (noviembre)
La zona dorsal, el píleo y el pecho pálidos y "limpios", sin tintes grises "sucios" son un rasgo típico y, en este ejemplar, útil para su diferenciación de la collalba rubia oriental en otoño. En cambio, el sexado no es fácil porque la máscara no es suficientemente negra para asegurar que se trata de un ♂, pero al mismo tiempo es bastante marcada para tratarse de una ♀.

pardo anaranjado cálido, sin gris, del mismo tono que el pecho

pardo anaranjado pálido, típico y de tono similar al pecho (cf. *melanoleuca* de 1er invierno)

proyección caudal larga, casi igual que la proyección primaria

pecho pardo anaranjado que contrasta con la garganta y la zona ventral más pálidas

bastante blanco en la cola (cf. collalba desértica)

▶ ♀ (mayo)
Hay bastante variabilidad en el patrón caudal pero, de promedio, las ♀♀ tienen la franja negra un poco más ancha que los ♂♂. En estos la franja puede ser casi ausente en r3–4. El patrón caudal de la collalba pía y de la collalba rubia oriental es idéntico, incluyendo su variabilidad.

▶ Adulto ♂ (agosto)
Las infracoberteras alares son negro puro y uniformes, como en la collalba rubia oriental y en la collalba pía.

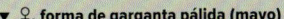

▼ ♀, forma de garganta pálida (mayo)
Este ejemplar, fotografiado en España y, por lo tanto, supuestamente una collalba rubia occidental, ilustra que algunas ♀♀ no se pueden distinguir de la collalba rubia oriental. Los tonos grisáceos del manto, el píleo y los lados del pecho son más típicos de *melanoleuca*, pero no raros en *hispanica*. La proyección primaria de c. 100 % cae en la zona de solapamiento.

■ Collalba rubia oriental ♀ (abril)
Aunque tiene la garganta un poco oscura, hay una gran semejanza con la ♀ de (supuesta) collalba rubia occidental (izquierda). Dada la variabilidad en ambas especies, la identificación de ejemplares como estos no es posible fuera de sus áreas de distribución.

Collalba rubia oriental *Oenanthe melanoleuca*

L 14,5 cm | Verano, C Italia a SE Europa

Còlit ros oriental CAT
Ekialdeko buztanzuri horia EUS
Pedreiro do levante GAL

▼ **Adulto ♂, forma de garganta negra (marzo)**
La extensa garganta negra, que en esta especie tiene poca variabilidad en forma y extensión, es característica. En el ♂ de collalba rubia occidental, la forma y extensión de la garganta/máscara negra es más variable pero, incluso en las aves que la tienen más grande, no llega a alcanzar esta extensión. El ♂ de collalba del Atlas tiene el dorso gris y el ♂ de collalba pía tiene la garganta negra conectada con el ala también negra y tiene, además, el manto negro. A partir de final de primavera y en verano, las partes pálidas se van destiñendo y se vuelven blancas.

▼ **2º año cal. ♂, forma de garganta blanca (marzo)**
Los ♂♂ de 2º año cal. se pueden distinguir, habitualmente, de los ♂♂ de collalba rubia occidental por tener el ala más parduzca, con márgenes pálidos más patentes, y por tener la zona dorsal y el píleo de tonos pardos-grisáceos "sucios". La zona dorsal parduzca en lugar de gris y el negro de las rectrices externas extendiéndose hasta cerca de la base excluyen a la collalba gris.

gargante negra no conectada con el ala (cf. ♂ de collalba pía y collalba desértica)

negro encima del ojo y del pico (cf. ♂ de *hispanica*)

escapulares enteramente negras, contrastando fuertemente con el manto pálido

garganta negra extensa que alcanza la parte superior del pecho (cf. ♂ de *hispanica*)

ala enteramente negra, típica del adulto

casi blanco en los adultos a partir de primavera (incluyendo el manto)

borde negro a menudo ondulado encima de la brida (en *hispanica* suele ser más recto)

en este ejemplar, no mucho negro encima del ojo y del pico, coincidiendo con el extremo máximo de la collalba rubia occidental

pardo-gris relativamente oscuro, típico en este plumaje

ala a menudo llamativamente parduzca, con márgenes pálidos retenidos (cf. *hispanica*, ♂ de 2º año cal.)

▼ **Adulto ♂, forma de garganta blanca (octubre)**
El píleo gris "sucio" y la máscara negra muy extensa son característicos en comparación con la collalba rubia occidental.

grisáceo (cf. *hispanica*)

bastante negro encima del ojo y del pico (cf. *hispanica*)

franja caudal "partida"; patrón característico de las 2 especies de collalba rubia y de la collalba pía, teniendo los ♂♂ la menor extensión de negro

base negra y uniforme de secundarias y de coberteras grandes, típico de adulto (cf. 1er invierno)

▼ **♀ (marzo)**
Ante ejemplares como este, además de la collalba rubia occidental también cabe tener en consideración a la collalba pía y la collalba gris. La collalba gris, por ejemplo, tiene la garganta del mismo tono que el pecho, una lista superciliar generalmente más marcada y una proyección caudal más corta. En primavera, la ♀ de collalba pía es más grisácea en el pecho, tiene márgenes grisáceos en las plumas alares, y la zona dorsal, más oscura, muestra los centros de las plumas notablemente oscuros. En este caso, una collalba rubia occidental no se puede excluir completamente, pero aquella especie tiene las partes superiores típicamente más anaranjadas, sin diferencia o casi sin diferencia con el pecho.

más grisáceo que parduzco (cf. *hispanica*)

casi liso (cf. *pleschanka*)

proyección primaria > 100 % en este ejemplar

p1 larga (cf. *pleschanka*)

franja pectoral difusa, con el resto de las partes inferiores casi blancas (cf. collalba gris), y con diferencia de color entre el pecho ocráceo y el manto grisáceo (cf. *hispanica*)

▼ 1er invierno (septiembre)

Para poder descartar otras especies como la collalba gris, la collalba rubia occidental o la collalba pía, hay que analizar con detenimiento la distintas características. La considerable variabilidad que existe en los plumajes de estas especies puede dificultar la identificación del plumaje de 1er invierno. Este ejemplar es parecido a la collalba pía pero no tanto a la collalba gris, que en otoño suele tener un patrón y una coloración más lisos y uniformes en las partes superiores e inferiores. La collalba pía tiene una coloración más fría y a menudo centros oscuros en las plumas del manto, generando un efecto escalado en las partes superiores. La collalba rubia occidental tiene tonos pardo-anaranjados habitualmente más lisos, más pálidos y no muestra lados oscuros del pecho.

▼ 1er invierno ♂ (septiembre)

Un 1er invierno de collalba rubia occidental tiene tonos cremosos más pálidos y "limpios". En este ejemplar, la ausencia de negro por encima del pico y del ojo, que ocurre a veces en ♂♂ de 1er invierno, produce un patrón idéntico a la collalba rubia occidental.

tintes grisáceos típicos (cf. *hispanica*)

partes superiores menos lisas que en la collalba gris

garganta pálida contrastando con el pecho ligeramente ocráceo (cf. *pleschanka* ♀ en otoño)

pecho ocráceo contrastando con la zona dorsal grisácea (cf. *hispanica*)

márgenes anchos y un poco "deshilachados" de las coberteras primarias, típicos de 1er invierno

lados del pecho oscuros, típicos si están presentes

bastante oscuro con tintes grisáceos (cf. *hispanica* de 1er invierno)

máscara –incluyendo la brida–, y garganta negras con puntas pálidas (cf. ♂ adulto en otoño)

márgenes pálidos y anchos alcanzando la base de las plumas (cf. ♂ adulto en otoño)

franja pálida por debajo de la garganta (cf. *pleschanka* ♂ de 1er invierno)

coberteras primarias con márgenes bastante anchos y un poco "deshilachados" (cf. ♂ adulto en otoño)

▼ Patrón caudal, ♂ (marzo)

Patrón caudal idéntico a la collalba rubia occidental y a la collalba pía, incluyendo su variabilidad. Algunos ejemplares tienen incluso menos negro; compárese con la imagen correspondiente a la collalba rubia occidental para ver el otro extremo, con un franja completa. Los ♂♂ adultos tienen, de promedio, la menor extensión de negro en la cola.

▼ Patrón cefálico, ♂ (abril)

Un ejemplar con la máscara no muy extensa para tratarse de esta especie, que se puede solapar con *hispanica*, pero muestra una mayor extensión de negro encima del ojo y de la brida.

patrón típico con franja negra interrumpida, igual que en la collalba rubia occidental y la collalba pía

bastante negro por encima del ojo

borde irregular u ondulado

negro sobre el pico (pero a veces poco)

la máscara alcanza el pecho

■ Patrón caudal, collalba rubia occidental ♀ (mayo)

Aunque la variabilidad es considerable, las ♀♀ suelen tener una franja un poco más ancha. En los ♂♂, la franja puede quedar partida en r3–4. La collalba rubia occidental y la collalba pía tienen el mismo patrón y la misma variabilidad.

■ Patrón cefálico, collalba rubia occidental ♂ (abril)

Ejemplar con una extensión máxima de la máscara para tratarse de esta especie, parcialmente solapándose con *melanoleuca*, especialmente en cuanto a la extensión de negro por encima del pico.

casi sin negro por encima del ojo

borde bastante recto

a menudo ángulo agudo en el borde negro sobre la brida

la máscara no alcanza el pecho (o apenas lo alcanza)

Collalba desértica *Oenanthe deserti*

L 15 cm | Divagante de N África o de Oriente Medio

Còlit del desert CAT
Basamortuko buztanzuria EUS
Pedreiro do deserto GAL

▼ Adulto ♂, subespecie norteafricana *homochroa* (marzo)

Si no se puede apreciar la cola casi enteramente negra (¡cuando está cerrada, puede aparentar ser negra en todas las collalbas!), se podría confundir con otras especies de "garganta negra", sobre todo con la collalba rubia occidental. Además de las características destacadas en la imagen, la combinación formada por las escapulares pálidas y la garganta negra es característica. El ala negra forma una franja bastante estrecha en la parte superior a causa de las extensas escapulares pálidas. Este ejemplar, fotografiado en Marruecos, pertenece a la subespecie *homochroa*, de tonos arenosos pálidos. En parte de Europa, es posible que la mayoría de divagantes pertenezcan a la subespecie nominal *deserti*, asiática, pero la identificación subespecífica, fuera de su distribución, es habitualmente imposible a causa de la variabilidad individual.

▼ Adulto ♂, nominal *deserti* (noviembre)

Un ejemplar típico de la subespecie nominal *deserti* que, de promedio, tiene tonos canela más intensos que la subespecie *homochroa*. Como sucede en otras collalbas de "garganta negra", la forma y tamaño de la garganta varía en función de la postura del ave, como se aprecia aquí.

escapulares de tonos arenosos, tan pálidas como el manto; solo visible una franja estrecha del ala (cf. ♂♂ de las 2 especies de "collalba rubia")

mismo color que la zona dorsal

muy fino

negro puro (cf. 2° año cal. en primavera)

máscara y coberteras grandes externas negro puro, típico de adulto (cf. ♂ de 1er invierno)

con plumaje nuevo, márgenes de color blanco casi puro, típicos, a menudo también en la zona carpal (cf. otras collalbas de "garganta negra")

garganta negra conectada con el codo del ala (aquí un poco oculto tras las puntas pálidas)

tonos canela bastante intensos, típicos de la subespecie nominal *deserti*

blanco solo en la base, característico en todos los plumajes

▼ 1er invierno ♂ (septiembre)

La identificación se basa en los mismos criterios que en los ♂♂ adultos, pero las partes negras muestran mayor extensión de puntas y márgenes pálidos. Más avanzado el otoño, la garganta y el ala se van volviendo más negras, a medida que las plumas se van gastando. El límite de muda en las coberteras grandes, aquí muy patente por la diferencia de longitud entre las internas (mudadas y más largas) y las externas (juveniles, más cortas) es diagnóstico de 1er año hasta el verano del 2° año cal., pero en algunos ejemplares de 1er invierno este límite no existe; en estos casos, los márgenes pálidos bastante anchos en las coberteras primarias y en las coberteras grandes externas son típicos, junto a unas plumas de vuelo parduzcas. Algunas aves de esta edad pueden ser parecidas a los adultos a causa de unos márgenes pálidos bastante anchos en las plumas alares, pero tienen la brida y las auriculares no muy oscuras o no completamente negras y las coberteras primarias tienen márgenes anchos y completos (hasta la base) a menudo un poco "deshilachados".

▼ 2° año cal. ♂ (febrero)

Mismo plumaje que el 1er invierno, puesto que este se mantiene hasta el verano del 2° año cal., pero más gastado y desteñido. Las plumas juveniles del ala se van volviendo más pardas, y el límite de muda (si existe) se hace más patente, pues las plumas de tipo adulto son más nuevas y menos susceptibles al desgaste.

límite de muda

coberteras pequeñas blancuzcas, típico de la especie en todos los plumajes (pero no siempre visibles en reposo)

plumas de vuelo parduzcas, típicas de esta edad, con márgenes pálidos (cf. adulto)

puntas pálidas que ocultan parcialmente la máscara negra (cf. ♂ adulto en otoño)

límite de muda

márgenes pálidos bastante anchos, a menudo más anchos hacia la punta (cf. ♂ adulto en otoño)

▼ ♀ (noviembre)

coberteras primarias con márgenes finos de anchura uniforme que sugieren adulto, pero la edad raramente es fácil de apreciar en las ♀♀

auriculares "aisladas", de tonos ocráceos bastante intensos en algunas aves

▼ 1er invierno ♀ (octubre)
Una collalba pálida, como la collalba isabel o los ejemplares más pálidos de collalba gris. Cuando no se puede apreciar el patrón caudal correctamente (como en la imagen), se puede confundir con la collalba gris, la collalba isabel y la collalba rubia occidental. Sin embargo, estas especies suelen mostrar un patrón cefálico más marcado, un pico más robusto, y un obispillo y supracoberteras caudales de color blanco puro. Además la collalba gris tiene una proyección caudal bastante más corta (para una comparación, véase la collalba isabel).

patrón cefálico débil, con lista superciliar poco marcada, brida pálida y, habitualmente, auriculares lisas, de tonos cremosos

▼ ♂ (mayo)

muy pálido

proyección caudal larga (la cola alcanza mucho más allá de la punta del ala)

márgenes pálidos muy anchos en las coberteras primarias, típico de 1er invierno

sutiles tonos cremosos en plumaje nuevo (a diferencia de otras especies de collalba)

infracoberteras alares más largas (primarias y grandes) pálidas, generando una franja oscura bastante estrecha (a diferencia de otras collalbas con las infracoberteras alares negras)

todo negro, excepto la base de las plumas

▼ ♀ (mayo)
El patrón caudal es diagnóstico en todos los plumajes, pero solo se puede evaluar correctamente en vuelo o con la cola entreabierta.

en primavera se vuelve blanco a causa del desgaste, como en las otras especies de collalba)

blancuzco característico

poca extensión de blanco, limitado a la base de las plumas, típico de la especie (cf. por ejemplo, collalba isabel)

Collalba chipriota *Oenanthe cypriaca*

L 14 cm | Casi todo el año, Chipre

▼ **Adulto ♂ (abril)**
Muy similar a la collalba pía en todos los plumajes. Además de algunas diferencias sutiles de plumaje, existen algunas diferencias estructurales: la collalba chipriota es más compacta, con la cola y la proyección primaria más cortas, y con la cabeza más grande. P1 sobrepasa claramente las coberteras primarias, mientras que en la collalba pía no lo hace, o solo lo hace ligeramente. Muchos ♂♂ adultos tienen el píleo completamente blanco a partir de primavera.

píleo oscuro variable

blanco de la nuca generalmente sin alcanzar el manto

proyección primaria relativamente corta (cf. collalba pía)

garganta negra alcanzando la parte superior del pecho (cf. collalba pía ♂)

rosa parduzco hasta primavera

generalmente más negro que en la collalba pía

▶ **♀ (marzo)**
En primavera, las ♀♀ a menudo tienen el píleo oscuro bastante extenso, lo que resulta en una lista superciliar fina. Esto no solo excluye al ♂, sino también a la collalba pía ♀. En esta época, las partes inferiores de las ♀♀ son a veces completamente ocráceas.

casi completamente pardo-gris, dejando solo una lista superciliar fina

▼ **♀ (marzo)**
Las ♀♀ tienen las partes superiores sutilmente más pardas que los ♂♂.

píleo con patrón característico en aves de tipo ♀, con una franja pálida en la nuca

el obispillo blanco no alcanza tan arriba como en la collalba pía (a lo sumo, hasta la mitad de la terciaria más corta)

proyección caudal generalmente más larga que en la collalba pía, aquí cercana a la proyección primaria

negro extenso en comparación con la collalba pía

▼ **2° año cal. ♀ (abril)**
A diferencia de la collalba pía, las ♀♀ son (muy) parecidas a los ♂♂, pero con las partes superiores un poco más parduzcas, y habitualmente retienen los tonos pardos del píleo hasta el verano. En la collalba pía, especialmente los ♂♂ de 2° año cal., el píleo también puede ser oscuro, pero suele ser más gris e irregular. En primavera, el contraste de muda entre las coberteras grandes, mudadas y más negras, y las coberteras primarias, juveniles y más pardas, acostumbra a ser el mejor método de datado, aunque no siempre es fácil de apreciar. Este ejemplar tiene una proyección primaria de c. 100 %, el máximo que alcanza la especie, aquí solapándose con la collalba pía.

píleo parduzco a menudo bien definido, realzando la lista superciliar (cf. collalba pía ♂ de 2° año cal.)

franja blancuzca en la nuca

proyección primaria aquí c. 100 %, excepcionalmente larga en este ejemplar)

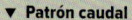

manchas pálidas (a diferencia de los ♂♂)

p1 relativamente larga, que sobrepasa claramente las coberteras primarias (a diferencia de *pleschanka*)

▼ **Patrón caudal**
Poca variabilidad, con una franja negra relativamente ancha. Sin embargo, la variabilidad en la collalba pía es mayor, y puede acercarse a este patrón.

ocráceo extenso

▼ **2° año cal. ♂ (marzo)**
Este ejemplar muestra los rasgos distintivos de las aves de 2° año cal.

manto aún no completamente negro

coberteras mudadas negro puro contrastando con las coberteras primarias y las plumas de vuelo

aún con puntas pálidas en este ejemplar

▼ **1er invierno (agosto)**
Las manchas oscuras en los flancos traseros son habituales; cuando están presentes, y en ejemplares con el plumaje ya bastante desarrollado como el de la imagen, constituyen un rasgo útil para descartar a la collalba pía, siempre en combinación con el resto de caracteres propios de la especie.

▼ **1er invierno (noviembre)**
Además de las características destacadas en la imagen, la proyección primaria es relativamente corta y parece tener una franja caudal bastante ancha, pero lo último es difícil de juzgar con la cola cerrada.

manchas oscuras variables (en todos los plumajes)

oscuro y bastante liso, sin un escalado pálido patente

márgenes pálidos bastante anchos que alcanzan la base de las plumas, típico de esta edad

garganta oscura extendiéndose hasta el pecho (aquí extremo)

EFECTOS FOTOGRÁFICOS
Las sutiles variaciones en los tonos pardos y grises son, a menudo, particularmente difíciles de juzgar en las fotografías, a causa de las diferencias que se pueden producir en función de la luz y de los ajustes de la cámara.

Collalba de Finsch *Oenanthe finschii*

L 15,5 cm | Verano, Turquía; invierno, S Turquía y Chipre

Còlit de Finsch CAT
Finsch buztanzuria EUS
Pedreiro de Finsch GAL

▼ **2º año cal. ♂ (mayo)**
Una collalba blanca y negra con una combinación de características de plumaje únicas. La zona blanca (a veces crema) del dorso va desde el manto hasta el obispillo y queda parcialmente oculta en ejemplares en reposo. Los adultos son casi idénticos, pero con el ala negra más uniforme, sin contraste de muda.

▼ **♂ (mayo)**
El patrón caudal es diagnóstico en comparación con otras collalbas "blancas y negras".

cabeza bastante grande, a veces un aspecto llamativo

habitualmente una zona blanca triangular en el manto

área blanca bastante estrecha desde el manto hasta el obispillo (como en la collalba rubia oriental ♂, pero más estrecha)

franja típicamente bastante estrecha, de anchura uniforme en todos los plumajes

garganta negra muy extensa y muy conectada con el ala (cf. collalba rubia oriental ♂)

contraste entre las coberteras mudadas, negro puro, y las plumas de vuelo aún juv., más parduzcas, típico de 2º año cal.

contraste típico entre las coberteras grandes, mudadas y negras, y las plumas de vuelo retenidas, más pálidas

▶ **1er invierno ♂ (diciembre)**
Parecido al ♂ adulto, pero las plumas retenidas del ala permanecen hasta bien entrado el 2º año cal.

coberteras primarias con puntas pálidas llamativas, típico de esta edad

Collalba de Finsch *Oenanthe finschii*

▼ ♀ (enero)
En Europa, especialmente parecida a la collalba pía ♀. Esta es generalmente un poco más oscura y tiene el pecho de tonos un poco más cálidos que las auriculares (sucede lo contrario en la collalba de Finsch). La collalba pía tiene, además, una proyección primaria muy larga y un patrón caudal distinto (véase aquella especie). Fuera de Europa, existen diversas especies cuyos plumajes de tipo ♀ son similares; por ejemplo, la **collalba magrebí** *Oenanthe halophila* (NO de África) y la **collalba variable** *Oenanthe picata* (S de Asia).

gris (parduzco) pálido (a veces con algunas plumas blancas en el manto)

coberteras grandes relativamente pálidas, especialmente en ejemplares de garganta pálida (cf. *pleschanka* ♀)

auriculares pardas, típicas; habitualmente la parte de coloración más cálida de todo el plumaje

gris-parduzco frío, con moteado difuso variable (especialmente en ejemplares de garganta pálida)

▶ ♀ de garganta oscura (noviembre)
Algunas ♀♀ tienen la garganta variablemente oscura; este ejemplar se encuentra en el extremo de esta variabilidad. Las ♀♀ con este plumaje suelen mostrar también otros rasgos más típicos del ♂, como unas partes inferiores casi blancas y lisas y unas coberteras grandes negras (compárese con la ♀ de garganta pálida).

▼ ♀ (mayo)
Un ejemplar pálido, supuestamente de 2º año cal. Las auriculares de tonos pardos más cálidos, las alas cortas que no sobrepasan mucho la base de la cola, los centros de las coberteras grandes bastante pálidos, y el patrón caudal (aquí no visible) son los rasgos más característicos.

proyección primaria bastante corta (máx. 80 %); la punta del ala solo alcanza la base de la cola

gris casi puro, típico

márgenes pálidos anchos y "deshilachados" sugieren 1er invierno

la mayoría de aves con auriculares parduzcas (aquí limitadas)

blanco casi puro

Collalba yebélica *Oenanthe leucopyga*

L 17,5 cm | Divagante de N África y Oriente Medio

Còlit tuareg **CAT**
Buztanzuri kaskazuria **EUS**
Pedreiro de barrete branco **GAL**

▼ Adulto (febrero)
En este plumaje resulta inconfundible. Es la única collalba "blanca y negra" con un píleo blanco que no alcanza el ojo, y con las infracoberteras caudales blancas que alcanzan la parte trasera del vientre. Los sexos son idénticos.

▼ 1er invierno, 2º año cal. (febrero)
No difiere del 1er invierno en otoño, pero los límites de muda son más patentes a medida que las plumas alares juveniles –retenidas– se van destiñendo. Algunos ejemplares pueden mostrar ya plumas blancas en el píleo, pero el patrón adulto de la cabeza no aparece hasta la muda completa, después de la reproducción, en el 2º año cal.; incluso entonces, a veces no es un blanco totalmente uniforme.

límite de muda a veces visible: aquí, mayor parte de las coberteras grandes y coberteras primarias aún juv. y más pardas que las coberteras pequeñas y medianas, mudadas

sin franja terminal patente; a lo sumo, algunas manchas negras (cf. collalba negra)

algunas aves ya con plumas blancas, otras con la cabeza totalmente negra

borde entre la parte negra y la parte blanca a la altura de las patas (cf. collalba negra)

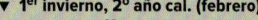

▼ Adulto (marzo)
Solo comparte este patrón caudal con la **collalba monje** *Oenanthe monacha*, que es extremadamente rara en Europa. Especialmente en las aves de 1er invierno con la cabeza negra, la cola es una buena forma de distinguirla de la collalba negra. Algunos ejemplares muestran una extensión de negro un poco mayor en la punta de las rectrices, pero nunca forman una franja terminal completa.

▼ 1er invierno (octubre)
En Europa, este plumaje solo se puede confundir con la collalba negra. El patrón caudal (no visible aquí) y el borde entre la zona negra y la zona blanca del vientre son los rasgos más útiles para su diferenciación.

relativamente curvado

blanco muy extenso, típico; sin franja terminal completa (cf. collalba negra)

todo negro o, a lo sumo, con unas pocas plumas blancas en los inmaduros, hasta el otoño del 2º año cal.

límite de muda típico en collalbas de 1er invierno

borde entre la parte negra y la parte blanca a la altura de las patas (cf. collalba negra)

Collalba negra *Oenanthe leucura*

L 17 cm | Todo el año, península Ibérica

Còlit negre CAT
Buztanzuri beltza EUS
Pedreiro negro GAL

▼ Adulto ♂ (marzo)
Una collalba bastante grande con plumaje negro y blanco. Los ♂♂ tienen el plumaje negro o negruzco más lustroso. Este ejemplar muestra una extensión mayor que la habitual en la zona ventral posterior y, en consecuencia, se solapa con la collalba yebélica en este aspecto; el patrón caudal y, en menor medida, el tamaño y la estructura son los aspectos más característicos.

▼ ♀ (abril)
La coloración negruzca-parduzca es típica de las ♀♀. El plumaje negro o negruzco combinado con una franja caudal completa y de anchura uniforme es diagnóstico en todos los plumajes. Algunas ♀♀ pueden ser un poco más parduzcas y otras más negras, pero nunca alcanzan el negro puro y lustroso de los ♂♂.

▼ 2º año cal. (enero)
Las partes inferiores más negras que parduzcas sugieren ♂.

en este ejemplar, el blanco casi alcanza las patas (cf. collalba yebélica de 1er invierno)

tarso relativamente corto y bastante grueso

patrón caudal típico con franja terminal de anchura uniforme

coberteras primarias y plumas de vuelo menos oscuras y más pardas que apuntan a un 2º año cal.

Papamoscas gris *Muscicapa striata*

L 14 cm | Verano, toda Europa excepto Islandia

▼ Tipo adulto (mayo)

Un papamoscas típico, con proyección primaria larga, base del pico ancha y patas cortas y pequeñas. Es uno de los 2 papamoscas europeos con el píleo listado (el otro es el papamoscas mediterráneo). A menudo se posa a la vista.

listado característico

a menudo más gris que pardo

los márgenes pálidos generan un panel alar

listado variable

los márgenes pálidos de las coberteras acentúan el patrón alar

patas cortas, delgadas y negras (como en todos los papamoscas)

▼ Tipo adulto (mayo)

▶ Tipo adulto (junio)

El listado de la zona pectoral y de los flancos es muy variable. Este ejemplar se encuentra en un extremo, con un listado muy escaso y difuso, mientras que las imágenes de la parte superior muestran el extremo opuesto.

▶ Tipo adulto (julio)

A final de verano y en otoño, el plumaje está gastado, y puede haber algunas coberteras grandes y terciarias mudadas. Las plumas nuevas tienen un fino margen blancuzco y uniforme (véase 1er invierno). La muda completa tiene lugar en las zonas de invernada. Como sucede en las aves de 1er año, la secuencia de muda es única entre los paseriformes europeos: empieza por las primarias externas y va hacia las internas. Todas las otras especies mudan las primarias empezando por las internas.

▶ 1er invierno (agosto)

Además de las características destacadas en la imagen, en otoño, las aves de 1er año se pueden diferenciar de los adultos por su plumaje más nuevo. Este ejemplar ha mudado una cobertera grande; la mayoría solo muda las coberteras pequeñas y medianas y retiene las coberteras grandes juveniles. Las aves en plumaje juvenil completo tienen también puntas pálidas en el manto y en las escapulares, pero este plumaje es sustituido poco después de abandonar el nido por plumas gris-parduzcas y lisas.

1 cobertera grande interna mudada

puntas pálidas triangulares en las coberteras grandes juv. (a menudo también en las terciarias), típico de 1er invierno

supracoberteras caudales juv. con puntas pálidas

▼ Estructura alar

La forma de la mano constituye una de las diferencias más importantes entre el papamoscas gris y el papamoscas mediterráneo; p2 es más larga que p5. En el papamoscas mediterráneo, p2 es más corta que p5, en parte porque p5 es relativamente larga y, en consecuencia, la punta está más cerca a la punta de p4.

p2 > p5

p3 > p4

p3 p2

p4

p5

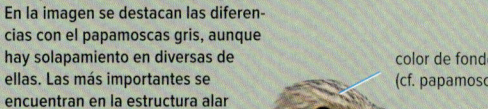

Papamoscas mediterráneo *Muscicapa tyrrhenica*

L 13 cm | Verano, islas Baleares, Córcega, Cerdeña y costa NO Italia

▼ Tipo adulto, *balearica* (mayo)

En la imagen se destacan las diferencias con el papamoscas gris, aunque hay solapamiento en diversas de ellas. Las más importantes se encuentran en la estructura alar y el patrón cefálico.

color de fondo blanco (cf. papamoscas gris)

blanco y casi liso, típico

casi sin listado; si existe, fino y poco extenso

punta del ala como mucho a la misma altura que la punta de las supracoberteras caudales (en el papamoscas gris, la punta del ala sobrepasa las supracoberteras caudales)

LOS PAPAMOSCAS MEDITERRÁNEOS

Hasta recientemente, este taxón se consideraba una subespecie del –muy similar– papamoscas gris. La identificación de ejemplares fuera de su distribución regular es difícil, pero una combinación de diversos rasgos es típica de *balearica*. La subespecie nominal *tyrrhenica*, propia de Córcega, Cerdeña y un tramo costero del NO de Italia, es aún más parecida al papamoscas gris. Sin embargo, la coloración general de *tyrrhenica* es un pardo más cálido que en el papamoscas gris y que en la subespecie *balearica*. La garganta suele tener tonos cremosos y el listado del pecho es muy limitado y difuso (limitado y fino pero bien definido en *balearica*, aunque se solapa con el papamoscas gris en algunos casos). La estructura alar de ambas subespecies es característica en comparación con el papamoscas gris. Mientras que *tyrrhenica* y *balearica* no son idénticas en este aspecto, sí que son parecidas (por ejemplo, p2 < p5).

▶ Patrón cefálico, *balearica* (mayo)

Un patrón como el de la imagen es típico, pero aun así las diferencias con el papamoscas gris son pequeñas.

auriculares a menudo la parte más oscura de la cabeza, generando una cierta "máscara"

a menudo con un listado blancuzco que aisla las auriculares

color de fondo blanco, que genera un efecto de capirote cuando está bien desarrollado

listado difuso (un poco más que el promedio en este ejemplar)

▼ Tipo adulto, nominal *tyrrhenica* (mayo)

En algunos aspectos, intermedio entre el papamoscas gris y *balearica*, pero típicamente de coloración general más parda y más cálida, con poco contraste entre las partes superiores y las inferiores.

pardo cálido si no está muy gastado

ante pálido, liso o muy difusamente listado

proyección primaria moderada; la punta del ala cae aproximadamente en línea o un poco por detrás de la punta de las supracoberteras caudales (similar a *balearica*)

▼ Detalle, estructura alar, *balearica*

El ala es más corta que en el papamoscas gris. La diferencia más útil se puede apreciar en condiciones ideales y/o a través de buenas fotografías. La primaria más interna (p10) no es visible puesto que generalmente queda oculta tras las secundarias; la primera punta visible es p9.

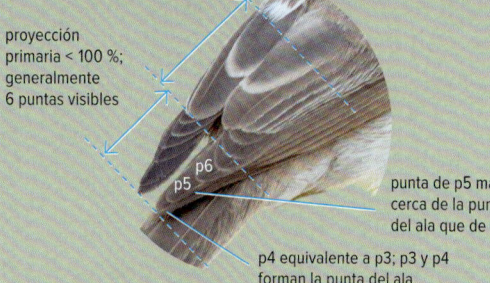

proyección primaria < 100 %; generalmente 6 puntas visibles

p6
p5

punta de p5 más cerca de la punta del ala que de p6

p4 equivalente a p3; p3 y p4 forman la punta del ala

▼ Juvenil/1er invierno (julio)

Las infracoberteras alares y las axilares muy pálidas son típicas; la longitud de p2 solo se puede juzgar en condiciones adecuadas. En esta imagen, p2 parece incluso más corta, a causa de un ángulo de visión no idóneo.

p2 relativamente corta; igual a p5/6; en el papamoscas gris p2 = p(3)4/5

blancuzco

■ Papamoscas gris

El ala es más puntiaguda a causa de una p3 más larga, que generalmente sobrepasa p4, por lo que más puntas son visibles.

proyección primaria c. 100 %; generalmente 7 puntas visibles

p6
p5

punta de p5 aprox. a la misma distancia de p6 y de la punta del ala

p4 más corta que p3; p3 forma la punta del ala

la punta del ala sobrepasa la punta de las supracoberteras caudales

Papamoscas asiático *Muscicapa dauurica*

L 13 cm | Divagante de C y E Asia

▼ **Adulto (mayo)**
Los adultos son idénticos en otoño y en primavera, pero tienen el plumaje muy nuevo después de la muda completa a final de verano. Tanto el papamoscas gris como el papamoscas siberiano realizan la muda completa en invierno, y tienen el plumaje más nuevo en primavera.

todas las coberteras grandes de tipo adulto, con márgenes pálidos uniformes (cf. 2° año cal.)

a lo sumo, moteado débil en todos los plumajes (cf. papamoscas gris)

lista malar difusa en todos los plumajes (cf. papamoscas gris)

relativamente nuevas (cf. 2° año cal.)

coberteras medianas como mucho con un margen pálido débil (cf. papamoscas gris)

▼ **1ᵉʳ invierno (noviembre)**
Un ejemplar en Europa probablemente destacará por su plumaje bastante liso (comparado con el papamoscas gris), sobre todo en la frente, el píleo y el pecho. La cabeza bastante grande, la base del pico muy ancha y el ojo también de dimensión considerable son rasgos generalmente llamativos.

anillo ocular pálido, a menudo más ancho en la parte trasera y fino en la delantera, donde puede quedar fundido con la brida (cf. papamoscas gris)

muy poco moteado/listado (cf. papamoscas gris)

brida pálida (cf. papamoscas gris y siberiano)

pardo gris liso

base pálida prominente (cf. papamoscas gris y siberiano)

puntas pálidas (cf. adulto)

garganta pálida (cf. papamoscas gris)

grisáceo; liso o con listado muy difuso (cf. papamoscas gris y siberiano)

▼ **2° año cal. (mayo)**
Similar al adulto en primavera pero, de promedio, con plumaje más gastado. Nótense también las coberteras grandes externas juveniles. Muchos adultos tienen el plumaje un poco gastado a partir de final de primavera, pero menos que las aves de 2° año cal.

en primavera, a menudo grisáceo (también el adulto)

cabeza relativamente grande; ojo muy grande (cf. papamoscas gris)

restos de puntas pálidas en las coberteras grandes externas que apuntan a juv.

p1 sobrepasa la punta de las coberteras primarias (a diferencia del papamoscas siberiano)

primarias parduzcas y gastadas (cf. adulto en primavera)

■ **Papamoscas siberiano *Muscicapa sibirica*, 1ᵉʳ invierno (diciembre)**
Solo existen 2 citas de esta especie asiática en Europa; se ha incluido aquí principalmente por su semejanza con el papamoscas asiático. Además de los rasgos destacados en la imagen, otras características útiles para su identificación (no visibles aquí) son: p1 más corta que las coberteras primarias y 2 emarginaciones (3 en el papamoscas asiático). Las plumas corporales juveniles tienen puntas pálidas, por ejemplo, en las supracoberteras caudales y en el manto, y a menudo son retenidas hasta bien entrado el otoño.

brida oscura

pico corto con la punta fina; base pálida muy limitada

relativamente oscuro, a menudo difusamente listado

proyección primaria > 100 %, a menudo 120 %

proyección caudal más corta que la proyección primaria

PAPAMOSCAS EXTREMADAMENTE RAROS

PAPAMOSCAS DEL GÉNERO EMPIDONAX

El género norteamericano *Empidonax* es de aparición muy rara en Europa. Además, la identificación de las diversas especies existentes resulta muy difícil, a veces imposible en una observación de campo. Las siguientes características son importantes:
- color de las partes superiores
- anchura de las franjas alares
- extensión del moteado en el píleo
- longitud de la proyección primaria
- longitud relativa de la cola
- brida (pálida o del mismo color que otras partes de la cabeza)
- mayor o menor contraste entre el color de la cabeza y de la zona dorsal
- reclamo

En mano:
- longitud alar
- longitud de p2 en relación con p5
- longitud de la cola

anillo ocular a menudo llamativo

verdoso, parduzco o grisáceo liso

terciarias con márgenes anchos que se estrechan hacia la base

partes inferiores blancuzcas

franjas alares anchas

larga

márgenes pálidos muy finos

◄ **Mosquero alisero** *Empidonax alnorum*
Los otros "papamoscas" *Empidonax* citados en Europa son: mosquero ventriamarillo *Empidonax flaviventris*, mosquero verdoso *Empidonax virescens* y mosquero mínimo *Empidonax minimus*.

Papamoscas mugimaki *Ficedula mugimaki*

L 13 cm | Divagante de E Asia

Papamosques mugimaki CAT
Mugimaki euli-txoria EUS
Papamoscas muguimaqui GAL

▼ **1er invierno ♂ (octubre)**
Un divagante extremadamente raro en Europa, pero de identificación sencilla. Se podría confundir con un ♂ de papamoscas papirrojo o de papamoscas boreal, pero aquellas especies carecen de franjas alares conspicuas. Las aves de 2° año cal. en primavera son muy parecidas.

▼ **Adulto ♂ (mayo)**
En este plumaje resulta inconfundible. No hay otra especie europea con esta combinación de rasgos: patrón cefálico, garganta y pecho naranjas que se extienden hasta la parte superior del vientre, y panel alar patente. Los ♂♂ tienen blanco en la base de las rectrices externas a partir del 1er año. El plumaje adulto del ejemplar de la imagen no se desarrolla hasta el 3er año cal.

2 franjas alares

en los ♂♂, garganta bien definida, contrastando con los lados de la cabeza negruzcos

en todos los plumajes, garganta y pecho naranjas

blanco en la base de las rectrices a menudo difícil de ver

transición difusa entre el pecho y el vientre

coberteras grandes juv. con puntas blancuzcas bien definidas (en la ♀ de papamoscas papirrojo, puntas difusas)

garganta y pecho anaranjados que solo contrastan levemente con los lados de la cabeza parduzcos, típico de la ♀

► **1er invierno ♀ (octubre)**
Combinación característica: garganta y pecho anaranjados, a menudo alcanzando la zona ventral, y franjas alares conspicuas. En las ♀♀ adultas, las franjas alares son más finas, oscuras y difusas.

rectrices juv. estrechas y puntiagudas

Papamoscas papirrojo *Ficedula parva*

L 11,5 cm | Verano, C, NE y E Europa

▼ Adulto ♂ (junio)

Identificación sencilla, pero compárese con el –extremadamente raro– papamoscas boreal. En otoño, los ♂♂ adultos son iguales que en primavera, pero con el plumaje más nuevo.

lados de la cabeza gris-azulados (a veces con el píleo ligeramente más pardo) (cf. papamoscas boreal)

base de la cola blanca en todos los plumajes

garganta anaranjada que a menudo se extiende un poco por el pecho

▼ Adulto ♂ (mayo)

Las aves con una menor extensión de naranja en la garganta/pecho pueden ser parecidas al papamoscas boreal. Sin embargo, tienen el pecho blanco (compárese con el papamoscas boreal). La extensión de la mancha naranja quizá esté relacionada con la edad, siendo las aves más maduras las que tienen una extensión mayor, que alcanza el pecho.

▶ Tipo ♀ (mayo)

En primavera, las aves con plumaje similar al individuo de la imagen pueden ser ♀♀ adultas, ♀ de 2º año cal. o ♂ de 2º año cal. En esta época, las ♀♀ adultas tienen el plumaje más nuevo que las aves de 2º año cal., sin puntas pálidas en las coberteras grandes y las terciarias. Sin embargo, estas puntas pálidas pueden desaparecer o casi desaparecer a causa del desgaste. Este ejemplar no muestra un desgaste significativo, por lo que podría ser una ♀ adulta (≥ 3er año cal.). El blanco de las rectrices externas cubre, al menos, el 50 % de r3–6; r1–2 son totalmente negruzcas.

anillo ocular pálido completo

gris-pardo liso

a menudo base pálida

base blanca típica en todos los plumajes

▼ 2º año cal. ♂ (junio)

Este plumaje acostumbra a ser idéntico a las ♀♀ (también de 2º año cal.). Este ejemplar se encontraba cantando, por lo cual es probablemente un ♂. Algunos ♂♂ de 2º año cal. desarrollan algo de naranja en la garganta.

coberteras grandes gastadas con restos de puntas pálidas, apuntando a 2º año cal.

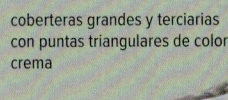

▼ 1er invierno (octubre)

En otoño, muchas aves de 1er invierno tienen la garganta, el pecho y los flancos de tonos cremosos, que se van volviendo más pálidos a medida que avanza la estación; además, también existe variabilidad individual. La base pálida de la mandíbula inferior, las supracoberteras caudales gris oscuro (en lugar de negro puro) y las puntas de color ante en las coberteras grandes y terciarias (en lugar de blancuzcas) permiten descartar al papamoscas boreal.

coberteras grandes y terciarias con puntas triangulares de color crema

base pálida de la mandíbula inferior, patente en el 1er invierno

color cremoso variable, débil en este ejemplar

Papamoscas boreal *Ficedula albicilla*

L 12 cm | Divagante de Siberia

Papamosques de taigà CAT
Taigako euli-txoria EUS
Papamoscas da taiga GAL

▼ **Adulto ♂ estival (mayo)**
En todos los plumajes resulta muy parecido al papamoscas papirrojo pero, a diferencia de este, los ♂♂ adultos tienen un plumaje invernal de tipo ♀, generalmente con una garganta anaranjada poco patente.

▼ **2º año cal./1er verano ♂ (abril)**
A diferencia del papamoscas papirrojo, los ♂♂ ya muestran un plumaje adulto, con la garganta naranja, en el 2º año cal. Así pues, en este ejemplar las coberteras grandes aún juveniles junto a la garganta ya naranja permiten diferenciarlo del papamoscas papirrojo.

a menudo más pardo que en el ♂ adulto de papamoscas papirrojo, creando un cierto capirote

naranja limitado a la garganta (cf. ♂ adulto de *parva*)

franja gris por debajo de la garganta naranja (cf. *parva*)

supracoberteras caudales negro puro, a menudo más oscuras que las rectrices, en todos los plumajes (cf. *parva*)

pardo (cf. ♂ adulto de *parva*)

mancha naranja típicamente pequeña y bien definida del pecho gris

coberteras grandes probablemente juv., con aparentes restos de puntas pálidas

▼ **2º año cal. ♀ (mayo)**
Los adultos y las ♀♀ de 2º año cal. son prácticamente idénticos pero, como sucede en el papamoscas papirrojo, los adultos tienen el plumaje más nuevo en esta época del año, mientras que las aves de 2º año cal. muestran puntas pálidas (o restos) en las coberteras grandes.

▼ **1er invierno (septiembre)**
Un divagante en Europa podría destacar por tener una coloración relativamente "fría", en comparación con el papamoscas papirrojo. En todos los plumajes, el pico totalmente negro y las supracoberteras caudales negro puro (más oscuras que las rectrices) son las características más útiles para distinguirlo del papamoscas papirrojo. Nótese, sin embargo, que ocasionalmente algunos papamoscas papirrojos de 1er invierno también pueden carecer de base pálida en la mandíbula inferior.

restos de puntas pálidas, indicando 2º año cal.

relativamente grueso y todo negro en todos los plumajes

grisáceo típico (cf. *parva*)

gris parduzco frío, relativamente oscuro (cf. *parva* de 1er invierno)

puntas pálidas, a menudo triangulares, típicas de 1er invierno; generalmente más blancas y retenidas durante más tiempo que en *parva* de 1er invierno

supracoberteras caudales negro puro, diganósticas en todos los plumajes (cf. papamoscas papirrojo)

de promedio, un poco más robusto que en *parva*, llamativo en este ejemplar (y todo negro)

la garganta blancuzca a menudo contrasta un poco con el pecho gris

grisáceo pálido típico (cf. *parva* de 1er invierno)

▼ **1er invierno (noviembre)**
Un ejemplar menos grisáceo, pero nótese el pico bastante grueso y todo negro, y las supracoberteras caudales negro puro.

▼ **1er invierno (febrero)**
El color de las supracoberteras caudales es el rasgo más fiable, pero debe ser evaluado desde distintos ángulos y teniendo en cuenta la influencia de la luz.

■ **Papamoscas papirrojo de 1er invierno (octubre)**

supracoberteras caudales negro puro, más oscuras que las rectrices

supracoberteras caudales gris oscuro o pardo-gris oscuro, a lo sumo igual de oscuras que las rectrices

PAPAMOSCAS DE PATRÓN BLANCO Y NEGRO

En este grupo hay especies y subespecies con plumajes fáciles de identificar, como el papamoscas acollarado ♂ o la forma negra de papamoscas cerrojillo ♂ de la subespecie nominal *hypoleuca*. Por otro lado, hay algunos plumajes que son (casi) indistinguibles. Un ♂ de 1er invierno de papamoscas cerrojillo con bastante blanco en la base de las primarias se puede confundir fácilmente con una ♀ de 1er invierno de papamoscas acollarado. En algunos casos, solo la localización puede ayudar a confirmar la identidad como, por ejemplo, en las ♀♀ de 1er invierno o 2º año cal. de papamoscas cerrojillo ibérico, subespecie *iberiae*, o papamoscas del Atlas. Para terminar de complicarlo, allí donde coinciden sus distribuciones, el papamoscas acollarado y el papamoscas cerrojillo nominal *hypoleuca* se hibridan. La identificación de aves fuera del área de distribución se debe basar en el mayor número posible de rasgos característicos; aun así, en algunos casos, es posible que no se pueda llegar a una conclusión segura. Nótese que algunas características solo son aplicables a plumajes específicos, como el patrón caudal y la presencia o ausencia de puntas blancas en las coberteras medianas. En otoño, el patrón caudal de un papamoscas cerrojillo de 1er invierno puede ser muy parecido al patrón típico de una ♀ de papamoscas semiacollarado en primavera.

TOPOGRAFÍA

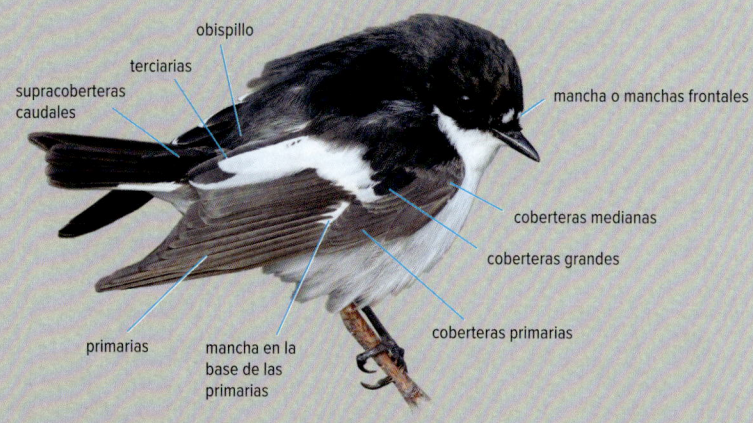

obispillo

terciarias

supracoberteras caudales

mancha o manchas frontales

coberteras medianas

coberteras grandes

primarias

mancha en la base de las primarias

coberteras primarias

▲ **Papamoscas cerrojillo ♂**

MUDA

En invierno tiene lugar una muda parcial, tanto en adultos como en aves de 1er año. La muda de las plumas de la cabeza y del cuerpo genera el patrón estival "blanco y negro" en los ♂♂. En las ♀♀ no hay diferencias significativas en la apariencia invernal y estival. Durante esta muda invernal, las terciarias y las coberteras grandes internas también se reemplazan (en los ♂♂ con partes negro puro), pero el resto de plumas se mantienen. En el plumaje de 1er verano, la diferencia entre las plumas retenidas (juveniles) y las mudadas (de tipo adulto) es mucho más conspicua que en los adultos. Notablemente, las rectrices son mudadas a menudo una segunda vez, después de haber sido reemplazadas una vez finalizada la reproducción, con plumas caudales de tipo invernal y de tipo estival; en los ♂♂, estos 2 tipos de rectrices incluso tienen patrones diferenciados.

límites de muda patentes, típicos de 2º año cal., entre las plumas nuevas, negro azabache, y las viejas, parduzcas

▲ **Papamoscas cerrojillo ♂, 2º año cal./1er verano**

1er invierno

Las aves de 1er invierno son similares a los adultos en plumaje invernal, pero el patrón de las coberteras grandes y de las terciarias contiene diferencias diagnósticas; el margen blanco de las terciarias se ensancha en la punta y termina de golpe (compárese con el plumaje invernal adulto). En aves de 1er invierno, la muda está limitada a plumas corporales, coberteras pequeñas, a veces medianas y algunas grandes internas. En otoño, todas las especies de este grupo de papamoscas pueden mostrar puntas pálidas en las coberteras medianas juveniles.

coberteras medianas
con puntas pálidas

patrón diagnóstico (de edad)
en las terciarias; el margen
blanco se ensancha en la
punta de la hemibandera
externa

patrón diagnóstico
(de edad) en las
coberteras grandes
(punta blanca y ancha,
que en las internas se
extiende siguiendo el
raquis)

▲ **Papamoscas cerrojillo, 1er invierno**

Adulto invernal

En otoño, el patrón de la punta de las terciarias es un buen criterio de datado. Las coberteras grandes tienen las puntas/márgenes menos destacados que en el 1er invierno, a veces solo un margen fino y uniforme.

margen fino y uniforme, a veces
ensanchándose hacia la punta
(cf. 1er invierno)

margen blanco estrechándose
gradualmente hacia la punta
(cf. 1er invierno)

▲ **Papamoscas cerrojillo,
adulto invernal**

MANCHA BLANCA EN LA BASE DE LAS PRIMARIAS

La forma y extensión de la mancha blanca en la base de las primarias es un rasgo importante para la identificación de las distintas especies. En el papamoscas cerrojillo, el blanco raramente se extiende más allá de p5, mientras que en otras especies puede llegar a p3.

p6
p5
p4
p3
p2
p1

◄ **Papamoscas cerrojillo**

Papamoscas cerrojillo *Ficedula hypoleuca*

L 12,5 cm | Verano, gran parte de Europa excepto Islandia

▼ **Adulto ♂ estival, nominal *hypoleuca*, forma negra (mayo)**
Es la especie con la mancha en la base de las primarias más pequeña y también la(s) mancha(s) de la frente; una combinación diagnóstica. Ejemplares completamente blancos y negros pueden ocurrir en las poblaciones más noroccidentales (Escandinavia y Gran Bretaña).

2 pequeñas manchas blancas, típicas; a veces fundiéndose en una sola mancha un poco más grande

plumas de vuelo pardo-negruzcas (cf. 2º año cal./1er verano)

poco blanco en la base de las primarias, típico (a veces no visible, como aquí)

adultos con poco blanco (limitado a r6, a veces con un poco en r5); raramente, con toda la cola negra

▼ **♂ estival, nominal *hypoleuca*, forma pardo-gris (abril)**
Especialmente en las poblaciones del O y C de Europa continental, muchos ♂♂ no tienen las partes superiores negras, sino de tonos pardo-grisáceos variables. En este ejemplar, las plumas de vuelo y las coberteras primarias pardas sugieren que se trata de un 2º año cal./1er verano, pero el datado no siempre es fácil, puesto que los adultos muestran un límite de muda similar, aunque menos patente.

a menudo irregular o manchado de pardo y gris oscuro

pequeña mancha frontal blanca (cf. ♀)

blanco extenso en las terciarias; habitualmente, la mayor parte de la hemibandera externa (cf. ♀)

▶ **Adulto ♀, nominal *hypoleuca* (mayo)**
La combinación de características señaladas en la imagen solo encaja con el papamoscas cerrojillo de la subespecie nominal *hypoleuca*. La ausencia de un límite de muda muy patente y el plumaje bastante nuevo son rasgos típicos de adulto. Las ♀♀ carecen de un plumaje invernal y estival diferenciado. Después de la muda completa a final de verano, las ♀♀ son idénticas al ejemplar de la imagen.

▼ **1er verano/2º año cal. ♂, nominal *hypoleuca*, forma negra (mayo)**
Similar al adulto, pero nótese el límite de muda. En los adultos, la muda parcial con la que adquieren el plumaje estival suele resultar en un límite de muda parecido, pero menos contrastado. La(s) mancha(s) blanca(s) en la frente y en la base de las primarias son, de promedio, más pequeñas que en los adultos, pero existe solapamiento y, en consecuencia, no es un rasgo de datado fiable.

límite de muda muy llamativo, típico de esta edad, incluyendo las plumas de vuelo parduzcas

▼ **Adulto invernal, supuesto ♂ (septiembre)**
En otoño, los adultos de ambos sexos tienen un plumaje de tipo ♀: los ♂♂ son a menudo reconocibles por tener las plumas de vuelo casi negras.

en este plumaje, una extensión relativamente grande de blanco es más típica del ♂ que de la ♀

márgenes pálidos muy finos y de anchura uniforme alrededor de la punta (cf. 1er invierno)

aparente ausencia de blanco, típico del ♂ adulto

coberteras primarias y plumas de vuelo casi negras, típico del ♂ adulto

más pardo que gris (todas las ♀♀ de los otros taxones de papamoscas con patrón blanco y negro, incluyendo *iberiae*, son más grises en primavera)

márgenes blancos bastante anchos, también en la punta (cf. ♀ de papamoscas acollarado y semiacollarado en primavera)

oscuro (todas las ♀♀ de los otros taxones de papamoscas con patrón blanco y negro, incluyendo *iberiae*, pueden tener algo de blanco)

poco blanco en la base de las primarias, generalmente limitado a las 4–5 internas y sin sobrepasar la cobertera primaria más larga (cf. papamoscas acollarado ♀ en primavera)

▼ **1er invierno (septiembre)**
El patrón de las terciarias y de las coberteras grandes es diagnóstico para aves de 1er invierno (véase PAPAMOSCAS CON PATRÓN BLANCO Y NEGRO·INTRODUCCIÓN, p. 890).

margen más ancho en la punta en el 1er invierno

poco blanco en la base de las primarias, a veces no visible, pero variable

▼ **Papamoscas cerrojillo ibérico, subespecie *iberiae*, ♂ estival (julio)**
En muchos aspectos, este taxón es más parecido al papamoscas del Atlas que a la subespecie nominal *hypoleuca* de papamoscas cerrojillo, aunque se considera una subespecie de este último. En la imagen se destacan las –a menudo– sutiles diferencias con el papamoscas del Atlas. Con el conocimiento actual, las aves de 1er invierno no se pueden distinguir de la subespecie nominal *hypoleuca*. Las ♀♀ en primavera tienen, a veces, una mancha frontal blanca bastante patente, bastante blanco en la base de las primarias y partes superiores grisáceas en lugar de parduzcas (muy parecidas, pues, a las ♀♀ de papamoscas acollarado). La identificación de aves fuera de su distribución regular está entorpecida por la existencia de híbridos de papamoscas cerrojillo × papamoscas acollarado, que pueden ser prácticamente idénticos.

indicio de un semicollar (como en el papamoscas del Atlas, pero a diferencia de la nominal *hypoleuca*)

una sola mancha blanca, a menudo extensa (cf. nominal *hypoleuca*), pero más pequeña y con una forma diferente a la del papamoscas del Atlas ♂ estival

cobertera(s) grande(s) externa(s) con blanco y a menudo con la base negra (cf. papamoscas del Atlas ♂ estival)

generalmente todo negro (como en el papamoscas del Atlas, a diferencia de la mayoría de nominales *hypoleuca*)

▶ **2º año cal./1er verano ♂, subespecie de Asia central *sibirica*, forma pardo-gris (abril)**
Los ♂♂ más pálidos pueden ser parecidos a las ♀♀, pero nótese el blanco extenso en las terciarias y la mancha blanca en la frente (frecuentemente poco definida). Las partes superiores de los ♂♂ son a menudo más grises que pardas, mientras que las ♀♀ son pardas. Las aves de 2º año cal./1er verano suelen ser más pálidas que los adultos (de la misma forma; en la imagen, forma pardo-gris). En plumaje estival, los ♂♂ se encuentran entre los papamoscas con patrón blanco y negro que tienen un plumaje más pálido (pero los ejemplares más pálidos de las poblaciones de Europa central pueden ser parecidos). A menudo, el plumaje de esta subespecie no presenta otras características distintivas. Algunas medidas biométricas son diferentes, como la longitud alar, un poco más larga en *sibirica*. Supuestamente, esta subespecie migra de forma regular a través de Europa para llegar a sus zonas de invernada en el O y C de África.

▼ **Tipo adulto ♂, estival (mayo)**
Este ejemplar tiene un patrón caudal bastante típico en un ♂. La variabilidad es extensa: muy ocasionalmente el blanco puede ser (casi) inexistente, parecido al patrón del papamoscas acollarado ♂ de tipo adulto. Otros tienen algo de blanco en la hemibandera externa de r4, frecuentemente con blanco también en la hemibandera interna de r6 (como en el ejemplar de la imagen). Las ♀♀ adultas tienen un patrón relativamente similar, pero con menor variabilidad. Unas rectrices externas completamente oscuras (sin blanco) probablemente no ocurren en las ♀♀.

▼ **1er invierno ♀ (agosto)**
Especialmente en las ♀♀ de 1er invierno, las partes pálidas pueden ser poco patentes, a menudo limitadas a r5–6. Los ♂♂ de 1er invierno pueden tener a veces algo de blanco en la hemibandera interna de r6, con un patrón similar al 1er invierno de papamoscas acollarado.

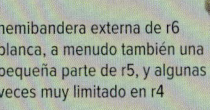

hemibandera externa de r6 blanca, a menudo también una pequeña parte de r5, y algunas veces muy limitado en r4

a veces algo de blanco en la hemibandera interna de r6

hemibanderas externas de r(4)5–6 con mucho blanco

Papamoscas acollarado *Ficedula albicollis*

L 12,5 cm | Verano, C, E y SE Europa

Papamosques de collar CAT
Euli-txori lepazuria EUS
Papamoscas de colar GAL

▼ Adulto ♂ estival (mayo)
Los ♂♂ en plumaje estival son inconfundibles por su collar blanco y ancho. El resto de características pueden aparecer, en cierto grado, en otras especies de papamoscas con patrón blanco y negro. De promedio, esta especie tiene la mayor extensión de blanco en la base de las primarias, que a menudo alcanza p3.

collar blanco diagnóstico

mancha blanca extensa

blanco extenso en las terciarias y coberteras grandes internas

obispillo gris pálido

cola habitualmente toda negra; a veces algo de blanco en el borde externo de r6 (aparentemente también en este ejemplar)

mancha blanca muy extensa en la base de las primarias

▼ 1er invierno (agosto)
Aunque los rasgos destacados forman una combinación característica, en este plumaje es frecuentemente difícil de descartar un papamoscas cerrojillo con mucho blanco en la base de las primarias.

blanco hasta p4

ligeramente grisáceo

gris parduzco (de promedio, más gris que en *hypoleuca* de 1er invierno)

grisáceo

bastante blanco en la base de las primarias, que sobrepasa claramente la punta de las coberteras primarias; además, incluye p4

terciarias con patrón típico de 1er invierno (igual que en *hypoleuca* de 1er invierno)

▼ 2º año cal./1er verano ♂ (mayo)
Parecido al adulto, pero nótese el contraste de muda más patente.

plumas de vuelo juv. más parduzcas (también coberteras primarias y álula), que contrastan con la mayor parte de las coberteras grandes, las coberteras medianas y pequeñas; típico de 1er verano

menos blanco en la base de las primarias en comparación con el ♂ adulto

◀ Detalle, 2º año cal./1er verano ♂ (mayo)
En el plumaje de 1er invierno (hasta el 1er verano) las primarias aún juveniles tienen una menor extensión de blanco en la base; aun así, habitualmente es más extenso que en el papamoscas cerrojillo. En este ejemplar, el blanco se extiende hasta p4, algo que raramente sucede en *hypoleuca*.

▼ Adulto invernal ♂ (septiembre)
En este ejemplar, la gran cantidad de blanco en la base de las primarias es diagnóstica de la especie, de la edad y del sexo. Como sucede en otros papamoscas con patrón blanco y negro, todos los adultos tienen un plumaje invernal de tipo ♀. Los ♂♂ mantienen unas plumas de vuelo, coberteras primarias y coberteras alares negro puro, lo cual facilita el sexado. En este ejemplar, además de la (extrema) extensión del blanco en la base de las primarias, los márgenes blancos de terciarias con la base ancha y la ausencia de puntas blancas en las coberteras medianas, excluyen al papamoscas semiacollarado.

▼ ♀ (abril)
En otoño, las ♀♀ adultas son, teóricamente, idénticas al ejemplar de la imagen, pero con el plumaje más nuevo.

bastante blanco en la base de las primarias, típicamente sobrepasando la punta de las coberteras primarias, pero aquí solo hasta p5 (como en muchos *hypoleuca*)

grisáceo en lugar de pardo

más pálido, contrastando un poco con las auriculares oscuras

a menudo más pálido (no en este ejemplar)

mancha blanca conspicua, típica del ♂ adulto

terciarias con patrón adulto; márgenes blancos estrechándose gradualmente, y finos en la punta (cf. 1er invierno)

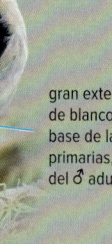

gran extensión de blanco en la base de las primarias, típica del ♂ adulto

blanco bastante extenso (cf. ♂ estival)

partes negro puro del ala típicas del ♂ adulto

▼ Estructura alar, 2º año cal./1er verano ♂ (mayo)

En los papamoscas con patrón blanco y negro, p4 y p3 (generalmente no visible) conforman la punta del ala. En el papamoscas acollarado, una p5 relativamente corta genera un espaciado más uniforme entre las puntas de las primarias, en comparación con la mayoría de papamoscas cerrojillos (que muestran un espaciado irregular). Algo de solapamiento ocurre, por lo cual este rasgo solo es útil en los casos más evidentes, mediante el estudio de fotografías de calidad. Además, debería ser considerado en conjunción con otras características del plumaje. Véase la distancia entre las puntas de p2 y p5 en la imagen del patrón caudal de ♂ de 2º año cal. (parte inferior de la página).

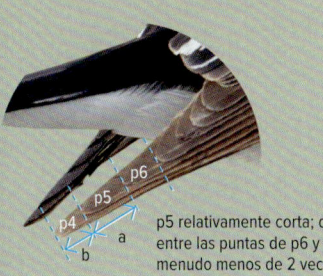

p5 relativamente corta; distancia entre las puntas de p6 y p5 (a) a menudo menos de 2 veces la distancia entre p5 y p4 (b)

▼ Tipo adulto ♂, estival (mayo)

Las rectrices completamente negras son típicas de esta especie. Todas las especies de papamoscas con patrón blanco y negro mudan las plumas de la cola dos veces al año. El patrón estival de estas plumas, sin (o virtualmente sin) blanco, solo es compartido con el ♂ de papamoscas del Atlas y, solo raramente, con el ♂ de papamoscas cerrojillo. Nótese que los ♂♂ adultos en plumaje invernal (con las plumas de tipo invernal) sí que tienen bastante blanco en las rectrices externas (véase imagen de adulto invernal).

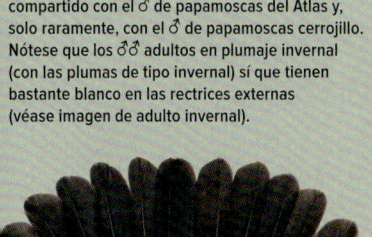

▶ 2º año cal. ♂ (abril)

p2 ≥ p5
(cf. papamoscas cerrojillo)

■ Papamoscas cerrojillo

P5 a menudo relativamente larga y, por lo tanto, más cercana a la punta del ala en comparación con el papamoscas acollarado. Las distancias entre las puntas de p4, p5 y p6 son más irregulares (véase *albicollis*).

p5 relativamente larga: distancia entre las puntas de p6 y p5 (a) a menudo más de 2 veces la distancia entre p5 y p4 (b)

▼ Tipo adulto ♂, estival (mayo)

Esta es, aproximadamente, la extensión máxima de blanco en un adulto estival (véase también ♂ de 2º año cal.).

blanco extenso en las hemibanderas externas de r4–6 y en las internas de r5–6

las aves de 2º año cal. a menudo muestran algo de blanco, pero mucho menos que en cualquier papamoscas cerrojillo ♂ de 2º año cal. (esto se solapa con algunos ♂♂ adultos de papamoscas cerrojillo)

■ Papamoscas cerrojillo

p2 < p5

▼ 1er invierno (agosto)

Un ejemplar con extensión máxima de blanco. Este patrón queda probablemente fuera de la variabilidad del papamoscas cerrojillo de 1er invierno/(♀ adulta). Los patrones de las ♀♀ adultas, incluyendo su variabilidad, son similares. Esta combinación es característica: bastante blanco en la hemibandera interna de r5, blanco extenso en la hemibandera externa de r4 y hemibandera externa de r6 totalmente blanca. Otros ejemplares se pueden solapar con la ♀ adulta y el 1er invierno de papamoscas cerrojillo. Algo de asimetría en las partes blancas de cada lado de la cola es normal en todos los plumajes y en todas las especies.

Papamoscas semiacollarado *Ficedula semitorquata*

L 12,5 cm | Verano, SE Europa

Papamosques de mig collar CAT
Euli-txori erdilepokoduna EUS
Papamoscas de medio colar GAL

▼ Adulto ♂ estival (marzo)
Combinación característica de este plumaje: puntas blancas en las coberteras medianas, mucho blanco en la base de las primarias, mancha(s) frontal(es) blanca(s) pequeña(s), y mucho blanco en la cola. Algunos híbridos de papamoscas cerrojillo × papamoscas acollarado pueden ser similares, por tener frecuentemente una extensión media de blanco en la base de las primarias y un collar incompleto, pero no tienen (o apenas tienen) blanco en la cola y no tienen puntas blancas en las coberteras medianas. Las primarias negras o casi negras con una mayor extensión de blanco en la base son típicas del adulto. El contraste de muda en las coberteras de este ejemplar es bastante patente, pero normal en aves con plumaje estival.

margen relativa-
mente fino

blanco extenso en las
rectrices externas
(cf. *albicollis* y especialmente *speculigera* ♂
estival)

collar blanco
incompleto de
extensión variable

2 manchas pequeñas; similar a
muchos *hypoleuca* ♂♂ estivales,
pero variable; también es habitual
una sola mancha, más extensa
que en *hypoleuca* (pero nunca del
tamaño de *speculigera*)

puntas blancas en las
coberteras medianas,
características en
plumaje estival

adulto con gran extensión
de blanco; como en ♂♂ de
speculigera y *albicollis* con
extensión moderada

▶ 1er invierno (julio)
A pesar de tratarse de un ejemplar típico, la identificación fuera de su distribución regular es siempre compleja en este plumaje. Todas las características propias de la especie deben ser estudiadas con detenimiento, incluyendo el patrón caudal. La extensión de blanco en la base de las primarias se solapa tanto con el papamoscas cerrojillo como con el acollarado, como sucede en este caso. El plumaje adulto invernal de los ♂♂ difiere de las aves de 1er invierno del mismo modo que en los ♂♂ de otras especies similares. Los ♂♂ adquieren plumaje tipo ♀, pero con el ala de tipo adulto.

puntas pálidas en
todas las coberteras
medianas, típicas pero
no diagnósticas en
este plumaje

bases blancas
moderadas,
alcanzando p(3)4

los márgenes de terciarias no
se ensanchan (o apenas lo
hacen) hacia la base; centros
oscuros visibles casi hasta la
base (cf. especies similares)

▼ ♀ (abril)
La combinación de rasgos señalados es típica; si se puede añadir un patrón caudal correcto, incluso diagnóstica.

puntas pálidas en las
coberteras medianas

márgenes de terciarias finos
y de anchura uniforme hasta
la base, con centros
bastante pálidos y grises

bastante blanco en la base
de las primarias (como en
la ♀ de *albicollis*)

▼ 2º año cal./1er verano ♂ (marzo)
Muy similar al ♂ adulto estival, pero nótese el contraste de muda más patente. En este ejemplar, el blanco de la base de las primarias llega hasta p5.

contraste de muda muy evidente
y extensión media de blanco en
la base de las primarias, típico
de 1er verano

▼ ♂ (marzo)
Una extensión grande de blanco en la cola, con un patrón diagnóstico, es característica de los ♂♂ (de 2º año cal. y mayores). Este ejemplar muestra una extensión de blanco máxima, pero la mayoría se acerca a este patrón.

base totalmente blanca
en r5–6, característica

r6 con toda la hemibandera
externa blanca (también en
aves con menos blanco en
otras partes de la cola)

▼ ♂ (abril)
Un ejemplar con menos blanco que el de la izquierda, pero aun así más extenso que en el papamoscas cerrojillo o en un híbrido de papamoscas cerrojillo × papamoscas acollarado. Nótense las extensas partes blancas en las hemibanderas internas de r6 y r5, no presentes en otras especies similares, que siempre tienen menos blanco en las hemibanderas internas (o no tienen).

▼ Tipo adulto ♀ (abril)
En las ♀♀ en primavera y en las aves de 1er invierno el patrón caudal es un rasgo de identificación importante. Las características destacadas forman una combinación típica. Si está presente, la franja subterminal oscura en r6 y, a veces, en r5 también es característica. En las aves de 1er invierno el patrón es similar, incluyendo la variante con franja(s) subterminal(es) en la(s) punta(s) de r6(5).

▼ 1er invierno (julio)
Este patrón es muy parecido al de las ♀♀ adultas, con una combinación característica de rasgos típicos. La franja subterminal oscura en r6 es difusa pero presente en muchos ejemplares.

color de fondo bastante pálido

franja subterminal oscura

margen pálido en toda la punta

partes pálidas limitadas a la hemibandera externa y no blanco puro

blanco limitado a la hemibandera externa pero alcanzando la punta

franja subterminal difusa, más oscura

bastante pálido, a diferencia de las otras especies de papamoscas con patrón blanco y negro

Papamoscas del Atlas *Ficedula speculigera*

L 12,5 cm | Posible divagante de N África

Papamosques de l'Atles CAT
Atlaseko euli-txoria EUS
Papamoscas do Atlas GAL

▼ Adulto ♂ (junio)
Bastante parecido al papamoscas cerrojillo ibérico, subespecie *iberiae*. Este ejemplar muestra la forma típica de la mancha frontal blanca, coberteras grandes completamente blancas (excepto las más externas, que son negras). Aun así, la identificación fuera de su distribución es complicada, puesto que los híbridos de papamoscas cerrojillo × papamoscas acollarado pueden ser muy similares.

▼ Adulto ♂ (junio)

mancha frontal blanca muy extensa (la más extensa entre los papamoscas con patrón blanco y negro)

▼ ♀ (mayo)
La frente más pálida, el obispillo más pálido y la considerable extensión de blanco en la base de las primarias son menos probables o atípicas en el papamoscas cerrojillo, pero idénticas a la ♀ de papamoscas acollarado (o a híbridos de ambas especies). Por lo tanto, la identificación en Europa parece imposible (con el conocimiento actual).

coberteras grandes blancas hasta la base, típicas (excepto las más externas), generando un panel alar rectangular

obispillo gris variable, a veces casi negro (entonces típico, en combinación con el patrón alar)

blanco a veces extendiéndose hasta los lados del cuello, como en el papamoscas semiacollarado

blanco extenso, como en los papamoscas acollarado, semiacollarado y cerrojillo de la subespecie *iberiae*

cola toda negra en los adultos (algo de blanco en aves de 1er verano, como en el papamoscas cerrojillo ♂)

Lavanderas boyeras • Introducción

TOPOGRAFÍA

Todas las lavanderas tienen terciarias largas que cubren las primarias por completo, de modo que no tienen proyección primaria.

ceja

auriculares

anillo ocular (plumado)

coberteras medianas

coberteras grandes

coberteras primarias

terciarias (3)

primarias

secundarias

▲ **Adulto ♀,** *flava* **(marzo)**

coberteras medianas

coberteras grandes

coberteras primarias

terciarias

secundarias

primarias

todas las lavanderas tienen mucho blanco en las 2 rectrices externas

▲ **♀,** *flava* **(junio)**

"LAVANDERAS AMARILLAS"

El grupo de lavanderas tipo boyera incluye un número elevado de (sub)especies, la mayoría identificables en primavera y verano, especialmente los ♂♂. En primavera, los ♂♂ tienen todas las partes inferiores amarillo intenso, las partes superiores verdosas y un diseño cefálico llamativo. Las ♀♀ y las aves de 1er año no siempre pueden asignarse a una determinada (sub)especie. Las zonas donde se reproduce más de un taxón suelen producir ejemplares intermedios, que en algunos casos pueden llegar a convertirse en poblaciones estables con rasgos característicos. Taxonómicamente, el grupo suele dividirse en 2 especies: la lavandera boyera (10 subespecies) y la lavandera de Chukotka (4 subespecies), que aparece como divagante en Europa.

DATADO

ADULTO ♂ NUPCIAL

El datado no siempre resulta fácil, ya que tanto jóvenes como adultos llevan a cabo una muda parcial a finales del invierno. Por ello, ambas clases de edad muestran un límite de muda en las coberteras grandes. Las plumas retenidas de los adultos no suelen mostrar apenas desgaste y son de aproximadamente la misma longitud que las coberteras nuevas, por lo que el límite de muda es más sutil (como en este caso).

límite de muda sutil

primarias y coberteras primarias relativamente nuevas

▲ Adulto ♂, *flava* (marzo)

1er VERANO/2º AÑO CAL. ♂

En su 2º año cal., los ♂♂ se parecen mucho a los adultos, pero los ejemplares con límites de muda llamativos, como este, son relativamente fáciles de datar como aves de 2º año cal. Las coberteras grandes externas están muy desgastadas y son bastante más cortas que las internas nuevas. Las rémiges viejas también tienen mucho más desgaste que las terciarias nuevas.

límite de muda evidente en coberteras grandes

primarias y coberteras primarias muy desgastadas

▲ 2º año cal., 1er verano, *beema* (mayo)

DATADO

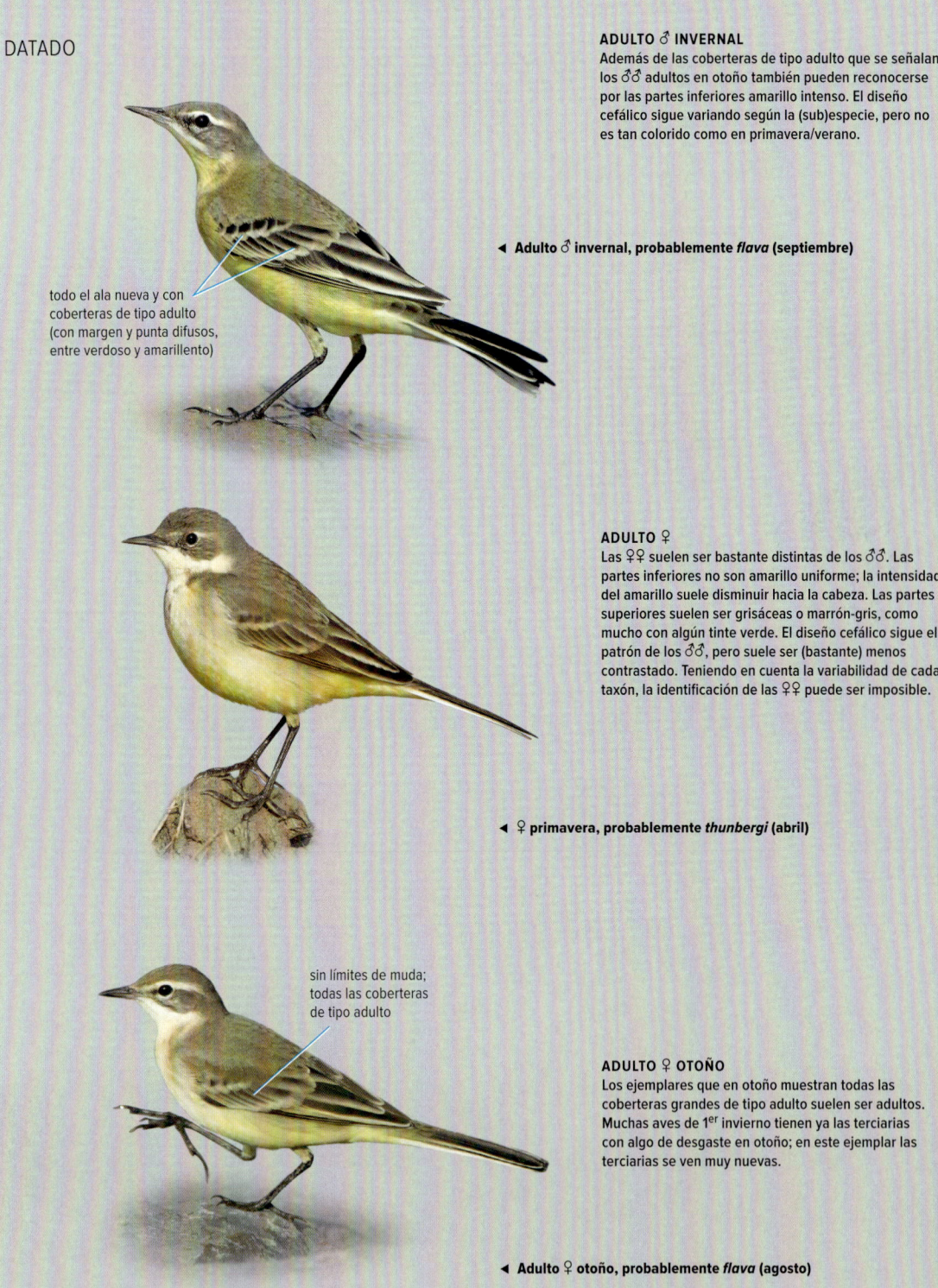

todo el ala nueva y con coberteras de tipo adulto (con margen y punta difusos, entre verdoso y amarillento)

ADULTO ♂ INVERNAL

Además de las coberteras de tipo adulto que se señalan, los ♂♂ adultos en otoño también pueden reconocerse por las partes inferiores amarillo intenso. El diseño cefálico sigue variando según la (sub)especie, pero no es tan colorido como en primavera/verano.

◄ **Adulto ♂ invernal, probablemente *flava* (septiembre)**

ADULTO ♀

Las ♀♀ suelen ser bastante distintas de los ♂♂. Las partes inferiores no son amarillo uniforme; la intensidad del amarillo suele disminuir hacia la cabeza. Las partes superiores suelen ser grisáceas o marrón-gris, como mucho con algún tinte verde. El diseño cefálico sigue el patrón de los ♂♂, pero suele ser (bastante) menos contrastado. Teniendo en cuenta la variabilidad de cada taxón, la identificación de las ♀♀ puede ser imposible.

◄ **♀ primavera, probablemente *thunbergi* (abril)**

sin límites de muda; todas las coberteras de tipo adulto

ADULTO ♀ OTOÑO

Los ejemplares que en otoño muestran todas las coberteras grandes de tipo adulto suelen ser adultos. Muchas aves de 1er invierno tienen ya las terciarias con algo de desgaste en otoño; en este ejemplar las terciarias se ven muy nuevas.

◄ **Adulto ♀ otoño, probablemente *flava* (agosto)**

JUVENIL

Los juveniles de todos los taxones muestran un diseño cefálico y del pecho característico. Las aves en este plumaje suelen provenir de poblaciones locales, por lo que se pueden asignar a uno u otro taxón en base a la localidad. La muda a plumaje de 1er invierno tiene lugar poco después de abandonar el nido, por lo que el negro de los laterales del píleo y el pecho desaparece pronto.

las zonas oscuras en laterales de pecho y píleo son típicas de juv. de todos los taxones

como máximo algo de amarillo sutil, muchas carecen totalmente de amarillo

◄ Juvenil, *flava* en base a la localidad (junio)

1er INVIERNO

Las aves de 1er invierno se parecen a las ♀♀. En otoño, el límite de muda que se señala en las coberteras grandes es muy típico. Las coberteras juveniles tienen la punta blanca, mientras que en las de tipo adulto es gris o amarilla. Todas las coberteras medianas de este ejemplar han sido mudadas. El amarillo extenso en partes inferiores, incluyendo la garganta, apunta a ♂.

todas las coberteras medianas mudadas a tipo adulto

coberteras grandes juv. (punta blanca)

límite de muda (coberteras internas mudadas, de tipo adulto, con punta gris-verde)

◄ 1er invierno, probablemente *flava* (septiembre)

1er VERANO/2º AÑO CAL. ♀

En primavera, un límite de muda muy evidente en las coberteras grandes es diagnóstico de aves de 2º año cal. Las ♀♀ pueden mostrar una banda pectoral moteada variable, al igual que algunos ♂♂ de 2º año cal.

límite de muda

◄ 1er verano/2º año cal. ♀, probablemente *flava* (junio)

Diseño cefálico de los ♂♂ de lavandera boyera en primavera

▼ **Lavandera boyera "continental"** ♂ *flava* **(abril)**
Algunos ejemplares con el gris más oscuro y auriculares oscuras uniformes, pero la parte inferior del anillo ocular siempre es blanca.

▼ **Lavandera boyera "esteparia"** ♂ *beema* **(mayo)**
Diseño cefálico típico, con lista ocular y brida contrastadas (formando una franja oscura), ceja muy larga y bien definida (también encima de la brida) y una banda blanca en auriculares y mejilla, formando una bigotera.

auriculares solo ligeramente más oscuras que el píleo

larga y llamativa

gris-azul

como mínimo algo de blanco

blanco extenso hasta cierto punto

parte inferior del anillo ocular blanca

la ceja suele ser muy larga

azul-gris (en promedio ligeramente más pálido que en *flava*)

lista ocular llamativa

blanco extenso

brida muy oscura; ceja más acentuada que en *flava*

bigotera

▼ **Lavandera de Chukotka** ♂ *tschutschensis*
Se muestran las diferencias sutiles (ninguna diagnóstica) con respecto a la lavandera boyera "continental" *flava*.

▼ **Lavandera boyera "ibérica"** ♂ *iberiae* **(marzo)**
Como la lavandera boyera "italiana", pero con la ceja blanca bien visible, lo que la hace parecer una lavandera boyera "continental" *flava* con la garganta blanca. Pero tanto las auriculares como el anillo ocular y la brida son totalmente oscuros y llamativos.

las auriculares suelen ser oscuras uniformes

ceja prominente

la brida negruzca suele ser la parte más oscura de la cabeza

un poco de blanco en el anillo ocular

ceja llamativa, se estrecha sobre la brida, pero siempre bien definida

oscuro uniforme

brida muy oscura

anillo ocular completamente oscuro

completamente blanco, contrastando con el pecho amarillo

▼ **Lavandera boyera "italiana"** ♂ *cinereocapilla* (marzo)
Se parece mucho a la lavandera boyera "escandinava", pero con la garganta blanca bien definida. Además, bastantes ejemplares muestran un atisbo de ceja discontinua. Los ejemplares con una ceja más prominente que la que aquí se muestra probablemente tengan algo de influencia de *iberiae*.

a veces algo de blanco aquí

anillo ocular completamente oscuro

totalmente blanca, contrastando con el pecho amarillo

cuña blanca

▼ **Lavandera boyera "escandinava"** ♂ *thunbergi* (mayo)
Existen ejemplares con bastante blanco en la garganta, extremadamente parecidos a *cinereocapilla*.

azul-gris oscuro; sin ceja ni blanco en anillo ocular y auriculares

la brida suele ser la parte más oscura de la cabeza

cantidad de blanco variable (a veces amarillo hasta el pico)

▼ **Lavandera boyera "cabecinegra"** ♂ *feldegg* (marzo)
Ejemplar clásico. Algunas aves menos típicas pueden tener la nuca gris-azul.

resquicios de las puntas pálidas verdosas

uniforme, el negro puede llegar a ser brillante (sin contraste entre píleo y auriculares)

el negro se extiende hacia el manto, borde a menudo poco definido

el negro se extiende hacia el manto, a veces con forma de cuña

normalmente todo amarillo (a veces una línea blanca en el borde del negro)

▼ **Lavandera boyera "británica"** ♂ *flavissima* (abril)
Los ejemplares con poco verde en píleo y auriculares no son distinguibles de la lavandera boyera "cabecigualda" *lutea*, pero las áreas de distribución de ambos taxones están muy separadas. La brida oscuras es variable y su apariencia también depende del ángulo de observación.

amarillo-verde variable; a veces es poco extenso y la cabeza parece totalmente amarilla

ceja amarillo intenso

la brida es la parte más oscura de la cabeza

▼ **Lavandera boyera "cabecigualda"** ♂ *lutea* (abril)
En promedio es más amarilla aún que la subespecie británica *flavissima*, pero existe mucho solapamiento entre ambas subespecies. Los ejemplares con el píleo más oscuro no suelen tener la frente verdosa, como sí ocurre de forma habitual en *flavissima*.

tonos verdosos normalmente poco extensos

normalmente amarillo intenso

normalmente la brida no es más oscura que el resto de la cabeza

Lavandera boyera "continental" *Motacilla flava flava*

L 15,5 cm | Verano, O a E Europa continental

▼ ♂ **nupcial, probablemente adulto (abril)**
La combinación de cabeza gris-azul, ceja evidente y, al menos, algo de amarillo en la garganta es típica de este taxón.

▼ ♀ **(abril)**
La identificación se basa en una combinación de la localización (Países Bajos), la ceja blanca bien definida y cabeza con tonos sutiles gris-azul.

laterales de pecho y píleo oscuros, típicos en todas las subespecies

◄ **Juvenil, *flava* en base a la localización (junio)**
Los juveniles de todas las subespecies son muy similares.

como máximo, tonos amarillos sutiles, pero muchos ejemplares carecen por completo de amarillo

▼ **1er invierno, *flava* en base a la localización (septiembre)**

▼ **2º año cal. ♀, 1er verano (junio)**
El límite de muda en las coberteras grandes es llamativo, lo que resulta típico tanto en el ♂ como en la ♀. En primavera, las ♀♀ de 2º año cal. suelen mostrar una cantidad variable de motas en el pecho (también algunos ♂♂).

coberteras grandes juv. (con punta blanca)

límite de muda (coberteras grandes internas mudadas a tipo adulto, con punta verde-gris)

límite de muda

Lavandera boyera "esteparia" *Motacilla flava beema*

L 15,5 cm | Divagante/migrante de SO Asia

Cuereta groga "centreasiàtica" CAT
Larre-buztanikara "estepetakoa" EUS
Lavandeira das estepas GAL

▼ Tipo adulto ♂ nupcial (mayo)

gris-azul pálido

diseño cefálico llamativo, con ceja larga; lista ocular, incluyendo brida, y bigotera bien definidas

las bandas alares suelen ser bastante llamativas

▼ ♀ nupcial (mayo)

Tanto la localización (Rusia) como el plumaje de la cabeza (gris-azul pálido), la brida oscura, la extensión del blanco en auriculares y las bandas alares bastante anchas apuntan a este taxón. A pesar de ello, existe una zona de transición entre *flava* y *beema* y una amplia variabilidad individual. Por ello, en el centro de la distribución de *flava* también pueden hallarse ejemplares con este plumaje.

■ Ejemplar probablemente intermedio *flava* × *flavissima*, 2º año cal. ♂ nupcial (mayo)

Estas aves (presuntamente) intermedias, con diseños faciales bastante característicos, aparecen a veces en las zonas donde *flava* y *flavissima* coinciden. La cabeza azul pálido con mucho blanco en auriculares recuerda a *beema*, pero estos ejemplares carecen de las típicas listas ocular, bigotera y brida oscura y bien definida.

▼ 1er invierno tipo *beema* (otoño)

Las partes inferiores blancas y la cabeza con ceja bien definida, lista ocular y bigotera oscuras y banda pálida en auriculares son características típicas de *beema*. Sin embargo, la identificación de ejemplares de 1er invierno de *beema* en Europa resulta imposible por el solapamiento con otras subespecies, incluyendo ejemplares de 1er invierno pálidos de *flava* o intermedios. La identificación de este ejemplar se basa en la localización (NO de la India), pero un 1er invierno de lavandera boyera "cabecigualda" *lutea* podría ser idéntico.

Lavandera boyera "británica" *Motacilla flava flavissima*

L 15,5 cm | Verano, Gran Bretaña y zona costera continental cercana

Cuereta groga "britànica" CAT
Larre-buztanikara "britainiarra" EUS
Lavandeira flavísima GAL

▼ ♂ **nupcial (abril)**
Los ♂♂ nupciales solo pueden confundirse con la lavandera boyera "cabecigualda", muy similar pero muy rara en Europa.

diseño cefálico característico, pero muy similar a (algunas) "cabecigualdas"

▼ ♂ **nupcial (abril)**
Un ejemplar con el píleo ligeramente más verde, lo que resalta la ceja amarillo brillante y crea un diseño característico.

gris-verde pálido

▼ ♀, **1er verano/2º año cal. (mayo)**
Solo algunos ejemplares muestran suficientes rasgos clásicos para ser identificados fuera de su zona de distribución habitual. Este ejemplar muestra los rasgos más importantes.

cabeza en general gris bastante pálido

ceja ancha y larga

típico blanco extenso en el centro de auriculares (no muy visible en este ejemplar, que se solapa con *flava*)

al menos algo de amarillo en la ceja, lo cual es típico

algo de amarillo en la garganta (a diferencia de la mayoría de *flava*)

límite de muda evidente, típico del 2º año cal.

▼ **1er invierno (septiembre)**
Presuntamente se trata de esta subespecie; la identificación se basa en la localización (Gran Bretaña). La ceja de color crema también es indicativa, pero, como en todas las aves de 1er invierno de lavandera boyera, este carácter no es suficiente para asegurar la identificación. El ala todavía es muy juvenil (con márgenes y puntas blancos bien definidos), pero ha mudado algunas coberteras medianas centrales (más difusas y con puntas grisáceas).

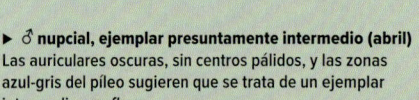

▶ ♂ **nupcial, ejemplar presuntamente intermedio (abril)**
Las auriculares oscuras, sin centros pálidos, y las zonas azul-gris del píleo sugieren que se trata de un ejemplar intermedio con *flava*.

Lavandera boyera "cabecigualda" *Motacilla flava lutea*

Cuereta groga "de cap groc" CAT
Larre-buztanikara "buruhoria" EUS
Lavandeira lútea GAL

L 15,5 cm | Divagante de O Asia

▶ ♂, **1er verano (abril)**
En promedio, muestra todavía más amarillo en la cabeza
que la lavandera boyera "británica" y también unas
bandas alares ligeramente más anchas, pero existe solapamiento en casi todo. Los ejemplares casi completamente cabecigualdos como este son raros en Gran
Bretaña, por lo que, en combinación con la banda alar
ancha y amarilla (en lugar de blanca) en coberteras
medianas, probablemente permita descartar *flavissima*.
Sin embargo, muchos ejemplares no son tan típicos como
este. El límite de muda obvio entre las coberteras
grandes externas cortas (y desgastadas) y las internas
largas (y, en este caso, amarillas) es típico de lavanderas
de 2º año cal. en general. Además, las primarias y coberteras primarias son apagadas y están desgastadas.

tan solo algo
de oscuro sutil

ni rastro de
brida oscura

ancha y amarilla

▶ **1er invierno, probablemente ♂ (noviembre)**
Como los adultos, (casi) idéntica a la lavandera boyera "británica",
incluyendo toda su variabilidad. A pesar de que existen ♀♀ de
"cabecigualda" de color amarillo intenso, el amarillo brillante de la
garganta es un buen indicativo del ♂. El ala, todavía juvenil casi
por completo, es muy llamativa en este ejemplar. Esta muda tan
restringida es más típica de la lavandera de Chukotka. En
noviembre, las aves de 1er invierno de taxones del oeste suelen
haber mudado ya todas las coberteras medianas y un buen
número de las coberteras grandes.

▶ **1er invierno, probablemente ♂ (diciembre)**
Plumaje similar al de arriba. Este ejemplar también
muestra un ala desgastada y fundamentalmente
juvenil, lo que podría ser típico en aves de
1er invierno pertenecientes a este taxón.

Lavandera boyera "italiana" *Motacilla flava cinereocapilla*

L 15,5 cm | Verano, Italia y regiones limítrofes

Cuereta groga "italiana" CAT
Larre-buztanikara "italiarra" EUS
Lavandeira italiana GAL

LAVANDERAS DE GARGANTA BLANCA

Las lavanderas boyeras "italiana", "ibérica" y la subespecie egipcia *pygmaea* (no tratada aquí) están muy emparentadas y a veces se agrupan bajo la denominación lavandera "gorjiblanca" *Motacilla cinereocapilla*.

▶ ♀ **nupcial (abril)**
La identificación se basa en la localización (Italia). La ausencia de ceja, la cabeza grisácea y las auriculares completamente oscuras son típicas, pero algunas ♀♀ de *thunbergi* y, especialmente, de *feldegg*, pueden ser así.

▼ **Adulto ♂ nupcial (marzo)**
Se parece especialmente a la lavandera boyera "escandinava", pero véanse los rasgos que se señalan.

a veces es relativamente largo

garganta típicamente blanca por completo

suele carecer del moteado oscuro difuso (cf. lavandera boyera "escandinava")

▶ **1er invierno (agosto)**
La identificación se basa en la localización (Italia). El plumaje de un ejemplar así no permite separarla de, por ejemplo, ejemplares de 1er invierno de *thunbergi* y *feldegg*.

Lavandera boyera "ibérica" *Motacilla flava iberiae*

L 15,5 cm | Verano, península Ibérica, Baleares y S Francia

Cuereta groga "ibèrica" CAT
Larre-buztanikara "iberiarra" EUS
Lavandeira ibérica GAL

▼ **♂ nupcial (marzo)**
Pese a que se parece mucho a *flava*, es típica la combinación de garganta totalmente blanca, auriculares oscuras uniformes, brida negra y ausencia casi total de blanco debajo del anillo ocular. Algunos ejemplares menos clásicos pueden mostrar algo de blanco en esta zona, como en *flava*.

▼ **♀ nupcial (marzo)**
La identificación se basa en la localidad (Mallorca, España). La garganta blanca y las auriculares oscuras son indicativas, pero las ♀♀ y las aves de 1er invierno de esta subespecie son imposibles de diferenciar con certeza de, por ejemplo, *flava* nominal, a no ser que se registre el reclamo rasposo.

Lavandera boyera "escandinava" *Motacilla flava thunbergi*

L 15,5 cm | Verano, N a NE Europa

Cuereta groga "d'Escandinàvia" CAT
Larre-buztanikara "eskandinaviarra" EUS
Lavandeira escandinava GAL

▼ ♂ **nupcial (mayo)**
Un ejemplar con diseño cefálico y pecho moteado típicos. En los ejemplares con la cabeza más oscura, el moteado del pecho es un buen indicativo de *feldegg*.

▶ ♂ **nupcial, probablemente adulto (mayo)**
El diseño cefálico es típico. Casi todos los ♂♂ en primavera muestran una cantidad variable de moteado difuso en el pecho; en este caso muy limitado.

cantidad de motas en el pecho típica de este taxón

▶ ♀ **nupcial, probablemente *thunbergi* (abril)**
Este ejemplar fue fotografiado en Chipre. La cabeza oscura con una ceja muy fina encaja con la ♀ de *thunbergi*, pero no se puede identificar con certeza fuera de la zona de cría.

▶ **1ᵉʳ invierno (agosto)**
A diferencia de los adultos, las aves de 1ᵉʳ invierno y algunas ♀♀ de 2º año cal. pueden mostrar una ceja bien definida y ser por tanto casi idénticas a *flava*. Sin embargo, las auriculares son totalmente oscuras, a diferencia de en la mayoría de *flava*.

■ **Probable Lavandera boyera "cabecinegra", adulto ♂ nupcial (marzo)**
La nuca gris apunta a una *thunbergi* de cabeza oscura, pero la frente totalmente negra (tan negra como las auriculares) y la ausencia de moteado en el pecho es más típico de la lavandera boyera "cabecinegra". Esta suele mostrar resquicios de las puntas verdosas de las plumas de la nuca (que más tarde se desgastarán, dando lugar a una cabeza negro uniforme) y el negro se extiende más hacia los laterales del cuello. Cuando se escanean grupos de lavanderas boyeras, ¡no es raro hallar varios ejemplares no asignables con certeza a una u otra subespecie!

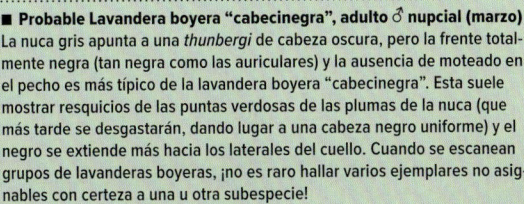

Lavandera boyera "cabecinegra" *Motacilla flava feldegg*

L 15,5 cm | Verano, SE Europa

Cuereta groga "balcànica" CAT
Larre-buztanikara "balkandarra" EUS
Lavandeira de cabeza negra GAL

▼ ♂ nupcial (mayo)
Ejemplar clásico en todos los sentidos.

negro extenso, a veces formando cuña (a diferencia de los ♂♂ de *thunbergi* con la cabeza muy oscura)

normalmente bien definido, pero a veces el negro se extiende hacia el manto

totalmente amarillo; algunas aves ocasionalmente con infrabigotera blanca y fina

poco moteado o liso (cf. lavandera boyera "escandinava" ♂)

▼ ♀ nupcial (mayo)
La identificación se basa parcialmente en la localización (Kazajistán). La cabeza gris con anillo ocular pálido casi completo es típica, pero las ♀♀ de lavanderas boyeras "italiana" y "escandinava" en particular pueden ser idénticas. Los ejemplares más típicos tienen partes inferiores casi completamente blancas. Algunos ejemplares muestran una ceja bastante evidente, lo que les hace todavía más parecidos a las ♀♀ de otros taxones.

▶ ♂ nupcial (marzo)
Existen ejemplares con una infrabigotera blanca. Con poca luz, las lavanderas boyeras "escandinavas" de cabeza oscura pueden parecerse mucho a este taxón, pero suelen mostrar, al menos, algo de moteado oscuro en el pecho. Además, la cuña oscura en el manto y, en menor medida, las partes superiores verde pálido, también ayudan a descartar *thunbergi* en este caso.

▶ 1er invierno (octubre)
Las aves de 1er invierno muestran un plumaje totalmente gris y blanco, con la cabeza gris y un anillo ocular blanco que suele ser completo (como en muchas ♀♀ en primavera), pero asegurar la identificación de ejemplares fuera de la distribución habitual puede resultar imposible por la enorme variabilidad de otros taxones.

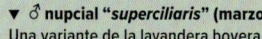

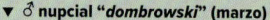

▼ ♂ nupcial "superciliaris" (marzo)
Una variante de la lavandera boyera "cabecinegra", o un híbrido. Muchos ejemplares de este tipo muestran una ceja totalmente blanca.

▼ ♂ nupcial "xanthophrys" (marzo)
Una variante de la lavandera boyera "cabecinegra", o un híbrido. Como "superciliaris", pero con ceja amarilla.

▼ ♂ nupcial "dombrowski" (marzo)
Los ejemplares de este tipo del E de Europa pertenecen a una población híbrida entre *flava* y *feldegg*. Muchos ejemplares muestran un píleo totalmente gris, pero con auriculares negras. Las puntas verdes de la nuca pronto desaparecerán por el desgaste.

Lavandera de Chukotka *Motacilla tschutschensis*

L 15,5 cm | Divagante de E Asia

▼ ♂ **nupcial (mayo)**
Muy parecida a la lavandera boyera "continental" *flava*, pero la brida y la parte anterior de las auriculares negras forman un antifaz oscuro llamativo, como en *iberiae*. La ceja de *tschutschensis* nominal es larga y ancha. La uña posterior es en promedio más larga que en los taxones occidentales, pero las medidas se solapan.

▼ **1er invierno (octubre)**
Las aves de 1er invierno suelen ser totalmente gris y blanco, lo que también ocurre con frecuencia en *feldegg* y *beema*, pero no tanto en otras subespecies occidentales. Véanse también todas las coberteras medianas y grandes retenidas, o casi. La muda postjuvenil parcial de los taxones del oeste suele incluir buena parte de estas plumas. Véase LAVANDERAS BOYERAS • INTRODUCCIÓN (p. 898) para las diferencias entre coberteras juveniles y de tipo adulto.

todas o la mayoría de coberteras medianas y grandes juveniles retenidas

uña posterior muy larga

uña posterior muy larga

▼ **1er invierno (noviembre)**
El diseño cefálico es indicativo, pero se solapa con, por ejemplo, *flava*. Sin embargo, es muy raro que, en noviembre, un 1er invierno de un taxón occidental haya retenido (casi) todas las coberteras grandes y medianas juveniles. La identificación en Europa debe ser confirmado mediante grabaciones del reclamo y/o análisis de ADN nuclear (ya que la hibridación con la lavandera boyera "escandinava" y la lavandera cetrina es frecuente en las zonas donde coinciden).

▼ **1er invierno ♂, probablemente tipo "*plexa*" (febrero)**
Existen bastantes subespecies de lavandera de Chukotka (incluyendo "*plexa*") que son casi idénticas a *thunbergi*. La ausencia de ceja y de blanco en la parte inferior del anillo ocular es indicativa de esta subespecie/tipo, cuya muda postjuvenil suele ser tan restringida como en la subespecie nominal. Este ejemplar fue fotografiado en Tailandia, pero una lavandera así en Europa no podría identificarse con seguridad sin una grabación de su reclamo y/o análisis de ADN.

brida y (parte anterior de las) auriculares negruzcas

coberteras medianas y grandes aún juv.

tan solo una pequeña parte del anillo ocular blanco

muchas coberteras medianas y grandes todavía juv. en febrero

Lavandera cetrina *Motacilla citreola*

L 16 cm | Verano, E Europa

▼ ♂, *citreola* nupcial (mayo)
Los ♂♂ de todas las subespecies son inconfundibles en primavera y verano por su cabeza amarillo uniforme (a menudo con plumaje oscuro variable en el píleo), collar negro y partes superiores grises. Solo los ♂♂ pueden asignarse a una de las 2 subespecies que se ven en Europa (la nominal *citreola*, norteña, y la más meridional *werae*). Este ejemplar encaja con un ♂ nominal en todos los sentidos. La imagen muestra las diferencias con respecto a *werae*.

▼ ♂, *werae* nupcial (abril)
Se señalan en la imagen las diferencias sutiles con respecto a *citreola*. El collar negro puede estar casi ausente en esta subespecie, aunque la anchura también puede variar con la posición del ave. El límite de muda en las coberteras grandes no descarta al adulto y, de hecho, el buen estado de las coberteras primarias apunta a un ejemplar de esta edad.

collar negro ancho

gris bastante oscuro

amarillo bastante brillante

collar fino relativamente estrecho

gris bastante pálido

amarillo pálido

▼ ♀ (mayo)
El diseño cefálico es típico. La intensidad del amarillo en partes inferiores es lo opuesto a la lavandera boyera: el amarillo es más intenso en la cabeza y la garganta, reduciéndose progresivamente hasta el vientre e infracoberteras caudales blancos. En la ♀ de lavandera boyera, la zona de infracoberteras caudales suele ser la más coloreada, palideciendo progresivamente hacia la garganta.

auriculares completamente rodeadas de amarillo; la ceja conecta con la garganta por los laterales del cuello

▼ 1er verano/2º año cal. ♂, *citreola* nominal (junio)
El llamativo límite de muda de este ejemplar es típico de aves de 2º año cal. Los adultos suelen mostrar también un límite de muda en las coberteras grandes, pero no existe tanta diferencia de desgaste entre las plumas internas nuevas y externas viejas (véase ♂ *werae*). Las coberteras primarias desgastadas y marrones también son un buen indicativo de esta clase de edad, pero esto no siempre es fácil de ver.

gris casi puro (cf. lavanderas boyeras)

área de partes inferiores con amarillo más intenso (cf. lavanderas boyeras ♀♀)

blanco (cf. lavanderas boyeras)

flanco gris, a menudo por completo (cf. varias lavanderas boyeras ♀♀)

las zonas oscuras del píleo pueden aparecer tanto en ♂♂ adultos como de 2º año cal.

límite de muda muy llamativo

desgastadas y descoloridas

▶ 2º año cal. ♀, 1er verano (abril)

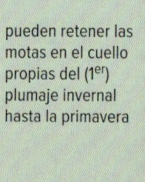

pueden retener las motas en el cuello propias del (1er) plumaje invernal hasta la primavera

▼ 1er invierno (octubre)

Dado que comparten algunos caracteres, las aves en este plumaje se pueden confundir con lavanderas boyeras de 1er invierno pálidas o con algunos juveniles/1er invierno de lavandera blanca. La combinación de rasgos que se señalan es característica.

auriculares totalmente rodeadas de blanco; borde de auriculares algo oscuro, centro más pálido

línea oscura en el lateral del píleo que empieza sobre el ojo

partes superiores gris uniforme

brida (bastante) pálida

pálido, a veces marronáceo claro

terciarias con borde blanco bien definido

totalmente negro

bigotera a veces llamativa

blanco liso

blanco, flanco a menudo ligeramente más oscuro

bandas alares blanco brillante y anchas

■ Lavandera blanca continental juvenil/1er invierno similar a lavandera cetrina (junio)

Algunos juveniles y aves de 1er invierno de lavandera blanca pueden parecerse al 1er invierno de lavandera cetrina. En la imagen se muestran las diferencias más importantes.

a menudo una línea oscura

línea oscura en el lateral del píleo entre el pico y el ojo

laterales del cuello extensamente pálidos

mancha pectoral oscura más o menos sólida, aunque puede estar casi ausente

uña trasera corta y muy curvada (no visible aquí)

coberteras medianas juv. con línea oscura en el raquis

▼ Adulto ♂ invernal (noviembre)

El sexado no siempre es posible en plumaje invernal, pero ejemplares como este, con frente amarilla, ceja amarilla ancha y auriculares también amarillas son ♂♂. Las ♀♀ no suelen mostrar amarillo en la frente, sino que la zona oscura del píleo se extiende hasta el pico.

amarillo extenso (cf. ♀ adulta invernal)

frente amarilla (cf. ♀ adulta invernal)

puntas grisáceas en plumas nuevas

moteado oscuro variable, a veces crea un collar completo

▼ Adulto ♀ invernal (agosto)

En este plumaje, la ♀ se parece mucho al 1er invierno, pero véanse los rasgos que se señalan. Más tarde, en otoño, la cabeza y las partes inferiores suelen tornarse más amarillas.

típico diseño cefálico, con auriculares oscuras completamente rodeadas de amarillo pálido; mismo diseño que en el 1er invierno

puntas pálidas con borde difuso; gris entre el blanco y el negro (cf. 1er invierno)

tintes amarillentos (cf. 1er invierno)

■ Híbrido, ♂ nupcial (abril)

Los híbridos con lavandera boyera son muy variables (la hibridación tiene lugar entre distintas subespecies, incluyendo también a la lavandera de Chukotka). Este es un ejemplo de ave similar a lavandera cetrina. El píleo y las auriculares de muchos ejemplares de este tipo son variablemente oscuros y muestran una ceja ancha llamativa. Las bandas alares anchas también son un buen indicativo de la influencia de lavandera cetrina. Las ♀♀ híbridas no suelen ser identificables, pero también deberían mostrar bandas alares anchas y un "atisbo de conexión" entre la ceja y los laterales del cuello.

muy ancha

"atisbo de conexión" entre ceja y laterales del cuello

verde

ancha

■ Híbrido, 1er invierno (diciembre)

Este ejemplar es del tipo que más se parece a una lavandera boyera. En la imagen se señala la influencia de esta especie.

tintes verdosos

amarillento

banda alar estrecha

Lavandera cascadeña _Motacilla cinerea_

L 18,5 cm | Todo el año, S a NO Europa

▼ Tipo adulto ♂ nupcial (abril)
Fácil de identificar con este plumaje. La garganta negra es diagnóstica, pero los otros caracteres que se señalan también son típicos. El ala completamente nueva de este ejemplar encaja mejor con un adulto.

▼ Tipo ♀ nupcial (mayo)
Las aves que no tienen la garganta completamente negra en primavera y verano pueden ser tanto ♀♀ como ♂♂ inmaduros. La forma del negro encaja mejor con una ♀ en este caso; algunas ♀♀ apenas muestran nada de negro en primavera. Tanto adultos como aves de 2º año cal. pueden mostrar un límite de muda en coberteras grandes o terciarias en primavera, por lo que muchos ejemplares resultan muy difíciles de datar.

márgenes y puntas algo pálidos; muy sutil para una lavandera

gris uniforme

los márgenes blancos de terciarias son más llamativos que los de coberteras (cf. lavanderas boyeras)

negro diagnóstico

en primavera las bandas alares ya han desaparecido por el desgaste

amarillo intenso

blancuzco

muy larga

rosado pálido en todos los plumajes (negras en el resto de lavanderas)

lista malar oscura y zona central de la garganta blanca, patrón más típico de las ♀♀

flancos blancos en todos los plumajes

▼ Adulto invernal (noviembre)
Las infracaudales amarillas y supracaudales verdes por completo es diagnóstico en todos los plumajes. Los rasgos del ala que se señalan son típicos de adultos en otoño, pero los límites de muda en aves de 1er invierno son sutiles y algunos ejemplares casi imposibles de datar.

▶ 1er invierno (noviembre)
Véanse los rasgos que se señalan para el datado, pero no es tan sencillo en todas las aves de 1er invierno. Durante la muda postjuvenil, a finales de verano, siempre mudan las coberteras medianas y las terciarias.

los márgenes de terciarias suelen ser la parte más pálida del ala (cf. lavanderas boyeras)

verde-amarillo diagnóstico en todos los plumajes

coberteras medianas y grandes de la misma generación y con mismo diseño (cf. 1er invierno)

coberteras primarias y primarias negras (cf. 1er invierno)

laterales del pecho típicamente anaranjados; muchos adultos con amarillo intenso

límite de muda

las infracoberteras caudales y el vientre muestran el amarillo más brillante de todas las partes inferiores (cf. lavanderas boyeras)

terciarias mudadas durante la muda postjuv. típicamente más nuevas y negras que rémiges y coberteras grandes externas

muy larga en todos los plumajes

▼ 2º año cal. tipo ♂, 1er verano (marzo)
Este ejemplar muestra un límite de muda evidente en las coberteras grandes, lo que apunta a ave de 2º año cal.

límite de muda

muy larga

primarias marronosas

motas blancas en muchos ♂♂ de 1er verano (2º año cal.)

banda pálida llamativa (cf. otras lavanderas)

▶ (Octubre)
Típica silueta en vuelo.

Lavandera blanca continental *Motacilla alba alba*

L 17,5 cm | Todo el año, S y O Europa; verano, también N y E Europa

▼ Adulto ♂ nupcial (marzo)

Fácil de identificar como una de las lavanderas blancas por la cara, frente y auriculares blancas, junto con la garganta y la nuca negras. En plumaje nupcial, ambos sexos muestran la garganta negra, que se une al pecho negro durante todo el año. El resto de rasgos que se señalan describen las diferencias respecto a la ♀ nupcial. El datado se basa en el límite de muda sutil en las coberteras grandes, además de las coberteras primarias negras y las rémiges con márgenes blancos bastante nuevos (compárese con el plumaje de 2º año cal./1er verano). Un límite de muda en las coberteras grandes no resulta muy útil para el datado, ya que tanto el adulto como el 2º año cal. realizan una muda parcial en invierno para adquirir el plumaje nupcial, que incluye alguna de estas plumas. Sin embargo, el nivel de desgaste de las plumas retenidas es mucho mayor en aves jóvenes.

▼ Tipo ♀ nupcial (febrero)

Casi como el ♂ nupcial, pero el blanco y negro de la cabeza no son tan uniformes ni están tan bien definidos. No es posible determinar la edad de este ejemplar debido a que las coberteras primarias y las rémiges no son visibles, pero el límite de muda obvio en las coberteras grandes apunta a ave de 2º año cal.

negro, borde bien definido (cf. ♀ nupcial)

negro uniforme (cf. ♀ nupcial)

blanco uniforme (cf. ♀ nupcial)

negro en plumaje nupcial

algo de gris (cf. ♂ nupcial)

transición entre el negro de la nuca y el gris del manto más gradual (cf. ♂ nupcial)

poco definido, con manchas oscuras en la frente (cf. ♂ nupcial)

algunas manchas oscuras

▼ 2º año cal./1er verano ♂ (mayo)

Los ejemplares datables también pueden ser sexados. La imagen muestra los rasgos del 2º año cal. En ejemplares de esta edad, el píleo negro liso con márgenes bien definidos es exclusivo del ♂. Las ♀♀ de 2º año cal. en primavera presentan menos negro en el píleo, que puede ser incluso totalmente gris. Las aves de 2º año cal. pueden mostrar 3 generaciones de coberteras grandes, pero esto suele ser difícil de ver en el campo.

límite de muda obvio (cf. adulto nupcial)

bastante desgastadas y marronosas

▼ Juvenil (julio)

mancha pálida en laterales del cuello

laterales del píleo oscuros

la mancha pectoral suele ser más o menos uniforme (cf. lavanderas boyera y cetrina), pero pueden carecer de ella

uña posterior corta y muy curvada (cf. lavanderas boyera y cetrina)

▼ Adulto invernal (noviembre)

Las aves de 1er invierno pueden haber mudado ya todas las coberteras grandes, por lo que el datado puede resultar difícil. Las coberteras primarias y las rémiges de este ejemplar parecen ser de tipo adulto. El negro poco extenso en el centro del píleo y el gris extendiéndose por la frente apunta claramente a ♀.

gris predominante, apuntando a ♀

blanco en cualquier plumaje invernal

todas de tipo adulto (nuevas y con borde gris)

▼ 1er invierno (noviembre)

Muchas aves de 1er invierno tienen la cara amarillenta. Este ejemplar ha retenido todas las coberteras medianas juveniles (nótese el raquis oscuro).

Lavandera blanca continental *Motacilla alba alba*

▼ **1er invierno ♂ (noviembre)**
Un 1er invierno con píleo negro uniforme tiene que ser ♂.

▶ **♀ (octubre)**

límite de muda; coberteras grandes externas juv. con margen marrón-gris

primarias y coberteras primarias juv. con márgenes apagados (cf. adulto invernal)

negro en la hemibandera interna de r6 (a menudo completamente blanca en *yarrellii*)

blanco extenso en coberteras medianas y grandes; base oscura muy limitada (muy llamativo en este adulto)

▶ **Adulto ♂ nupcial, *dukhunensis* del este (enero)**
Esta subespecie, que se distribuye del Cáucaso hacia el este, posiblemente aparezca como migrante accidental en Europa. La única diferencia con respecto a *alba* es la mayor cantidad de blanco en coberteras, aunque depende de la clase de edad. Las ♀♀ de 1er invierno tienen poco blanco y son idénticas a *alba*, mientras que los ♂♂ adultos muestran las coberteras completamente blancas. Las ♀♀ adultas y los ♂♂ de 1er año se hallarían entre uno y otro extremo. Debido a la amplia variabilidad de *alba* y a la zona de intergradación de ambas subespecies, tan solo los ♂♂ pueden ser identificados en Europa con una certeza significativa.

Lavandera blanca enlutada *Motacilla alba yarrellii*

L 17,5 cm | Verano, Gran Bretaña e Irlanda

Cuereta blanca "endolada" CAT
Buztanikara zuri "iluna" EUS
Lavandeira enloitada GAL

▼ **♂ nupcial (junio)**
En este plumaje resulta inconfundible por las partes superiores negro puro características. El negro en los laterales del pecho, que conecta con la mancha pectoral, también es típico. Para el datado se pueden emplear los mismos rasgos útiles para la lavandera blanca continental (ver). El límite de muda en las coberteras grandes, bastante llamativo, no resulta muy útil, debido a que tanto el adulto como el 2º año cal. mudan algunas coberteras grandes durante la muda prenupcial de finales de invierno (véase también ♂ adulto de lavandera blanca continental nupcial). El datado solo es posible en algunos ejemplares.

▼ **Tipo adulto ♀ nupcial (marzo)**
Un ejemplar típico, con partes superiores moteadas de negro y flanco y laterales del pecho grises bastante oscuros. El diseño cefálico puede parecerse al del ♂, o incluso ser idéntico, pero este ejemplar muestra algunas manchas en auriculares y frente. El límite de muda sutil de las coberteras grandes indica que probablemente se trate de un adulto.

negro puro uniforme, como el píleo

blanco extenso

laterales del pecho negros

gris bastante oscuro

típico gris oscuro con motas negras

gris bastante oscuro

laterales del pecho grises

▼ Adulto ♂ invernal (septiembre)

Ejemplar clásico, con partes superiores negruzcas y flancos gris oscuro que se extienden hacia los laterales del pecho. En plumaje nupcial, todas las lavanderas blancas tienen la garganta blanca. En otoño, el ala completamente nueva, sin límites de muda, indica adulto. Es normal que los ♂♂ invernales muestren una mezcla de plumas grises y negras en partes superiores; son más o menos parecidos a las ♀♀ nupciales. La gran cantidad de blanco en las coberteras grandes y la cara blanca inmaculada son típicas del ♂.

▼ Adulto ♀ (septiembre)

Como podemos asegurar que se trata de un adulto (véanse los rasgos que se señalan), tiene que ser una ♀: gris en lugar de negro en el píleo y partes superiores de un gris bastante pálido. En este plumaje, las ♀♀ tienen unas partes superiores en general más pálidas que los ♂♂, por lo que se parecen más a *alba*. Fuera de Gran Bretaña e Irlanda, estos ejemplares pueden pasar fácilmente desapercibidos. La mejor forma de detectarlos es por la combinación de partes superiores con estriado/moteado negro/gris oscuro y obispillo y supracoberteras caudales negruzcas. Además, el flanco suele ser ya de un gris más oscuro. No se puede descartar un ave intermedia, pero estas no suelen tener el obispillo negro.

estriado/moteado negro
(a diferencia de *alba*)

supracoberteras y obispillo
negro/negruzco después del
plumaje juv. (cf. *alba*)

muda activa de
secundarias (creciendo)
(a diferencia de ejs. de
1er invierno)

▼ 1er invierno ♂ (septiembre)

Debido al gran parecido con *alba*, los ejemplares en este plumaje pueden pasar fácilmente desapercibidos fuera de su zona de distribución habitual. En este ejemplar, el obispillo y las supracoberteras negras apenas son visibles, pero las partes superiores sí que son relativamente oscuras y el flanco (también gris oscuro) se ensancha hacia los laterales del pecho, lo que resulta típico. El píleo negro uniforme en un 1er invierno apunta a ♂.

gris bastante oscuro (se
ensancha hacia el pecho)

un límite de muda
en otoño indica
1er invierno

supracoberteras
caudales y obispillo
negro puro (apenas
visible aquí)

▼ 1er invierno, presuntamente intermedio con *alba* (enero)

La combinación de partes superiores y flancos de un gris bastante oscuro y ausencia de negro puro en obispillo y supracoberteras caudales sugiere cierta influencia de la lavandera blanca continental *alba*. Existen parejas mixtas en el oeste del continente europeo.

▶ 1er verano/2º año cal. ♂ (marzo)

La subespecie nominal *alba* muestra más negro en promedio en la base de r6 (a veces también en r5).

menos negro en la base
de r6(5) que en *alba*
(a veces parece ser
totalmente blanca)

Lavandera blanca enmascarada *Motacilla alba personata*

L 17,5 cm | Divagante de C Asia

Cuereta blanca "emmascarada" CAT
Buztanikara zuri "maskaraduna" EUS
Lavandeira mascarada GAL

▼ Adulto ♂ nupcial (mayo)
Los ♂♂ nupciales son inconfundibles, con su diseño cefálico diagnóstico y las coberteras blancas, que forman un panel.

▼ Adulto tipo ♀ invernal (septiembre)
El diseño cefálico invernal que se señala en la imagen es característico en todos los plumajes. La **lavandera blanca del Magreb** *Motacilla alba subpersonata* muestra un diseño similar, pero con una lista ocular negra y una mancha pálida en el cuello. Las coberteras, todas de tipo adulto, y los márgenes blancos bien definidos en coberteras primarias y primarias son típicos de los adultos, mientras que el píleo gris apunta a ♀.

auriculares y bigotera negras características (cf. *alba*)

a pesar de que las ♀♀ muestran un centro más oscuro, las coberteras grandes siguen siendo más pálidas que en *alba* (pero similares a *dukhunensis*)

▼ 1ᵉʳ invierno tipo ♂ (noviembre)
La identificación sigue siendo sencilla con plumajes menos típicos, gracias a las auriculares y bigotera negras. Las zonas de la cabeza negras extensas y el píleo negro apuntan a ♂.

auriculares y bigotera negras características

límite de muda evidente típico del 1ᵉʳ invierno

▼ ♀ (noviembre)
El píleo y auriculares grises, en lugar de negros, son típicos de las ♀♀ en otoño. Todas las coberteras grandes parecen de tipo adulto (solo centros negros difusos). Las ♀♀ de 1ᵉʳ invierno tienen el píleo típicamente gris, carecen de auriculares negro puro, muestran menos negro en el pecho y los centros de las coberteras grandes externas juveniles retenidas son más oscuros.

■ Lavandera blanca del Magreb
Motacilla alba subpersonata,
♂ nupcial (febrero)
Este taxón es fundamentalmente residente, pero aparece como divagante en el extremo SO de Europa. La combinación de rasgos que se señalan resulta característica. En el O de Europa se han observado ejemplares con diseños cefálicos similares, pero normalmente solo muestran una lista ocular fina y menos blanco en auriculares. Se trata presuntamente de ejemplares de *alba* o *yarrellii* aberrantes.

las auriculares negras conectan con el ojo (cf. lavandera blanca enmascarada)

brida y lista ocular negras

mancha blanca

■ Lavandera blanca del Magreb *Motacilla alba subpersonata,* **♂ invernal (enero)**
Mantiene el diseño cefálico característico durante el invierno.

mancha blancuzca en los laterales del cuello

auriculares negras que contactan con el ojo

línea negra en la brida

Lavandera blanca del Amur *Motacilla alba leucopsis*

L 17,5 cm | Divagante de E Asia

Cuereta blanca "de l'Amur" CAT
Buztanikara zuri "mantxuriarra" EUS
Lavandeira do Amur GAL

▼ Adulto ♂ nupcial (mayo)

Inconfundible en este plumaje, pero dada su extrema rareza, debe considerarse un ♂ aberrante de lavandera blanca enlutada.

▼ 2º año cal. ♀/1ᵉʳ verano (mayo)

La combinación de coberteras medianas y partes inferiores totalmente blancas es característica. El obispillo y las supracoberteras caudales son negros (parcialmente visibles aquí). Las rémiges y las coberteras externas viejas, desgastadas y marrones son típicas del 2º año cal. Las ♀♀ adultas se parecen más al ♂ y pueden mostrar partes superiores negro puro.

zona negra estrecha en la nuca; mucho blanco en la cara en todos los plumajes

negro puro, como en la lavandera blanca enlutada ♂

garganta blanca incluso en verano

gris pálido como máximo en el centro de coberteras grandes

todo blanco; sin gris en flancos

blanco extenso

gris oscuro

coberteras grandes con centros grises, más oscuros que en el ♂

mancha pectoral negra pequeña, aislada y rodeada de blanco

coberteras medianas de tipo adulto totalmente blancas

todo blanco, incluyendo flancos (en todos los plumajes)

▼ 1ᵉʳ invierno ♂ (septiembre)

Todos los rasgos típicos son visibles en este ejemplar: mancha pectoral aislada y en forma de media luna, supracoberteras caudales negras, gran cantidad de blanco en los laterales de la cabeza y partes inferiores totalmente blancas. En este caso, el manto y las escapulares son grises uniformes, pero muchos muestran motas oscuras. El límite de muda en coberteras grandes (típico del 1ᵉʳ invierno) no siempre es fácil de ver, como en este caso. Las ♀♀ de 1ᵉʳ invierno son casi idénticas, pero tienen el píleo y el cuello más grises y a menudo también centros de coberteras grandes más oscuros.

▶ ♀ adulta invernal (febrero)

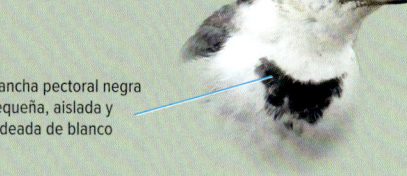

mancha pectoral negra pequeña, aislada y rodeada de blanco

negro, típico del ♂

gris relativamente pálido, típico del 1ᵉʳ invierno

centros de coberteras grandes oscuras; coberteras medianas ya totalmente blancas

r(5–)6 completamente blancas (incluyendo la base)

típica mancha pectoral aislada; a veces también presente en otras subespecies

▼ ♀ adulta invernal (febrero)

La combinación de flancos, coberteras medianas y mancha pectoral es típica. Las ♀♀ adultas son de color gris oscuro variable, pero no negro puro como los ♂♂ adultos.

gris oscuro (negro en el ♂ adulto)

mancha pectoral negra aislada

coberteras medianas completamente blancas en todos los plumajes después del juv.

primarias y coberteras primarias relativamente nuevas (a diferencia de ejs. de 1ᵉʳ invierno)

sin gris en flancos

Bisbitas • Introducción

TOPOGRAFÍA

Los bisbitas son aves con cuerpos finos y elongados y suelen desplazarse por el suelo. La mayoría de especies tienen la cola larga con los laterales blancuzcos, patas largas y partes superiores e inferiores estriadas. Las terciarias cubren (casi) completamente las primarias, excepto en el bisbita del Pechora, por lo que se puede decir que los bisbitas no tienen proyección primaria.

ceja (pálida)

brida (oscura)

bigotera (oscura)

infrabigotera (pálida)

lista malar (oscura)

coberteras medianas

terciarias

coberteras grandes

◄ **Bisbita campestre**

uña posterior (la forma y la longitud pueden ser importantes para la identificación)

Bisbita campestre *Anthus campestris*

L 17 cm | Verano, S, O, C y E Europa continental

▼ **Tipo adulto (abril)**
Bisbita grande, pálido y bastante uniforme, con la brida oscura y llamativa. La muda es muy variable, tanto en adultos como en ejemplares de 1er año. Muchos ejemplares muestran un plumaje muy nuevo en primavera después de una muda parcial que tiene lugar entre finales de invierno y principios de primavera.

ceja llamativa, larga y ancha

estriado sutil

diseño marcado en coberteras medianas; a menudo la parte más llamativa del ala

márgenes de terciarias y, en menor medida, coberteras típicamente de color canela pálido cuando están nuevas

típica brida oscura (cf. bisbitas de Richard y estepario)

pocas motas difusas sobre el típico color de fondo amarillo-marrón

naranja rosado pálido

▼ **Tipo adulto (mayo)**
Ejemplar más desgastado y, por tanto, más gris, que probablemente no ha mudado nada a finales de invierno. Se desconoce si este hecho se asocia a la edad.

límite de muda en primarias

brida menos contrastada en este caso (similar a la del bisbita de Richard)

uña posterior relativamente corta y bastante curvada

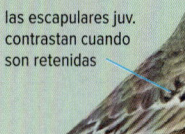

▶ **Adulto (octubre)**
Algunos ejemplares presentan un manto algo más estriado, lo que puede llevar a confusión con el bisbita de Richard. Este ejemplar se halla en muda de primarias en otoño, ilustrando la gran variabilidad en la fenología de muda. Algunas aves de 1er invierno muestran un plumaje más avanzado en octubre, con todas las coberteras y terciarias mudadas a tipo adulto, pero el bisbita campestre nunca muda primarias durante el 1er año cal.

▼ **1er invierno (octubre)**
Este ejemplar presenta todas las plumas de cuerpo de tipo adulto, por lo que los rasgos clásicos ya permiten su identificación: típico diseño cefálico, partes superiores y pecho poco estriados, vientre blanco liso y patas largas y pálidas. La mayor parte del ala y toda la cola no han sido mudadas aún. Otras aves de 1er invierno pueden haber mudado ya (todas) sus coberteras, terciarias y rectrices centrales (r1), por lo que pueden parecerse más a los adultos.

▶ **1er invierno (septiembre)**
Además de las escapulares juveniles que se señalan, algunos ejemplares retienen también otras plumas juveniles durante el otoño. La mezcla de estas con las plumas de tipo adulto mudadas, más uniformes, puede darles un aspecto desaliñado en otoño.

las escapulares juv. contrastan cuando son retenidas

coberteras mayoritariamente juv. (solo las más internas mudadas)

muy desgastadas (plumas juv. retenidas)

muy pálido; bisbita con el reverso del ala más pálido; más uniforme que en lavanderas

◀ **Adulto (junio)**
Todos los plumajes muestran el mismo diseño del reverso del ala.

Bisbita de Richard *Anthus richardi*

L 18,5 cm | Migrante de Siberia; invierno, S Europa

Piula grossa CAT
Richard txirta EUS
Pica de Richard GAL

▼ 1ᵉʳ invierno (octubre)

El bisbita más grande, con una estructura tipo lavandera y un pico que recuerda a un zorzal. La especie más parecida es el muy raro bisbita estepario.

coberteras medianas de tipo adulto con punta color crema; límite de muda evidente, con plumas juv. retenidas

estriado, formando collar completo

más blanco que los flancos (cf. bisbita estepario)

estriado fino frecuente (cf. bisbita estepario)

patas y uñas largas

larga, tipo lavandera

▼ Detalle del diseño cefálico

laterales del píleo con estrías más gruesas que en el centro

ceja ancha y larga

grueso, tipo zorzal; el culmen se curva bastante en la punta

brida normalmente pálida (parecida al bisbita estepario en ese caso), pero a veces ligeramente más oscura

lista malar a menudo sólida y llamativa (cf. bisbita estepario)

▶ Detalle de las coberteras alares

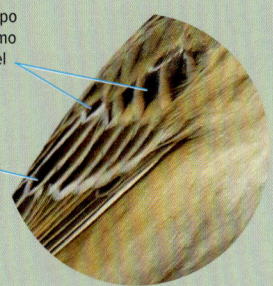

tanto las coberteras medianas de tipo ad. (con márgenes color crema) como las juv. (márgenes blancos) tienen el centro negro triangular (cf. bisbita estepario de 1ᵉʳ invierno)

coberteras grandes juv. con centro negro puntiagudo, también en las internas (cf. bisbita estepario de 1ᵉʳ invierno)

▼ Tipo adulto (marzo)

La muda a finales de invierno es variable y algunos ejemplares pueden mostrar un plumaje algo "desordenado" en primavera. La estructura, diseño cefálico y partes inferiores siguen siendo útiles para la identificación. Algunos ejemplares, como este, tienen la brida oscura y sólida, lo que ocurre con mayor frecuencia a partir de la primavera. Las coberteras primarias y las primarias externas se intuyen no muy desgastadas, lo que encaja mejor con un adulto.

▼ Adulto (noviembre)

laterales del píleo ligeramente más oscuros que el centro, a menudo formando una lista lateral (cf. bisbita estepario)

moderadamente estriado (cf. bisbita estepario)

proyección primaria a veces muy corta (nunca presente en el bisbita estepario)

todas las coberteras y terciarias de tipo adulto, con márgenes y punta color crema difusos, creando bandas alares sutiles (cf. 1ᵉʳ invierno y bisbita estepario en todos los plumajes)

▶ **Tipo adulto (junio)**

cuña blanca larga en r5
(cf. bisbita estepario)

uña posterior muy larga (más larga que
el mismo dedo posterior) y ligeramente
curvada (cf. bisbita estepario)

▼ **Tipo adulto (junio)**

cola llamativamente
larga

Bisbita estepario *Anthus godlewskii*

L 16,5 cm | Divagante de C y E Siberia

Piula de Godlewski CAT
Godlewski txirta EUS
Pica de Blyth GAL

▼ 1er invierno (octubre)

Bisbita grande, pero sin una apariencia tan pesada como el bisbita de Richard. La identificación debe centrarse en excluir a esta especie, que es la más similar. La combinación de brida pálida, forma del pico, manto con estrías gruesas y diseño de coberteras es diagnóstica. Además, existen otros caracteres más sutiles y menos definitivos, pero que también resultan útiles.

▼ Detalle del diseño cefálico

El diseño cefálico difiere sutilmente, aunque de forma consistente, del bisbita de Richard. A diferencia de este, la brida raramente muestra un atisbo de línea oscura.

muy estriado
(cf. bisbita de
Richard)

longitud "normal"

liso (cf. bisbita
de Richard)

estriado más fino en
promedio que en el
bisbita de Richard

del mismo color o casi
(cf. bisbita de Richard)

ceja corta y a menudo
poco llamativa
(cf. bisbita de Richard)

estriado grueso y
homogéneo
(cf. bisbita de Richard)

brida pálida como en el
bisbita de Richard, pero
a menudo más
llamativas

relativamente corto
(cf. bisbita de Richard)

lista malar difusa y a
menudo discontinua
(cf. bisbita de Richard)

▼ Detalle de las coberteras alares

Todas las coberteras grandes son juveniles, con la punta blanca bien definida. En otoño, muchos ejemplares mantienen este aspecto, a diferencia de en el 1er invierno de bisbita de Richard. La forma del negro del centro de coberteras grandes centrales e internas juveniles (y a veces también medianas) es característico en comparación con el bisbita de Richard, aunque en algunos ejemplares la diferencia no es tan pronunciada.

▼ 1er invierno (octubre)

Ejemplar típico en todos los sentidos; no ha mudado ninguna cobertera grande ni mediana. Véase el diseño típico de las coberteras grandes juveniles internas.

coberteras grandes juv. con
centro negro algo afilado
(cf. bisbita de Richard con
coberteras grandes juv.)

uña posterior mediana-
mente larga, como máximo
igual que el dedo posterior
(cf. bisbita de Richard)

coberteras
medianas aún juv.

Bisbita estepario *Anthus godlewskii*

▼ **1er invierno (febrero)**
A diferencia del bisbita de Richard, suele retener las coberteras juveniles hasta el invierno, o al menos así hacen los ejemplares invernantes en Europa. Este ejemplar fue fotografiado en Dinamarca.

coberteras grandes y terciarias mudadas (nuevas y con margen ancho de color crema)

típico centro afilado en coberteras grandes juv. (cf. bisbita de Richard con coberteras grandes juv.)

▼ **Tipo adulto (mayo)**
La diferencia en el diseño de las coberteras medianas de tipo adulto es un rasgo clásico para separar los bisbitas estepario y de Richard. Sin embargo, casi todos los divagantes en Europa son aves de 1er invierno, que suelen haber retenido todas las coberteras medianas juveniles. Las coberteras grandes juveniles también tienen un diseño distinto, lo que, en el contexto europeo, resulta un carácter más útil.

coberteras medianas de tipo adulto con centros romos bien definidos y punta pálida extensa (cf. bisbita de Richard)

▼ **Diseño de la cola**
En la mayoría de ejemplares, el diseño de la cola difiere del bisbita de Richard. La cuña blanca en r5 es en promedio más corta, más ancha y menos puntiaguda. Existen bisbitas de Richard con poco blanco en r5, pero en esos casos la zona oscura de la hemibandera externa se extiende más hacia la punta. La hemibandera externa de r5 es básicamente blanca en el bisbita estepario, lo que hace que, independientemente de la cuña, toda la esquina de la cola se vea más blanca.

r5: cuña blanca típicamente corta, que no se extiende hacia la base y con forma a menudo roma

■ **Diseño de la cola en el bisbita de Richard**
La imagen muestra el típico diseño de la cola en el bisbita de Richard. Los ejemplares con mucho blanco en r5 no muestran la línea oscura en el raquis propia del bisbita estepario. La cuña blanca del bisbita estepario nunca se extiende hacia la base de r5, por lo que esta siempre es oscura.

zona oscura frecuente en la hemibandera externa de r5, que se extiende hacia la punta (cf. toda la variabilidad del bisbita estepario)

r5: cuña blanca larga que se extiende hacia la base, con una forma afilada

Bisbita pratense *Anthus pratensis*

L 14,5 cm | Todo el año, O Europa; verano, también N y E Europa; invierno, O a S Europa

▼ **Tipo adulto (abril)**
Ejemplar típico, con estriado igual de grueso en todo el flanco. También muestra supra e infracoberteras caudales lisas. El color de fondo de partes inferiores suele ser blanco a partir de primavera. El datado en el campo durante esta época es complicado, pero las coberteras primarias y las primarias en buen estado apuntan a adulto.

cabeza con diseño sutil: brida bastante pálida, anillo ocular completo, ceja sutil y lista ocular difusa detrás del ojo

manto bastante estriado

franjeado bastante grueso entre pecho y flanco

▼ **Tipo adulto (enero)**

coberteras medianas de tipo adulto con el centro negro romo o con un pequeño "diente" que entra en la punta blancuzca

coberteras grandes de tipo adulto con el centro oscuro bien definido y con forma roma

▼ **Tipo adulto (mayo)**
El obispillo suele ser liso, pero a partir de la primavera se ve algo franjeado por el desgaste, que descubre las franjas oscuras en los raquis. Sin embargo, el estriado nunca se ve tan contrastado y grueso como en el bisbita gorjirrojo.

algo más franjeado con el plumaje desgastado (cf. bisbita gorjirrojo); zona de partes superiores con tonos a menudo más cálidos (cf. bisbita arbóreo)

▼ **1er invierno (octubre)**
Los ejemplares con el plumaje nuevo en otoño suelen mostrar partes superiores de color oliva-verde-marrón e inferiores de color crema. En este ejemplar, la forma de los centros oscuros de coberteras medianas es típicamente juvenil. Las coberteras grandes también son juveniles, pero las puntas pálidas están menos definidas en comparación con las de las medianas. Esta diferencia de diseño entre estos 2 grupos de plumas de la misma edad no es habitual en adultos, dado que tanto las coberteras grandes de estos como las medianas muestran centros oscuros redondeados y puntas color crema bien definidas.

amarillento durante todo el año

coberteras medianas con patrón juv.: centro oscuro con "diente" largo y punta blanca bien definida

larga (cf. arbóreo)

◄ **Tipo adulto (marzo)**
Véanse también los bisbitas arbóreo y gorjirrojo para las diferencias en la estructura del ala. Se trata de un rasgo útil cuando se dispone de buenas fotos en vuelo, como en este vuelo de cortejo.

4 primarias de la misma longitud

▼ **Tipo adulto (junio)**
A partir de la primavera, los tonos marrón y oliva desaparecen gradualmente por el desgaste. Algunos ejemplares, como este, pasan a ser marrón-gris y blanco.

a veces totalmente oscuro durante la época de cría

el moteado suele ser más denso en el centro del pecho

larga

Bisbita arbóreo *Anthus trivialis*

L 15 cm | Verano, casi toda Europa excepto Islandia

Piula dels arbres CAT
Uda-txirta EUS
Pica das árbores GAL

▼ Tipo adulto (abril)

Pese a ser todos ellos algo sutiles, los rasgos que se señalan combinados hacen que la identificación sea relativamente sencilla. El datado suele ser difícil en primavera, ya que todas las clases de edad pueden mostrar un límite de muda en coberteras grandes.

la brida oscura y corta rompe el anillo ocular pálido (cf. bisbita pratense)

la ceja puede ser de color crema en esta zona

límite de muda obvio en coberteras grandes en ambas clases de edad, debido a la muda invernal parcial que llevan a cabo tanto el ad. como el 1er inv.; la diferencia significativa de longitud apunta a 2º año cal.

algo grueso, con base ensanchada y mandíbula inferior rosada (cf. bisbita pratense)

la diferencia de color entre el pecho y el vientre suele ser evidente

el estriado del pecho es grueso y muy distinto al típico estriado fino de flancos

rosadas

relativamente corta (cf. bisbita pratense)

▼ Tipo adulto (abril)

Ejemplar típico con, por ejemplo, estriado fino en el flanco, brida oscura que rompe el anillo ocular pálido y base del pico rosada. En comparación con el bisbita pratense, las coberteras medianas tienen un diseño muy contrastado en primavera.

liso como en la mayoría de bisbitas pratenses, pero a menudo ligeramente más gris que el manto (cf. bisbita pratense)

▶ 1er invierno (octubre)

El estriado de flancos es relativamente ancho, pero, aparte de esto, se trata de un ejemplar típico, independientemente de la edad. Véanse la zona de la ceja encima del ojo de color crema, la brida oscura y fina que rompe el anillo ocular pálido, el pico grueso y con la base rosada, las patas rosas, la uña posterior corta, las coberteras medianas con un contraste llamativo y borde bien definido entre el pecho de color crema y el vientre blanco. En la imagen se destacan especialmente los rasgos (¡sutiles!) útiles para el datado. La mayoría de aves de 1er invierno tienen la punta de las coberteras medianas ya algo desgastada en octubre.

mancha auricular pálida sutil, útil para descartar al resto de bisbitas (excepto al bisbita de Hodgson)

iris gris-marrón típico del 1er año cal.

terciarias juv. con márgenes parduzcos, más blancuzcos hacia el invierno

centros oscuros de coberteras medianas juv. en promedio más triangulares y de un negro no tan puro como en el adulto

rectrices estrechas y puntiagudas (no visibles desde este ángulo)

▼ Tipo 2º año cal. (mayo)

Las coberteras primarias y grandes y las rémiges de este ejemplar están algo desgastadas. Este nivel de desgaste es un muy buen indicativo de ave de 2º año cal.

▶ (Septiembre)

Las diferencias en la estructura del ala de los bisbitas arbóreo y pratense son visibles solo en fotografías de buena calidad.

p5 más corta

las 3 primaras más externas (p2–4) son de la misma longitud (cf. bisbita pratense)

límite de muda muy llamativo, coberteras externas probablemente juv.

muy desgastadas

cola corta (cf. bisbita pratense)

ala bastante larga y vuelo menos "danzarín" que en el bisbita pratense

iris rojo-marrón

terciarias de tipo adulto con márgenes parduzcos anchos

▶ Adulto (agosto)
El datado suele ser difícil, pero los rasgos que se señalan son típicos del adulto en otoño. Los centros negros de coberteras medianas son por lo general más rectangulares y con un pequeño "diente". En promedio, los adultos en otoño son más gris-marrón que las aves de 1er invierno, que tienden a ser más verde-gris.

rectrices centrales bastante anchas y algo redondeadas

todas las coberteras son nuevas, con márgenes/ puntas de color crema y centros negro puro

Bisbita de Hodgson *Anthus hodgsoni*

L 15 cm | Divagante/migrante de Siberia

Piula de Hodgson CAT
Hodgson txirta EUS
Pica de Hodgson GAL

▼ 1er invierno o adulto (octubre)
Se señalan en la imagen los rasgos más típicos de la especie. En este ejemplar, la mancha auricular pálida y la ceja no son muy evidentes. El datado suele ser imposible a no ser que se vean algunos límites de muda. Tanto en el adulto como en el 1er invierno, las puntas de las coberteras grandes internas son pálidas, lo que a veces parece un (falso) límite de muda.

lista lateral del píleo más ancha que el resto del estriado del píleo

ceja obviamente bicolor; amarillo-marrón delante del ojo y blanco detrás

mancha auricular pálida

▼ 1er invierno o adulto (noviembre)
Si se consiguen buenas fotos de un bisbita arbóreo/de Hodgson en vuelo, la estructura del ala puede ser un rasgo útil.

p5 relativamente larga (cf. bisbita arbóreo)

típicamente verdoso casi liso (cf. bisbita arbóreo)

marrón verde relativa-mente oscuro (cf. bisbita arbóreo)

estriado de flancos no mucho más fino que el del pecho (cf. bisbita arbóreo)

rosadas (similares al bisbita arbóreo)

▼ Tipo adulto (junio)
A partir de la primavera, el color crema de partes inferiores y ceja desaparece y las partes superiores se tornan más grises. La siguiente combinación de rasgos sigue siendo típica: diseño cefá-lico (ceja larga y mancha ocular), partes superiores casi lisas, patas rosas, uña posterior relativamente corta (como en el bisbita arbóreo) y márgenes de tercia-rias parduzcos.

la lista ocular negra cruza la ceja, aislando a la mancha ocular

▼ 1er invierno o adulto (noviembre)
Se señalan en la imagen algunos rasgos adicionales para separarlo del bisbita arbóreo.

la ceja detrás del ojo es más blanca que la banda alar de coberteras grandes (cf. bisbita arbóreo)

el centro del pecho es más blanco que los laterales (cf. bisbita arbóreo)

Bisbita gorjirrojo *Anthus cervinus*

L 14,5 cm | Verano, extremo N Europa

Piula gola-roja CAT
Txirta lepagorria EUS
Pica de papo rubio GAL

▼ Tipo adulto ♂ nupcial (marzo)
Inconfundible en este plumaje. Los ejemplares con colores tan brillantes en la cabeza y el pecho son ♂♂. Las coberteras y rémiges, todavía bastante nuevas, apuntan a adulto. Tanto adultos como aves de 2º año cal. muestran límites de muda en coberteras grandes, pero las externas no están tan desgastadas en los adultos, como en este caso (compárese con el 2º año cal.).

▼ Tipo adulto (marzo)
Los ejemplares con cabeza y pecho menos coloreados tienden a ser ♀♀ o ♂♂ de 2º año cal. El ala de este ejemplar parece bastante nueva, lo que apunta a adulto y por tanto a ♀. Solo es posible determinar el sexo en ejemplares extremos: los ♂♂ obvios tienen todo el lateral de la cabeza de color rojo uniforme y nada de estriado (o apenas) en el pecho; las ♀♀ se pueden identificar por una menor intensidad y extensión de la zona coloreada en la garganta, lista malar oscura y evidente a los lados de la garganta y estriado grueso que se extiende por el pecho superior.

marrón-rojo intenso en ♂♂ típicos, a veces con tintes rosados

▼ Adulto invernal (octubre)
En plumaje invernal, el rojo suele ser menos brillante y extenso que en primavera, tras la muda a plumaje nupcial. El pecho está más estriado, pero muchas ♀♀ son idénticas en primavera.

▶ 2º año cal., probablemente ♀ (abril)
Las aves de 2º año cal. suelen tener la garganta menos anaranjada y un ala más desgastada que los adultos. Los ejemplares con gargantas tan poco coloridas y con lista malar oscura, como este, tienden a ser ♀♀. Sin embargo, es importante recordar que los ♂♂ de 2º año cal. pueden recordar a las ♀♀ adultas en cuanto al diseño y coloración de garganta y pecho. La franja ancha oscura en el raquis de la infracobertera caudal más larga es un rasgo útil para diferenciarla del 1er año de bisbita pratense.

los ejemplares que en otoño muestran algo de naranja o rojo son adultos

infracobertera caudal más larga con franja oscura en el raquis

▶ 1er invierno (noviembre)
Las aves en este plumaje se parecen mucho a bisbitas pratenses contrastados. Las diferencias más importantes son el diseño cefálico, las escapulares y especialmente, de ser visible, las supracoberteras caudales moteadas. El color de fondo es más marrón que en el bisbita pratense, sin tonos verde-oliva.

auriculares uniformes (cf. bisbita pratense)

estrías gruesas (existen pratenses idénticos)

escapulares con centros negros anchos sobre color de fondo marrón (cf. bisbita pratense)

bigotera y lista malar finas, pero completas (cf. bisbita pratense)

el moteado suele unirse en un gran parche triangular (existen bisbitas pratenses idénticos)

supracoberteras caudales con centros negros anchos; junto con el obispillo, forman todo una zona con franjeado grueso (cf. bisbita pratense)

estrías gruesas ordenadas típicamente en 2 bandas anchas sobre color de fondo blancuzco (existen bisbitas pratenses idénticos)

▼ 1er invierno (octubre)
La imagen muestra los rasgos más útiles para diferenciar este plumaje de los bisbitas pratense y arbóreo, pero ver también el bisbita del Pechora.

margen pálido también en la hemibandera interna de terciarias en todos los plumajes (solo en la externa en el bisbita pratense)
obispillo y supracoberteras caudales con motas/franjas gruesas

▼ 1er invierno (septiembre)
Estos caracteres en vuelo son visibles en todos los plumajes, pero por supuesto solo cuando se dispone de buenas fotografías.

p5 larga, casi tanto como en el pratense (cf. bisbita arbóreo)
infracobertera caudal más larga estriada

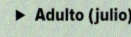

■ Bisbita pratense tipo "*whistleri*" (marzo)
Este "tipo" de bisbita pratense es conocido por reproducirse en el N de Gran Bretaña e invernar en el S de Europa. Los ejemplares más coloridos pueden confundirse con el bisbita gorjirrojo. En la imagen se muestran las diferencias más importantes, pero véase también, por ejemplo, el diseño cefálico y el patrón estriado de partes superiores, que también son sutilmente distintos.

color de fondo entre crema intenso y rojizo (a veces también en el pecho)
escapulares con centro oscuro pequeño y difuso (cf. bisbita gorjirrojo)

▶ Adulto (julio)

p5 larga (cf. bisbita arbóreo)

r5 con tan solo una pequeña cuña blanca

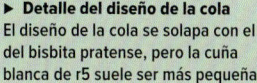

▶ Detalle del diseño de la cola
El diseño de la cola se solapa con el del bisbita pratense, pero la cuña blanca de r5 suele ser más pequeña.

Bisbita del Pechora *Anthus gustavi*

L 14,5 cm | Divagante de Siberia

▼ **1er invierno o adulto (octubre)**
Los siguientes rasgos son útiles a lo largo de todo el año. Véase también el ejemplar en primavera. El datado suele resultar imposible debido a que las aves de 1er año retienen todas las coberteras y el diseño de coberteras juveniles y adultas no difiere demasiado.

bandas alares llamativas, resaltadas por las coberteras y rémiges, básicamente oscuras

base relativamente ancha y rosa

el panel alar pálido en secundarias suele ser más llamativo que en otros bisbitas debido a la base oscura de las secundarias

bigotera y lista malar muy sutiles o casi ausentes (cf. bisbita gorjirrojo)

estrías negras anchas (como en el bisbita gorjirrojo)

rosadas como en los bisbitas arbóreo y de Hodgson

largas y pálidas

▼ **Tipo adulto (mayo)**
Bisbita característico, muy franjeado y con caracteres que le hacen único. Mantiene la misma apariencia a lo largo de todo el año, aunque en primavera pueden estar algo desgastados.

estriado (fino) característico

estrías gruesas sobre color de fondo marrón algo cálido (a veces forma un capirote)

franjas gruesas típicas, a veces con un aspecto muy cebrado

la brida corta y oscura suele romper el llamativo anillo ocular pálido

la presencia de proyección primaria es diagnóstica

relativamente corta

muy moteado, como el bisbita gorjirrojo, pero las motas son mas redondeadas

▼ **1er invierno o adulto (octubre)**
Los rasgos que se señalan son útiles durante todo el año. El datado suele ser imposible, dado que las aves de 1er año retienen todas las coberteras y el diseño no difiere mucho de los adultos.

r5–6 con hemibandera externa oscura; también con "blanco" extenso en la hemibandera interna de r5 (cf. gorjirrojo)

blanco no puro

p5 obviamente más corta que p2–4 (solo es así en el bisbita arbóreo)

p5
p4
p3
p2

▼ **Detalle de la proyección primaria**

la presencia de proyección primaria es diagnóstica

◄ **(Junio)**
La cola corta puede resultar llamativa en vuelo.

Bisbita costero *Anthus petrosus*

L 16 cm | Todo el año, Gran Bretaña y O Francia; verano, N Europa; invierno, O Europa continental

▼ **Nupcial, *littoralis* de Escandinavia (abril)**
A diferencia de los *petrosus* nominales, los ejemplares de la subespecie *littoralis* adquieren un plumaje nupcial variable; algunos ejemplares son muy similares al bisbita alpino nupcial. Este es un ejemplar más o menos tipo, con tintes rosados sutiles en el pecho, estriado extenso en partes inferiores, ceja sutil y lista malar fina en la garganta.

▼ **1ᵉʳ invierno, *littoralis* de Escandinavia (diciembre)**
Ejemplar clásico. Algunos bisbitas pratenses pueden ser también bastante verde oliva en otoño, pero muestran, por ejemplo, un manto más estriado, el pico más corto, patas más pálidas y no muestran un plumaje tan oscuro en general. Muchas aves de 1ᵉʳ invierno no solo mudan coberteras medianas, sino también alguna cobertera grande y las terciarias (estas últimas raramente mudadas por el bisbita alpino). El límite de muda entre las coberteras medianas nuevas y las grandes viejas es un rasgo útil para el datado, como en este caso (el 1ᵉʳ invierno de bisbita alpino muy raramente muestra estos límites de muda). Este ejemplar fue fotografiado en Italia y, por tanto, debe ser *littoralis*. En promedio, *petrosus* nominal tiene unas partes inferiores todavía más estriadas, pero no se recomienda la identificación basada solamente en plumaje.

ceja como máximo moderadamente visible

azul-gris (marrón) uniforme (el bisbita alpino nupcial puede ser idéntico)

lista malar fina en la garganta (cf. bisbita alpino nupcial)

cantidad de rosa variable

típicas franjas difusas

estriado variable, pero normalmente extenso

uniforme entre el píleo y las supracoberteras caudales (cf. bisbita alpino)

el anillo ocular es más llamativo que la ceja (cf. bisbita alpino)

límite de muda muy visible (2 coberteras grandes internas mudadas y el resto viejas), típico del 1ᵉʳ invierno (cf. adulto)

largo

muy estriado

típicas estrías difusas sobre fondo verde-marrón (cf. bisbita alpino)

(bastante) oscuro, varía entre rojo-marrón pálido y marrón-negro (más pálidas en promedio que en el bisbita alpino)

▼ **Nupcial, *littoralis* de Escandinavia (abril)**
Los ejemplares más coloridos y que también muestran una ceja más evidente y poco estriado en partes inferiores (aún menos que este ejemplar) son frecuentes y se parecen mucho al bisbita alpino nupcial. En la imagen se señalan las diferencias más importantes.

auriculares no mucho más pálidas, o solo ligeramente, lo que realza el anillo ocular

azul-gris, mismo color que el píleo

lista malar variable

▶ **Adulto invernal, *littoralis* de Escandinavia (enero)**
El plumaje nuevo, sin límites de muda a mediados de invierno, apunta a adulto. Las rectrices también son bastante anchas y redondeadas. Compárese con el 1ᵉʳ invierno.

los tintes marrón-rosa se interrumpen en el vientre

la zona pálida de la rectriz externa suele ser blanco sucio y bastante estrecha

▶ **Detalle del diseño de la cola**
Mantiene este diseño en todos los plumajes. Es el bisbita con una zona pálida (no blanca) menos extensa en la rectriz externa.

Bisbita costero *Anthus petrosus*

▼ Bisbita costero británico, *petrosus* nominal, Gran Bretaña e Irlanda (febrero)
La identificación se basa en buena parte en la localidad (Gran Bretaña).

▼ *petrosus* nominal (abril)
La identificación se basa en parte en la localidad (Gran Bretaña). Los *petrosus* nominales apenas adquieren plumaje nupcial. A diferencia de *littoralis*, no mudan en primavera, por lo que este plumaje es en realidad el plumaje invernal desgastado. El estriado denso de las partes inferiores es más o menos típico de *petrosus*, pero existe mucho solapamiento con *littoralis*.

típico estriado denso, pero insuficiente para descartar *littoralis*

Bisbita alpino *Anthus spinoletta*

L 16 cm | Verano, montañas S Europa; invierno, O y S Europa continental

Grasset de muntanya CAT
Mendi-txirta EUS
Pica alpina GAL

▼ Tipo adulto nupcial, *spinoletta* nominal (mayo)
Los bisbitas costeros de la subespecie *littoralis* en plumaje nupcial (véase también) pueden parecerse mucho al bisbita alpino nupcial. En la imagen se señalan los rasgos más importantes. Algunos ejemplares muestran unas partes inferiores (casi) lisas.

▼ Supuesto 1er invierno, nominal *spinoletta* (noviembre)
Ejemplar típico. En la imagen se muestran las diferencias con respecto al bisbita costero en otoño. El datado suele ser difícil, ya que suelen retener las coberteras grandes juveniles, a diferencia del bisbita costero. Las coberteras y terciarias muestran ya algo de desgaste, lo que apunta a 1er invierno. Los juveniles recién salidos del nido tienen las patas pálidas durante un breve periodo de tiempo, pero raramente las mantienen así durante el otoño.

mancha pálida bajo el ojo (cf. bisbita costero)

ceja bien visible (cf. bisbita costero *littoralis*)

suele carecer de lista malar (cf. bisbita cost*ero littoralis*)

rosa variable; partes inferiores casi lisas (cf. bisbita costero *littoralis*)

solo algo de estriado fino (cf. bisbita costero *littoralis*)

varía entre rojo-marrón oscuro y negro (más pálidas en promedio en el bisbita costero, muy raramente negras)

típica área grisácea sutil entre el píleo (más marrón) y el manto

ceja bien desarrollada, especialmente frente al ojo

normalmente casi liso y relativamente pálido

naranja brillante bastante extenso

las bandas alares pálidas pueden ser llamativas

mejilla y auriculares pálidas variables

color de fondo básicamen... blanco, el estriado se estr... entre el flanco y el vientre

a menudo negruzcas, raramente se ven rojo-marrón

el obispillo es la parte marrón más cálido de todas las partes superiores

▼ Tipo adulto invernal, nominal *spinoletta* (enero)
Ejemplar menos típico, debido a la ceja más sutil, partes superiores
uniformes y estriado difuso en flancos. En la imagen se muestran las diferencias más importantes con respecto al bisbita costero. Las coberteras,
terciarias y rectrices desgastadas apuntan a ave de 1er invierno. Los
adultos en otoño/invierno tienen todo el plumaje nuevo, como los adultos
de bisbita costero (véase también).

algunas motas
pálidas

grisáceo entre el
píleo y el manto
marrones

marronáceo

estriado fino en la
parte central del
vientre

▼ Diseño de la cola
Algunos bisbitas costeros tienen algo de blanco (en lugar de gris)
en los laterales de la cola, por lo que pueden mostrar un diseño
similar, pero carecen de cuña en la punta de r5. Véanse también
las supracoberteras y obispillo marrones característicos.

normalmente blanco
puro, bien definido
(cf. bisbita costero)

▼ Bisbita alpino caucásico, *coutellii*, nupcial (marzo)
En verano, las partes superiores están más franjeadas que en
spinoletta. El plumaje invernal también es más franjeado.

rosa-salmón a menudo
más extenso que en
spinoletta

▼ Bisbita alpino caucásico, *coutellii*, invernal (enero)
En la imagen se destacan las diferencias con respecto a *spinoletta*
nominal. Existe mucha variabilidad y solapamiento entre caracteres,
por lo que la identificación solo es posible en ejemplares tipo.

típicamente con estrías
más gruesas sobre color
de fondo marrón más
cálido que en *spinoletta*

obispillo relativa-
mente pálido

brida ligeramente
menos oscura que
en *spinoletta*

partes inferiores con
estrías más marrones,
cuando el plumaje está
nuevo, sobre color de
fondo amarillento

Bisbita pechianteado *Anthus rubescens*

L 15,5 cm | Divagante de Norteamérica

Grasset americà CAT
Txirta iparramerikarra EUS
Pica norteamericana GAL

▼ Probable 1ᵉʳ invierno (octubre)

Fácil de identificar si se le ve bien, gracias a la combinación única de partes superiores casi lisas, terciarias oscuras, brida pálida, anillo ocular completo y flancos amarillo-marrón con estrías relativamente finas y difusas.

partes superiores más o menos uniformes entre el píleo y las supracoberteras caudales; el cuello puede ser más pálido, raramente grisáceo

ceja ancha, especialmente detrás del ojo

típica brida pálida y anillo ocular completo

relativamente fino

suele haber zonas pálidas en auriculares

normalmente casi liso

bigotera normalmente bastante desarrollada

límite de muda en coberteras grandes, indicando 1ᵉʳ invierno

terciarias negruzcas que contrastan con las partes superiores

la mancha oscura de los laterales del cuello suele ser más grande que en los bisbitas costero y alpino

color de fondo amarillo-marrón típico (cf. bisbita siberiano)

▼ Invernal (octubre)

El diseño de partes inferiores, incluyendo la garganta, es típico. En el bisbita siberiano, el color de fondo del pecho es más blanco y las franjas están más definidas, lo que aumenta el contraste. En este ejemplar se puede apreciar la brida algo oscura, que rompe el anillo ocular, pero aparte de esto es un ejemplar clásico.

ceja ocre sobre el ojo (cf. bisbita siberiano)

a menudo es blanca y llamativa, contrastando con el color de fondo amarillo-marrón del resto de las partes inferiores

▼ Nupcial (junio)

Se parece mucho tanto al bisbita alpino (especialmente a la subespecie *coutellii* nupcial) como a un bisbita costero poco marcado de la subespecie *littoralis*. Casi idéntico al bisbita siberiano nupcial, pero ninguno de los dos ha sido registrado con este plumaje en Europa.

brida pálida (cf. bisbitas alpino y costero *littoralis*)

grisáceo como el píleo (cf. bisbita alpino)

suelen mostrar una banda pectoral listada

todas las partes inferiores son naranja pálido (más rosado en el bisbita alpino)

▼ Invernal (octubre)

Típica estampa de un divagante otoñal en Europa. Se muestran aquí las diferencias más importantes con respecto al bisbita siberiano.

partes superiores a menudo con tonos marrones

bandas alares gris-blanco difuso (cf. bisbita siberiano)

la garganta blanca contrasta con el pecho amarillo-marrón

la mancha en los laterales de pecho no es negruzca, sino del mismo color que las partes superiores

franjas difusas sobre color de fondo amarillo-marrón (cf. bisbita siberiano)

entre muy oscuras y negruzcas

▶ Diseño de la cola

El diseño difiere del de los bisbitas alpino y costero, ya que muestra una zona blanca más extensa. A pesar de que se solapa con el bisbita siberiano, la cuña blanca de r5 del pechianteado se extiende hasta cubrir aproximadamente el 50 % de la parte visible de la pluma. El bisbita siberiano muestra menos blanco en promedio, con una cuña en r5 que ocupa el 25 % de la parte visible de la pluma.

a veces con una pequeña punta blanca en r4

cuña blanca en r5 (suele ser más larga que en este ejemplar)

blanco extenso en r6

Bisbita siberiano *Anthus japonicus*

L 15,5 cm | Divagante de Siberia

▼ **Invernal (febrero)**
Se parece mucho al bisbita alpino (especialmente al taxón del este *coutellii*) y al bisbita pechianteado. En la imagen se muestran las diferencias más importantes, útiles cuando se combinan. Además del diseño facial, compartido con el bisbita pechianteado, las partes inferiores blancas con estrías negruzcas y bien definidas y la mancha muy grande y oscura en el lateral del cuello son típicos. El diseño de la cola es parecido al del bisbita pechianteado (véase también).

▼ **Invernal (febrero)**
El ala, todavía bastante nueva incluso con el invierno avanzado, apunta a adulto, pero el datado suele ser imposible en el campo.

diseño facial como en el bisbita pechianteado: brida pálida, anillo ocular completo y ceja bien desarrollada (en general con algo más de contraste: ceja blanca y anillo ocular más llamativo)

marrón ligeramente más oscuro y frío que en el pechianteado

ceja blancuzca detrás del ojo (cf. pechianteado)

terciarias típicamente muy oscuras (como en el pechianteado, cf. alpino)

la garganta blanca contrasta mucho con el pecho moteado (como en el pechianteado)

algo más franjeado en promedio que el bisbita pechianteado

mancha negruzca grande en los laterales del cuello, ligeramente más oscura que las partes superiores; suele ser uniforme y a veces se extiende por todo el lateral

relativamente pálidas; entre rosadas y rojo-marrón

bandas alares blancas llamativas (cf. bisbita pechianteado)

▼ **Invernal (febrero)**

franjas gruesas y bien definidas sobre color de fondo blanco; las manchas suelen agruparse en franjas (cf. bisbitas pechianteado y alpino)

oscuro, a veces con tintes oliváceos

negro uniforme más oscuro que las partes superiores (cf. bisbita pechianteado)

típicamente bastante pálidas

puntas de coberteras medianas con forma de media luna bien definida

las manchas oscuras pueden formar un "colgante"

no son raros los tonos ligeramente ocres

las manchas pueden extenderse hacia el vientre y los flancos posteriores (cf. bisbita pechianteado)

▼ **Mudando a plumaje nupcial (febrero)**
En plumaje nupcial, las partes inferiores se tornan naranja-marrón como en el bisbita pechianteado, pero las motas negras suelen ser más grandes y están mejor definidas, como en el plumaje invernal. Las patas pálidas también son un rasgo útil para la identificación.

plumas nupciales

lista malar y mancha oscura en laterales del cuello también presentes en plumaje nupcial, normalmente mejor definidas que en el bisbita pechianteado

▶ **Nupcial (mayo)**
Casi idéntico al bisbita pechianteado en plumaje nupcial, pero véanse las diferencias que se señalan.

típico marrón pálido

Acentor común *Prunella modularis*

L 14 cm | Todo el año, S y O Europa; verano, incluyendo N y E Europa

▼ Tipo adulto (abril)

A pesar de no tener un plumaje muy llamativo, es una especie con una apariencia característica. No hay otro paseriforme europeo con el conjunto de rasgos destacados en la imagen. El datado requiere una observación muy detallada o fotografías de alta calidad.

pardo rodeado de gris azulado, característico

listado negro conspicuo

listado variable sobre fondo pardo

pecho, lados del cuello y píleo de color gris azulado, característico pero variable

▼ Tipo adulto (octubre)

Los adultos tienen el iris pardo rojizo y la mandíbula inferior oscura durante todo el año. En otoño e invierno, la base de la mandíbula superior se vuelve amarillenta, también en los adultos. La extensión de los tonos parduzcos en el píleo y la limitada extensión de los tonos grises en los lados del cuello sugieren que este ejemplar es una ♀, pero la mayoría no son fáciles de sexar. El patrón de las coberteras grandes y de las terciarias varía poco entre los adultos y las aves de 1er invierno.

iris pardo rojizo

márgenes pardos bastante anchos y puntas pálidas difusas (cf. 1er invierno)

mandíbula inferior oscura en otoño (cf. 1er invierno)

habitualmente, margen pardo bastante uniforme hasta la punta (cf. 1er invierno)

▼ 1er invierno (diciembre)

Muy similar al adulto, pero nótense las sutiles diferencias. El patrón de las coberteras grandes y de las terciarias es (cuando se considera en conjunto) típico de aves de 1er invierno. El iris de algunas aves de esta edad puede tener una coloración ya similar a la de los adultos. Las otras características útiles para el datado son un poco variables en ambas edades, pero típicas en este ejemplar. Las rectrices estrechas y puntiagudas son también típicas del 1er invierno.

iris gris-pardo (cf. adulto)

terciarias con puntas pálidas en la hemibandera externa; márgenes ya un poco gastados (cf. adulto)

base pálida de la mandíbula inferior (cf. adulto)

margen pardo relativamente estrecho pero bien definido y puntas pálidas conspicuas (cf. adulto en otoño)

▼ 2° año cal. tipo ♂ (mayo)

Este ejemplar es, probablemente, un ♂ por la gran extensión de los tonos grises en la lista superciliar y en el cuello, pero el sexado seguro solo es posible en los ejemplares más evidentes. Las coberteras grandes y las terciarias juveniles tienen un patrón sutilmente característico, pero el datado en primavera es aún más difícil que en otoño, puesto que todas las aves tienen ya el iris pardo rojizo y el pico completamente negro.

generalmente todo negro en primavera

(casi) liso

relativamente pálido, con pocos tintes azulados

▶ Acentor común ibérico
***Prunella (modularis) mabbotti* (mayo)**

Este taxón, propio de la península Ibérica, es supuestamente residente. Existen algunas diferencias con las aves del resto de Europa, tanto en una genética diferenciada como en las vocalizaciones y el plumaje (recientemente, se ha propuesto su reconocimiento como especie). En la imagen se destacan sus rasgos distintivos principales. El acentor común ibérico es, generalmente, más pálido (por ejemplo, el listado oscuro de la zona dorsal no es negro), y carece de los tonos pardos cálidos en el dorso y en el ala.

las listas oscuras (más pardas que negras) están rodeadas de grisáceo pálido

ocráceo pálido o pardo pálido

Acentor alpino *Prunella collaris*

L 16,5 cm | Todo el año, montañas del S Europa; invierno, también a menor altitud en S Europa

▼ Adulto (diciembre)

La identificación suele ser sencilla. Las características destacadas en la imagen se aplican a todos los plumajes. Las puntas blancas de las coberteras grandes, limitadas a la hemibandera externa (generando una franja alar discontinua), son típicas de los adultos.

parte amarilla llamativa y bien definida durante todo el año

gris variable, de promedio, más gris en el ♂

moteado oscuro en todos los plumajes

proyección primaria larga (c. 100 %)

listado pardo rojizo extenso

moteado/listado muy contrastado

▼ Detalle, adulto (diciembre)

En los adultos, no hay diferencias de patrón o desgaste entre las coberteras medianas y las coberteras grandes.

coberteras grandes con patrón adulto muy negras; punta blanca limitada a la hemibandera externa, y gris en la hemibandera externa limitado a la base de las plumas, sin alcanzar la punta; franja alar discontinua

▼ Detalle, 1er invierno (agosto)

Las aves de 1er invierno mudan las coberteras medianas pero, generalmente, no las coberteras grandes. Las diferencias en el patrón y el desgaste entre estos 2 grupos de plumas es el mejor método de datado, y se puede utilizar hasta bien entrada la primavera del 2º año cal.

coberteras grandes juv.; ligeramente gastadas, negro apagado, punta pálida también en la hemibandera interna (a menudo menos patente), y gris de la hemibandera externa alcanzando o casi alcanzando la punta; franja alar más continua (cf. adulto)

coberteras medianas mudadas a tipo adulto; negro más intenso con punta blanca casi limitada a la hemibandera externa

▼ 1er invierno/2º año cal. (febrero)

Similar al adulto, pero el ala aún básicamente juvenil está más gastada en esta época del año (véase el 1er invierno en agosto). Las puntas pálidas de las coberteras grandes incluyen, en mayor o menor medida, las hemibanderas internas, generando una franja alar más continua. A partir de invierno, las coberteras grandes se van palideciendo, y son menos negras que en los adultos.

contraste de muda entre terciarias nuevas y juveniles (no en el adulto)

desgaste patente (a diferencia del adulto)

coberteras grandes desteñidas, típicas del 1er invierno; el margen gris de la hemibandera externa alcanza la punta de las plumas

▼ 2º año cal. (abril)

Parecido al adulto, pero las coberteras grandes son aún juveniles y contrastan con las (apenas visibles) coberteras medianas, más negras (como en el ejemplar de 2º año cal. en febrero). En las coberteras grandes, los márgenes grises de las hemibanderas externas alcanzan las puntas pálidas. Nótese también el desgaste de las puntas pálidas, lo que es indicativo de 2º año cal.

terciarias y primarias gastadas, indicando 2º año cal.

coberteras grandes de un negruzco menos intenso que las coberteras medianas; puntas pálidas (no blancas), y gastadas, indicando 2º año cal.

Acentor de Radde *Prunella ocularis*

L 13,5 cm | Todo el año, E Turquía

▼ Tipo adulto ♂ (mayo)
Las partes inferiores de este ejemplar, con el pecho anaranjado y un listado moderado, son similares a muchos acentores gorjinegros, pero la garganta blanca y lisa es una diferencia clara. Las auriculares negruzcas y el plumaje aún bastante nuevo en mayo son claramente indicativos de un ♂ adulto. En la imagen se destacan las principales diferencias con el acentor siberiano y el acentor gorjinegro.

► Tipo ♀ (mayo)
Algunos ejemplares, especialmente ♀♀, tienen las partes inferiores con un listado bastante marcado. Las auriculares pardo-negruzcas, en lugar de negras, también sugieren que se trata de una ♀.

▼ Supuesto 2° año cal. (junio)
El desgaste de las plumas alares indica 2° año cal.

mancha pálida en la parte trasera de las auriculares limitada o incluso ausente

blanco liso

pardo castaño

una línea oscura encima del ojo, en la lista superciliar, está presente a menudo

inicio de lista malar fina pero bien definida

partes inferiores centrales a menudo moteadas en lugar de listadas, sobre un color de fondo típicamente canela

► 1er invierno, o adulto (septiembre)
Un ejemplar con plumaje nuevo. Las partes negras de la cabeza sugieren que se trata de un ♂. Con el plumaje recién mudado, la franja alar de las coberteras grandes es bastante ancha, pero en primavera las puntas pueden haber desaparecido por completo a causa del desgaste.

Acentor siberiano *Prunella montanella*

L 14 cm | Divagante de Siberia

▼ Tipo adulto (junio)
El patrón cefálico, muy llamativo, es diagnóstico, con una lista superciliar ancha de color amarillento y la garganta del mismo color. De promedio, los ♂♂ tienen la mayor extensión de negro en el píleo y las auriculares, pero tanto el sexado como el datado son difíciles o imposibles.

lista superciliar tan amarilla como la garganta, a menudo de un tono más intenso delante del ojo que detrás (cf. *atrogularis*)

▼ 1er invierno (octubre)
Esta especie carece casi por completo de variaciones en el plumaje y suele ser fácil de identificar, pero nótese que existen acentores gorjinegros con la garganta pálida (p. 939). Este ejemplar es probablemente un ♂, basándose en la extensión de negro en las auriculares y en la lista pileal lateral (difusa). Las ♀♀ a menudo tienen las auriculares menos oscuras y la lista superciliar y la garganta de un amarillento más apagado, pero estos rasgos solo son útiles en los casos más evidentes.

el centro negro de las terciarias pequeña y mediana alcanza la punta de las plumas, dividiendo en 2 las puntas blancas, conspicuas (en los adultos, las puntas pálidas no son blancas y tampoco partidas; los centros oscuros no alcanzan la punta)

listado principalmente pardo (cf. acentor gorjinegro)

mismo color que el pecho (cf. *atrogularis*)

rectrices puntiagudas y ya algo gastadas, encajando mejor con un 1er invierno

amarillento bastante intenso (cf. acentor gorjinegro de garganta pálida)

Acentor gorjinegro *Prunella atrogularis*

L 14 cm | Divagante de Siberia

Pardal de bardissa gorjanegre CAT
Tuntun paparbeltza EUS
Azulenta de gorxa negra GAL

▼ **Tipo adulto (mayo)**
Cuando se puede ver el negro de la garganta, la identificación de la especie es relativamente fácil. La lista superciliar se vuelve blanca a partir de invierno, mientras que la lista superciliar del acentor siberiano es amarillenta durante todo el año.

▶ **Tipo adulto (junio)**
En este ejemplar, la lista superciliar y la infrabigotera no son distinguibles por haber sido cubiertas de plumas negras, lo cual no es raro en verano. En otros individuos no desaparecen pero se vuelven más finas, sobre todo la infrabigotera.

blanco en verano

listado del manto y de las escapulares habitualmente negruzco (cf. acentor siberiano)

garganta negra diagnóstica

▼ **1er invierno (noviembre)**

lista superciliar amarillento pálido

manchas oscuras en la garganta diagnósticas, pero en aves de 1er invierno pueden ser a veces (casi) invisibles por estar cubiertas de puntas blancas; entonces la garganta es más blanca que el pecho (cf. acentor siberiano)

parte central del vientre blanca y bastante bien definida

▼ **1er invierno tipo ♀ (octubre)**
Algunos ejemplares, supuestamente ♀♀ de 1er invierno, tienen muy poca extensión de negro en la garganta (a veces carecen de él por completo); entonces más parecidos al acentor siberiano.

■ **Acentor siberiano de 1er invierno (octubre)**
En la imagen se destacan las principales diferencias con el acentor gorjinegro de garganta pálida. Las diferencias en la extensión de negro en las auriculares pueden estar relacionadas con el sexo; de promedio, los ♂♂ de ambas especies tienen más negro.

lista superciliar más pálida que el pecho; si existe diferencia de color, más amarillenta detrás del ojo que delante (cf. acentor siberiano)

sin (o casi sin) tonos pardo-rojizos

garganta más blanca que el pecho (cf. acentor siberiano)

transición de color patente

listado pardo rojizo

lista superciliar de tonos amarillentos más intensos delante del ojo

garganta del mismo color que el pecho

sin transición de color patente

Gorrión común *Passer domesticus*

L 15 cm | Todo el año, casi toda Europa excepto Italia

▼ ♂ (mayo)
Quizá la especie más conocida de Europa. Los ♂♂ se pueden distinguir de otras especies de gorrión por su píleo gris.

píleo gris diagnóstico (cf. gorriones moruno y molinero)

todo negro a partir de final de invierno

el pecho negro va apareciendo gradual-mente a medida que aumenta el desgaste de las plumas

grisáceo (cf. gorrión molinero)

▼ ♀ (marzo)
El pico de las ♀♀ también se oscurece en primavera, pero habitualmente no se vuelve completamente negro. En la imagen, se destacan las diferencias con los ♂♂.

lista superciliar y lista ocular

píleo pardo (en lugar de gris)

pardo amarillento, sin tonos pardo-rojizos

pálido y liso

▼ ♂ (octubre)
Tanto los adultos como las aves de 1er año realizan una muda completa a final de verano. Generalmente, una vez finalizada ya no es posible determinar la edad, aunque los ♂♂ de 1er año tienen, a veces, unas puntas pálidas más largas y extensas, que ocultan el negro de la garganta y el pecho, y también el castaño de la cabeza.

las puntas pálidas de las plumas nuevas cubren la coloración "verdadera"

amarillento en otoño e invierno

▶ ♀ (agosto)
Las aves de 1er año y los adultos ya no pueden ser distinguidos después de la muda completa, poco después de finalizar la reproducción.

▶ 1er año (agosto)
Los juveniles son muy parecidos a las ♀♀, pero tienen las partes inferiores difusamente moteadas o listadas y la comisura del pico es más amarilla. Este ejemplar ha empezado la muda postjuvenil: nótense la secun-daria en crecimiento y las primarias oscuras.

▼ ♀ (abril)

secundaria en crecimiento

▶ ♂ (febrero)

Gorrión moruno *Passer hispaniolensis*

L 15 cm | Todo el año, península Ibérica y Cerdeña; verano, península Balcánica y O Turquía

Pardal de passa CAT
Txolarre iluna EUS
Pardal mouro GAL

▼ ♂ (enero)
Patrón muy contrastado cuando el plumaje está gastado, como en este ejemplar, fotografiado en las islas Canarias. En enero, la mayoría de aves europeas tienen el plumaje más nuevo y más discreto, y no adquieren un apariencia similar hasta abril.

todo el píleo castaño rojizo

lista superciliar "partida" y conspicua

listado negro muy grueso y contrastado

blanco

listado negro diagnóstico, a menudo formando franjas largas

▼ ♂ (octubre)

en plumaje nuevo (otoñal), el color castaño rojizo está parcialmente oculto tras las puntas grises de las plumas

pálido en otoño e invierno

las puntas pálidas ocultan parcialmente las partes negras

▼ ♀ (enero)
En la imagen se destacan las diferencias con las ♀♀ de gorrión común. A partir de primavera, las ♀♀ suelen tener el pico totalmente negro (a diferencia de las ♀♀ de gorrión común).

lista superciliar larga y conspicua

listado oscuro muy fino

muy robusto

listado con contraste fuerte

escapulares a lo sumo con una lista fina a lo largo del raquis

márgenes pálidos de tonos arenosos

listado variable

color de fondo blancuzco

▼ ♂, supuesto 2° año cal. (marzo)
Habitualmente, no se puede datar después de la muda completa que tiene lugar finalizada la época de reproducción. Sin embargo, los ♂♂ que tienen una apariencia como la de la imagen son probablemente inmaduros, con un patrón cefálico más difuso (nótese la lista superciliar de tipo ♀) y las lineas oscuras del dorso aún (relativamente) poco marcadas. Un factor que añade dificultad se encuentra en que la apariencia de los ♂♂ viene determinada, parcialmente, por la época en que hayan nacido o se hayan reproducido que, a su vez, determina el momento en que se lleva a cabo la muda completa; estos factores varían de unas poblaciones a otras. Por ejemplo, este ejemplar fue fotografiado en Cabo Verde, donde la época de cría no coincide con la época de cría en Europa.

■ Gorrión común ♀ (octubre)

lista superciliar menos definida y menos contrastada

liso

medida más contenida (pero a veces bastante grueso)

listado con contraste moderado

márgenes de tonos un poco más cálidos (en plumaje nuevo), volviéndose más pálidos progresivamente

escapulares con centros oscuros variables

a lo sumo, listado difuso y poco contrastado sobre fondo grisáceo

Gorrión italiano *Passer italiae*

L 15 cm | Todo el año, Italia, Córcega, Malta y Creta

▼ ♂ (junio)
Puede parecer un "gorrión con la cabeza de gorrión moruno y el cuerpo de un gorrión común", pero con las partes superiores de un pardo castaño más oscuro que en el ♂ de gorrión común. La garganta y el pecho negros a menudo tienen forma de ancla.

▼ ♂ (noviembre)
Plumaje nuevo otoñal. Como en otros gorriones ♂♂, en esta época y en invierno el pico tiene la base amarilla. La cabeza y el pecho están aún muy cubiertos por las puntas pálidas de las plumas, que se van desgastando progresivamente y van revelando el píleo pardo castaño y el pecho negro.

píleo totalmente pardo castaño como en el gorrión moruno ♂

ángulo de < 90° entre la franja de la garganta y el pecho negros

pardo castaño típico, como en el ala (cf. gorrión común ♂)

supracoberteras caudales parduzcas, contrastando con el obispillo gris

a veces algo de listado

▶ ♂ (noviembre)
Dada la semejanza con algunos híbridos de gorrión común × gorrión moruno, la identificación fuera de su distribución regular solo parece posible ante un ejemplar "de pecho castaño".

algunos ♂♂ tienen plumas castañas en el pecho, un rasgo único entre los representantes del género *Passer* en Europa

▼ ♀ (noviembre)
Igual a la ♀ de gorrión común, con el pico ligeramente más grueso, parecido al del gorrión moruno. Fuera de su distribución regular, la identificación es imposible.

▼ Híbrido de gorrión moruno × gorrión común, ♂ (junio)
Los híbridos como el de la imagen pueden ser muy parecidos al gorrión italiano, lo cual dificulta –o imposibilita– la identificación de esta especie fuera de su distribución regular. Algunos híbridos tienen algo de listado negro en los flancos. Hasta donde es conocido, nunca muestran plumas castañas en el pecho negro. Este ejemplar tiene una coloración de fondo grisácea en el manto y las escapulares, lo que no es propio del gorrión italiano, pero algunos híbridos también son más castaños, iguales en este aspecto al gorrión italiano.

manto y escapulares con tonos de fondo grises (en este ejemplar)

▼ Híbrido de gorrión italiano × gorrión común ♂ (agosto)
Las plumas grises en la parte central del píleo y las auriculares de tonos más "sucios" o grises indican una influencia del gorrión común en este ejemplar. La hibridación ocurre en el N de Italia, donde se encuentran las distribuciones de ambas especies.

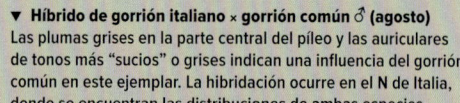

Gorrión molinero *Passer montanus*

L 13,5 cm | Todo el año, gran parte de Europa excepto extremo N e Islandia

▼ Tipo adulto (marzo)
El patrón cefálico es diagnóstico.
Los sexos son idénticos.

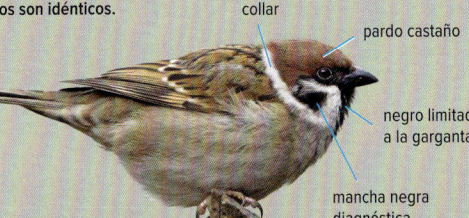

collar

pardo castaño

negro limitado a la garganta

mancha negra diagnóstica

▼ Tipo adulto (enero)
Un anillo ocular pálido no es infrecuente en invierno. En este ejemplar es más pronunciado que en la mayoría.

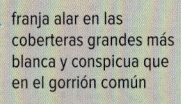

pardo ocráceo, ligeramente más pálido que en el gorrión común

gris-pardo

amarillo variable en otoño e invierno

franja alar en las coberteras grandes más blanca y conspicua que en el gorrión común

▼ Juvenil (julio)
Parecido a un adulto con plumaje apagado y con la base del pico amarilla (los adultos solo la tienen de este color en otoño e invierno). El píleo es a menudo un poco grisáceo, lo que puede causar confusión con un híbrido de esta especie con gorrión común.

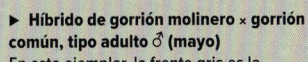

▶ Híbrido de gorrión molinero × gorrión común, tipo adulto ♂ (mayo)
En este ejemplar, la frente gris es la influencia más clara de gorrión común. En los demás aspectos, tiene una apariencia similar al gorrión molinero, con una mancha negra en las auriculares (aunque un poco más pequeña y menos definida), collar blanco, negro limitado a la garganta, manto pardo ocráceo y obispillo gris-pardo.

Gorrión del Mar Muerto *Passer moabiticus*

L 12,5 cm | Verano, SE Turquía

Pardal del Mar Mort CAT
Txolarre moabtarra EUS
Pardal do Mar Morto GAL

▼ ♂ (mayo)
Inconfundible. Los ♂♂ tienen un patrón único en la cabeza y en el ala.

en algunos ♂♂, las coberteras grandes son tan pardo-rojizas como las medianas, lo que genera un panel alar pardo rojizo

▶ ♀ (mayo)
Como una ♀ de gorrión común más pálida, pero véanse otras diferencias.

centros negros extensos en las escapulares; típico

proyección primaria muy corta

infracoberteras caudales a veces con algo de pardo rojizo (no patente aquí)

algo de amarillo en este ejemplar; típico si está presente

coberteras medianas con puntas pardo-rojizas (en plumaje nuevo), a veces también en las coberteras grandes

▶ ♂ (noviembre)
Las puntas grisáceas de las plumas cubren los colores "verdaderos" en aves con el plumaje nuevo, en otoño; entonces, el plumaje es menos contrastado. A medida que las puntas se van gastando, los colores más oscuros van apareciendo. Este ejemplar podría ser tanto un ♂ adulto como uno de 1er invierno. Ambas edades mudan completamente después de la época de reproducción, y ya no son distinguibles a partir de entonces.

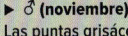

Gorrión chillón *Petronia petronia*

L 16 cm | Todo el año, zonas de relieve accidentado de S Europa

Pardal roquer CAT
Harkaitz-txolarrea EUS
Pardal das rochas GAL

▼ **Tipo adulto (junio)**
Una especie característica si se puede ver bien. Este ejemplar tiene las partes inferiores bastante lisas, pero el patrón cefálico, la forma del pico y las infracoberteras caudales muy marcadas son típicos. Los juveniles son muy parecidos a los adultos, lo cual hace el datado imposible.

▼ **Tipo adulto (abril)**

partes superiores muy listadas

patrón cefálico distintivo, con lista superciliar muy marcada y lista pileal central pálida

muy grueso, triangular

proyección primaria muy larga

base amarilla (rosada) todo el año

mancha amarilla típica en la garganta, pero a menudo no visible, a veces inexistente o ausente por desgaste

listado grueso y patente

▶ **Tipo adulto (diciembre)**
El patrón de la cola y de las infracoberteras caudales es típico. Las manchas redondeadas blancas en las rectrices son visibles también por encima (pero quedan ocultas con la cola cerrada).

Gorrión pálido *Carpospiza brachydactyla*

L 15 cm | Verano, SE Turquía; divagante potencial en SE Europa

Pardal roquer pàl·lid CAT
Txolarre ilauna EUS
Pardal pálido GAL

▼ **Tipo adulto (mayo)**
Una especie sin rasgos de plumaje muy característicos, con un patrón muy difuso, excepto en las manchas bien definidas de la cola, que tiene un dibujo similar al del gorrión chillón, pero con puntas blancas más pequeñas. El ala larga genera una silueta alargada.

▼ **Tipo adulto (mayo)**
La apariencia general muy lisa y uniforme es típica. La franja alar en las coberteras medianas es a menudo más ancha que en las coberteras grandes. Las aves con contrastes de muda patentes, por ejemplo, con algunas coberteras muy gastadas, son probablemente de 2º año cal. Sin embargo, muchos realizan una muda completa a final de verano o en otoño, y una vez finalizada ya no se pueden datar.

cabeza muy lisa típica, con lista superciliar, infrabigotera y lista malar muy difusas

blanco variable en las hemibanderas externas de las secundarias

puntas blancas en las rectrices

grueso, con la base rosada y el culmen curvado

franjas alares variables, desvaneciéndose con el plumaje gastado

proyección primaria larga

mano muy larga

▶ **Tipo adulto (marzo)**

parte inferior del ala pálida con borde posterior oscuro y difuso

franjas alares difusas

por encima, las puntas pálidas solo visibles con la cola abierta

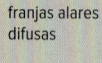

Gorrión alpino *Montifringilla nivalis*

L 18 cm | Todo el año, alta montaña de S Europa

▼ ♂, nominal *nivalis* (febrero)
Especie distintiva en su distribución, a causa de un ala con patrón blanco y negro muy llamativo, cabeza gris y zona dorsal parda. La única especie relativamente parecida es el escribano nival, que tiene un patrón similar en el ala. Sin embargo, incluso en invierno, las áreas de distribución de ambas especies raramente coinciden.

▼ ♀, nominal *nivalis* (marzo)
Las características señaladas indican las diferencias con los ♂♂, pero el sexado no siempre es sencillo. Los ♂♂ adultos tienen la mayor extensión de blanco en las coberteras primarias y en las rectrices (con una franja terminal muy fina y a menudo incompleta), y una cabeza de un gris más "limpio" y uniforme. En cambio, las ♀♀ de 1er año tienen la mayor extensión de negro en las coberteras primarias y en las rectrices (a menudo con una franja terminal completa). Los ♂♂ de 1er año y las ♀♀ adultas se pueden solapar. Tanto adultos como aves de 1er año realizan una muda completa a final de verano, por lo cual los límites de muda no son de ayuda en el datado.

la cabeza gris uniforme indica ♂

en invierno, amarillo o anaranjado; a partir de primavera, negruzco

se vuelve progresivamente negro hacia el verano

primarias y rectrices con tintes parduzcos (cf. ♂)

fundamentalmente blanco, solo con pequeñas puntas negras en las coberteras primarias, lo cual sugiere que se trata de un ♂, probablemente adulto

tintes pardos

puntas oscuras extensas en las coberteras primarias

▶ Juvenil, *nivalis* (julio)
Ya parecido al adulto, por lo cual la confusión con otras especies es poco probable. Este plumaje es reemplazado completamente a tipo adulto durante la muda postjuvenil.

▼ ♂, nominal *nivalis* (febrero)
Las ♀♀ tienen mayor extensión de negro en las coberteras primarias y en las rectrices que los ♂♂. El patrón alar y caudal es muy parecido al del escribano nival, aunque este pertenece a otra familia. Las ♀♀ de escribano nival tienen negro en la base de las primarias, y también partes oscuras en las secundarias. En los ♂♂ de escribano nival, al menos la base de las primarias internas es blanca.

blanco extenso en el ♂, solo las rectrices centrales son negras (cf. escribano nival)

primarias negras hasta la base (cf. escribano nival)

▼ ♂, *alpicola* (abril)
Esta subespecie, propia de Turquía, difiere de la nominal *nivalis* en un patrón cefálico más marcado, con una cierta lista superciliar y el píleo más oscuro, con la zona dorsal más pálida, las partes inferiores más blancas y el pico más largo; este se vuelve negro a partir de primavera en todas las subespecies.

Pinzón vulgar *Fringilla coelebs*

L 15 cm | Todo el año, casi toda Europa excepto N e Islandia; verano, incluyendo N Europa

▼ **Adulto ♂ (marzo)**
Durante la primavera y el verano, los ♂♂ son inconfundibles. En la estación de cría, el pico se vuelve gris azulado mientras que el resto del año es rosado.

panel alar blanco bastante extenso, formado por las coberteras pequeñas y medianas, en todos los plumajes

manto pardo cálido

cara rojiza, volviéndose progresivamente rosada hacia el pecho y el vientre

semicollar gris azulado típico

▼ **Adulto ♂ (diciembre)**
Con el plumaje nuevo, los colores más intensos quedan parcialmente ocultos por las puntas pálidas de las plumas. A medida que estas se van gastando, dejan al descubierto los tonos más vivos. El color negro puro del ala es típico de los adultos en otoño. Las terciarias tienen márgenes pálidos, a menudo pardo-rojizos, bastante bien definidos.

obispillo verde brillante, a menudo no visible en reposo

ala nueva y uniforme con el álula, las coberteras primarias y las coberteras grandes externas negras (cf. 1er invierno)

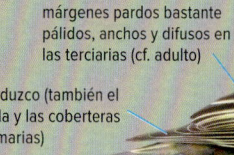

márgenes pardos bastante pálidos, anchos y difusos en las terciarias (cf. adulto)

parduzco (también el álula y las coberteras primarias)

rectrices más puntiagudas

límite de muda en las coberteras grandes

▼ **Adulto ♀ (diciembre)**
Las ♀♀ tienen una apariencia similar a lo largo de todo el año; las de 1er invierno son idénticas a las adultas, pero se pueden reconocer, a veces, por los límites de muda y por las plumas de vuelo más parduzcas, como en el ♂ de 1er invierno (véase izquierda). El patrón alar, con el panel blanco en las coberteras pequeñas y medianas, la franja alar en las coberteras grandes y la base blanca de las primarias, se da en todos los plumajes. Sin embargo, en muchas ♀♀, el panel blanco es menos uniforme por la presencia de algunas coberteras pequeñas oscuras.

▶ **1er invierno ♂ (noviembre)**
Además de los rasgos de datado destacados en la imagen, muchos ♂♂ de 1er invierno tienen una coloración general un poco más apagada que los ♂♂ adultos. Las puntas nuevas de las plumas corporales no son tan pálidas, pero estas se van gastando y, en primavera, un ave de 2º año cal. ya tiene una coloración viva.

patrón típico con los lados de la cabeza más pálidos (a veces grisáceos) y píleo más oscuro

las coberteras pequeñas y medianas forman un panel alar, pero este queda a menudo parcialmente oculto por las escapulares

pardo más oscuro que en el ♂

▼ **Juvenil ♀ (junio)**
Los juveniles son superficialmente parecidos a las ♀♀, pero los ♂♂ ya tienen algo de pardo en las escapulares y el manto. Este plumaje es reemplazado parcialmente a 1er invierno poco después de abandonar el nido.

gris parduzco pálido, sin tintes rosados o rojizos

rectrices anchas y redondas, típicas de adulto

▼ **♀ (septiembre)**

▶ **♂ (octubre)**
El panel alar grande es patente en vuelo y facilita la identificación.

panel alar blanco más pequeño y no uniforme (cf. ♂)

Pinzón africano *Fringilla spodiogenys africana*

L 15 cm | Divagante de N África

Pinsà africà CAT
Txonta afrikarra EUS
Pimpín africano GAL

▼ ♂, supuesto adulto (marzo)
En la imagen se destacan las principales diferencias con el pinzón vulgar. Un ejemplar como este es inconfundible, pero en Europa se ven, ocasionalmente, pinzones vulgares con aberraciones de plumaje que pueden tener un apariencia similar. El **pinzón tunecino**, nominal *spodiogenys* (N de África, sin citas en Europa) es prácticamente idéntico, pero tiene las partes inferiores blanquecinas (generalmente sin tonos rosados), menos blanco alrededor del ojo (a veces conectado en la parte posterior) y tiene la cabeza un poco más pálida.

▼ ♀ (marzo)
Las ♀♀ se parecen al pinzón vulgar más que los ♂♂. Este ejemplar tiene todos los rasgos típicos, pero otros pueden ser más oscuros o carecer de verde en el manto, con una apariencia que pasaría probablemente desapercibida en Europa. El patrón caudal es una de las características más fiables, pero suele ser difícil de ver en el campo.

"párpados" blancos conspicuos

gris azulado liso

verde musgo

a menudo amarillo pálido

negro puro ya en invierno (en el pinzón vulgar no hasta primavera o verano)

brida oscura, a menudo formando una mancha junto con la frente

rosa salmón, pero variable

blanco extenso

blanco extenso diagnóstico, r4 también mayormente blanca

blanco extenso en la cola (también en r4)

"párpados" blanco puro

grisáceo pálido

verdoso (característico si está presente)

gris pálido (sin pardo)

coberteras pequeñas blancas parcialmente

◄ ♂ (marzo)
La cola tiene más blanco que la del pinzón vulgar y es diagnóstica en todos los plumajes. El pinzón vulgar solo tiene una pequeña cantidad de blanco en la hemibandera interna de r4 y la base de r5 negra. En el pinzón africano, el ala también tiene mayor extensión de blanco que en el pinzón vulgar.

Pinzón real *Fringilla montifringilla*

L 15 cm | Verano, N a E Europa; invierno, O y S Europa

Pinsà mec CAT
Negu-txonta EUS
Pimpín do norte GAL

▼ Adulto ♂ (abril)
Inconfundible en este plumaje. El moteado negro del flanco, así como el pecho, escapulares y coberteras pequeñas y medianas anaranjados son diagnósticos en todos los plumajes. Los ♂♂ no adquieren la cabeza negra a través de una muda, sino que esta se vuelve visible a medida que se desgastan las puntas pálidas de las plumas. De hecho, ningún fringílido tiene un "auténtico" plumaje estival (el cual sí adquieren algunas especies a partir de una muda extra en invierno).

▼ Adulto ♀ (enero)
Cuando se ha podido datar correctamente, el sexado es generalmente posible. Este ejemplar tiene los rasgos típicos de un adulto; los centros relativamente poco extensos de las plumas dorsales, la ausencia de negro en los lados de la cabeza, y las manchas oscuras en las coberteras pequeñas y medianas son diagnósticos de ♀.

base negra de las coberteras pequeñas y medianas, característica de las ♀♀

gris liso (cf. ♂)

márgenes amarillentos en primarias y anaranjados en terciarias (cf. 1er invierno ♀)

anaranjado extenso (cf. 1er invierno ♀)

coberteras primarias sin desgaste y muy negras (cf. 1er invierno)

todas las coberteras grandes negras con puntas anaranjadas (cf. 1er invierno ♀)

Pinzón real *Fringilla montifringilla*

▼ 2º año cal. ♂ (junio)
Similar al ♂ adulto estival, pero nótense las diferencias señaladas en la imagen. Las plumas aún juveniles se van desgastando y destiñendo progresivamente, lo cual se nota más a partir de primavera y aumenta el contraste de los límites de muda.

algunas motas oscuras en el "hombro", típicas de ♂ inmaduros antes de la muda completa (a final de verano del 2º año cal.)

exceptuando las coberteras grandes, las partes oscuras del ala están desteñidas y se han vuelto parduzcas (cf. adulto)

límite de muda; coberteras grandes internas mudadas (negras), externas juv. (parduzcas)

rectrices puntiagudas y bastante desgastadas

▼ ♀ (octubre)
En otoño e invierno, la mayoría de individuos tienen un plumaje similar al de la imagen. Los ♂♂ (especialmente adultos) tienen tonos anaranjados más intensos en el pecho y en el ala, centros negros más extensos en las plumas dorsales y a menudo ya algo de negro en los lados de la cabeza.

zona carpal anaranjada, característica

franja alar anaranjada

negruzco extendiéndose por la nuca y el píleo

amarillo en otoño e invierno

franja gris pálido

manchas oscuras características en todos los plumajes

naranja

▼ 1er invierno ♀ (enero)
En la imagen se destacan las diferencias con la ♀ adulta. Este ejemplar es un 1er invierno, puesto que muestra un límite de muda muy claro en las coberteras grandes y tiene las rectrices muy puntiagudas y ya bastante gastadas. Las ♀♀ de 1er invierno tienen los tonos anaranjados bastante apagados en las coberteras pequeñas y medianas.

▼ 1er invierno ♂ (enero)

naranja liso y extenso en la zona carpal, típico del ♂

el negro de fondo ya se percibe entre las puntas claras, diagnóstico del ♂

escapulares de tonos pardo-anaranjados apagados

tonos anaranjados limitados

coberteras pequeñas oscuras, solo con la punta anaranjada (en vuelo, sin zona carpal naranja)

límite de muda

contraste de muda entre las coberteras grandes nuevas, de color negro puro, y las coberteras primarias aún juv. más parduzcas (a veces difícil de percibir)

rectrices puntiagudas y bastante gastadas, típicas de 1er invierno

rectrices puntiagudas y gastadas

▼ ♂ (octubre)
La parte inferior de la cola oscura y la franja alar blanca forman una combinación típica. Algunos ejemplares pueden tener partes más pálidas en la cola, pero siempre menos, en comparación con el pinzón vulgar.

▼ 1er invierno ♀ (octubre)
Este plumaje tiene la menor extensión de tonos naranjas en el ala, pero el obispillo blanco, relativamente estrecho y bastante largo, es diagnóstico en todos los plumajes.

amarillento o anaranjado

sin blanco o con muy poco blanco (cf. otros fringílidos)

obispillo blanco alargado, diagnóstico en todos los plumajes

♀ de 1er invierno con las coberteras pequeñas y medianas mayormente oscuras

la base blanca de las plumas de vuelo genera una franja alar (como en el pinzón vulgar)

Serín verdecillo *Serinus serinus*

L 11,5 cm | Todo el año, S Europa; verano, incluyendo zonas de C y E Europa

▼ ♂, supuesto adulto (marzo)
Una especie distintiva en este plumaje (pero compárese con otros fringílidos amarillos, como el jilguero lúgano).

amarillo liso (cf. ♀)

mancha pálida en las auriculares e infrabigotera oscura difusa, típica en todos los plumajes

amarillo liso

listado limitado, parte central lisa

patas bastante pálidas

▼ ♀ (junio)
Este es el plumaje de ♀ con más amarillo. En esta época del año, la frente oscura excluye al ♂. En otoño e invierno, los ♂♂ pueden tener un plumaje similar, pero con el obispillo más amarillo (en otoño, ambos sexos tienen el pumaje más nuevo).

plumas oscuras (cf. ♂ estival)

verdoso (cf. ♂ estival)

franjas alares difusas; color de fondo de las plumas de vuelo y de las coberteras grisáceo oscuro en lugar de negro (cf. jilguero lúgano)

completamente listado (cf. ♂)

pico corto y grueso, poco puntiagudo en todos los plumajes (cf. jilguero lúgano)

totalmente listado, también la parte central (cf. ♂)

pálido (cf. jilguero lúgano)

► ♀ (diciembre)
En este plumaje tiene mayor parecido con el jilguero lúgano de tipo ♀, pero véanse las diferencias destacadas. Las patas del jilguero lúgano pueden llegar a aproximarse a esta coloración, pero generalmente son más oscuras. Teniendo en cuenta el plumaje aún bastante nuevo y uniforme, y el obispillo amarillo, este ejemplar es probablemente un adulto.

▼ 1er invierno ♀ (diciembre)
En este plumaje muestra la menor cantidad de amarillo. Sin embargo, los rasgos básicos del patrón facial se mantienen: la mancha pálida en las auriculares y la infrabigotera oscura y difusa, y una zona pálida debajo del ojo. Además, se puede distinguir de otros fringílidos, como el jilguero lúgano, por el pico grueso pero muy corto, las franjas alares poco marcadas, las patas bastante pálidas, y la ausencia de una base pálida en las primarias. Muchas aves de 1er invierno han mudado la mayoría de coberteras grandes, como este ejemplar. El contraste entre los centros oscuros de las coberteras grandes y las coberteras primarias más parduzcas y apagadas permite el datado.

▼ 1er invierno ♂ (diciembre)
En otoño e invierno, a menudo la frente no es muy amarilla por la presencia de puntas grisáceas, que más adelante desaparecen con el desgaste progresivo. En este ejemplar, la forma y el desgaste de las rectrices son típicos de 1er invierno. En muchos adultos, el listado de las partes inferiores está limitado a los flancos.

(aún) relativamente oscuro, pero poco listado (cf. ♀)

amarillo liso (cf. ♀)

rectrices bastante estrechas, puntiagudas y descoloridas, típicas de 1er invierno

listado extenso, también en las partes inferiores centrales (cf. ♂ adulto)

contraste de muda entre las coberteras grandes (mudadas) y las coberteras primarias aún juv.

► Juvenil (julio)
Como sucede en otros fringílidos, el plumaje juvenil es reemplazado poco después de abandonar el nido, en una muda postjuvenil parcial. A diferencia de muchos otros fringílidos, este plumaje es bastante diferente del de la ♀ adulta. Los lados de la cara carecen del patrón típico de la especie, el obispillo es completamente listado (aquí solo visible en parte), las partes inferiores tienen un listado más fino, y la franja alar de las coberteras grandes es un poco parduzca. Nótense también las rectrices juveniles puntiagudas (como en otros fringílidos) que se retienen hasta el verano del 2° año cal.

Serín verdecillo *Serinus serinus*

▶ ♂ (julio)

amarillo brillante
y a menudo liso

▼ ♀ (abril)

amarillo ligeramente más
apagado que en el ♂

Serín frentirrojo *Serinus pusillus*

L 12 cm | Todo el año, localmente en Turquía

Gafarró de front vermell CAT
Txirriskila muturgorria EUS
Xirín de testa vermella GAL

▼ Tipo ♂ (mayo)

Una especie inconfundible, con una distribución muy limitada dentro de la región tratada. La cabeza negruzca con la frente roja y las partes inferiores con un listado muy grueso y oscuro son rasgos típicos de todos los plumajes después del 1er invierno. En los ♂♂, las partes negras son más oscuras y lisas. A causa del desgaste progresivo de las puntas más pálidas de las plumas, los ♂♂ pueden adquirir un pecho casi completamente negro en verano. Las rectrices bastante puntiagudas de este ejemplar sugieren que se trata de un ave de 2º año cal. Las características señaladas en la imagen son típicas del ♂, pero nótese que algunos ♂♂ de 2º año cal. son virtualmente idénticos a las ♀♀ adultas.

▼ 2º año cal. tipo ♀ (mayo)

Incluso en este plumaje "menos negro", la identificación es sencilla. La cabeza negruzca, un poco menos oscura, y la mancha frontal roja relativamente pequeña sugieren que este ejemplar es una ♀. Junto con el límite de muda en las coberteras grandes, las coberteras primarias "apagadas" y un poco puntiagudas (aún juveniles) son típicas de este plumaje.

negruzco liso

mancha frontal roja
bastante extensa

pardo amarillento
bastante liso en las
coberteras pequeñas

cabeza negruzca con
mancha frontal roja y partes
inferiores muy listadas;
rasgos típicos después del
1er invierno

límite de muda indicativo
de 2º año cal.

▶ 1er invierno (noviembre)

Las coberteras grandes han sido reemplazadas en su mayoría; las más externas, aún juveniles, así como las terciarias, con márgenes gris parduzco, van palideciendo a medida que se acerca el invierno.

pardo retenido
hasta otoño

límite de muda en las
coberteras grandes

rectrices puntiagudas,
estrechas y gastadas

Verderón serrano *Carduelis citrinella*

L 12 cm | Todo el año, montañas de C y SO Europa

Llucareta CAT
Mendi-txirriskila arrunta EUS
Verderolo da serra GAL

▼ Adulto ♂ (marzo)
Inconfundible dentro de su distribución, pero compárese con el **verderón corso** *Carduelis corsicana*, aislado geográficamente. El similar **serín sirio** *Serinus syriacus*, que no está presente en Europa, no tiene la base negra de las coberteras grandes, que son en su lugar verde-amarillentas lisas. Además, también tiene un pico más grueso pero menos puntiagudo, más parecido al del serín verdecillo. En este ejemplar, las plumas alares muy nuevas, sin límites de muda, apuntan a un adulto. Un ♂ de 2º año cal. es casi idéntico (pero véase explicación sobre como separar adultos de aves de 2º año cal. a través de las coberteras grandes y las rectrices en la imagen de la ♀ de 2º año cal.).

▼ Adulto ♀ (septiembre)
Menos liso y de coloración menos brillante que el ♂. El plumaje nuevo y uniforme, las rectrices bastante redondeadas y la primaria aún en crecimiento son signos diagnósticos de adulto.

gris pálido extendiéndose hasta los lados del pecho, característico

listado difuso y poco patente

franjas alares anchas

liso

amarillo verdoso extenso (cf. ♀)

amarillo verdoso extendiéndose hasta la garganta y el vientre, no interrumpido por el gris (cf. ♀)

ligeros tintes parduzcos en plumaje nuevo (cf. ♂)

listado fino (cf. ♂)

gris extendiéndose hasta el pecho (cf. ♂)

obispillo amarillo verdoso brillante; supracoberteras caudales solo un poco más verdosas o grisáceas (cf. verderón corso)

▶ 1er invierno ♂ (septiembre)
La identificación es relativamente sencilla gracias al cuello gris y a las franjas alares muy anchas. En un ave de 1er invierno, la coloración bastante intensa y brillante (como en este ejemplar) es típica del ♂. Las ♀♀ adultas pueden, sin embargo, acercarse a esta coloración. Como sucede en muchos otros paseriformes, es recomendable datar primero para poder sexar correctamente.

rectrices estrechas y puntiagudas, ya con signos de desgaste, características de 1er invierno

amarillo verdoso en el centro del pecho (cf. ♀)

límite de muda, diagnóstico de 1er invierno

▼ 2º año cal. ♀ (marzo)
Este es el plumaje menos colorido. La identificación se basa en la combinación típica de cabeza grisácea con la zona alrededor del ojo y del pico amarilla, un "collar" gris más pálido, franjas alares anchas y supracoberteras caudales y obispillo verdosos.

amarillo verdoso poco patente (cf. ♂)

gris extendiéndose por el pecho, típico de la ♀

límite de muda

rectrices puntiagudas y gastadas

▶ Juvenil (julio)
Casi idéntico al juvenil de verderón corso, pero nótense las supracoberteras caudales un poco verdosas (grises en el verderón corso). Las 2 especies están separadas geográficamente y la posibilidad de que una de ellas se encuentre en la distribución de la otra es muy pequeña. Sin embargo, nótese que algunas poblaciones de verderón serrano realizan migraciones de corta distancia y, teóricamente, podrían llegar a Córcega o a Cerdeña. La probabilidad de que un verderón corso alcance el continente es bastante menor.

negro con puntas pálidas muy anchas, generando franjas alares también muy anchas (cf. serín verdecillo juv.)

a veces parduzco, como en el verderón corso

relativamente largo y puntiagudo (cf. serín verdecillo)

listado variable pero extenso en el juv. (cf. tipo adulto)

patas oscuras (cf. serín verdecillo)

supracoberteras caudales un poco verdosas (cf. verderón corso)

Verderón corso *Carduelis corsicana*

L 12 cm | Todo el año, Córcega y Cerdeña

▼ **2º año cal. ♂ (abril)**

La zona dorsal parduzca contrasta con la cabeza mayoritariamente gris; esta es la principal diferencia con el verderón serrano. Sin embargo, nótese que, en plumaje tipo ♀, el verderón serrano puede tener la zona dorsal también gris-parduzca. Las supracoberteras caudales grises (en lugar de verde-amarillas) y, en los ♂♂, la zona amarilla alrededor del pico y del ojo bien definida, también son diferencias con respecto al verderón serrano. La aparición de ejemplares de esta especie fuera de su distribución regular –y en la distribución del verderón serrano–, es muy improbable, pero el verderón serrano sí que realiza desplazamientos significativos desde sus zonas de reproducción en los Alpes y podría, en teoría, alcanzar Córcega o Cerdeña.

▼ **♀ (junio)**

En la imagen se destacan las principales diferencias con la ♀ de verderón serrano. Las diferencias entre ♂ y ♀ son las mismas que en el verderón serrano.

típicamente pardo y con listado bastante patente y grueso en todos los plumajes (cf. verderón serrano)

amarillo verdoso brillante (cf. ♀)

listado oscuro bastante grueso sobre fondo pardo

límite de muda indicativo de 2º año cal.

supracoberteras caudales grises, pálidas y lisas (cf. verderón serrano)

contraste característico entre el obispillo verde y las supracoberteras caudales grises y pálidas

amarillento variable, de promedio más que en la ♀ de verderón serrano

Jilguero lúgano *Spinus spinus*

L 12 cm | Todo el año, O a E Europa; verano, incluyendo N Europa; invierno, incluyendo S Europa

▼ **Adulto ♂ (marzo)**

En este plumaje ninguna otra especie tiene una apariencia similar. Solo los ♂♂ tienen la frente y el píleo negros, con el listado de las partes inferiores limitado a los flancos traseros (las ♀♀ tienen un listado más extenso). El obispillo es amarillo brillante en los ♂♂, como en el serín verdecillo (en las ♀♀ es de un amarillo más apagado y a menudo ligeramente listado, mientras que los juveniles tienen todo el obispillo listado, pero sin amarillo).

▼ **2º año cal. ♀ (marzo)**

La frente y el píleo parduzcos y finamente listados, la garganta pálida, y el listado extenso en las partes inferiores son rasgos típicos de las ♀♀. Nótense también los lados del obispillo listados. Las ♀♀ adultas son idénticas, excepto por el límite de muda en las coberteras grandes y las rectrices muy puntiagudas y más estrechas.

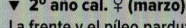

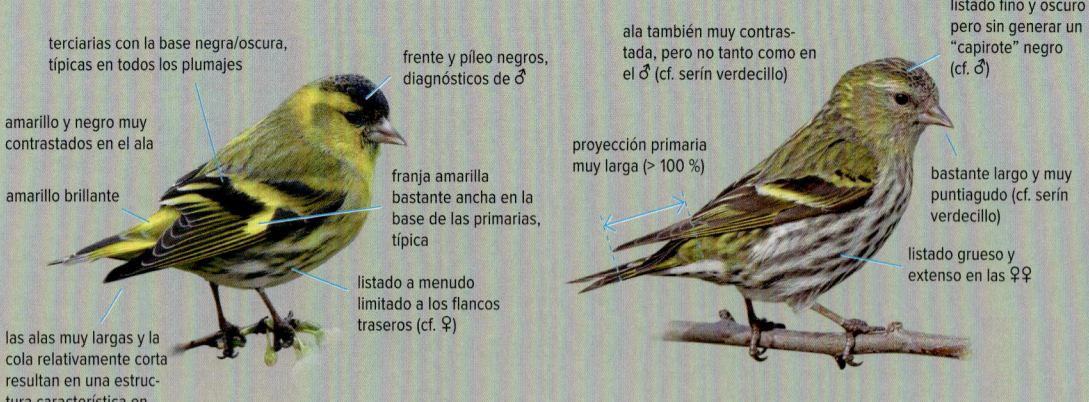

terciarias con la base negra/oscura, típicas en todos los plumajes

amarillo y negro muy contrastados en el ala

amarillo brillante

las alas muy largas y la cola relativamente corta resultan en una estructura característica en todos los plumajes

frente y píleo negros, diagnósticos de ♂

franja amarilla bastante ancha en la base de las primarias, típica

listado a menudo limitado a los flancos traseros (cf. ♀)

ala también muy contrastada, pero no tanto como en el ♂ (cf. serín verdecillo)

proyección primaria muy larga (> 100 %)

listado fino y oscuro pero sin generar un "capirote" negro (cf. ♂)

bastante largo y muy puntiagudo (cf. serín verdecillo)

listado grueso y extenso en las ♀♀

▼ 1er invierno ♂ (octubre)

En otoño, los ♂♂ adultos son casi iguales a los ♂♂ de 1er año, pero tienen tonos amarillos más intensos, carecen de límites de muda en las coberteras grandes (tienen una franja amarilla muy ancha a lo largo de todas ellas), y suelen tener el píleo y la frente más negros.

▼ 1er invierno ♀ (octubre)

Este es el plumaje con menor extensión de tonos amarillos. Superficialmente parecido al serín verdecillo de tipo ♀, pero nótense las diferencias estructurales en el pico, la longitud del ala y de la cola, así como los lados de la cabeza más uniformes y el ala más contrastada.

límite de muda, con coberteras grandes externas aún juveniles, más cortas y con puntas blancuzcas

plumas nuevas con puntas pálidas que desaparecen posteriormente por desgaste

amarillento y ya liso (cf. ♀ y serín verdecillo)

listado negruzco y grueso, característico (cf. serín verdecillo)

listado patente, típico en todos los plumajes

uniformemente listado (cf. serín verdecillo)

límite de muda típico de 1er invierno

▶ Juvenil (agosto)

A principio de otoño, este plumaje ya ha sido reemplazado por el plumaje de 1er invierno. La base pálida de las primarias, el patrón de las terciarias (con márgenes pálidos que no alcanzan la base de las plumas), y el color de fondo negruzco de las coberteras alares y las plumas de vuelo son rasgos característicos que ayudan a distinguirlo del serín verdecillo juvenil.

▼ Adulto ♂ (mayo)

La combinación de rasgos destacados en la imagen es diagnóstica. El serín verdecillo no tiene una franja alar patente y no muestra una extensión tan grande de amarillo en la base de la cola; otros fringílidos no tienen el obispillo amarillo.

▼ ♀ (enero)

En este plumaje puede resultar un poco más parecido al serín verdecillo, pero las franjas alares están más desarrolladas. Además, la estructura diferenciada, con las alas más largas y la cola más corta, también puede ser de ayuda.

amarillo brillante

franja alar completa (tanto en secundarias como en primarias)

amarillo extenso (a diferencia del serín verdecillo)

listado variable

amarillo limitado

franja alar doble, típica en todos los plumajes

Verderón común *Chloris chloris*

L 15,5 cm | Todo el año, casi toda Europa excepto extremo N e Islandia

▼ **Adulto ♂ (enero)**
En este plumaje resulta inconfundible. Las coberteras grandes y las hemibanderas externas de las terciarias, totalmente grises, son únicas entre los paseriformes europeos. En los ♂♂, los márgenes amarillos de las primarias se extienden hasta el raquis en gran parte de las plumas. En las ♀♀, el margen amarillo es más fino y no alcanza el raquis.

cabeza grande, típica

verde, con tintes pardos en la ssp. nominal *chloris*

gris liso característico

amarillo extenso en la parte externa del ala

▼ **Adulto ♀ (diciembre)**
A menudo parecido al ♂ de 1er invierno, pero este ejemplar tiene las puntas de las primarias y de las rectrices bastante redondeadas, lo cual apunta a adulto.

en muchas ♀♀, gris-pardo con puntas más pálidas

infrabigotera ancha, difusa pero bastante patente (cf. ♂)

franjas difusas más oscuras (cf. ♂)

rectrices redondeadas indicando adulto

▼ **1er invierno ♂ (diciembre)**
Este ejemplar ya es muy similar al adulto, pero otros pueden ser parecidos a las ♀♀ (adultas). El datado correcto es, en consecuencia, esencial para asegurar el sexo.

contraste de muda en las terciarias: la más larga y la más corta son aún juv. (más pardas), mientras que la central ha sido mudada

obispillo verdoso variable, supracoberteras caudales grises

pálido y muy grueso en todos los plumajes, a veces rosado

coberteras grandes mudadas a menudo de un gris menos puro (como en las ♀♀ adultas)

puntiagudas y gastadas (el par central probablemente ha sido mudado)

▼ **1er invierno ♀ (diciembre)**
Este es el plumaje más discreto pero, aun así, la identificación es relativamente sencilla gracias a la cabeza grande, el pico pálido muy robusto, los márgenes amarillos de las primarias y las rectrices, y el obispillo verde (bien desarrollado en este ejemplar). Además, las puntas de las primarias y de las rectrices juveniles ya muestran un cierto desgaste y son más estrechas y puntiagudas. Entre todos los plumajes, las ♀♀ de 1er invierno son las que tienen menor extensión de amarillo en las primarias y las rectrices; con el ala cerrada, los márgenes amarillos no generan una mancha continua (el negro es visible).

infrabigotera difusa en muchas ♀♀

listado difuso, típico

▶ **Juvenil (junio)**
Las partes inferiores son muy listadas, como en otros fringílidos juveniles. La forma y el color del pico y los márgenes amarillos de las primarias y las rectrices son diagnósticos (véanse los juveniles de jilguero lúgano y de serín verdecillo). La mayor extensión de amarillo indica que se trata de un ♂.

▶ ♂ **(enero)**
En la imagen se destacan las diferencias con las ♀♀. En los ♂♂, la parte exterior de la cola tiene mucho amarillo.

amarillo extenso

verdoso bastante uniforme

▼ **Adulto ♂,** *chlorotica*, **área mediterránea (Italia, febrero)**
En Europa se encuentran 3 subespecies. La subespecie *chlorotica*, del área mediterránea es, de promedio, más pálida, más verde y más amarilla. Los ♂♂ carecen de tintes pardos en el manto y las escapulares, que están presentes en la subespecie nominal *chloris*, y a veces tienen tonos amarillos puros en el vientre. Las ♀♀ son muy parecidas a los ♂♂ inmaduros de la subespecie nominal *chloris*. La subespecie propia del Reino Unido y de Irlanda, *harrisoni*, se encuentra en el otro extremo de coloración; es, de promedio, más oscura y apagada que la nominal *chloris*, y tiene menos amarillo. Sin embargo, las diferencias a menudo son sutiles y existe mucho solapamiento, por lo cual las a ves no pueden ser identificadas con seguridad fuera de su distribución.

▶ ♀ **(enero)**
En las ♀♀, solo las hemibanderas externas de las rectrices tienen amarillo.

gris parduzco apagado con tintes verdosos

poco amarillo

verde brillante (cf. nominal *chloris*)

Jilguero europeo *Carduelis carduelis*

L 13 cm | Todo el año, casi toda Europa excepto extremo N e Islandia

Cadernera CAT
Kardantxiloa EUS
Xílgaro europeo GAL

▼ **Tipo adulto ♂ (enero)**
Inconfundible en todos los plumajes. En la imagen se señalan los rasgos indicativos de ♂. Otras aves menos típicas no pueden ser sexadas con seguridad.

▼ **Tipo ♀ (junio)**
En la imagen se destacan los rasgos indicativos de ♀, pero la variabilidad individual es considerable, por lo cual solo se pueden sexar con seguridad los ejemplares más típicos o las parejas, en comparación directa. La percepción de la extensión de la garganta roja también depende de la postura. En este ejemplar parece bastante extensa para tratarse de una ♀, pero se puede ver que tiene el cuello más estirado que en posición "normal".

el rojo alcanza y sobrepasa la parte posterior del ojo (cf. ♀)

plumas nasales negras (cf. ♀)

rojo bastante extenso

habitualmente, el rojo no se extiende tan atrás como en el ♂

plumas nasales grises en lugar de negro puro en el ♂

de promedio, rojo menos ancho y más redondeado que en el ♂

Jilguero europeo *Carduelis carduelis*

▼ **Juvenil (junio)**

Los juveniles carecen del patrón cefálico diagnóstico, pero sí que cuentan con el patrón alar típico y único de la especie.

cabeza pálida, de tonos pardos y blancuzcos relativamente uniformes (que muda a tipo adulto a final de verano o principio de otoño)

coberteras grandes juv. con puntas de color crema (amarillas en las de tipo adulto)

típicamente largo y puntiagudo (aún en crecimiento en este ejemplar)

moteado o listado

franja alar amarilla diagnóstica, igual que en el adulto

▼ **1ᵉʳ invierno (octubre)**

El plumaje juvenil es reemplazado a otro de tipo ya adulto a final de verano o principio de otoño. Una vez finalizada la muda postjuvenil, el datado es difícil. La diferencia entre las plumas alares mudadas, negro puro, y las juveniles, un poco más apagadas, suele ser muy sutil. Este ejemplar aún no ha terminado de mudar las plumas de la cabeza y muestra un contraste de muda en las coberteras grandes, por lo cual el datado aún es relativamente sencillo.

patrón rojo en crecimiento

límite de muda, con las coberteras grandes externas aún juv.

▼ **1ᵉʳ invierno/2º año cal., supuesto ♂ (enero)**

primarias aún juv. ligeramente más apagadas que las terciarias (mudadas y más negras)

las rectrices centrales mudadas generan un sutil contraste con las otras, aún juv. y más apagadas

▼ **2º año cal. (mayo)**

Las primarias son un poco más parduzcas que las terciarias y las rectrices centrales (que ya han sido mudadas), lo cual es típico en este plumaje.

supracoberteras caudales muy blancas

manchas blancas extensas en las hemibanderas internas de las rectrices externas

▶ **Tipo adulto (enero)**

En vuelo, la identificación es casi inmediata. Las franjas alares amarillas, muy anchas, también son visibles por la parte inferior.

franja alar amarilla a lo largo de todas las plumas de vuelo

Pardillo común *Linaria cannabina*

L 12,5 cm | Todo el año, O, S y C Europa; verano, de NE a E Europa

▼ Tipo adulto ♂ (junio)

Solo los ♂♂ desarrollan la frente y el pecho rosados, que se vuelven más patentes a partir de primavera. En los adultos, suelen ser visibles más pronto que en las aves de 2º año cal. La cabeza gris, las partes superiores y los flancos pardos y lisos, y los márgenes blancos de las primarias forman una combinación característica.

cabeza gris con pequeña mancha pálida a los lados y frente rojiza o rosada; rasgos característicos

pardo bastante liso, característico

márgenes blancos de primarias (compartidos con el pardillo piquigualdo)

rojizo-rosado (que va apareciendo progresivamente a medida que se gastan las puntas pardas de las plumas), más extenso en verano

bastante blanco

▼ ♂, tipo 2º año cal. (junio)

Puesto que la muda postjuvenil puede ser muy extensa, muchas aves de 2º año cal. son difíciles –o incluso imposibles– de datar. Las características señaladas son indicativas de 2º año cal.

algo de rojizo-rosado

opaco, parduzco y gastado

patrón relativamente marcado de tipo ♀, con una infrabigotera bastante conspicua

▼ 1ᵉʳ invierno tipo ♂ (enero)

Durante el otoño y el invierno, los distintos plumajes son similares. Este ejemplar parece ser un ♂; tiene el listado de las partes inferiores difuso y pardo (en lugar de negruzco), y una coloración general bastante pálida y cálida. Los ♂♂ de 1ᵉʳ invierno tienen frecuentemente centros más oscuros en las plumas dorsales y las escapulares, y pueden carecer de tonos rosados en el pecho y la frente.

coberteras medianas y grandes bastante lisas, que sugieren ♂ (centros más oscuros en la ♀)

ya con cierto desgaste

rectrices puntiagudas

listado difuso (cf. ♀)

▶ Supuesta ♀ de 1ᵉʳ invierno (octubre)

Listado más grueso y contrastado que en el ♂. En este ejemplar, las puntas de las primarias ya un poco gastadas sugieren que se trata de un 1ᵉʳ invierno. Para un datado fiable es necesaria una visión muy cercana de las puntas de las rectrices o –en el 1ᵉʳ invierno– la constatación de un límite de muda en las coberteras grandes.

listado negruzco típico (cf. ♂)

listado grueso y contrastado (cf. ♂)

▼ ♀ (marzo)

Las ♀♀ son un poco variables en cuanto al listado del pecho y de la zona dorsal. La imagen muestra un ejemplar intermedio. El patrón cefálico y el pico, junto a los márgenes blancos de las primarias, son típicos en todos los plumajes.

cabeza grisácea característica, con manchas pálidas alrededor del ojo, en la "mejilla" y en la garganta

gris en todos los plumajes

listado bastante patente en la mayoría de ejemplares; color de fondo más oscuro que en los ♂♂

listado bastante contrastado (cf. ♂ de 1ᵉʳ año)

▶ Juvenil (junio)

Bastante parecido a una ♀ adulta, pero más listado y, a diferencia de los adultos, con el plumaje nuevo en pleno verano. El listado del pecho es variable. Similar a un pardillo piquigualdo juvenil, pero la cabeza ya es un poco grisácea y las auriculares son casi lisas (véase aquella especie). Se debe tener en cuenta que las nidadas tardías son posibles, por lo que un plumaje similar se puede dar algunas veces a principio de otoño.

Pardillo común *Linaria cannabina*

▼ Tipo adulto ♂, subespecie mediterránea *mediterranea* (julio)
Esta subespecie muestra algunas diferencias sutiles; en comparación con la nominal *cannabina*, es ligeramente más pálida, con la zona dorsal y los flancos de tonos pardos un poco más cálidos. Sin embargo, el solapamiento es considerable. La subespecie oriental *bella* (desde Turquía hacia el este) también es un poco más pálida que la nominal *cannabina*, pero tiene una coloración más brillante y viva; en los ♂♂, en plumaje estival, a menudo el pecho rojo alcanza el vientre. En ambas subespecies, las ♀♀ son, de promedio, más pálidas que las de la subespecie nominal *cannabina*. Puesto que las diferencias son sutiles y se solapan entre subespecies, no pueden ser identificadas con seguridad fuera de sus distribuciones respectivas.

▼ Tipo ♀ (noviembre)
Las características destacadas son válidas para todos los plumajes.

márgenes blancos típicos (compartidos con el pardillo piquigualdo)

pardo cálido (cf. pardillo piquigualdo)

franja alar en las coberteras grandes poco patente o ausente (cf. pardillo piquigualdo)

Pardillo piquigualdo *Linaria flavirostris*

Passerell becgroc CAT
Txoka mokohoria EUS
Liñaceiro de bico amarelo GAL

L 13 cm | *flavirostris*, verano N Europa, invierno NO Europa; *pipilans*, islas Británicas; *brevirostris*, Turquía

▼ ♂, nominal *flavirostris* (julio)
En verano, con un plumaje muy listado y contrastado, puede parecer un pardillo norteño, pero nótese el patrón cefálico diferenciado y los márgenes blancos en las primarias y las rectrices. El obispillo rosa un poco listado es el único rasgo fiable para distinguir los ♂♂ de las ♀♀. En algunos ♂♂ la cara se vuelve ligeramente rosada en verano, cuando el plumaje está más gastado, y pueden aparecer manchas oscuras en la garganta, como en el ejemplar de la imagen.

▼ Nominal *flavirostris* (enero)
En invierno puede parecer un pardillo común, pero nótense las diversas diferencias. En esta época del año, la especie muestra poca variación entre los distintos plumajes. Las rectrices bastante puntiagudas de este ejemplar, junto con el cierto desgaste de las primarias y las coberteras primarias, son rasgos que encajan mejor con un 1er invierno. Sin una visión clara del obispillo, el sexado es imposible.

franja alar conspicua

panel pálido o blancuzco en las secundarias, en todos los plumajes (cf. pardillo común)

oscuro en verano

listado muy contrastado (cf. pardillo común)

obispillo rosa en el ♂, a menudo oculto en reposo

amarillo (cf. pardillo común)

tonos ocráceos típicos

listado (cf. pardillo común)

listado grueso y contrastado (cf. pardillo común)

franja alar patente (cf. pardillo común)

negruzco (cf. pardillo común)

blanco como en el pardillo común, pero menos extenso (r6 con negro alcanzando la base)

listado grueso uniforme (cf. ♂ y pardillo común)

poco blanco a los lados de la cola (cf. pardillo común)

franja alar conspicua (cf. pardillo común)

◄ ♀, nominal *flavirostris* (diciembre)
En vuelo recuerda a un pardillo común, pero con una franja alar más patente. Una observación cercana permite apreciar un listado más grueso y contrastado, una coloración ocrácea de fondo en la cabeza y el pecho, además del pico amarillo y una extensión menor de blanco en la cola.

▼ Adulto ♂, nominal *flavirostris* (diciembre)

rosado y un poco listado (cf. ♀)

rectrices de tipo adulto, un poco redondeadas

▼ 1er invierno ♂, nominal *flavirostris* (diciembre)
En otoño e invierno, la diferencia entre las aves de 1er invierno y los adultos es sutil. Las rectrices un poco más estrechas y más puntiagudas, ya con un cierto desgaste, son típicas de las aves de 1er invierno. Este ejemplar también parece tener un límite de muda en las coberteras grandes; las 2 más internas son un poco más largas y oscuras (los adultos no muestran contrastes de muda, pero nótese que, en muchos casos, estos tampoco son apreciables en las aves de 1er invierno).

supuesto límite de muda

rectrices estrechas, puntiagudas y un poco gastadas

algo de rosa visible, indicando ♂

▼ Pardillo piquigualdo de las islas Británicas, *pipilans* (diciembre)
En otoño y a principio de invierno, la coloración de fondo más intensa en las partes inferiores es típica en comparación con la nominal *flavirostris* en la misma época del año.

▼ Pardillo piquigualdo de las islas Británicas, ♂ (mayo)
De promedio, más oscuro y con un listado más grueso y contrastado que la nominal *flavirostris*, pero las diferencias son sutiles y existe solapamiento. A partir de primavera, un ejemplar fuera de las islas Británicas no se puede identificar subespecíficamente con seguridad.

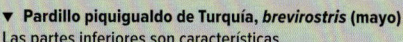

▼ Pardillo piquigualdo de Turquía, *brevirostris* (junio)
Además de estar aislada geográficamente de las otras 2 subespecies, también tiene una apariencia bastante característica.

▼ Pardillo piquigualdo de Turquía, *brevirostris* (mayo)
Las partes inferiores son características.

más liso y de tonos más cálidos que en las otras subespecies

listado grueso y contrastado que se funde a los lados del pecho, creando una mancha relativamente uniforme

cola más larga que en las otras subespecies

blanco más extenso que en las otras subespecies

Acanthis • Introducción

GÉNERO *ACANTHIS*

Identificar a un ave como perteneciente a este género es relativamente sencillo, pero la apreciación de las distintas subespecies (hasta recientemente, consideradas especies) representa un reto mucho mayor, uno de los más difíciles entre los paseriformes europeos. Tener en consideración el conjunto de rasgos típicos es de ayuda, pero existe mucho solapamiento entre el pardillo alpino y el pardillo norteño, y también entre el pardillo norteño y el pardillo ártico de Coue; es preferible dejar sin identificar a las aves con rasgos intermedios, que ocurren frecuentemente. La mayoría de taxones de este grupo pueden realizar, algunos años, movimientos irruptivos fuera de su distribución regular. Las diferentes formas (subespecies) son tratadas aquí de forma independiente, siendo el pardillo norteño la forma nominal.

CARACTERÍSTICAS DE IDENTIFICACIÓN
Los factores clave son:
- Coloración general de la cabeza y la zona dorsal (y diferencia de coloración entre estas partes)
- Extensión del listado de las partes inferiores, incluyendo las infracoberteras caudales
- Forma del pico
- Color y anchura de la franja alar en las coberteras grandes
- Color de fondo de los flancos
- Extensión del listado en el obispillo

Es importante comprender algunas "normas" sobre la utilización de estos factores para la identificación:
- En todos los taxones, el listado de las partes inferiores y del obispillo decrece desde las ♀♀ de 1er invierno (con listado más grueso y extenso) a los ♂♂ adultos (con listado más fino y menos extenso). Los ♂♂ de 1er invierno y las ♀♀ adultas se encuentran entremedio. Los extremos se dan en las ♀♀ de 1er invierno de pardillo alpino y en el pardillo alpino de la subespecie *rostrata*, por un lado, y en los ♂♂ adultos de pardillo ártico de Hornemann, por otro lado.
- El color de fondo de las partes superiores varía entre pardo oscuro (en las ♀♀ de 1er invierno de pardillo alpino y en el pardillo alpino de la subespecie *rostrata*) y casi blanco, en los ♂♂ adultos de pardillo ártico de Coue y, particularmente, de pardillo ártico de Hornemann.
- Entre otoño e invierno, con el plumaje nuevo, la cabeza y el pecho pueden tener tintes pardo-amarillentos, que se van desvaneciendo hacia la primavera. En general, el color de fondo de todas las aves se vuelve menos pardo a partir de primavera, e incluso los plumajes más pardos se vuelven (al menos en parte) más grisáceos en verano.
- Las características consideradas típicas de un taxón están sujetas a variabilidad individual. Por ejemplo, algunos pardillos norteños (especialmente ♂♂ adultos) apenas tienen listado en los flancos, mientras que algunos pardillos árticos (especialmente ♀♀ de 1er invierno) pueden tener un listado bastante patente en estas partes.

CARACTERÍSTICAS GENERALES
Se destacan los rasgos comunes entre las distintas especies del género. La garganta negra puede estar ausente en algunos ejemplares, pero es inusual.

mancha roja

amarillo todo el año (más oscuro a mitad de verano)

listado grueso y patente

franja alar conspicua

brida oscura y garganta negra

pecho y flancos listados (variable individualmente, y también en función del taxón y el sexo)

patas negras

▲ **Pardillo norteño, nominal *flammea* (marzo)**

DISTRIBUCIÓN DE LOS COLORES
Normas básicas para la distribución de los colores en la cabeza y la zona dorsal, entre otoño y primavera:
- Cabeza *y* zona dorsal de tonos pardos intensos o cálidos bastante uniformes: pardillo alpino y pardillo norteño de la subespecie *rostrata* (incluyendo la oscura "*islandica*")
- Zona dorsal parda contrastando con la cabeza bastante grisácea: pardillo norteño de la subespecie nominal *flammea*
- Cabeza *y* zona dorsal de tonos gris-parduzcos o pardo-amarillentos bastante fríos y uniformes: pardillo ártico de Coue de la subespecie *exilipes*
- Zona dorsal de tonos grises-blancos fríos, con gris-pardo o gris amarillento reducido o limitado, y cabeza de tonos pardos más cálidos: pardillo ártico de Hornemann

En ejemplares muy difíciles, es importante tener en consideración el mayor número posible de rasgos característicos. La edad y el sexo, además de la época del año, también se deben tener en cuenta. Nótese que los ajustes de las cámaras fotográficas pueden alterar la coloración, especialmente en los tonos grises y pardos. También en observación directa, un mismo ejemplar puede parecer más gris parduzco o pardo cálido en función de la luz.

INFRACOBERTERAS CAUDALES

▼ **Pardillo norteño, nominal *flammea*, adulto ♂**
Un ejemplar con listas negras patentes a lo largo de los raquis, con una muy ancha en la infracobertera más larga. Este patrón excluye al pardillo ártico, pero es similar al que tienen muchos pardillos alpinos.

▼ **Pardillo norteño, nominal *flammea*, adulto ♂**
Un ejemplar con poco listado; incluso en la infracobertera más larga, la lista a lo largo del raquis es muy fina. Este patrón se solapa con el pardillo ártico de Coue, pero no con el pardillo alpino. En el pardillo norteño, la ausencia total de listas negras es rara; cuando sucede, se parece al pardillo ártico.

▼ **Pardillo ártico de Coue, subespecie *exilipes*, adulto ♂**
Este patrón, con solo una lista muy fina en la infracobertera más larga, es común en el pardillo ártico, y una proporción significativa de las aves carece completamente de listado (pero nótese la variabilidad en el pardillo norteño).

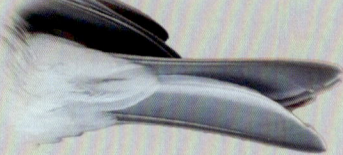

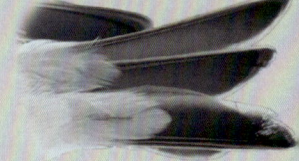

ADULTO ♂

Solo los ♂♂ adultos, a partir del 2º invierno, tienen una extensión patente (aunque variable) de rojizo-rosado en la garganta, pecho y/o flancos; generalmente, también en el obispillo. Las aves con una extensión considerable de rojizo-rosado en estas áreas son, por lo tanto, ♂♂ adultos, en todos los taxones.

◀ **Adulto ♂ Pardillo norteño,**
nominal *flammea* (marzo)

RASGOS DE DATADO

La forma de las rectrices y el mayor o menor desgaste que muestren es el aspecto más útil para el datado. La presencia o ausencia de un límite de muda en las coberteras grandes es, a menudo, difícil de apreciar. Los adultos pueden mostrar un falso límite de muda, teniendo las coberteras grandes externas más cortas en una misma generación de plumas.

sin límite de muda

terciarias con márgenes blancos bastante anchos

sin desgaste

rectrices relativamente anchas, con puntas redondeadas en la hemibandera interna

aún sin desgaste marcado (en abril) y bastante redondeada

◀ **Adulto ♂ Pardillo norteño,**
nominal *flammea* (abril)

1er AÑO

En otoño, el plumaje de 1er invierno es parecido al de 2º año cal., pero con un poco menos de desgaste y con la coloración menos desteñida (con la cabeza más pardo-amarillenta). Este ejemplar es probablemente un pardillo norteño de la subespecie nominal *flammea* pero, sin una visión clara del obispillo, no se puede descartar a un pardillo ártico de Coue de coloración extrema; un ejemplo de la dificultad de identificación dentro de este grupo.

límite de muda en las coberteras grandes, aquí presente, pero difícil de apreciar (las internas, mudadas, son más brillantes y tienen la punta más blanca)

terciarias a menudo con cierto desgaste a partir de otoño, y con márgenes blancos relativamente estrechos

rectrices estrechas, con la hemibandera interna casi recta, generando una forma más puntiaguda

puntiagudas y con desgaste

◀ **2º año cal. *Acanthis* sp. (abril)**

rectrices puntiagudas y con cierto desgaste

Pardillo alpino *Acanthis flammea cabaret*

L 12 cm | Todo el año, O y C Europa

Passerell golanegre "europeu" CAT
Txoka txiki alpetarra EUS
Liñaceiro alpino GAL

▼ **Adulto ♂, *cabaret* (junio)**
A medida que avanza la primavera, los tonos pardo-amarillentos de las partes inferiores van desapareciendo. Las partes superiores pardas (no gris-parduzcas) en la cabeza y la zona dorsal, así como la localización (Eslovaquia), confirman el taxón. En algunos ejemplares, las partes superiores se vuelven más grises, lo que complica la identificación basada solo en rasgos de plumaje.

▼ **Adulto ♀, *cabaret* (septiembre)**
Este ejemplar muestra unas partes inferiores típicas. Las puntas de las rectrices son quizá ligeramente puntiagudas, pero dentro de la variabilidad normal de los adultos: su anchura y su forma redondeada en las hembanderas internas encajan con un adulto. Debería ser una ♀, puesto que los ♂♂ tienen al menos algo de rosado en la garganta y el pecho.

tanto la cabeza como la zona dorsal con tonos pardos (cf. pardillo norteño)

vientre blanco contrastando con las zonas listadas (con color de fondo pardo amarillento)

listado extenso y ancho, sobre fondo pardo amarillento (cf. pardillo norteño)

▼ **Tipo 1er invierno (septiembre)**
Se destacan en la imagen las principales diferencias con el pardillo norteño. Los tonos de fondo cálidos, pardo-amarillentos o canela, también en los flancos y en el extremo posterior del vientre, son típicos. El límite de muda en las coberteras grandes y las rectrices aparentemente bastante puntiagudas son típicos de 1er invierno. Si se data correctamente, las pocas plumas rojizas en la "mejilla" indican ♂ (la ♀ adulta también puede tener algunas plumas rojas en la "mejilla").

mancha oscura en las auriculares generalmente ausente o muy poco patente

píleo y cuello no más pálidos que la zona dorsal

color de fondo pardo amarillento cálido; franjas más pálidas en el manto limitadas

▼ **Tipo 1er invierno, *cabaret* (diciembre)**
Un ejemplar típico, con una coloración general pardo-amarillenta extensa que contrasta con el vientre blanco. Las auriculares de este ejemplar son bastante oscuras.

franja alar parduzca, con probable límite de muda (3 internas mudadas, externas juv.)

color de fondo pardo amarillento, típico, contrastando con el vientre blanco

obispillo apenas más pálido que el resto de las partes superiores (cf. pardillo norteño)

lados del obispillo con color de fondo pardo amarillento; infracoberteras caudales parduzcas

---

Pardillo norteño *Acanthis flammea flammea*

L 13,5 cm | Todo el año, N Europa; invierno, O y C Europa

Passerell golanegre "septentrional" CAT
Txoka txiki arrunta EUS
Liñaceiro de queixo negro GAL

▼ **Adulto ♂, nominal *flammea* (marzo)**
Un ejemplar típico, con la zona dorsal gris-parduzca que contrasta con la cabeza más gris, color de fondo blanco en los flancos, y ya con una extensión considerable de rojizo-rosado en el pecho a principio de primavera. Desde esta perspectiva, el listado de las infracoberteras caudales no se puede apreciar, pero en este caso probablemente es muy limitado.

▼ **Adulto ♂, nominal *flammea* (diciembre)**
Un ejemplar típico en este tipo de plumaje. En otoño, los individuos con bastante extensión de rojizo-rosado son, al menos, ♂♂ de 2º año cal.

rojizo-rosado (a vece apenas visible con e plumaje nuevo, a principio de otoño)

▼ Adulto ♀, nominal *flammea* (abril)

Un ejemplar bastante típico excepto por el obispillo, más blanco que en la mayoría de ♀♀. Además de las características señaladas en la imagen, el contraste entre la zona dorsal parduzca y la cabeza más gris es un rasgo propio del pardillo norteño. La edad se basa en el ala nueva y uniforme con solo plumas de tipo adulto (nótense especialmente las terciarias), así como en las rectrices, bastante anchas y con las hemibanderas internas relativamente redondeadas.

un obispillo blanco con listado escaso no es inusual

color de fondo blanco, a diferencia del pardillo alpino; listado extenso y ancho, a diferencia del pardillo ártico

▼ 1er invierno, nominal *flammea* (octubre)

Un ejemplar típico. En la imagen se destacan las diferencias con el pardillo alpino. En este caso, la edad es relativamente fácil de apreciar, gracias a unas rectrices estrechas y puntiagudas, y unos márgenes de terciarias estrechos y ya un poco gastados. Algunos ♂♂ de 1er invierno pueden mostrar ya algunas plumas rosadas en la "mejilla".

más pálido que la zona dorsal (cf. pardillo alpino)

franjas blancuzcas (cf. pardillo alpino)

blancuzco (cf. pardillo alpino)

color de fondo blanco (cf. pardillo alpino)

▼ Juvenil, "*islandica*" (julio)

Los juveniles carecen de rojo y negro en la cabeza. En todos los taxones del género tienen un listado similar. Este plumaje será reemplazado por el de 1er invierno antes del otoño.

▼ Pardillo norteño de Groenlandia, subespecie *rostrata* (marzo)

Una subespecie de mayor tamaño, con el listado más ancho y oscuro en los flancos entre todos los taxones del género, además de una proyección primaria y una cola largas. A diferencia de la subespecie nominal *flammea*, la cabeza y la zona dorsal son de una coloración similar, generalmente pardas, pero a veces más grises.

cabeza con poco contraste (lista superciliar y auriculares poco marcadas)

relativamente grueso, con mandíbula superior ligeramente curvada

pardo con listado grueso (como en el pardillo alpino)

mancha negra de la garganta a menudo extensa (no mucho aquí)

listado muy grueso y extenso

▼ Pardillo norteño de Islandia "*islandica*", forma pálida (abril)

En Islandia, las aves del género *Acanthis* representan un cierto enigma. Son bastante variables; algunas son casi idénticas al pardillo ártico de Hornemann, pero con un listado más extenso en los flancos. Este ejemplar muestra rasgos de pardillo ártico (cabeza y zona dorsal de tonos gris-parduzcos uniformes) y también de pardillo norteño (listado ancho en los flancos y diversas listas oscuras en las infracoberteras caudales). Es posible que los ejemplares pálidos sean híbridos entre pardillo ártico de Hornemann, de la subespecie nominal *hornemanni*, y pardillo norteño de Groenlandia, de la subespecie *rostrata*.

▼ Pardillo norteño de Islandia, "*islandica*", forma oscura (abril)

Los ejemplares más oscuros de Islandia son idénticos a los pardillos norteños de Groenlandia, subespecie *rostrata*.

Pardillo ártico de Coue *Acanthis flammea exilipes*

L 13 cm | Todo el año, extremo N Europa; invierno, inc. regiones meridionales de N Europa

Passerell de carpó blanc CAT
Txoka txiki artikoa EUS
Liñaceiro da tundra GAL

▼ Adulto ♂ (marzo)

Especialmente en la subespecie *exilipes*, la zona dorsal y la cabeza tienen tonos gris-parduzcos fríos y uniformes. El pecho de los ♂♂ es rosa pálido en lugar de rojizo-rosado (pardillo norteño), y menos brillante. Desde este ángulo, las infracoberteras caudales parecen ser lisas, pero parte de ellas queda fuera de la vista. Para tratarse de un ♂, este ejemplar tiene un listado bastante marcado en los flancos, lo cual, junto con los centros oscuros de las supracoberteras caudales y el pico pequeño, no se ajusta al pardillo ártico de Hornemann, subespecie nominal *hornemanni*.

▼ Adulto ♀ (marzo)

Un ejemplar con plumaje aún muy nuevo en marzo es típicamente un adulto, puesto que las plumas adultas son más resistentes al desgaste que las juveniles. Otros rasgos típicos de esta edad son los márgenes anchos y blancuzcos en las terciarias, las rectrices más redondeadas y las puntas de primarias también anchas y con poco desgaste. Las características destacadas en la imagen son válidas para todos los plumajes. Las franjas blancas en el manto son a menudo más pálidas que en el pardillo norteño. Puesto que este ejemplar es un adulto, tiene que ser una ♀, basándose en la ausencia de tonos rosados en el obispillo y en el pecho.

gris parduzco típicamente pálido y frío, sin o casi sin contraste con la coloración de la cabeza

franja alar ancha y blanca

supracoberteras caudales grises con márgenes blancuzcos

plumaje denso y esponjoso

mancha oscura en las auriculares débil o ausente

lados del cuello blancuzcos

pico pequeño parcialmente tapado por plumas nasales largas

rosado pálido cubriendo, habitualmente, una área limitada

listado limitado (aquí, máximo para un ♂ adulto)

cabeza y zona dorsal típicamente de coloración similar

a menudo 2 franjas blancas

obispillo blanco alcanzando al menos la terciaria central

mancha roja relativamente pequeña

pico muy pequeño en este ejemplar típico

listado fino, a menudo sin alcanzar la parte posterior del flanco

▼ Adulto ♀ (diciembre)

Apariencia típica de un ejemplar divagante en el (N)O de Europa. La imagen destaca las sutiles diferencias en comparación con el pardillo norteño; a pesar de ser numerosas, la identificación de algunos ejemplares es muy difícil, o incluso imposible. Las hemibanderas internas de las rectrices bastante redondeadas indican que se trata de un adulto. Sin rosa visible en el pecho, "mejilla" u obispillo, tiene que tratarse de una ♀.

▼ 1er invierno/2º año cal. tipo ♂ (marzo)

Un ejemplar típico en todos los aspectos. Listado muy escaso en las partes inferiores; en un 1er invierno, típico de un ♂. Algunas plumas rosadas son visibles en la "mejilla".

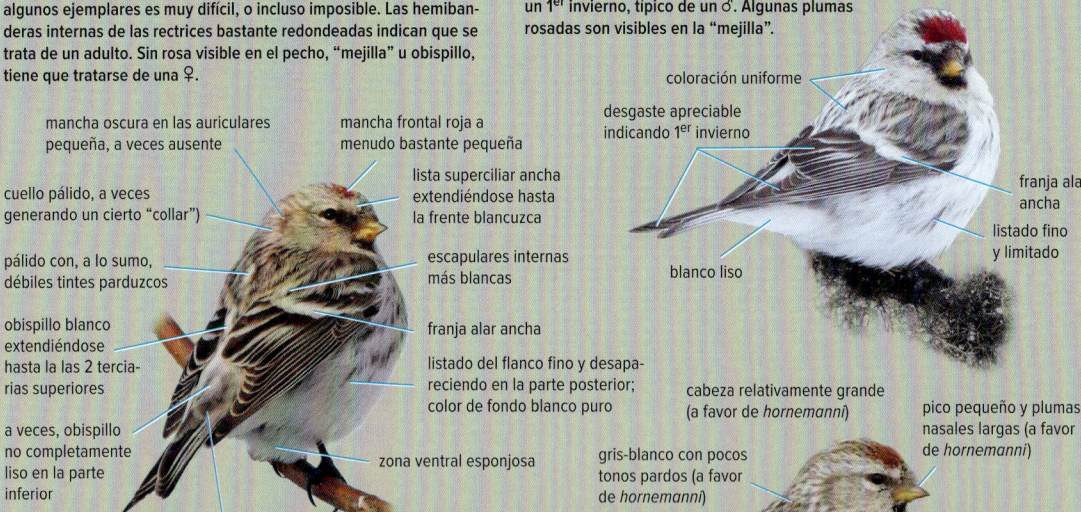

mancha oscura en las auriculares pequeña, a veces ausente

cuello pálido, a veces generando un cierto "collar")

pálido con, a lo sumo, débiles tintes parduzcos

obispillo blanco extendiéndose hasta las 2 terciarias superiores

a veces, obispillo no completamente liso en la parte inferior

supracoberteras caudales grises con márgenes blancuzcos

mancha frontal roja a menudo bastante pequeña

lista superciliar ancha extendiéndose hasta la frente blancuzca

escapulares internas más blancas

franja alar ancha

listado del flanco fino y desapareciendo en la parte posterior; color de fondo blanco puro

zona ventral esponjosa

coloración uniforme

desgaste apreciable indicando 1er invierno

franja alar ancha

listado fino y limitado

blanco liso

cabeza relativamente grande (a favor de *hornemanni*)

pico pequeño y plumas nasales largas (a favor de *hornemanni*)

gris-blanco con pocos tonos pardos (a favor de *hornemanni*)

puntas blancas muy anchas en las coberteras grandes (a favor de *hornemanni*)

listado fino (a favor de *hornemanni*)

listado bastante ancho en el flanco (a favor de *flammea*)

▶ Pardillo ártico de Coue o pardillo norteño (abril)

Este individuo ejemplifica la dificultad de identificación dentro del género. La mayoría de rasgos apuntan a pardillo ártico, pero el listado de los flancos es más ancho y se aprecia una lista oscura en las infracoberteras caudales. Cuando no se puede apreciar el obispillo, como es el caso aquí, es mejor dejar el ave en cuestión sin identificar, aunque una ♀ de 2º año cal. de pardillo ártico es lo más probable.

lista bastante ancha en una infracobertera caudal (a favor de *flammea*)

color de fondo blanco puro (a favor de *hornemanni*)

▼ Adulto ♀ (abril)
No hay duda sobre la identidad de este ejemplar.
Sirve para ilustrar que el listado de los flancos
puede ser bastante extenso en las ♀♀. También
muestra algunas listas oscuras bastante anchas en
las infracoberteras caudales. En general, probablemente existe un solapamiento completo en las
características típicas del pardillo ártico y el pardillo
norteño, con frecuentes ejemplares intermedios.
Si se trata de hibridación o de variabilidad
individual es aún una cuestión abierta.

▼ Pardillo norteño (arriba) y pardillo ártico de Coue (abajo), adultos
Aparentemente, existe un solapamiento completo en los rasgos de
ambas especies. Se desconoce si la causa es una hibridación frecuente,
la variabilidad individual o ambos factores.

Pardillo ártico de Hornemann *A. flammea hornemanni*

L 15 cm | Divagante de Groenlandia

P. de carpó blanc "de Groenlàndia" CAT
Txoka txiki kanadarra EUS
Liñaceiro ártico GAL

▼ 1er invierno (octubre)
La cabeza pardo-amarillenta contrasta típicamente con la zona dorsal de tonos
fríos (en *exilipes*, la cabeza y la zona dorsal son de coloración similar). El color
de fondo prácticamente blanco en el manto, y el listado fino y escaso en los
flancos indican que se trata de un ♂. El tamaño mayor es llamativo si se puede
establecer una comparación directa con otros ejemplares del género.

▼ 1er invierno/2º año cal. (marzo)
Incluso las aves de 1er invierno tienen un listado fino y limitado
en los flancos. En este taxón, no suelen haber dudas de identificación con el pardillo norteño; el pardillo ártico de Hornemann
solo debe ser distinguido del pardillo ártico de Coue.

a menudo más pardo
que la zona dorsal

lados del manto a
menudo con pocos
tonos pardos, por lo que
las dos franjas blancas
centrales destacan
menos (cf. *exilipes*)

supracoberteras
caudales principal-
mente blancas
(cf. *exilipes*)

a menudo frente inclinada y píleo
plano (en *exilipes*, de promedio,
cabeza más redondeada con
píleo central más elevado)

relativamente
grueso con la
base "alta"

proyección primaria
muy larga (c. 120 %)

cola relativamente
larga

lados de la cabeza más
pardos que el manto, típico
de otoño a primavera
(cf. *exilipes*)

supracoberteras caudales
con anchos márgenes
blancos (cf. *exilipes*)

base del
pico "alta",
característica

◀ Adulto ♂ (octubre)
Este es el plumaje más blanco entre todos
los miembros del género, y el que tiene
menor extensión de partes listadas. Incluso
las supracoberteras caudales solo muestran
una lista oscura relativamente fina. Las
aves como esta son inconfundibles.

Piquituerto común *Loxia curvirostra*

L 16 cm | Todo el año, casi toda Europa

Trencapinyes CAT
Mokoker arrunta EUS
Cruzabico boreal GAL

SUBESPECIES Y TIPOS DE RECLAMOS

Como grupo, los piquituertos son fácilmente reconocibles por la forma de su pico y por su plumaje principalmente verdoso-amarillento o rojizo. En cambio, la identificación de las distintas especies o subespecies y de los distintos tipos de reclamos es un reto muy complejo. En Europa, existen alrededor de 10 poblaciones reconocidas con reclamos diferenciados. Fuera de sus respectivas distribuciones, la identificación subespecífica es a menudo imposible, puesto que las diferencias entre ellas son sutiles (a menudo limitadas a las vocalizaciones) y existe solapamiento. Además, existen diferencias entre las edades y también variabilidad individual. La forma del pico varía un poco geográficamente, probablemente una adaptación a las diversas especies de piñas de las que se alimenta; estas variaciones pueden tener, también, alguna relación con los distintos tipos de reclamos. El estatus taxonómico de las diversas poblaciones es incierto. Solo el **piquituerto de Chipre** se trata aquí separadamente, puesto que difiere del resto en múltiples aspectos. Algunos años se producen irrupciones de poblaciones norteñas en regiones alejadas de su distribución regular.

▼ 1er invierno ♂ (octubre)

Las características destacadas en la imagen indican porqué este ejemplar es de 1er invierno. Sin embargo, algunas aves de la misma edad realizan una muda más extensa y son difíciles de distinguir de los adultos; otras aún tienen casi todas las plumas juveniles en octubre (incluyendo las plumas corporales). Los ♂♂ de 1er invierno pueden ser casi completamente rojizos, como este ejemplar, pero también pueden tener una mezcla de plumas corporales anaranjadas, rojizas y verdosas. Este individuo tiene la cabeza bastante grande, casi como un piquituerto lorito, pero la forma del pico es típica del piquituerto común.

▼ Adulto ♂ (abril)

Inmediatamente reconocido como piquituerto por la forma única de su pico y por la coloración rojiza bastante uniforme. Para apreciar las diferencias con el piquituerto lorito, véase aquella especie. Este ejemplar tiene algunas plumas verdosas en la zona dorsal; esto no es un signo de inmadurez, sino que entra dentro de la variabilidad normal de los adultos.

el obispillo es la parte más colorida del plumaje (después del plumaje juv.)

pico no muy curvado y bastante largo; la punta de la mandíbula inferior sobrepasa la mandíbula superior (cf. piquituertos lorito y escocés)

todas las plumas alares uniformes con un margen fino, verdoso o rojizo; típico del adulto

rectrices anchas y sin desgaste, típicas de adulto

límites de muda en las coberteras grandes y en las terciarias

terciarias, primarias y coberteras primarias aún juv., con márgenes blancuzcos (cf. adulto)

▼ Adulto ♀ (enero)

Este es un ejemplar típico. La extensión e intensidad de los tonos verdosos varía individualmente.

todas las plumas alares son de tipo adulto; no existen límites de muda y las coberteras grandes y las primarias tienen finos márgenes verdosos

▼ 1er invierno ♀ (octubre)

Este ejemplar muestra un límite de muda en las coberteras grandes, lo que es típico de muchas aves de 1er invierno. Las coberteras juveniles tienen márgenes pálidos que serían raros en las de tipo adulto.

límite de muda

▼ 1er invierno ♀ (febrero)

En vuelo, se muestra como un fringílido grande, compacto y con la cola relativamente corta. La parte más pálida es el obispillo, llamativo incluso desde lejos.

el obispillo es la parte más colorida y llamativa del plumaje

▼ Juvenil (noviembre)
Los juveniles tienen el plumaje pardo grisáceo muy listado. Poco después de abandonar el nido, mudan a 1er invierno pero, dado que la temporada de cría es muy dilatada y puede ocurrir casi durante todo el año, este plumaje se puede encontrar, también, durante todo el año.

MUDA

La muda completa de los adultos empieza inmediatamente después de la reproducción, y los juveniles empiezan la muda postjuvenil poco después de abandonar el nido. Sin embargo, la temporada de cría es muy dilatada, y puede suceder casi en cualquier época, por lo cual es normal encontrar ejemplares en diferentes estadios de plumaje durante todo el año. A veces, estos ejemplares se encuentran juntos, lo cual complica el datado. Además, la muda postjuvenil es muy variable; algunos ejemplares mudan solo las plumas corporales (supuestamente, de nidadas tardías), mientras que otros realizan una muda casi completa (quizá de nidadas tempranas).

▼ Piquituerto común
Este es un ejemplar típico, con el pico relativamente fino. Otras aves lo pueden tener más grueso, no muy alejado del piquituerto lorito. La mandíbula superior, particularmente, puede ser más ancha; la forma de la mandíbula inferior es la mejor manera de diferenciarlo del piquituerto lorito.

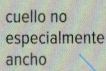

cuello no especialmente ancho

pico relativamente poco curvado y, en consecuencia, bastante largo y puntiagudo; la punta de la mandíbula inferior sobrepasa (bastante) la superior

mandíbula inferior relativamente fina, poco curvada, y curvada gradualmente, hacia arriba.

■ Piquituerto escocés
La forma del pico es intermedia entre el piquituerto común y el piquituerto lorito, pero a menudo tiene una apariencia general más cercana al piquituerto lorito. Este ejemplar muestra la mandíbula inferior muy ancha, típica del piquituerto lorito, pero un poco menos curvada. Las medidas del pico (en estudios biométricos) se solapan, principalmente, con el piquituerto común.

▼ 1er año (julio)
Las coberteras y terciarias juveniles pueden tener puntas blancuzcas relativamente extensas, incluso más que en el ejemplar de la imagen, lo que podría llevar a una confusión con el piquituerto aliblanco. Sin embargo, en aquella especie las puntas de las plumas son blanco puro y más bien definidas, y no se extienden por el margen externo hacia la base. En este caso, la apariencia de pico muy grande puede verse amplificada por estar entreabierto y cubierto de barro.

este ejemplar tiene las terciarias y las coberteras juv. con puntas pálidas bastante extensas

▼ Piquituerto de Chipre, *guillemardi*, tipo adulto, supuesto ♂ (mayo)
Este taxón es residente y está geográficamente aislado del resto pero, en teoría, aves de Europa continental podrían alcanzar Chipre durante las irrupciones. Las ♀♀ son típicamente grisáceas, con poco verde, y coloración apagada.

los ♂♂ no adquieren un plumaje rojizo, sino que son anaranjados o amarillentos

bastante grueso

■ Piquituerto lorito
La forma de la mandíbula inferior es la mejor característica para diferenciar a esta especie de los ejemplares de piquituerto común con pico más robusto. Los bordes internos de las mandíbulas son, a menudo, más pálidos y contrastan más que en *curvirostra*, pero hay solapamiento.

cuello ancho o "abultado"

pico muy curvado con apariencia más "cuadrada"; la punta de la mandíbula inferior no sobrepasa (o apenas lo hace) la mandíbula superior

mandíbula inferior muy ancha, a menudo curvada inicialmente hacia abajo (como si tuviera una gota de agua colgando) y, seguidamente, con una curva muy pronunciada hacia arriba

Piquituerto escocés *Loxia scotica*

L 16,5 cm | Todo el año, Escocia

Trencapinyes d'Escòcia CAT
Mokoker eskoziarra EUS
Cruzabico escocés GAL

▼ **1er invierno ♂ (septiembre)**
Este ejemplar, fotografiado en Escocia, muestra la forma típica del pico, bastante corto y "cuadrado", parecido al piquituerto lorito. A causa de la variabilidad en la forma del pico de ambas especies, la identificación segura solo es posible en combinación con las vocalizaciones.

TAXONOMÍA

Este taxón de pico grueso es considerado como un residente en Escocia, pero su estatus taxonómico es un poco incierto. Generalmente, es considerado como una especie diferenciada, pero otras veces se trata como subespecie tanto del piquituerto común como del piquituerto lorito. Está reproductivamente aislado del piquituerto común. Sus vocalizaciones difieren de otros piquituertos.

▼ **1er invierno ♀ (diciembre)**
Nótese que el pico es similar al del piquituerto lorito, pero no tan grueso. El cuello es ancho pero un poco menos "abultado". Fuera de su distribución, la identificación basada solamente en rasgos morfológicos no es posible.

Piquituerto lorito *Loxia pytyopsittacus*

L 17 cm | Todo el año, N y NE Europa

Trencapinyes becgròs CAT
Mokoker papagaia EUS
Cruzabico papagaio GAL

▼ **Adulto ♂ (febrero)**
Un ejemplar típico, con cabeza grande y pico cuadrado.

▼ **1er invierno ♀ (octubre)**
La cabeza es, a menudo, completamente gris (véase ♀ de piquituerto común). Las ♀♀ adultas son idénticas, pero tienen el ala uniforme, sin límites de muda y con márgenes verdosos. En este ejemplar, el límite de muda no se encuentra dentro de un grupo de plumas (como las coberteras grandes) sino entre diferentes grupos.

ausencia de límites de muda y márgenes rojizos en el ala y en las rectrices, típico de adulto

cabeza muy grande con cuello a menudo "abultado"

datado como en el piquituerto común, aquí basado en un límite de muda entre las coberteras medianas —mudadas y más verdosas—, y las coberteras grandes (y resto de plumas alares), aún juv., con márgenes blancuzcos

Piquituerto aliblanco euroasiático *Loxia leucoptera bifasciata*

L 15 cm | Todo el año, N y NE Europa

Trencapinyes alablanc CAT
Mokoker hegalzuri eurasiarra EUS
Cruzabico de franxas GAL

▼ **Adulto ♂ (agosto)**
Inconfundible. Los adultos tienen 2 franjas alares blancas muy anchas y puntas blancas en las terciarias. El color rojo de los ♂♂ es variable pero, de promedio, más pálido que en otras especies de piquituerto.

a menudo franja gris en el cuello o en la parte superior del manto

algunas plumas verdosas; no necesariamente indican 1er año

puntas blancas de terciarias, típicas

rectrices anchas y redondeadas, típicas de adulto

de promedio, el pico más fino entre todos los piquituertos, con apariencia más larga

escapulares negruzcas

franjas alares de color blanco puro, anchas y diagnósticas

supracoberteras caudales negruzcas con puntas blancas (cf. piquituerto común)

▼ **Adulto ♀ (julio)**
Las ♀♀ suelen ser bastante grisáceas y con un listado bastante marcado, por lo que pueden resultar más similares a los juveniles que en otras especies de piquituerto. El ala nueva y uniforme y las rectrices un poco redondeadas son rasgos típicos del adulto.

a menudo listado en los adultos (cf. ♀♀ adultas de otros especies del género)

ala completamente nueva y sin desgaste en las puntas de las plumas (cf. 1er invierno)

▼ **1er invierno ♂ (diciembre)**
Como sucede en los ♂♂ de 1er año de otras especies de piquituerto, el color de las plumas corporales es variable, de rojo casi puro a anaranjado pálido o verdoso. Las franjas alares facilitan la identificación. En este ejemplar, las coberteras grandes externas, aún juveniles y con bordes blancos bastante finos, contrastan con las internas (mudadas), con bordes muy anchos.

las supracoberteras caudales negras con puntas blancas son típicas en todos los plumajes (en el piquituerto común son grises con márgenes verdosos o rojizos, raramente blancuzcos)

puntas blancas de terciarias casi desaparecidas por desgaste

límite de muda

obispillo a menudo rosado pálido (cf. piquituerto común ♂)

▼ **1er invierno ♂ (julio)**
Los ♂♂ de 1er invierno son de tonos variables, anaranjados o amarillentos, o con una mezcla de rojo y amarillo. En este ejemplar, las coberteras grandes son, aparentemente, aún juveniles; algunas coberteras medianas han sido reemplazadas y tienen puntas blancas bastante anchas.

rectrices puntiagudas y un poco gastadas, típicas de 1er invierno

▼ **1er invierno ♀ (enero)**
Las puntas blancas muy anchas en las coberteras grandes internas de este ejemplar no dejan lugar a duda sobre su identidad, a pesar de no tener puntas blancas en las coberteras medianas.

patrón bastante contrastado (cf. piquituerto común)

puntas blancas de terciarias ausentes por desgaste

negro con márgenes blancos

obispillo a menudo amarillo (verde-amarillo en la ♀ de piquituerto común)

límite de muda

▼ **Juvenil (julio)**
Como en otros piquituertos, los juveniles tienen el plumaje muy listado sobre un fondo gris-pardo. Las franjas alares ya patentes y los márgenes blancos en las terciarias son típicos, pero pueden ser menos desarrollados en algunos individuos. Nótese que los piquituertos comunes pueden mostrar, ocasionalmente, una franja alar relativamente patente. Sin embargo, esta no es de color blanco puro, y la parte más pálida no está concentrada en las puntas de las plumas.

▼ **♀ (julio)**
En vuelo, las franjas alares pueden recordar al pinzón vulgar. Nótese el obispillo amarillo y las supracoberteras caudales negras con márgenes blancos.

Camachuelo picogrueso *Pinicola enucleator*

L 20,5 cm | Todo el año, N y NE Europa

▼ Adulto ♂ (marzo)
Una especie distintiva, sobre todo en este plumaje. A diferencia de los piquituertos –pero de forma similar al camachuelo carminoso–, el plumaje totalmente colorido del ♂ adulto no aparece hasta la finalización de la muda completa a final de verano del 2º año cal.

▼ Adulto ♀ (octubre)
Los ejemplares amarillentos y grises son ♀♀ o aves de 1er invierno. En este caso, todas las plumas alares y las rectrices son de tipo adulto. Con la edad ya determinada, tiene que ser una ♀.

rectrices anchas y redondeadas (y bastante nuevas, incluso más adelante, a final de invierno); típico de adulto

▼ Adulto ♀ (noviembre)
Algunas ♀♀ son más anaranjadas y pueden parecerse un poco a los ♂♂ de 1er invierno (y viceversa). El datado de los ejemplares de tipo ♀ puede ser dificultoso, pero este ejemplar muestra los rasgos típicos de un adulto: ala nueva y uniforme y rectrices bastante redondeadas.

▼ 1er invierno ♂ (diciembre)
Este ejemplar tiene un límite de muda bastante patente en las coberteras grandes. Nótese la diferencia en la longitud y el color de las internas (mudadas y más negras), y las externas (juveniles y más parduzcas). Sin embargo, muchas aves de 1er invierno retienen todas las coberteras grandes, y pueden resultar bastante parecidas a las ♀♀ adultas. Si está presente, una mezcla de plumas corporales de tonos rojos anaranjados, amarillos y verdes es típica de los ♂♂ de 1er invierno.

límite de muda

▼ 1er invierno (noviembre)
Las aves de 1er invierno son bastante parecidas a las ♀♀ adultas. Los límites de muda a menudo no son visibles, y las plumas de vuelo se pueden mantener con muy poco desgaste hasta el invierno. Las rectrices de este ejemplar, que sí muestran desgaste y son bastante puntiagudas, son el mejor rasgo para el datado, pero nótense también las coberteras primarias un poco puntia- gudas. Las aves de 1er invierno de colo- ración amarillenta-verdosa y gris (como en la imagen) pueden ser tanto ♀♀ como ♂♂.

▼ Tipo ♀ (octubre)

cola larga en compara- ción con los piquituertos

cabeza y cuerpo grandes y "pesados"

rectrices típicamente estrechas, puntiagudas y ya con algo de desgaste (cf. adulto)

punta del ala bastante redondeada en comparación con los piquituertos

Camachuelo carminoso *Carpodacus erythrinus*

L 14,5 cm | Verano, N, NE y E Europa

▶ **Adulto ♂ (mayo)**
En este plumaje, la identificación es casi inmediata, pero conviene tener presente la posibilidad de especies como el **camachuelo mexicano** *Haemorhous mexicanus*, de Nortea-mérica, cuya aparición en Europa se trataría probablemente de un ave escapada de cautividad. La cabeza y el pecho completamente rojos no se desarrollan hasta el plumaje de 2º invierno, por lo que las aves con esta apariencia son, por lo menos, de 3er año cal. cuando regresan a Europa. El plumaje nuevo y uniforme indica que se trata de un adulto. Algunos ♂♂ pueden ser algo rojizos en su 2º año cal., pero probablemente nunca tanto como el ejemplar de la imagen.

▼ **♂ (mayo)**
Este ejemplar es difícil de datar. La cabeza y el pecho ya rojos sugieren adulto (≥ 3er año cal.), pero esta coloración no parece estar del todo desarrollada, y las plumas alares y las rectrices muestran bastante desgaste. Las coberteras primarias y las rectrices son bastante puntiagudas, y las secundarias aún tienen márgenes verdosos. Esto encaja mejor con un 2º año cal. con una extensión excepcional de plumas rojizas. Supuestamente, solo una pequeña proporción de los ♂♂ de 2º año cal. desarrollan algo de rojo en el plumaje, mientras que la mayoría son (casi) idénticos a las ♀♀.

▶ **1er invierno (septiembre)**
Esta es la apariencia típica de un ejemplar en otoño. Las ♀♀ adultas tienen un listado débil y el plumaje muy gastado en esta época del año, con las franjas alares casi desapareci-cidas. En este ejemplar una de las rectrices es anormalmente corta.

terciarias con márgenes pálidos llamativos

▼ **2º año cal. ♂ (junio)**
En primavera y verano, las aves con plumaje discreto de tipo ♀ pueden ser ♀♀ adultas, ♀♀ de 2º año cal. o ♂♂ de 2º año cal. Este ejemplar se encontraba cantando por lo que es, probablemente, un ♂ de 2º año cal. (en esta época, los ♂♂ que no tienen tonos rosados son siempre de 2º año cal.). El desgaste acusado en partes como las coberteras grandes, las terciarias y las rectrices es también indicativo de 2º año cal. (♂ y ♀). Las características destacadas en la imagen son válidas para todos los plumajes de tipo ♀.

cabeza lisa en la que destaca el ojo oscuro

pico con forma característica: corto, grueso, con el culmen curvado y con la punta de la mandíbula superior sobresaliente

franjas alares casi desaparecidas por desgaste

rectrices bastante estrechas, puntia-gudas y gastadas, indicando que son juveniles (al menos algunas de ellas)

▶ **Adulto tipo ♀ (mayo)**
Los adultos llevan a cabo una muda completa en invierno y, por lo tanto, las aves de tipo ♀ que tienen el plumaje bastante nuevo en primavera son, probablemente, ♀♀ adultas. Además, se puede tener en consideración la forma de las rectrices: si son anchas y un poco redon-deadas, sugieren adulto; si son estrechas, puntiagudas y con desgaste, sugieren 2º año cal. Sin embargo, nótese que algunas aves de 2º año cal. pueden mudar algunas o casi todas las rectrices.

▶ **Adulto ♂, *kubanensis*, Turquía y Cáucaso, (mayo)**

franjas alares anchas y patentes

partes inferiores con listado bastante uniforme

rojo más oscuro que en la ssp. nominal *erythrinus*

los tonos rojos se extienden más abajo que en la nominal *erythrinus*

Camachuelo alirrojo asiático *Rhodopechys sanguineus*

L 14 cm | Todo el año, Turquía

Pinsà sanguini asiàtic CAT
Gailupa hegalgorria EUS
Pintarroxo sanguíneo GAL

▼ **Adulto ♂ (mayo)**
Una especie distintiva dentro del área cubierta por este libro. Existen otras especies con tonos rosados en el ala, entre las cuales cabe destacar el **camachuelo desertícola** *Rhodospiza obsoleta*, el **camachuelo mongol** *Bucanetes mongolicus* (Oriente Medio) y el **camachuelo alirrojo africano** *Rhodopechys alienus* (Atlas, N de África). Este último es una especie hermana del camachuelo alirrojo asiático, y muy similar, pero ambas son residentes y están geográficamente separadas por miles de kilómetros.

▼ **♀ (mayo)**
Las ♀♀ son menos coloridas, con menos rosa en el ala y sin rosa en la base de la cola. El píleo no es negro liso. Algunas, supuestamente ♀♀ adultas, tienen un plumaje más parecido al de los ♂♂ adultos, pero carecen, por ejemplo, de tonos rosados intensos en el obispillo.

negro liso en el ♂ de tipo adulto, pero también oscuro en otros plumajes

rosado en el ♂ de tipo adulto

blanco, contrastando con el flanco oscuro en todos los plumajes

rosa oscuro extenso en el ♂ de tipo adulto

▶ **♀, supuesto 2º año cal. (mayo)**
A pesar de ser este el plumaje más discreto, la identificación no es complicada, gracias al pico pálido y grueso, los tonos rosados en las primarias y el píleo pardo bastante oscuro.

moteado

rosa menos extenso y más pálido que en el ♂

rosa limitado o ausente

rectrices puntiagudas y gastadas, indicando 2º año cal.

▶ **♂, supuesto 2º año cal. (mayo)**
Como un ♂ adulto, pero nótense las diferencias. La forma de las rectrices y su desgaste sugieren 2º año cal. Además, este ejemplar ha mudado algunas primarias internas durante la muda postjuvenil. El píleo negro y el obispillo rosa también están menos desarrollados que en un ♂ adulto.

puntiagudas y gastadas

contraste de muda

▼ **♂ (junio)**

blanco en la punta y márgenes de las rectrices

supracoberteras caudales blancuzcas

combinación diagnóstica en los ♂♂: coberteras grandes parduzcas y coberteras primarias con rosa

■ **Camachuelo alirrojo africano** *Rhodopechys alienus*, tipo adulto ♂ (febrero)
Esta especie, endémica de las montañas del Atlas en el NO de África, no realiza desplazamientos de larga distancia. Su presencia en las montañas asiáticas o en Europa es, en consecuencia, muy improbable. Aun así, en la imagen se destacan las principales diferencias con *sanguineus*.

rojizo-rosado poco patente o menos concentrado alrededor de la brida

grisáceo

pardo más pálido y marcas oscuras menos conspicuas

de promedio, rosa más pálido en el ♂ de tipo adulto

a menudo blancuzco

▼ **Juvenil (julio)**
Las coberteras juveniles son parduzcas y casi lisas. En otoño, las puntas de las primarias y de las rectrices se van destiñendo y se vuelven blancuzcas. Se podría confundir con el camachuelo trompetero, pero nótese el pico más puntiagudo y las tonalidades rosas más prominentes en el ala, especialmente comparado con el juvenil/1er invierno de camachuelo trompetero. Fuera de la región tratada en el libro, se podría confundir con el **camachuelo desertícola** *Rhodospiza obsoleta*, pero aquella especie tiene márgenes blanco puro en las primarias, entre otras diferencias.

sin o casi sin tonos rosados, incluso en los ♂♂

Camachuelo trompetero *Bucanetes githagineus*

L 12,5 cm | Todo el año, localmente en SE España; verano, localmente en SE Turquía

▼ **Tipo adulto ♂, *zedlitzi*, N África y S España (marzo)**
Es una especie fácil de reconocer. Comparados con las ♀♀, los ♂♂ tienen el pico más colorido y, a partir de invierno, el plumaje más rosado.

tintes grisáceos azulados en el ♂

pico corto pero grueso, rojo anaranjado en el ♂

los ♂♂ tienen tintes rosados en las partes inferiores, márgenes rosados en las plumas alares, y un obispillo y supracoberteras caudales rosa intenso

▼ **♂, *zedlitzi*, N África y S España, supuesto 2º año cal. (marzo)**
Parecido a un ♂ de tipo adulto, pero con algunas diferencias. Algunos ejemplares de 1er invierno realizan una muda completa y, a partir de entonces, ya no pueden ser diferenciados de los adultos.

coberteras primarias y secundarias de tonos pardo-grisáceos apagados y desteñidos, indicando 2º año cal. (cf. ♂ de tipo adulto)

▼ **♀, *zedlitzi*, N África y S España (marzo)**
Coloración arenosa muy uniforme, pero algunos ejemplares tienen leves tintes rosados tanto en las partes superiores como en las inferiores, en primavera y verano. El pico muy corto pero grueso, y pálido (típicamente amarillo anaranjado o pardo amarillento en las ♀♀), junto con los márgenes rosas (poco patentes) en las primarias, forman una combinación única entre los paseriformes europeos.

amarillo anaranjado (cf. ♂)

rosa poco patente (cf. ♂)

▶ **♀, *zedlitzi*, N África y S España (noviembre)**
En otoño todos los plumajes son similares, pero los ♂♂ adultos tienen, generalmente, el pico más anaranjado, la cabeza más gris y tintes rosados más visibles que los del ejemplar de la imagen. Las aves de 1er año pueden haber mudado completamente a final de otoño, lo cual dificulta el datado.

▼ **1er invierno, *zedlitzi*, N África y S España (septiembre)**
Algunas plumas de la cara, aún juveniles, contrastan un poco con el resto de la cabeza, ya mudado. Al menos algunas aves de 1er año mudan algunas o todas las primarias. En este ejemplar, las rectrices parecen ser aún juveniles (estrechas, puntiagudas y con cierto desgaste). El sexado en aves de 1er año es difícil o imposible, a no ser que se aprecien características claras de ♂.

cara ocrácea (a veces desteñida, entonces blancuzca), típica de 1er invierno

primaria externa en crecimiento

▼ **♂, *crassirostris*, Oriente Medio (abril)**
Los ♂♂ de esta subespecie son, de promedio, menos coloridos que los de la subespecie *zedlitzi* pero, a causa de la variabilidad individual, la edad y los efectos del desgaste en la coloración de las plumas, el solapamiento entre ambas subespecies es considerable. En este ejemplar, el contraste de muda en las primarias es típico de un 2º año cal. (independientemente de la subespecie), pero algunos ejemplares de esta edad realizan una muda completa; en este caso, no se pueden distinguir de los adultos.

base blanca de las secundarias y de las coberteras grandes diagnóstica en todos los plumajes

anaranjado pálido

■ **Camachuelo mongol *Bucanetes mongolicus*, tipo ♀ (mayo)**
Es un divagante extremadamente raro en Europa. En la imagen se destacan las principales diferencias con el camachuelo trompetero, que tiene las patas habitualmente más oscuras, (aunque se solapan con este ejemplar).

ligeramente listado (liso en el camachuelo trompetero)

cabeza parduzca, del mismo tono que el manto

amarillento o parduzco pálido; ligeramente más pequeño que en el camachuelo trompetero

Camachuelo común *Pyrrhula pyrrhula*

L 16,5 cm | Todo el año, gran parte de Europa

▼ **Adulto ♂, nominal *pyrrhula* (junio)**
Inconfundible. Las aves de esta subespecie propias de las partes más nororientales de su distribución (N de Escandinavia y O de Siberia) son, a menudo, particularmente grandes y pálidas comparadas con las del C y S de Europa. Ejemplares con una franja alar muy ancha también se dan en *europaea*.

franja alar
ancha

rojizo relativamente
pálido (cf. *europaea*)

SUBESPECIES

En Europa existen diversas subespecies, que difieren sutilmente en la coloración. La transición entre unas y otras es gradual pero los extremos, con la subespecie nominal *pyrrhula* en el noreste del continente, e *iberiae* en suroeste, presentan diferencias más apreciables. De suroeste a noreste, la coloración de las partes inferiores de los ♂♂ cambia gradualmente de rojizo intenso a rosado-rojizo. Las ♀♀ se van volviendo más pálidas hacia el noreste. La extensión del obispillo blanco y la anchura de la franja alar también se incrementan de suroeste a noreste. Sin embargo, la diferencia más patente es el tamaño, siendo la subespecie nominal *pyrrhula*, desde Escandinavia hacia el este, más grande que las otras subespecies. Fuera de sus distribuciones respectivas la identificación subespecífica es difícil puesto que existe mucho solapamiento y también variabilidad individual. Las condiciones de observación (como la luz) también pueden alterar la percepción de las sutiles diferencias.

▼ **Adulto ♂ *europaea* (febrero)**
Esta subespecie es intermedia entre la nominal *pyrrhula* e *iberiae*. La anchura de la franja alar es variable en todas las subespecies pero, de promedio, se incrementa de SO a NE.

de promedio, ligeramente
más estrecha y gris que
en la nominal *pyrrhula*

de promedio, rojizo
ligeramente más
oscuro que en la
nominal *pyrrhula*

▼ **♀, nominal *pyrrhula* (enero)**
Las ♀♀ tienen el mismo patrón básico que los ♂♂, pero las partes rojizas-rosadas son pardo-grisáceas. El blanco a lo largo del raquis de la rectriz exterior (r6) que se puede ver en este ejemplar se encuentra en ambos sexos. La proporción de aves con este rasgo se incrementa hacia el noreste.

de promedio, más
pálido y a veces más
gris que en *europaea*

de promedio, gris más
extenso y puro que en
europaea

▼ **♀, *europaea* (marzo)**
De promedio, un poco más oscura que la subespecie nominal *pyrrhula*, tanto en las partes superiores como en las inferiores. Sin embargo, las diferencias de plumaje son demasiado pequeñas y la variabilidad demasiado grande para permitir una identificación segura de los ejemplares menos típicos de ambas subespecies. Cuando se puede establecer una comparación directa, la diferencia de tamaño es a menudo patente (la subespecie nominal *pyrrhula* es mayor).

línea blanca a lo largo
del raquis de r6

de promedio, más
pálido que en
europaea

▼ **1er invierno ♂, nominal *pyrrhula* (octubre)**
Después de la muda postjuvenil, las aves de 1er año son muy parecidas a los adultos, pero nótense las sutiles diferencias.

▼ **1er invierno ♀, nominal *pyrrhula* (octubre)**
Parecido a una ♀ adulta, pero con las primarias aún juveniles un poco menos negras en comparación con las terciarias (que son de un negro más puro y brillante). El contraste es más notable en las coberteras primarias, también juv., grisáceas. Muchas ♀♀ de la subespecie nominal *pyrrhula* tienen poca diferencia de coloración entre la zona dorsal y la zona ventral y a menudo la franja alar es de color blanco más puro que en los adultos (como en este ejemplar).

límite de muda

coberteras
primarias juv.
(grises)

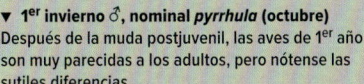

▼ **♂, *iberiae* o ejemplar intermedio (marzo)**
En la imagen se destacan las sutiles diferencias, tanto con la subespecie nominal *pyrrhula*, como con *europaea*. Este ejemplar fue fotografiado en el NO de España, donde también se encuentran aves intermedias entre *iberiae* y *europaea*.

gris relativamente pálido

rojizo relativamente
oscuro y uniforme que
alcanza el vientre (sin
diferencias de color,
como sucede en otros
taxones)

▼ **Juvenil (julio)**
Los juveniles pueden parecerse superficialmente a las ♀♀, pero carecen del "capirote" negro. Para su identificación, es útil fijarse en la forma del pico, la franja alar, la cola negra y el obispillo pálido (pero frecuentemente no blanco). Poco después de abandonar el nido, este plumaje es reemplazado por el de 1er invierno, ya parecido al adulto.

▼ **♂ (marzo)**
Inconfundible también en vuelo.

la cola negra y el obispillo
blanco puro son característicos
y llamativos

Picogordo común *Coccothraustes coccothraustes*

L 17,5 cm | Todo el año, gran parte de Europa excepto N

Durbec CAT
Mokolodia EUS
Bicogroso europeo GAL

▼ **Adulto ♂ (febrero)**
Inconfundible, con un pico muy grande y plumaje llamativo.

primarias internas con una forma única (menos desarrollada en las primarias juv.)

gris en primavera, en ambos sexos

blanco (visible) variable; más extenso en el adulto

secundarias oscuras (cf. ♀)

franja blanca

▼ **Adulto ♀ (febrero)**
Las ♀♀ de todas las edades se pueden distinguir fácilmente de los ♂♂ por las hemibanderas externas de las secundarias y de las primarias de tonos grises azulados. Las coberteras grandes externas también son grises (negras en los ♂♂). Además de la forma inusual de las primarias internas, las puntas rectas ("cuadradas") de las rectrices también son únicas entre los paseriformes europeos.

gris o gris azulado, diagnóstico de ♀

▶ **1er invierno ♀ (enero)**
Después de la muda postjuvenil, las aves de 1er año son parecidas a los adultos, pero nótense algunas diferencias.

álula y coberteras primarias de tonos negruzcos o parduzcos (menos oscuros)

franja terminal blanca y rectrices con puntas casi rectas o "cuadradas"

▼ **Juvenil ♀ (junio)**
Además de la estructura característica, los juveniles tienen una coloración y un patrón barrado únicos. Sin embargo, este plumaje es reemplazado poco después de abandonar el nido por otro ya parecido al adulto.

gris; en juv., diagnóstico de ♀

rectrices relativamente estrechas, redondeadas y gastadas (cf. adulto)

moteado/barrado característico

▼ **♂ (febrero)**
Con una silueta "pesada", cabeza y pico grandes, y cola corta, además de un patrón alar contrastado, la identificación en vuelo resulta bastante sencilla.

obispillo un poco más pálido que contrasta con el dorso y el manto más oscuros (no visibles aquí)

franjas alares blancas en las plumas de vuelo y en las coberteras grandes

Fringílidos extremadamente raros

Picogordo vespertino *Hesperiphona vespertina*

L 17,5 cm | Divagante de Norteamérica; también, posible escape de cautividad

Durbec vespertí CAT
Mokolodi bekainoria EUS
Bicogroso vespertino GAL

▼ ♂ (enero)
En este plumaje es una especie muy distin-tiva. Los ♂♂ de 1er invierno son parecidos a los adultos, pero con tonalidades amarillas un poco más apagadas, y con un contraste de muda entre las coberteras grandes internas (mudadas y negro puro) y las coberteras grandes externas, además de las coberteras primarias (aún juveniles, negro parduzco menos oscuro).

▼ 1er invierno ♀ (octubre)
Las ♀♀ son bastante diferentes de los ♂♂ en todas las edades. La colo-ración amarilla está limitada, generalmente, al pecho y a los lados del cuello. También es característico el blanco en la base de las primarias, en las puntas de las supracoberteras caudales y en las rectrices. Las ♀♀ de 1er invierno son parecidas a las ♀♀ adultas, pero nótense las coberteras grandes externas y las coberteras primarias aún juveniles.

coberteras grandes externas y coberteras primarias aún juv., negruzcas (no negro puro) y con puntas pálidas

primarias con la base blanca

blanco en las rectrices externas y en las supraco-berteras caudales

Piquituerto aliblanco americano *Loxia leucoptera leucoptera*

L 14 cm | Divagante de Norteamérica; también, posible escape de cautividad

Trencapinyes alablanc "americà" CAT
Mokoker hegalzuri amerikarra EUS
Cruzabico de franxas americano GAL

▼ ♂ (diciembre)
Taxón muy cercano al piquituerto aliblanco euroasiático; las diferencias entre ambos son sutiles y existe solapamiento parcial, pero la forma y las medidas del pico son, a menudo, características. De promedio, el tamaño total del ave es más pequeño. Los ♂♂ adultos tienen tonos rojos más puros e intensos que los del piquituerto aliblanco euroasiático. Hay algunas indicaciones que podrían conducir a una separación de ambos taxones como especies, en lugar de subespecies.

▼ ♀ (diciembre)
La forma y las medidas del pico también son caracterís-ticas en algunas ♀♀. Las plumas oscuras señaladas en la imagen se solapan parcialmente con el piquituerto aliblanco euroasiático.

a menudo borde negro en forma de C en las auriculares

a menudo con moteado oscuro (no en este ejemplar)

típicamente fino, largo y poco curvado

forma típica del pico (véase ♂)

a menudo con extensos centros negros en las plumas, que generan un patrón estriado o moteado

Escribanos • Introducción

TOPOGRAFÍA

El conocimiento de la topografía del plumaje cefálico es especial-mente importante para la identificación de escribanos. La lista ocular del escribano palustre que se muestra aquí es poco contrastada, pero en otras especies resulta mucho más llamativa e incluye la brida oscura (ver, por ejemplo, los escribanos monte-sino y soteño ♂). Los escribanos suelen tener un pico con una forma característica, con la mandíbula inferior más ancha (y a menudo también más angulosa) que la superior. Las coberteras pequeñas también pueden ser importantes para la identificación, pero suelen estar cubiertas por las escapulares y las plumas de los laterales del pecho, como en este caso.

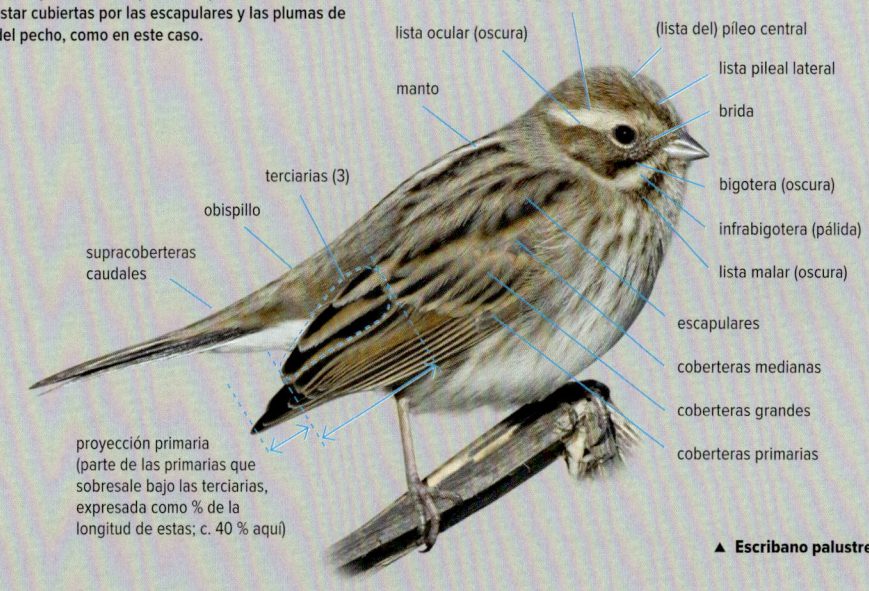

ceja (pálida)

lista ocular (oscura)

(lista del) píleo central

lista pileal lateral

manto

brida

terciarias (3)

bigotera (oscura)

obispillo

infrabigotera (pálida)

supracoberteras caudales

lista malar (oscura)

escapulares

coberteras medianas

coberteras grandes

proyección primaria
(parte de las primarias que
sobresale bajo las terciarias,
expresada como % de la
longitud de estas; c. 40 % aquí)

coberteras primarias

▲ **Escribano palustre**

COBERTERAS

Las coberteras pequeñas son visibles con el ala (ligeramente) abierta y a menudo también en fotografías en vuelo de calidad.

▲ **Escribano pigmeo**

coberteras pequeñas

coberteras medianas

coberteras grandes

coberteras primarias

DISEÑO DE TERCIARIAS

Muchos escribanos del género *Emberiza* comparten un diseño de terciarias característico, pero hay algunas excepciones. Los escribanos cabecigrís, cabecinegro, carirrojo, montesino, sahariano y también el triguero tienen diseños distintos, mientras que el escribano lapón es el único escribano de otro género (*Calcarius*) que sí muestra este patrón.

diseño de terciarias de "*Emberiza*": el margen pálido se ensancha formando una cuña redondeada hacia el centro negro

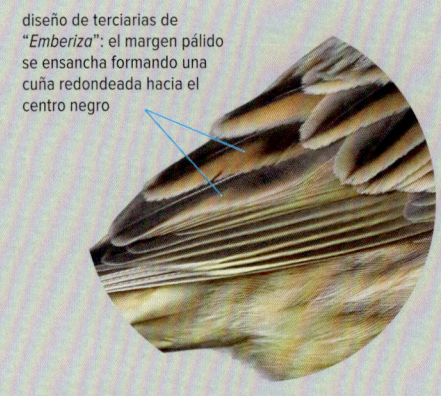

▲ **Escribano cerillo**

el margen mantiene la anchura; sin cuña hacia el centro negro

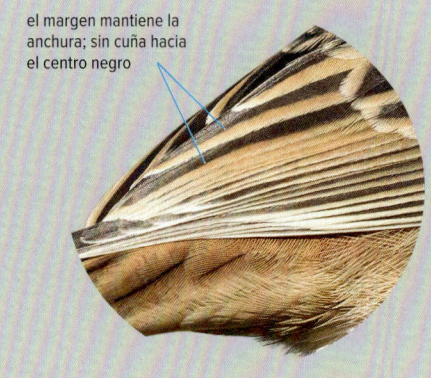

▲ **Escribano montesino**

Diseños cefálicos de escribanos tipo ♀/1er invierno

▼ **Escribano hortelano (mayo)**

anillo ocular pálido (muy) evidente

sin ceja

auriculares uniformes

estriado sutil y poco contrastado

completamente rosa-naranja

infrabigotera y lista malar llamativas

▼ **Escribano ceniciento (marzo)**
La imagen muestra las diferencias con el escribano hortelano.

ligero contraste entre el píleo grisáceo y las auriculares parduzcas

anillo ocular blanco muy llamativo

culmen oscuro

(algo) rojo-marrón

Diseños cefálicos de escribanos tipo ♀/1ᵉʳ invierno

▼ Escribano lapón (octubre)

ceja ancha y a menudo llamativa

auriculares bastante pálidas

la brida pálida es la parte más llamativa de la cara

auriculares completamente rodeadas de oscuro

pálido; solo la punta es oscura

rojo-marrón, más ancho en los ♂♂

la infrabigotera a menudo es ligeramente más pálida que la ceja

banda pálida

▼ Escribano soteño (marzo)

"marco" oscuro, creado por la lista ocular y la bigotera casi rectas (cf. escribano cerillo)

lista oscura en la ceja

estriado grueso uniforme (cf. escribano cerillo)

mancha pálida evidente (cf. escribano cerillo)

estriado gris fino (cf. escribano cerillo)

gris pálido, contrasta con la mandíbula superior oscura (como en el escribano cerillo)

▼ Escribano cerillo (enero)

ceja amarilla, bigotera y garganta características, pero en algunos ejemplares poco extensas o ausentes

la mancha pálida rompe el "marco" oscuro

estriado bastante sutil; centro del píleo algo pálido

amarillo-gris, liso (cf. escribano soteño)

"marco" oscuro ondulado o anguloso (cf. escribano soteño)

gris pálido típico, mucho contraste con la mandíbula superior

▼ Escribano cabeciblanco (enero)

En comparación con el escribano cerillo, el estriado oscuro es más ancho, la mandíbula inferior de un gris no tan puro y carece totalmente de amarillo.

la mancha blanca se extiende hacia las auriculares (cf. escribano cerillo)

marrón rojizo

lista pileal lateral con estrías especialmente gruesas; centro más pálido

gris, liso

amarillo-gris, base a veces color carne

típicamente blanco

▼ Escribano enmascarado (octubre)

ceja ancha entre marronácea y grisácea, pero no muy llamativa

auriculares marrón-gris uniforme

lista pálida en el centro del píleo estrecha, no siempre igual de conspicua

típicamente 2 tonos: la mitad de la mandíbula inferior y una pequeña parte de la base de la superior es rosa

gris, más ancho en los ♂♂

"marco" negro discontinuo

la infrabigotera es la franja más pálida y llamativa de la cara

la lista malar se estrecha mucho hacia el pico

▼ Escribano aureolado, 1ᵉʳ invierno (agosto)

ceja muy larga y ancha

lista pálida en el centro del píleo bien desarrollada

amarillento característico en los laterales del cuello

auriculares con "marco" oscuro completo (más evidente en el 1ᵉʳ invierno)

rosa típico

▼ Escribano pigmeo (octubre)

ceja con marrón ligeramente más pálido en la parte trasera

el "marco" oscuro forma una mancha triangular

mancha pálida normalmente poco contrastada

gris uniforme

"marco" oscuro completo

auriculares de un rojo-marrón típico que se extiende hacia la brida

infrabigotera más pálida que la ceja detrás del ojo

lista central en el píleo bastante bien definida

el anillo ocular pálido y completo suele ser llamativo (acentuado por la brida y auriculares uniformes)

culmen recto

bastante oscuro; base más gris, pero normalmente poco llamativa

lista malar fina

bigotera poco marcada; a menudo no llega al pico

▼ Escribano herrumbroso (noviembre)

ceja con estrías oscuras

auriculares rojizo casi uniforme, sin "marco" oscuro

rojizo, con lista central blanca

la infrabigotera blanca es la más llamativa de toda la cabeza

▼ Escribano rústico (octubre)

plumas largas en píleo posterior, a menudo erguidas

la ceja se extiende mucho hacia atrás, permaneciendo igual de llamativa

banda rojo-marrón característica (a veces poco extensa en el 1er invierno ♀, como aquí)

mancha pálida bien definida en auriculares bastante oscuras

lista central del píleo estrecha (apenas visible aquí)

culmen recto o incluso ligeramente cóncavo

rosado

▼ Escribano palustre (noviembre)

ceja llamativa incluso encima de la brida

a menudo no forma parte del "marco" oscuro (cf. por ejemplo escribano pigmeo)

gris uniforme

sin mancha pálida obvia

bigotera llamativa que llega hasta el pico

lista central del píleo bastante ancha; gris ligeramente más pálido y difuso

normalmente estriado solo sutil

tamaño variable; culmen a veces recto, pero normalmente algo convexo

normalmente grisáceo

lista malar normalmente llamativa

la infrabigotera suele extenderse hasta los lados del cuello

▼ Escribano de Pallas (mayo)
Con el plumaje otoñal nuevo, el diseño cefálico suele ser más difuso.

estriado homogéneo en el píleo; lista pileal lateral no más oscura

mancha oscura conspicua; sin "marco" oscuro en auriculares

la ceja suele diluirse tras el ojo

culmen recto

2 tonos, con la mandíbula inferior rosada

la infrabigotera se ensancha hacia los laterales del cuello

bigotera sutil; a menudo no contacta con la mancha oscura de detrás

▼ Escribano triguero (abril)

ceja posterior con estriado oscuro fino

centro de auriculares pálido difuso; a veces la bigotera y la lista ocular forman bandas oscuras anchas

grisáceo, estriado oscuro fino

mancha pálida a menudo llamativa

estrías bien definidas

banda pálida en el centro del píleo variable, a veces totalmente ausente

parte anterior de la ceja más pálida; junto con la brida, suele formar una zona pálida amplia

grueso; amarillento en primavera y verano, gris en otoño e invierno

infrabigotera con estriado oscuro fino

Diseño de la cola en escribanos

▼ **Escribano triguero**

sin blanco

▼ **Escribano montesino**

tanto r5 como r6 con blanco (muy) extenso

▼ **Escribano cerillo**
Las cuñas blancas diagonales en r5–6 son casi idénticas en los escribanos soteño y cabeciblanco, pero algo más pequeñas en promedio.

▼ **Escribano cabeciblanco**
Casi idéntico al escribano cerillo, por en promedio con un poco más de blanco. Todos los escribanos ♀ de 1er invierno como este muestran el mínimo blanco posible, mientras que el máximo se da en los ♂♂.

▼ **Escribano soteño**
Muy parecido al escribano cerillo, por lo que no resulta muy útil para la identificación.

▼ **Escribano aureolado**

típicamente poco blanco en r5, como máximo una cuña corta

▼ Escribano pigmeo

típica cuña blanca estrecha y por tanto puntiaguda en r5

la cuña blanca larga en r6 se extiende hasta la base

▼ Escribano rústico

cuña blanca estrecha en r5

▼ Escribano enmascarado, 2º año cal. ♀ (mayo)
A pesar de no ser muy útil para la identificación, la cuña blanca en r5 es más ancha que en la mayoría de escribanos palustres.

r5 con cuña blanca ancha

▼ Escribano herrumbroso

sin blanco

▼ Escribano palustre

blanco variable en r5; muchos ejemplares con cuña blanca más ancha

r6 blanca casi por completo, excepto la base

▼ Escribano de Pallas

típica cuña blanca ancha y bastante corta en r5 (cf. escribano palustre)

r6 con mucho blanco (como en el escribano palustre)

Diseño de la cola en escribanos

▼ Escribano cinéreo
El diseño de r5–6 difiere mucho del resto de escribanos europeos.

a diferencia del resto de escribanos europeos, el blanco es casi rectangular o redondeado

▼ Escribano hortelano
Este diseño no varía mucho en todas las clases de edad y sexo. Los ♂♂ adultos son los que muestran menos negro alrededor del raquis.

cuña blanca muy puntiaguda; se extiende hasta la base (cf. escribano ceniciento)

▼ Escribano ceniciento

cuña blanca en r5–6 no tan profunda ni puntiaguda, como en el escribano hortelano

▼ Escribano cejigualdo
La cuña blanca en r5 puede limitarse a la punta; suele ser ligeramente más ancha en adultos. El diseño en los escribanos pigmeo y rústico es similar.

cuña blanca estrecha en r5

▼ Escribano cabecigrís

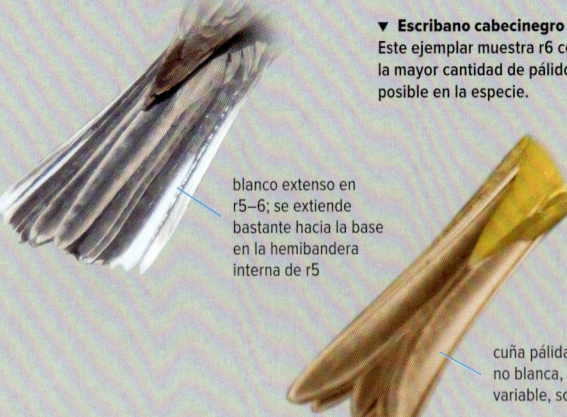

blanco extenso en r5–6; se extiende bastante hacia la base en la hemibandera interna de r5

▼ Escribano cabecinegro
Este ejemplar muestra r6 con la mayor cantidad de pálido posible en la especie.

cuña pálida difusa, no blanca, estrecha y variable, solo en r6

▼ Escribano carirrojo
Este diseño se solapa totalmente con el del escribano cabecinegro, aunque la cola es ligeramente más pálida en promedio. A veces muestran una cuña ligeramente pálida en r5, que debe ser muy rara en el escribano cabecinegro.

normalmente sin blanco evidente en los laterales (como en el escribano cabecinegro)

Escribano triguero *Emberiza calandra*

L 17,5 cm | Todo el año, S, O, C y E Europa

Cruixidell CAT
Gari-berdantza EUS
Chincharraíz GAL

▼ **Tipo adulto (mayo)**

El escribano más grande de Europa, pero sin más rasgos llamativos. El plumaje gris-marrón estriado se parece al de un aláudido, especialmente cuando se alimenta en el suelo. El pico grueso con "forma de escribano" característica y la ausencia de blanco en el ala y la cola son típicos. A diferencia de otros escribanos, la muda después de la reproducción es completa tanto en adultos como en aves de 1er año. Una vez han finalizado esta muda, el datado resulta imposible. Sexos también indistinguibles.

▼ **Tipo adulto (mayo)**

auriculares con marrón a menudo ligeramente más cálido que el resto del plumaje

suele carecer de lista en el centro del píleo o ser esta muy estrecha

márgenes de terciarias pálidos uniformes (a diferencia de otros *Emberiza*)

obispillo gris-marrón como el resto de partes superiores; normalmente solo con marcas sutiles

estrías finas pero bien definidas

suele mostrar manchas oscuras más grandes

como máximo algo de pálido difuso en r6

▶ **Juvenil (julio)**

Los juveniles muestran un diseño cefálico más marcado que los adultos, pero este plumaje será reemplazado totalmente por el de tipo adulto durante la muda postjuvenil. Este ejemplar ha iniciado esta muda, por lo que cuando termine será totalmente idéntico a un adulto. La muda postjuvenil completa es única entre los escribanos, y rara entre los paseriformes europeos en general.

▼ **Tipo adulto (septiembre)**

La forma del pico y la impresión general son propias de un escribano, pero el color y el franjeado recuerdan a un aláudido. A diferencia de estos, en vuelo, carece de blanco, la cola es relativamente larga y la cabeza se ve muy prominente.

sin blanco (cf. por ejemplo alondra común)

Escribano soteño *Emberiza cirlus*

L 15,5 cm | Todo el año, S y SO Europa (incluyendo SO Inglaterra)

▼ Adulto ♂ (marzo)
Inconfundible, con un diseño cefálico único.

escapulares rojo intenso, normalmente uniforme

diseño cefálico negro y amarillo diagnóstico, con la garganta negro uniforme

banda pectoral ancha y gris-verde uniforme (cf. escribano cerillo ♂)

banda rojo-marrón; se torna más uniforme más tarde en primavera, debido al desgaste de las puntas pálidas

▼ ♀, 2º año cal. (marzo)
Para asegurar identificación, es importante descartar especialmente la ♀ de escribano cerillo. La combinación de mancha pálida brillante en auriculares, ceja con línea oscura, escapulares rojo-marrón intenso rodeadas de zonas grisáceas y el obispillo marrón-gris es característica.

la mancha pálida de auriculares es llamativa

línea oscura en la ceja, característica

estriado fino (cf. escribano cerillo ♀)

escapulares rojo-marrón llamativo

marrón-gris (cf. escribano cerillo)

coberteras pequeñas gris puro

límite de muda entre primarias y coberteras primarias viejas y coberteras grandes y terciarias nuevas apunta a ave de 2º año cal.

proyección primaria corta (cf. escribano cerillo)

rectrices juv. desgastadas

▼ ♂, probablemente de 2º año cal. (abril)
Casi idéntico al ♂ adulto, pero el diseño del pecho está peor definido, algo que también suele cumplirse para el diseño cefálico. En este ejemplar, se pueden apreciar marcas amarillas tanto en el verde-gris como en el rojo-marrón del pecho. Además, las primarias y las rémiges aparentemente apagadas y, especialmente, las puntas de rectrices desgastadas también apuntan a esta clase de edad.

desgastadas

▼ ♀ (diciembre)
Se muestran aquí las diferencias con respecto a la ♀ de escribano cerillo. Véase la línea oscura en la ceja, la mancha blanca en auriculares, los laterales del cuello estriados, el obispillo gris-marrón y las coberteras pequeñas gris puro. El plumaje totalmente nuevo, sin límites de muda visibles indica adulto.

▼ ♀, probablemente adulta (marzo)
Las partes inferiores son sutilmente distintas de las del escribano cerillo ♀.

se aprecian los colores de la banda pectoral del ♂

estriado fino pero bien definido (cf. escribano cerillo ♀)

▼ 1er invierno ♂ (febrero)
Se parece al ♂ adulto en muchos aspectos, pero el diseño cefálico es menos contrastado y el pecho ligeramente estriado. Los ♂♂ adultos con plumaje nuevo en otoño también son menos contrastados, con puntas de plumas pálidas que, de alguna manera, cubren el plumaje brillante, aunque menos que en aves de 1er invierno.

estrechas, puntiagudas y con puntas desgastadas

márgenes blancuzcos

▼ 1er invierno ♀ (enero)
Casi idéntico a la ♀ adulta, pero véase el límite de muda sutil.

contraste entre coberteras mudadas (nuevas) y rémiges y coberteras primarias (viejas) típico de esta edad

Escribano cerillo *Emberiza citrinella*

L 16 cm | Todo el año, gran parte de Europa, excepto extremos N y S e Islandia

Verderola CAT
Berdantza horia EUS
Escribidor amarelo GAL

▼ Adulto ♂ nupcial (junio)

El único escribano "amarillo" ampliamente distribuido en Europa. Las plumas de la cabeza son mudadas de nuevo en invierno, creando un verdadero (aunque limitado) plumaje nupcial. Los ♂♂ adultos en primavera muestran por tanto una cabeza ampliamente amarilla, a veces sin apenas estrías oscuras.

▼ Adulto ♀ (febrero)

Algunas ♀♀ adultas, como este ejemplar, se parecen mucho a los ♂♂ (especialmente inmaduros) en cuanto a la cantidad de amarillo en la cabeza y las partes inferiores. Sin embargo, el píleo y las partes inferiores muestran estrías más gruesas y oscuras. Además del amarillo extenso, el ala y la cola totalmente nuevas apuntan claramente a adulto.

cabeza amarillo brillante con algunas franjas oscuras en píleo y laterales

rojo-marrón uniforme en todos los plumajes, con escamado pálido en otoño o invierno, cuando está nuevo

banda gris-verde

rojo-marrón variable

estriado bien definido (cf. ♂)

poco amarillo en la frente, o nada (cf. ♂)

liso (cf. escribano soteño)

rojo-marrón (cf. escribano soteño)

estriado oscuro extenso (cf. ♂)

estriado extenso sobre fondo amarillo compartido solo con el escribano soteño

rectrices aún nuevas y bastante redondeadas

▼ ♂, probablemente adulto (enero)

Los adultos en otoño e invierno suelen mostrar más zonas oscuras en la cabeza que en primavera, pero aparte de esto mantienen la misma apariencia. El estriado rojo-marrón que se extiende por partes inferiores y el amarillo de la frente son los mejores rasgos para determinar el sexo.

▶ Tipo ♂ de 2º año cal. (mayo)

La identificación es rápida en este plumaje, gracias a la combinación de cabeza y partes inferiores mayoritariamente amarillas y obispillo rojo-marrón. Muchos ♂♂ de 1er verano/2º año cal., o quizás todos, muestran más franjas oscuras en la cabeza que los adultos. Este ejemplar también tiene las primarias, coberteras primarias y rectrices más desgastadas que los adultos en esta época.

todavía muestra bastantes franjas oscuras en la cabeza

muy desgastada

▼ 1er invierno ♂ (octubre)

Un plumaje variable. Algunos se parecen mucho a la ♀ adulta. Como el plumaje de este ejemplar permite confirmarlo como 1er invierno, resulta bastante fácil sexarlo como ♂. Las ♀♀ (de 1er invierno) muestran estrías más gruesas en píleo y partes inferiores.

▼ ♀, probablemente 1er invierno (febrero)

El plumaje menos amarillo y más estriado. Puede confundirse con la ♀ de escribano cabeciblanco, pero siempre muestra algo de amarillo en el centro del vientre, así como en los márgenes de las rémiges.

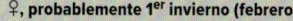

estriado difuso (cf. ♀)

estriado rojo-marrón difuso (cf. ♀)

márgenes de coberteras primarias y primarias marrón-amarillo apagado, típico de plumas juv.

puntiaguda y la desgastada (cf. adulto)

sin amarillo brillante en las ♀♀

rémiges con márgenes amarillos (cf. escribano cabeciblanco)

como mínimo algo de amarillo aquí

Escribano cabeciblanco *Emberiza leucocephalos*

L 16,5 cm | Divagante/invernante muy escaso y local de Siberia

Sit capblanc CAT
Berdantza kaskazuria EUS
Escribidor de coroa branca GAL

▼ ♂ en verano (julio)
Con su diseño cefálico nupcial único, los ♂♂ son inconfundibles. Un ejemplar con este plumaje, sin embargo, es raro en Europa. Para esta época del año, este ejemplar muestra aún bastantes motas pálidas en la banda pectoral, lo que posiblemente apunta a ave de 2º año cal.

▶ ♀, probablemente adulta (junio)
Como una versión descolorida del ♂, pero manteniendo los rasgos típicos de la especie, como el color de fondo general rojo-marrón, ceja rojo-marrón, mandíbula inferior rosada, coberteras pequeñas grisáceas, mancha pectoral pálida y centro de la zona auricular también pálido.

▼ Adulto ♂ invernal (noviembre)
Adquiere el plumaje nupcial en parte por el desgaste de las puntas pálidas de las plumas, lo que acaba por descubrir los colores vivos ocultos debajo, y en parte por una muda parcial limitada a plumas de cuerpo (por ejemplo, de cabeza y pecho). La forma de las rectrices es el mejor rasgo para el datado. Comparado con los ♂♂ de 1er invierno, la cabeza de los adultos tiene colores más lisos, un atisbo de mancha pectoral blanca y la mandíbula inferior algo rosada.

blanco en el píleo aún restringido, pero a menudo ya presente (cf. 1er invierno ♂)

▼ 1er invierno ♂ (noviembre)
En la imagen se destacan las diferencias con respecto al ♂ adulto en otoño. El blanco del píleo suele ser totalmente invisible (o casi), ya que solo la base de las plumas es blanca.

normalmente sin (apenas) blanco en el píleo

mancha blanca elongada diagnóstica de todos los ♂♂

rosa-gris

rojo-marrón extenso, pero aún con puntas pálidas

la mancha blanca suele ser relativamente pequeña y no blanco uniforme

amarillo-gris

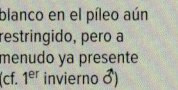

mancha blanca (cf. 1er invierno ♂)

nuevas y algo redondeadas

puntiagudas y ya desgastadas

estrías gruesas

▶ 1er invierno ♀ (enero)
Este plumaje es gris, rojo-marrón y blanco, muy discreto. Carece totalmente de tonos amarillos. Sin embargo, comparado con otros escribanos con diseños sutiles, la combinación de obispillo rojo-marrón, mandíbula inferior amarilla-gris, diseño cefálico sutil (pero con una mancha blanca bastante llamativa al final de la zona auricular), partes inferiores con tonos rojizos y estriado grueso en el manto lo hace típico. Algunos cerillos, presuntamente solo ♀♀ de 1er invierno, apenas muestran nada de amarillo, pero con buenas condiciones de luz y observación, se acaba viendo algo de amarillo en el centro del vientre y en los márgenes de las rémiges. Las ♀♀ adultas son similares, pero suelen mostrar más rojo-marrón en la cabeza (ceja). Teniendo en cuenta la hibridación entre los escribanos cerillo y cabeciblanco que se produce en el C de Asia, solo se consideran identificables las aves que encajan en todos los caracteres.

estrías negras gruesas que contrastan mucho con las franjas blancas (cf. escribano cerillo)

márgenes de rémiges blancos (cf. escribano cerillo)

pálido, sin rojo-marrón (cf

color de fondo de partes inferiores centrales blanco puro (cf. escribano cerillo)

estrías bastante gruesas sobre fond rojo-marrón tenue

Híbridos de escribano cerillo × escribano cabeciblanco

HÍBRIDOS DE ESCRIBANOS CERILLO Y CABECIBLANCO

Las zonas de cría de los escribanos cerillo y cabeciblanco se solapan desde los Urales hacia el este, hasta el centro de Siberia. Probablemente, la hibridación se produce regularmente, por lo que en esta zona es habitual ver ejemplares con caracteres de ambas especies. Estos caracteres pueden ser evidentes, sutiles o incluso dudosos. Se muestran aquí algunos ejemplos, pero la variación "no tiene límites", ya que los híbridos son fértiles y la influencia de una u otra especie puede mantenerse en generaciones sucesivas. Algunos ejemplares pueden mostrar rasgos ausentes en los padres, un fenómeno conocido como "atavismo", consistente en la activación de caracteres ancestrales que se mantienen en el genoma del ave pero no se habían expresado en generaciones anteriores.

▼ ♂ (Países Bajos, abril)
Teniendo en cuenta los márgenes amarillos de las rémiges, se trata casi con seguridad de un escribano cabeciblanco con algo de influencia genética (probablemente poca) del escribano cerillo. Si se trata de un adulto, el estriado oscuro extenso en partes inferiores es otro posible rasgo de hibridación. Con observaciones no tan perfectas, ejemplares así pueden ser identificados como escribanos cabeciblancos puros.

rémiges con
márgenes amarillos

▶ ♂ (Kazajistán, junio)
Híbrido evidente, más parecido al escribano cabeciblanco. Las zonas blancas han sido reemplazadas por amarillo, pero el diseño cefálico sigue siendo el propio del escribano cabeciblanco.

▼ ♀ (Bélgica, mayo)
Ejemplar muy parecido al escribano cabeciblanco. La combinación de partes inferiores blancas, aparentemente sin nada de amarillo, y ceja amarillenta hace que se trate probablemente de un híbrido. En mayo, una ♀ de 2º año cal. de escribano cabeciblanco debería mostrar también algo de rojo-marrón en la ceja y más rojizo en el pecho.

▼ Adulto ♂ (Rusia, mayo)
Un escribano cerillo con, probablemente, algunos genes de escribano cabeciblanco. Muestra una lista malar pardo-rojiza, pero aparte de esto es idéntico al escribano cerillo. Al igual que con los escribanos cabeciblancos con tan solo algo de amarillo en los márgenes de rémiges, la duda es si debemos seguir llamando híbridos a este tipo de ejemplares.

lista malar
pardo-rojiza

■ Escribano cerillo ♂ (Finlandia, junio)
Algunos escribanos cerillos ♂ de las poblaciones europeas muestran algunas manchas rojo-marrón, como en este caso. Se desconoce si esto también se debe a la presencia de genes de escribano cabeciblanco o si puede incluirse en la variabilidad normal del escribano cerillo.

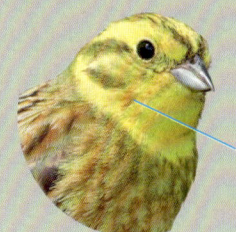

rojo-marrón
poco extenso

Escribano montesino *Emberiza cia*

L 15,5 cm | Todo el año, S Europa

▼ **Adulto ♂ (febrero)**
Los ♂♂ adultos tienen la cabeza gris pálido, que contrasta con el resto del cuerpo rojizo durante todo el año. Los ♂♂ inmaduros adquieren esta apariencia a partir de la primavera del 2º año cal. El "marco" negro que rodea a las auriculares suele ser completo. La infrabigotera negra es única, teniendo en cuenta que es pálida en otros escribanos (y en la mayoría de paseriformes en general). Otros escribanos muestran una lista malar oscura, pero esta zona es pálida en el montesino, lo que hace que su diseño cefálico sea "el inverso".

▼ **2º año cal. ♂ (febrero)**
Tanto los ♂♂ como algunas ♀♀ adultas pueden mostrar un plumaje similar, pero las ♀♀ tienen el píleo más estriado, normalmente también con algo de marrón. El datado de este ejemplar se basa sobre todo en la forma de la punta de las rectrices.

las listas negras sobre fondo gris pálido crean un diseño cefálico único

contraste entre colores bien definido

obispillo y supracoberteras caudales rojizos en todos los plumajes

estrecha, puntiaguda y desgastada

relativamente ancha y redondeada, típico del adulto

estriado, a veces mezclado con marrón, lista central del píleo muy estrecha o ausente

▶ **Adulto ♂ (octubre)**
El contraste bien definido entre el pecho gris y el rojizo intenso del resto de las partes inferiores es típico del ♂. En otoño, un píleo poco estriado, con el centro pálido y sin nada de marrón solo encaja con un ♂ adulto. Véanse también las rectrices externas anchas.

las listas de la cabeza no son negro puro

▶ **♀ (mayo)**
Las ♀♀ en primavera parecen versiones descoloridas del ♂. En la imagen se señalan las diferencias entre sexos. Por el elevado desgaste y las rectrices puntiagudas, seguramente se trata de un ave de 2º año cal.

borde difuso entre zonas gris y rojiza

rojizo apagado

estriado homogéneo, más típico de ♀♀

lista ocular negra todavía sutil, pero ancha en la brida; típica de todos los plumajes tras el juv.

▶ **1er invierno ♀ (noviembre)**
El diseño cefálico poco desarrollado y todavía sin gris hace que pueda confundirse con otros escribanos. En la imagen se muestran los rasgos útiles para la identificación, datado y sexado. La combinación de diseño de terciarias, supracoberteras caudales rojizas, bandas alares de 2 tonos e infrabigotera oscura (en lugar de lista malar) permite descartar al resto de especies.

los márgenes de terciarias rojizo uniforme permiten descartar a otros *Emberiza*

las bandas alares de diferente color son típicas en todos los plumajes; blancuzco en coberteras medianas y rojizo pálido en las grandes

coberteras primarias marrón-gris apagado (más negras en el adulto)

rojizo intenso

estrecha y ya desgastada

estriado difuso en muchas ♀♀ de 1er invierno

Los ♂♂ de 1er invierno y las ♀♀ adultas son casi idénticas en otoño, por lo que el datado y el sexado son difíciles. Teniendo en cuenta las rectrices puntiagudas y desgastadas, en este caso se trata de un 1er invierno evidente. Véase también el límite de muda sutil en el ala. Además del contraste que se indica, la terciaria más larga parece ser de tonos más apagados que las otras 2. En otoño, el diseño cefálico es idéntico al de la ♀ adulta. Las aves de 1er invierno son muy variables, pero un ejemplar con un diseño cefálico tan contrastado debería ser ♂.

el contraste entre rémiges marrón-gris y centros de coberteras grandes y terciarias negro puro apunta a 1er invierno

típica brida negra y ancha

infrabigotera negra diagnóstica en comparación con el resto de escribanos

estrechas, puntiagudas y algo desgastadas, típico de plumas juv.

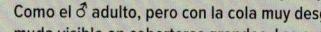

Escribano sahariano *Emberiza sahari*

L 13,5 cm | Divagante de NO África

Sit del Sàhara CAT
Saharako berdantza EUS
Escribidor sahariano GAL

▼ Adulto ♂ (marzo)

Escribano de color rojizo intenso, con la cabeza gris estriada y sin blanco en la cola, un aspecto que mantiene a lo largo de todo el año. Debido al desgaste, la cabeza y el pecho se tornan más oscuros a partir de la primavera. Se puede confundir con el **escribano estriado** *Emberiza striolata* de Oriente Medio y NE de África (véase abajo), pero este nunca ha sido registrado en Europa.

▼ ♂, probablemente de 2º año cal. (abril)

Como el ♂ adulto, pero con la cola muy desgastada y con un límite de muda visible en coberteras grandes. Las aves de 1er invierno se parecen a los adultos del mismo sexo, pero suelen mostrar este límite de muda y las rémiges y coberteras primarias están más desgastadas que en los adultos en esta época.

diseño cefálico característico con color de fondo gris y estriado algo contrastado

rojizo uniforme característico

naranja-amarillo (cf. escribano montesino)

contraste como en el escribano montesino

sin blanco

centros oscuros de coberteras grandes bastante estrechos y solo visibles con el ala algo abierta

el desgaste hace que las zonas oscuras de la cabeza y el pecho resulten más llamativas

probable límite de muda

■ **Escribano estriado** *Emberiza striolata* ♂, Oriente Medio y NE África, sin registros en Europa (febrero)

▼ ♀ (febrero)

Como una versión descolorida del ♂, sin el diseño cefálico llamativo.

las estrías oscuras contrastan bastante con el color de fondo pálido (cf. escribano sahariano)

centros oscuros más extensos que en el escribano sahariano ♂

sin blanco (cf. escribano montesino)

naranja-amarillo (cf. escribano montesino)

rojizo menos intenso que en el escribano sahariano ♂

menos contraste entre colores (cf. ♂)

coberteras primarias aún nuevas: probablemente adulto

cabeza gris con estrías finas más o menos homogéneas; lista ocular, infrabigotera y lista malar casi ausentes (cf. ♂)

menos contraste entre colores (cf. ♂)

diseño y color del ala similar al ♂, pero, por ejemplo, muestra franjas oscuras en los raquis

Escribano cejigualdo *Emberiza chrysophrys*

L 15 cm | Divagante de E Asia

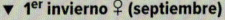

▼ **1er invierno ♂ (octubre)**
Con un diseño cefálico tan llamativo y el estriado de partes inferiores tan bien definido, la identificación de este ejemplar otoñal resulta sencilla.

diseño cefálico diagnóstico: ceja (anterior) amarilla, laterales del píleo negros anchos y lista central bien definida

centro del manto rojizo, contrastando con los tonos más fríos de los laterales

puntiaguda, indicando 1er invierno

naranja rosado muy pálido

estriado fino y bien definido

▼ **1er invierno ♀ (septiembre)**
El diseño cefálico es especialmente importante para la identificación. Puede ser similar al escribano rústico en otoño, pero véase la combinación de ceja amarillenta, "marco" negro completo en auriculares, mancha blanca en auriculares posteriores y la infrabigotera blanca ancha, además de la cabeza grande y la mandíbula inferior rosada. Las ♀♀ de 1er invierno muestran menos amarillo en la ceja y también menos negro en la cabeza que los ♂♂.

predomina el marrón, con lista central blancuzca solo en la parte posterior (no visible aquí), más típico del 1er invierno ♀

amarillo apagado, más típico del 1er invierno ♀

límite de muda; 2 coberteras grandes mudadas, resto juv.

▼ **Tipo adulto ♂ en verano (abril)**
La cabeza predominantemente negra con ceja amarilla y blanca que empieza sobre el ojo es diagnóstica. Además, la parte central blanca del píleo, la infrabigotera blanca y la lista malar negra excluyen al resto de escribanos.

diseño cefálico diagnóstico

relativamente largo, con la mandíbula inferior rosada en todos los plumajes

estriado marrón oscuro fino en todos los plumajes

▼ **♀, probablemente de 2º año cal. (mayo)**
Las ♀♀ en primavera son variables. Algunas no muestran (apenas) amarillo en la ceja, mientras que otras tienen la cabeza extensamente negra, pero la ceja y la infrabigotera blanca son muy llamativas en todos los plumajes. Las aves de tipo ♀ muestran una franja oscura en los laterales del píleo, la lista malar oscura, auriculares marrones y normalmente una mancha blanca brillante en la parte posterior de la cabeza.

ceja amarilla diagnóstica; se torna blanca hacia atrás

lista central blanca en todos los plumajes (especialmente en la parte posterior del píleo)

típico contraste entre el centro del manto rojizo y laterales más grises, incluyendo escapulares

supracoberteras caudales y obispillo marrón rojizo en todos los plumajes

♀♀ con auriculares marrones y bigoter poco contrastada

muy desgastadas, apuntando a 2º año cal.

Escribano enmascarado *Emberiza spodocephala*

L 14 cm | Divagante de Asia

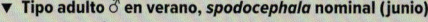

▼ **Tipo adulto ♂ en verano**, *spodocephala* **nominal (junio)**
La identificación de este plumaje es bastante sencilla, gracias a la cabeza gris uniforme y al pico bicolor. Recuerda vagamente a un acentor común con el pico gordo. Las poblaciones más occidentales son las que muestran más blanco en partes inferiores y también en la cola, y a veces son descritas como subespecie *oligoxantha*.

▼ **♂, probable 2º año cal./1er verano**, *spodocephala* **nominal (junio)**
Las aves de 2º año cal. son casi como las adultas, pero retienen rémiges juveniles y están más desgastadas que la mayoría de los adultos en esta época. El gris de la cabeza de este ejemplar es también menos uniforme.

típica cabeza y cuello gris-azul, con la cara más negra

franjas gruesas en todos los plumajes

rosa característico; obviamente bicolor

entre blancuzco y amarillento

la cabeza azul-gris no uniforme apunta a 2º año cal. (además, garganta y área alrededor de la infrabigotera más pálidas, algo de marrón en el cuello y atisbo de ceja)

muy desgastado, apuntando a 2º año cal.

▼ **Tipo adulto ♀**, *spodocephala* **nominal (junio)**
Las aves tipo ♀ (incluyendo el 1er invierno) no son muy llamativas, pero la combinación de rasgos que se indican sigue siendo característica.

ceja y collar grisáceos

obispillo gris-marrón (casi) liso

proyección primaria corta en todos los plumajes

rosado pálido en todos los plumajes (cf. por ejemplo, escribano palustre)

típico diseño del pico

infrabigotera más blanca y llamativa que la ceja

coberteras pequeñas marrón-gris (cf. por ejemplo, escribano palustre)

▼ **1er invierno ♂**, *spodocephala* **nominal (octubre)**
La combinación del diseño del pico, la infrabigotera llamativa y el collar ancho y gris es característica.

auriculares grisáceas más o menos uniformes (cf. por ejemplo, escribanos rústico y palustre)

gris y ancho, típico del ♂

lista central a veces llamativa en aves de 1er invierno, especialmente en los ♂♂

la infrabigotera es la zona más llamativa de la cabeza; más blanca que la ceja

a veces algo amarillento

banda gris estrecha

tonos marrón más cálido en los márgenes de terciarias

lista malar estrecha

la infrabigotera es la parte más pálida de la cabeza

coberteras primarias desgastadas, indicando 1er invierno

► **1er invierno, posiblemente ♀ (diciembre)**
El plumaje menos distintivo; se parece especialmente al escribano palustre, del que se diferencia por los rasgos que se señalan. Las ♀♀ adultas son casi idénticas, pero el ala y la cola son todas ellas más nuevas (en este caso no resulta posible juzgar la cola).

pálidas, rosadas

Escribano cinéreo *Emberiza cineracea*

L 16,5 cm | Verano, Turquía y E islas griegas

▼ ♂ **en verano, *cineracea* nominal (mayo)**
La identificación es bastante sencilla, ya que no existe otro escribano con el cuerpo gris y la cabeza amarillo (verdoso). Los ♂♂ suelen tener partes inferiores y píleo lisos y la cabeza de un color amarillo casi uniforme que se extiende hacia la parte superior del pecho.

supracoberteras caudales y obispillo gris pálido en todos los plumajes

▼ *cineracea* **nominal (marzo)**
El estriado oscuro fino en las partes inferiores marrón grisáceo, las auriculares bastante oscuras, el estriado fino del píleo, la ausencia de ceja detrás del ojo y la lista malar relativamente conspicua son todos ellos caracteres que apuntan a ♀. Sin embargo, el estriado de este ejemplar es quizás demasiado limitado para una ♀ y tiene la cabeza de un amarillo muy llamativo. Las ♀♀ pueden parecerse a los ♂♂, y en este caso las rémiges y coberteras primarias nuevas y las puntas más redondeadas de rectrices sugieren que efectivamente se trata de una ♀ adulta.

▼ **Juvenil/1er invierno (septiembre)**
Carece (casi) totalmente de amarillo en este plumaje. De estar presente, se limita a la garganta. El estriado de partes inferiores es relativamente extenso y contrastado. Este ejemplar parece hallarse todavía en plumaje juvenil. Las coberteras medianas juveniles muestran un "diente" largo oscuro en el centro. Por la localidad (Israel), probablemente se trata de *cineracea* nominal.

gris predominante

gris

el anillo ocular blanco es la parte más llamativa de la cabeza

estriado bastante contrastado

▼ ♀, *cineracea* **nominal, probablemente de 2º año cal. (abril)**
Se trata de uno de los plumajes más uniformes y lisos de entre los escribanos, junto con las ♀♀ de escribanos cabecinegro y carirrojo (véanse las diferencias que se señalan). Las partes inferiores marrón-gris pálido, que apenas contrastan con la cabeza, son típicas de este plumaje. En *cineracea* nominal, el amarillo se limita a la cabeza.

cabeza característica: grisáceo casi uniforme con anillo ocular pálido, infrabigotera (pálida) tenue y lista malar oscura

anillo ocular ancho y completo (cf. escribanos cabecinegro y carirrojo ♀)

la coberteras primarias desgastadas y algo puntiagudas indican 2º año cal.

amarillo limitado en ♀♀

muchas ♀♀ de 2º año cal. son ligeramente más estriadas que este ejemplar

marrón-gris pálido típico

blanco en rectrices externas (cf. escribanos cabecinegro y carirrojo ♀)

blancuzco (cf. escribanos cabecinegro y carirrojo ♀)

▼ ♂ **en verano, *semenowi* oriental, probablemente adulto (mayo)**
Ejemplar con el máximo de amarillo en partes inferiores. Muchos tienen tonos más apagados que en *cineracea* nominal, pero el amarillo extenso y llamativo en partes inferiores es característico de esta subespecie. El ala relativamente nueva en primavera apunta a adulto.

suele ser ligeramente más marrón y estriado que en *cineracea*

supracoberteras caudales y obispillo entre gris y marrón gris en todos los plumajes de ambas subespecies

completamente amarillo, típico de los ♂♂ de esta subespecie

▼ **Adulto, *semenowi* oriental (septiembre)**
Ejemplar recién mudado, con todo el plumaje de tipo adulto. Las partes inferiores amarillentas son típicas de esta subespecie; *cineracea* nominal tiene el amarillo restringido a la cabeza y alrededores de esta. El sexado resulta más difícil en otoño que en primavera.

Escribano hortelano *Emberiza hortulana*

L 15,5 cm | Verano, S, C, E y NE Europa

▼ Tipo adulto ♂ nupcial (mayo)
La combinación de cabeza amarilla verdosa, garganta, anillo ocular e infrabigotera amarillas y pico rosa-naranja pálido resulta característica. El ala todavía nueva y los colores brillantes apuntan a un adulto. Realiza una muda parcial entre invierno y primavera, muy extensa para un escribano, al igual que el escribano ceniciento. Con este "auténtico" plumaje nupcial, muchas aves de 2º año cal. se parecen mucho a los adultos.

entre amarillo-verde y azul-gris

anillo ocular entre amarillo y blancuzco, muy llamativo en una cara bastante uniforme

garganta e infrabigotera amarillo brillante característico

▼ Tipo adulto ♂ nupcial (junio)
Existe una relación entre el color de la cabeza y del anillo ocular. Muchos ejemplares de cabeza gris-azul tienen el anillo ocular blancuzco, mientras que las aves con la cabeza amarilla-verde tienen el anillo ocular amarillo. Este ejemplar pertenece a la variante más azul-gris. Con un anillo ocular casi blanco, se parece mucho a los escribanos ceniciento y cabecigrís, pero véase la garganta y la infrabigotera amarillas (pálidas).

▼ Tipo adulto ♀ nupcial (mayo)
Las ♀♀ suelen ser menos coloridas que los ♂♂, pero la identificación sigue siendo relativamente sencilla gracias a los laterales de la cabeza uniformes, el llamativo anillo ocular pálido, el pico naranja-rosa pálido, la infrabigotera y lista malar bastante contrastadas y las partes inferiores rojizas. Los rasgos que se señalan permiten diferenciarlas del ♂ en primavera.

▼ 2º año cal./1ᵉʳ verano ♂ (junio)
Las aves de 2º año cal. suelen realizar una muda extensa durante el invierno y principios de primavera, por lo que se parecen mucho a los adultos. Sin embargo, no muda ni el ala ni la cola, por lo que los límites de muda son evidentes.

muy desgastado, indicando 2º año cal.

grisáceo, a veces sin tonos verdes ni azulados

estriado oscuro fino

lista malar negruzca

estriado negruzco

rojizo algo pálido

▼ 2º año cal./1ᵉʳ verano ♀ (abril)
En primavera, la lista malar oscura y las estrías del pecho bien definidas son rasgos típicos de la ♀. Se indican aquí los rasgos útiles para el datado, que puede resultar complicado en ejemplares menos típicos.

▼ Adulto, probablemente ♀ (septiembre)
Un ejemplar con todas las coberteras grandes de tipo adulto (con margen y punta rojizos y anchos) y coberteras primarias relativamente anchas y redondeadas es un adulto. Una vez finalizada la muda postnupcial, ambos sexos son más similares entre si que en primavera. En este caso, la cabeza marrón grisáceo, la garganta e infrabigotera sin (apenas) amarillo y las partes inferiores rojizas poco saturadas encajan mejor con una ♀.

muy puntiagudas, típico de plumas juv.

coberteras primarias muy desgastadas

todas las coberteras grandes de tipo adulto

Escribano hortelano *Emberiza hortulana*

▼ 1ᵉʳ invierno (septiembre)
El pico naranja es típico de varios escribanos tipo hortelano. Se muestran aquí las diferencias sutiles con respecto al escribano ceniciento. El sexado suele ser imposible, pero algunos ♂♂ tienen tonos verdosos evidentes en la cabeza y partes inferiores rojizo intenso. Estos ejemplares pueden parecerse a las ♀♀ adultas en otoño, por lo que el datado es crucial.

coberteras grandes juv. con márgenes y punta blancuzcos

estriado extenso y contrastado, típico del juv./1ᵉʳ invierno

▼ 1ᵉʳ invierno (octubre)
Ejemplar descolorido, fotografiado en Inglaterra en octubre (ya tarde para una observación en Europa). El estriado bien definido de partes inferiores es típico del juvenil/1ᵉʳ invierno. A veces mudan algunas coberteras (grandes), aunque otras veces ninguna, por lo que las coberteras juveniles suelen estar descoloridas a finales de otoño.

coberteras grandes juv. muy descoloridas

mandíbulas superior e inferior anaranjadas (a diferencia de otros escribanos, excepto las otras especies "tipo hortelano" y el escribano lapón)

Escribano ceniciento *Emberiza caesia*

L 15 cm | Verano, extremo SE Europa

Hortolà cendrós   CAT
Berdantza hauskara   EUS
Escribidor de capuz   GAL

▼ Tipo adulto ♂ nupcial (mayo)
Plumaje inconfundible, con cabeza y pecho gris-azul y garganta, brida e infrabigotera naranja-marrón. Véase el rojo-marrón más intenso en partes superiores y márgenes del ala que en el escribano hortelano.

normalmente blanco (a veces amarillento muy pálido)

brida naranja-marrón característica

gris azul bastante intenso y uniforme, nunca verdoso (cf. escribano hortelano)

naranja-marrón característico

rojo ladrillo

▼ Tipo adulto ♀ nupcial (marzo)
La identificación de ♀♀ es más difícil, pero véanse los rasgos que se señalan, útiles para separarlas del escribano hortelano. El rojizo intenso de partes inferiores es similar al del ♂ de escribano hortelano en primavera.

gris-azul variable, pero nunca tan extenso y uniforme como en los ♂♂

estriado oscuro (cf. ♂ en primavera)

pico relativamente pequeño, a menudo con el culmen oscuro bien delimitado (cf. escribano hortelano)

a veces muestra una bigotera sutil y una mancha pálida en auriculares (más visibles que en el escribano hortelano ♀)

lista malar fina y negruzca (cf. escribano hortelano ♀ en primavera)

azul-gris, contrasta con partes inferiores rojizas (cf. escribano hortelano ♀ en primavera)

obispillo y supracoberteras caudales rojizas (gris-marrón en el escribano hortelano ♀)

▶ **Adulto ♂ en otoño (agosto)**
Ejemplar recién mudado, con primarias externas todavía en crecimiento. Este plumaje no difiere del nupcial, pero algunas de las
plumas nuevas tienen las puntas pálidas, lo que oculta un poco los
colores, que se harán más llamativos a través del desgaste (especialmente en el manto y la cabeza). Las ♀♀ adultas en otoño son casi
idénticas a las ♀♀ en primavera, pero son ligeramente más pálidas,
por lo que se parecen más al escribano hortelano. En comparación
con la ♀ adulta de escribano hortelano en otoño, los rasgos típicos
de la especie son la brida parda, las supracoberteras caudales
rojizas y la forma y coloración del pico, con el culmen oscuro.

▶ **1er invierno ♀ (septiembre)**
En otoño, las aves de 1er invierno difieren
de los adultos de la misma manera que en
el escribano hortelano. El estriado bastante
extenso de partes inferiores y las rectrices
puntiagudas son signos de inmadurez. En
cuanto a la identificación, descartar un
1er invierno de escribano hortelano requiere
de una observación detallada. La mayoría
de ejemplares se identifican por la combinación de rasgos que se señalan, especialmente la forma del pico, la brida marrón y
las supracoberteras caudales rojizo intenso.
Los otros rasgos se solapan. La muda postjuvenil es más extensa que en el escribano
hortelano; suele mudar bastantes coberteras, véase también escribano hortelano
de 1er invierno. Los ♂♂ de 1er invierno
pueden ser ya muy coloridos y por tanto
parecerse mucho al adulto.

estrías negras del manto
relativamente finas

brida parda

culmen oscuro
bien definido

mandíbula inferior
relativamente estrecha

centros negros de escapu-
lares relativamente
estrechos y puntiagudos

la lista malar suele ser más
estrecha que en el escribano
hortelano, aunque no es
evidente aquí

terciarias centrales relativamente largas: la
distancia entre la punta
de la terciaria más larga y
la central (a) es más corta
que la distancia entre la
punta de la central y la
punta de la más interna
(b) en todos los plumajes

b

a

(casi) todas las coberteras
grandes mudadas a tipo
adulto (carecen de margen
rojizo; del mismo color que
las terciarias)

rojizo

suele ser algo rojizo y
contrasta llamativamente
con el pecho blancuzco
(no evidente aquí)

el estriado
no se extiende
hasta el vientre

▼ **2º año cal./1er verano ♂ (marzo)**
Casi como el ♂ adulto en primavera,
pero véanse los rasgos que se señalan.

estrías finas

marronáceo, no
gris-azul uniforme

muy desgastadas
(cf. tipo adulto)

presencia de
lista malar

▼ **2º año cal./1er verano ♀ (marzo)**
El plumaje primaveral menos llamativo y, por
tanto, el más parecido al escribano hortelano.
Véanse los rasgos que se señalan.

se atisba algo de gris, característico en comparación con el
escribano hortelano de esta
edad y plumaje

pico pequeño con
culmen oscuro bien
definido (cf. escribano
hortelano)

estrías finas
oscuras en raquis

brida parda
característica
(cf. escribano
hortelano)

obispillo y supracoberteras
caudales rojizas (gris-marrón
en el escribano hortelano ♀)

estriado extenso en
primavera, típico de la ♀

Escribano cabecigrís *Emberiza buchanani*

L 15 cm | Divagante de Oriente Medio y C Asia

....

▶ **Tipo adulto ♂ en verano, probable 2º año cal. (junio)**
Típico escribano "tipo hortelano", que se parece vagamente tanto al escribano hortelano como al escribano ceniciento. Sin embargo, véase la combinación de rasgos que se señalan. Tanto la diferencia de color entre las puntas rojizas de coberteras medianas y el resto del ala pálido "incoloro", como las partes inferiores poco coloreadas apuntan a un ave de 2º año cal.

estriado débil en el manto (cf. escribanos hortelano y ceniciento)

más gris que azul (cf. escribano ceniciento ♂)

las escapulares rojizas contrastan con el manto gris; centros negros estrechos (cf. escribanos hortelano y ceniciento)

blanco o blancuzco

completamente pálido, relativamente largo y por tanto más puntiagudo que en el resto de "hortelanos"

el rojo-naranja se extiende hacia la garganta (cf. escribanos hortelano y ceniciento)

obispillo y supracoberteras caudales marrón-gris (cf. escribano ceniciento)

suele ser algo descolorido; flancos más grises

▼ **♂ en verano, probablemente adulto (mayo)**
Los ejemplares tan coloridos y sin diferencias en el desgaste y color dentro del ala suelen ser adultos.

típicamente largo, puntiagudo y completamente pálido (sin culmen oscuro, cf. escribanos hortelano y ceniciento)

márgenes de terciarias de anchura más o menos homogénea (cf. escribanos hortelano y ceniciento)

garganta entre blancuzco y gris, a menudo con algo de rojo-marrón característico

coberteras pequeñas grises "rodeadas" de rojizo en escapulares y coberteras medianas

▼ **♀ en verano (junio)**
Las diferencias entre ♂♂ y ♀♀ no suelen ser muy pronunciadas, pero siguen el patrón del resto de "hortelanos". En este plumaje, es especialmente parecido al escribano ceniciento (este ejemplar muestra incluso algo de negro en el culmen), pero véanse las diferencias que se indican.

azul-gris no uniforme (cf. ♂)

estrías oscuras finas (cf. ♂)

rojo-marrón de escapulares tenue (cf. ♂)

estrías oscuras finas (cf. ♂)

márgenes de terciarias de anchura homogénea (cf. escribano ceniciento)

marrón-gris (cf. escribano ceniciento)

el rojo-marrón se extiende hacia la garganta (cf. escribano ceniciento)

▼ **1er invierno (octubre)**
En la imagen se muestran solamente los rasgos útiles para el datado y el sexado. Algunas aves de 1er invierno han mudado ya todas las coberteras y por tanto se parecen mucho a los adultos. Los rasgos típicos de la especie son los márgenes de terciarias de anchura homogénea, el obispillo y las supracoberteras caudales grisáceos, el anillo ocular blanco, el pico relativamente pequeño y fino, y el rojo de partes inferiores extendiéndose hacia la garganta. Los adultos en otoño tienen el ala totalmente nueva, sin límites de muda y con, por ejemplo, márgenes rojizos anchos en las coberteras.

las auriculares algo marrones y el estriado extenso en el píleo son típicos de las ♀♀ en otoño

este ejemplar muestra una mezcla de coberteras medianas juveniles y adultas

coberteras grandes juv. con márgenes pálidos (cf. adulto)

coberteras primarias ya algo desgastadas

Escribano herrumbroso *Emberiza rutila*

L 13 cm | Divagante de E Asia

▼ 1ᵉʳ invierno ♂ (octubre)

Las aves de 1ᵉʳ invierno suelen mostrar un cuerpo muy franjeado pero una cabeza bastante lisa. La distribución del rojizo intenso y el amarillo es típica de los ♂♂.

▼ 1ᵉʳ invierno/juvenil (septiembre)

La extensión de la muda postjuvenil es muy variable. Algunas aves de 1ᵉʳ año mantienen el plumaje juvenil hasta avanzado el otoño, como parece ser este caso. Los tonos rojizos de píleo y auriculares apuntan a ♂, ya que las ♀♀ de 1ᵉʳ invierno/juveniles carecen de plumas rojizas en la cabeza.

típico rojizo intenso

coberteras juv. con punta blanca y centro negro puntiagudo hasta el borde

carece de blanco

sin blanco (evidente) en rectrices externas; puntiagudas también en los adultos

auriculares características, cuando son pardo-rojizas (nunca en las ♀♀)

▼ Adulto ♂ en verano (mayo)

Inconfundible por su plumaje único. Los ♂♂ adultos no tienen plumaje nupcial como tal, pero después de la muda postnupcial completa el color rojizo está parcialmente oculto por los márgenes de las plumas verdosos o amarillentos, que se irán desgastando durante el invierno. Las rectrices de los adultos también son puntiagudas.

▼ 2º año cal./1ᵉʳ verano ♂ (mayo)

Los ♂♂ inmaduros son fáciles de diferenciar de los adultos y la identificación sigue siendo sencilla por los tonos rojizos intensos en, por ejemplo, cabeza, obispillo y pecho.

las puntas pálidas se desgastarán más adelante

centros de plumas oscuros (cf. adulto ♂)

puntas pálidas (cf. adulto ♂)

muy desgastada

amarillo apagado con estriado extenso (cf. adulto ♂)

▼ ♀ (mayo)

El obispillo rojizo y las partes inferiores amarillas solo está presente también en el escribano cerillo (ver). Véanse también las rectrices puntiagudas de este ejemplar, que en este caso no es un rasgo útil para el datado.

▼ ♀, probablemente adulta (octubre)

La combinación de cabeza poco contrastada, partes inferiores amarillentas, obispillo rojizo (no visible aquí) y ausencia de blanco en la cola es diagnóstica. Las partes inferiores difuminadas y el ala uniformemente nueva apuntan a adulto.

cabeza poco contrastada con zonas rojizas variables

rojizo intenso en todos los plumajes

las partes inferiores amarillas se intuyen ya aquí

sin mancha pálida (evidente) tras las auriculares, ni "marco" oscuro rodeándolas

la infrabigotera suele ser la parte más llamativa de la cabeza, que es bastante uniforme (cf. ♀ aureolado)

ausencia de blanco en todos los plumajes, característica (cf. escribanos cerillo y aureolado)

Escribano rústico *Emberiza rustica*

L 14 cm | Verano, N y NE Europa

▼ ♂ **en verano, probablemente adulto (junio)**
Inconfundible en este plumaje. El ala todavía nueva y
el álula y coberteras primarias negruzcas, así como
los colores vivos, apuntan a adulto.

combinación diagnóstica de zonas
blancas y negras en la cabeza y collar
y franjas de flancos rojo-marrón

banda pectoral
rojo-marrón

blanco puro liso

▼ ♀ **(mayo)**
No tan contrastada ni colorida como el ♂ (adulto) en verano, pero la
identificación sigue siendo bastante sencilla, por ejemplo, por las
llamativas franjas rojo-marrón en flancos, obispillo y cuello, la proyección primaria larga, el patrón cefálico y la forma y el color del pico.

blanco ancho
y brillante
detrás del ojo

las zonas oscuras de
la cabeza no suelen
ser negras (cf. ♂)

collar rojo-marrón
característico, pero relativamente estrecho (cf. ♂)

bastante desgastada,
pero las puntas anchas
y redondeadas encajan
mejor con un adulto

bandas alares
blancas

rojo-marrón; los márgenes
pálidos, aún visibles, le
dan un aspecto escamado

plumas del píleo largas;
a veces las iza formando
una cresta

▼ ♂, **probablemente 1er verano/2º año cal. (mayo)**
Como el ♂ adulto en verano, pero con colores menos
uniformes. Algunas ♀♀ adultas pueden parecerse,
por lo que el datado es esencial.

descolorido

el negro de la cabeza
no es tan uniforme como
en los ad., incluyendo la
lista central blanca

motas rojo-marrón
brillante, diagnóstico
en todos los plumajes

desgastado

▶ **Adulto (otoño/invierno)**
Tanto el datado como el sexado son
difíciles en otoño, pero este ejemplar
muestra los rasgos típicos del adulto.
Las zonas negras extensas apuntan a
♂. En primavera, lleva a cabo una muda
restringida, que da lugar al diseño
cefálico típico del ♂.

nuevas

redondeadas
(cf. 1er invierno)

▼ **1er invierno (septiembre)**
Algunos ejemplares en otoño, probablemente ♀♀ de
1er invierno, pueden confundirse con el escribano palustre,
especialmente cuando carecen de zonas rojizas. Este ejemplar
no parece mostrar nada de rojizo ni en el cuello ni en el obis-
pillo/supracoberteras caudales y el estriado de flancos también
es negruzco. Sin embargo, la combinación de rasgos que se
señalan es más que suficiente para la identificación.

▼ **1er invierno (octubre)**
Típico ejemplar en otoño. Las puntas de
rectrices puntiagudas son típicas de este
plumaje. Las aves de 1er invierno con mucho
negro en la cabeza y collar rojo-marrón
conspicuo son ♂♂, pero en muchos
casos el sexado no es fácil.

culmen recto o incluso
un poco cóncavo en
todos los plumajes

rojo-marrón con escamas
pálidas (cf. escribano
palustre)

puntiagudas,
típico del
1er invierno

proyección primaria algo
larga para un escribano

rosado (cf. escribano
palustre)

bandas alares pálidas,
especialmente en coberteras
medianas (cf. escribano
palustre)

el franjeado de flancos
del 1er invierno a veces
no es muy rojo-marrón

rosado pálido
(cf. escribano
palustre)

típico diseño
escamado

lista central fina,
pero bien definida

la ceja se extiende
hasta el cuello

rosado

banda alar blancuzca
en coberteras
medianas

el estriado de flancos
contrasta mucho con
el vientre blanco

Escribano pigmeo *Emberiza pusilla*

L 12,5 cm | Verano, N y NE Europa

▼ Tipo adulto ♂ (junio)
El diseño cefálico típico es especialmente llamativo en este plumaje.

negro puro, sin marrón (cf. ♀)

lista central marrón típica en todos los plumajes

marrón-gris en todos los plumajes; estriado especialmente llamativo en supracoberteras caudales

suele ser totalmente negro en verano

flancos con color de fondo totalmente blanco también en primavera; solo franjas oscuras finas

aún se ve nueva, típico del adulto

▼ 2º año cal., probablemente ♂ (junio)

coberteras pequeñas grisáceas (cf. escribano palustre)

presunto límite de muda

muy desgastadas, puntiagudas, típico del 2º año cal.

▼ ♀ (abril)
No todos los ejemplares son fáciles de sexar, pero en primavera solo la ♀ muestra este diseño cefálico.

diseño cefálico poco contrastado, con lista marronácea en el centro del píleo poco desarrollada (cf. ♂ en primavera)

gancho negro característico, también presente en plumajes menos típicos

cuña blanca larga y recta con un estrechamiento marcado en r6 (cf. otros escribanos)

▼ ♂ (diciembre)
Los ejemplares que en invierno muestran una coloración pardo-rojiza intensa en la cabeza, con la lista pileal lateral negra y la central parda, son ♂♂. El datado puede resultar difícil. El ala totalmente nueva y sin límites de muda apunta claramente a adulto, pero en otras fotografías de este ejemplar se apreciaban puntas de rectrices puntiagudas y desgastadas.

▶ 1er invierno (octubre)
El plumaje otoñal menos distintivo. A pesar del diseño cefálico (incluyendo el gancho negro de detrás de las auriculares), el franjeado ancho de flancos, las patas oscuras y las bandas alares marrones (pero véase la punta blanca en una cobertera mediana), sigue siendo posible confundirlo con el escribano palustre.

la lista pileal lateral puede ser poco llamativa en otoño (especialmente en ♀♀) debido a las puntas pálidas, que irán desgastándose

el anillo ocular puede ser llamativo por estar rodeado de pardo rojizo uniforme (cf. escribano palustre)

gancho negro característico (cf. escribano palustre)

bigotera débil (cf. escribano palustre)

las franjas suelen ser anchas en el 1er invierno

muy oscuras en este ejemplar

puntiagudas y ya desgastadas, típico del 1er invierno

Escribano palustre *Emberiza schoeniclus*

L 14,5 cm | Todo el año, O y C Europa; verano, incluyendo N y NE; invierno, incluyendo S

COMPLEJO DEL ESCRIBANO PALUSTRE

La taxonomía del escribano palustre es compleja. Se conocen muchas subespecies, pero la diferencia entre poblaciones adyacentes es a menudo sutil. Se clasifican en 2 grupos:

- El grupo más septentrional y picofino, con *schoeniclus* nominal y la subespecie siberiana *passerina* (posible divagante). En promedio, estas poblaciones se tornan más pálidas hacia el este.
- El grupo más sureño y piquigordo, formado, de oeste a este por *witherbyi* en la península Ibérica, *intermedia* en el Mediterráneo central y *reiseri* en Turquía. La subespecie *intermedia* (Italia y Balcanes) tiene el pico más fino de este grupo.

El grupo *schoeniclus* nominal, de pico fino, aparece como invernante en la mayor parte de la distribución de las subespecies de pico gordo del sur. Estas subespecies son básicamente residentes.

▶ ♂ **en verano,** *schoeniclus* **nominal (junio)**
Los ♂♂ de cualquier subespecie son inconfundibles en verano: cabeza negra extendiéndose hacia el pecho, infrabigotera blanca y collar blanco. Este ejemplar es probablemente un adulto por el ala relativamente nueva en junio (incluyendo coberteras primarias); el desgaste de rectrices durante o después de la temporada de cría no es raro entre ejemplares adultos.

▼ **Tipo adulto ♂,** *schoeniclus* **nominal (noviembre)**
El collar blanco y el obispillo extensamente gris son típicos del ♂. Las rectrices anchas y redondeadas apuntan a adulto. Algunas aves de 1er invierno ya han mudado algunas rectrices, formando un límite de muda con las plumas juveniles restantes. En este ejemplar, todas las rectrices parecen de la misma generación. Las primarias también parecen ser de tipo adulto: negro puro y con un margen blanco no desgastado.

▶ ♀**,** *schoeniclus* **nominal (mayo)**
A partir de la primavera, las ♀♀ muestran una cantidad variable de negro en auriculares, píleo y lista malar. La garganta permanece blanca. El datado de ejemplares poco desgastados acostumbra a ser imposible en primavera; algunos ejemplares de 1er invierno llevan a cabo una muda postjuvenil extensa que incluye algunas rectrices.

auriculares oscuras más o menos uniformes, no raras en ♀♀

sin blanco (cf. ♂)

franjas pálidas en manto y escapulares, en todos los plumajes

lista malar negra y triangular, típico de todos los plumajes tipo ♀

bandas alares marrones típicamente más oscuras que las franjas de manto y escapulares en todos los plumajes

normalmente bastante oscuras; extremo pálido de la variación en este caso

las franjas pálidas del manto son más pálidas que las bandas marrón rojizo de las coberteras (bandas alares), característico en cualquier plumaje

desgastadas y puntiagudas, típico del 1er invierno, aunque pueden haber sido (parcialmente) mudadas

collar blanco (cf. ♀)

bigotera (oscura) llamativa típica de todos los plumajes excepto en verano

suele mostrar más gris que marrón en el obispillo y en las supracoberteras caudales (cf. ♀)

◀ **1er invierno ♂,** *schoeniclus* **nominal (noviembre)**
Para encontrar e identificar escribanos raros, es necesario conocer bien al escribano palustre (y también, por ejemplo, al escribano cerillo). En la imagen se muestran los rasgos en los que centrarse en el campo, independientemente de la edad, el sexo o la subespecie. El sexado es posible después de la muda postjuvenil, que tiene lugar poco después de abandonar el nido.

▼ **1ᵉʳ invierno ♀, *schoeniclus* nominal (noviembre)**
El plumaje menos distintivo; véase, por ejemplo, las típicas puntas marrones de coberteras grandes, más oscuras que las franjas del manto. En la imagen se destacan otros caracteres importantes tanto para la identificación como para el sexado (diferencias respecto al ♂ en otoño) y el datado.

▼ **1ᵉʳ invierno ♀, probable *passerina* (Kazajistán, octubre)**
Las poblaciones del C de Siberia son ligeramente más pálidas en promedio que *schoeniclus* nominal y, por tanto, pueden confundirse con el escribano de Pallas. Las zonas pálidas de las secundarias y las coberteras grandes recuerdan a las del escribano de Pallas tipo ♀, al igual que el obispillo (no visible aquí), que suele ser pálido y más difuso que en la subespecie nominal *schoeniclus*. Pero las coberteras pequeñas (se indican) son rojizas y las patas oscuras, no como en el escribano de Pallas. El estatus de esta subespecie en Europa es incierto, pero probablemente es (muy) rara.

lista pileal lateral marrón, sin negro (cf. (1ᵉʳ invierno) ♂)

gris difuso en el centro del píleo, típico en cualquier plumaje otoñal

gris, sin blanco (cf. ♂)

infrabigotera ancha y llamativa, típica en cualquier plumaje

básicamente marrón, con tan solo algunas plumas grises (cf. (1ᵉʳ invierno) ♂)

límite de muda: 2 rectrices centrales mudadas; el resto de rectrices juveniles, cuando está presente es diagnóstico del 1ᵉʳ invierno

pálido para un escribano palustre

grisáceo (cf. escribano de Pallas)

coberteras pequeñas rojizas (cf. escribano de Pallas)

estriado bastante extenso (cf. escribano de Pallas)

SUBESPECIES SUREÑAS DE PICO GORDO

Todo el año, S Europa

▼ **♂, 1ᵉʳ invierno/2º año cal., *intermedia*, Mediterráneo C y E Europa (Hungría, junio)**
Como el nombre científico indica, la forma del pico es intermedia entre las subespecies piquigordas al este y al oeste de *intermedia* y *schoeniclus* nominal, aunque sigue siendo más grueso que en este.

▼ **♂ en verano, *reiseri/caspia* (Turquía, mayo)**
Ejemplar perteneciente a la población de pico gordo del SE de Europa y más al este (*reiseri* en el SE de Europa, *caspia* en el SE de Turquía). En este caso se trata de *caspia*, la subespecie europea de más al este y la que tiene el pico más grueso.

▼ **♀, *witherbyi*, península Ibérica (junio)**
Como los taxones del este, esta subespecie tiene el pico grueso y el culmen muy convexo. En promedio también es algo más oscura que *schoeniclus* nominal, que inverna en zonas de *witherbyi*.

bastante grueso, con culmen convexo

en verano, el negro se extiende hacia el pecho en los ♂♂ de todas las subespecies

una diferencia tan llamativa en el desgaste de algunas plumas de la cola apunta claramente a 2º año cal. (en todas las subespecies)

grueso y con el culmen muy convexo

Escribano de Pallas *Emberiza pallasi*

L 13 cm | Divagante de Siberia

Pallas berdantza EUS
Escribidor da tundra GAL

....

▼ ♂ en verano (junio)

Como una versión pálida del escribano palustre, pero con algunos rasgos diagnósticos. El ala aún en buen estado, incluyendo las coberteras primarias, apunta a adulto. En las aves de 2º año cal., suele apreciarse cierto contraste entre las coberteras primarias desgastadas y descoloridas y las coberteras grandes más nuevas.

muy contrastado, con tirantes anchos negruzcos y color crema pálido/blanco (cf. escribano palustre)

▶ ♂ (mayo)

En primavera, los ♂♂ no suelen mostrar aún el plumaje veraniego completo (a diferencia del escribano palustre). Adquiere el plumaje veraniego básicamente a través del desgaste de las puntas pálidas de las plumas, y casi nada por muda. El píleo extensamente marrón de este ejemplar podría apuntar a 2º año cal.

estriado fino muy restringido (cf. escribano palustre)

la infrabigotera se ensancha (cf. escribano palustre ♂)

coberteras pequeñas grises diagnósticas en todos los plumajes (cf. escribano palustre)

coberteras medianas con punta color crema pálido (cf. escribano palustre)

▼ ♀ (junio)

más o menos del mismo color (cf. escribano palustre)

relativamente largo, fino y puntiagudo, con el típico culmen recto; a menudo llamativamente bicolor, con la mandíbula inferior rosada (cf. escribano palustre)

a menudo tonos más cálidos aquí que en las bandas alares

sin apenas bigotera oscura (cf. escribano palustre ♀)

obispillo pálido en todos los plumajes

combinación típica de lista malar y collar en el pecho superior bien definidos, pero sin apenas estriado en flancos (cf. escribano palustre ♀)

coberteras pequeñas grisáceas

▼ Tipo 1er invierno ♂ (otoño/invierno)

En la imagen se destacan las diferencias con respecto al escribano palustre en otoño/invierno. Las rectrices y las coberteras primarias aparentemente puntiagudas y ya algo desgastadas apuntan a 1er invierno. Las zonas negras de la cabeza, incluyendo la brida, encajan mejor con el 1er invierno ♂.

rosado

típico color crema pálido

pálidas (cf. escribano palustre)

estriado (muy) limitado y a menudo marrón pálido en flancos

a menudo llamativamente larga

color carne bastante pálido

▼ Adulto ♀ (otoño/invierno)

Ejemplar típico en otoño (finales) o invierno. Adquiere esta apariencia a partir de finales de otoño, excepto los ♂♂ adultos, que en ese momento ya tienen la cabeza extensamente negra. Este ejemplar tiene todo el plumaje nuevo y las rectrices redondeadas, lo que apunta a adulto.

coberteras pequeñas grisáceas

▶ Juvenil/1er invierno (septiembre)

A pesar de que el plumaje puede no resultar llamativo, en tanto que se parece al del escribano palustre en otoño, la combinación de rasgos que se indican es diagnóstica, especialmente las coberteras pequeñas grises (aunque no siempre son visibles, como en este caso). Este ejemplar todavía muestra buena parte del plumaje juvenil, con coberteras juveniles y el pecho muy estriado. Teniendo en cuenta que abandonan las zonas de cría con este plumaje, es esperable que los divagantes otoñales en Europa tengan este aspecto.

estrías gruesas en el manto

coberteras medianas juv. con centro puntiagudo y punta blanca

puntas color crema (no rojizas)

bicolor, con la mandíbula inferior rosa

aún muy estriado

relativamente pálidas

larga

Escribano aureolado *Emberiza aureola*

L 15 cm | Divagante de Siberia (anteriormente en verano, NE Europa)

▼ **Adulto ♂ en verano (junio)**

diseño diagnóstico:
garganta (barbilla) y
laterales de la cara negros,
pecho superior amarillo y
banda pectoral marrón

blanco en las coberteras
medianas y algunas
pequeñas, formando un
amplio panel alar blanco

▼ **♀, probablemente de 2º año cal. (mayo)**
Los únicos escribanos con los que se puede confundir son el
cerillo, el soteño y el herrumbroso. La combinación de rasgos
que se indican es diagnóstica.

"marco" oscuro
alrededor de las auricu-
lares (cf. escribano
herrumbroso ♀)

franjas pálidas en el
manto (cf. escribano
herrumbroso ♀)

rojizo apagado, con
franjas oscuras en
raquis (cf. escribano
herrumbroso ♀)

ceja blancuzca, larga y
llamativa (cf. escribano
herrumbroso ♀)

lista central pálida
bien definida

rosa

lista malar fina en los
plumajes tipo ♀

típico amarillo, extendiéndose hacia el cuello

partes inferiores
amarillas, incluyendo
la garganta

puntiagudas y desgastadas,
apuntando a 2º año cal.

▶ **2º año cal./1er verano ♂ (junio)**
Los ♂♂ de 2º año cal. son fáciles de identificar y de datar. En la imagen se destacan las
diferencias con respecto a los ♂♂ adultos.

▼ **1er invierno (octubre)**
La imagen muestra el típico plumaje que aparece en Europa en
otoño (desde hace 2 décadas, cada vez con menos frecuencia).
Las ♀♀ adultas y de 1er invierno son muy similares. El cuello
amarillo intenso es típico de todos los ejemplares tipo ♀. Las
rectrices aparentemente puntiagudas, el "diente" negro en el
centro de las coberteras medianas y el estriado extenso de
partes inferiores encajan con un ejemplar de 1er invierno.

"marco" pálido alrededor
de las auriculares

típicos laterales del
cuello amarillo intenso

bandas alares blancas

rosa

amarillento
variable

supracoberteras caudales
estriadas sobre color de
fondo gris-marrón
(obispillo algo rojizo)

estriado
variable

▼ **Adulto ♂ (otoño/invierno)**
El plumaje invernal es más de tipo ♀, pero el amarillo brillante
de las partes inferiores, con banda pectoral, apunta a ♂; por su
parte, el amplio panel alar blanco apunta a adulto. Las ♀♀
mantienen una apariencia similar durante todo el año. Los divagantes en Europa suelen ser aves de 1er invierno. La muda a
plumaje invernal en adultos puede retrasarse hasta su llegada
a las zonas de invernada, por lo que pueden mantener el
plumaje veraniego hasta bien avanzado el otoño.

ceja visible

negro no uniforme

sin panel blanco (cf. adulto ♂
en verano), aunque algunos
♂♂ de 2º año cal. pueden
mostrar blanco en
coberteras pequeñas

banda pectoral
débil o ausente

Escribano cabecinegro *Emberiza melanocephala*

L 16,5 cm | Verano, SE Europa

▼ Tipo adulto ♂ (mayo)
Inconfundible, con casco negro, manto y escapulares marrón castaño, partes inferiores amarillas y pico grueso y gris. El obispillo puede ser marrón o amarillento, y el marrón puede extenderse por encima del ala hasta los flancos anteriores. Tanto los adultos como las aves de 1er año mudan por completo a finales de otoño, por lo que el datado no es posible en primavera.

▼ Tipo adulto ♂ (finales de mayo)
Debido a que tanto los adultos como las aves de 1er año mudan por completo a finales de otoño, el desgaste o los límites de muda no son útiles para el datado en primavera. Algunos ejemplares muestran una combinación de puntas pálidas en puntas de la cabeza, un manto marrón castaño menos intenso y franjas negras en el raquis de escapulares hasta la primavera. Se desconoce si esta variabilidad está relacionada con la edad. En otras especies de escribanos, los ejemplares de 2º año cal. adquieren un plumaje nupcial menos vistoso.

▼ Tipo adulto ♀ (mayo)
Los ejemplares fuera de su zona de distribución suelen causar problemas de identificación, pero las zonas rojo-marrón que se señalan son características. Los otros caracteres secundarios (todos visibles en este ejemplar) útiles para descartar a la ♀ de escribano carirrojo en primavera son:
- atisbo de panel blanco en secundarias
- partes superiores con estriado sutil (más o menos igual de contrastado que en el píleo)
- 5 (a veces 6) puntas de primarias visibles bajo las terciarias
- pico largo y grueso
- contraste llamativo entre las auriculares oscuras y la garganta y laterales del cuello amarillos
- en algunos casos, amarillo extenso en partes inferiores (a diferencia del escribano carirrojo)

▼ Tipo adulto ♀ (mayo)
Las ♀♀ son variables y pueden ser fáciles de identificar o casi idénticas a la ♀ de escribano carirrojo. Un ejemplar como este, con los 5 rasgos que se indican, es fácil de identificar. Algunas pueden mostrar una cabeza todavía más oscura y más rojo-marrón en partes superiores, lo que aún hace más difícil confundirla con la ♀ de escribano carirrojo.

rojo-marrón sutil pero visible (cf. escribano carirrojo ♀)

atisbo de casco negro, con algo de contraste con la infrabigotera y los laterales del cuello

largo y grueso (pero variable; se solapa con el escribano carirrojo)

estriado sutil

cuando está presente, el rojo-marrón sutil es diagnóstico

amarillo bastante intenso y extenso

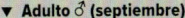

▼ **Adulto ♂ (septiembre)**
Ejemplar muy desgastado, incompatible con el 1er invierno. Los márgenes pálidos de las plumas nuevas indican que ha mudado la cabeza.

▼ **♀ (mayo)**
Fuera de sus zonas de distribución, un ejemplar así puede ser confundido con el escribano carirrojo. Sin embargo, los tonos rojo-marrón que se indican son diagnósticos.

la cabeza suele ser de tonos más fríos que las partes superiores

tonos rojo-marrón, diagnósticos cuando están presentes (cf. escribano carirrojo ♀)

1er INVIERNO DE ESCRIBANO CABECINEGRO VS. ESCRIBANO CARIRROJO

Se listan a continuación los rasgos más importantes para identificar los escribanos carirrojo y cabecinegro de 1er invierno. El datado debe basarse en las terciarias nuevas o (en otoño) no muy desgastadas y las puntas de primarias con bordes pálidos todavía intactos. La identificación debe tener en cuenta tantos rasgos como sea posible y algunos ejemplares pueden incluso quedarse sin identificar.

- sin plumas rojizas en la cabeza, o solamente encima de la brida
- franjeado de partes superiores en general moderado, homogéneo y en paralelo
- color de fondo de partes superiores entre marronáceo y gris-marrón
- escapulares marronáceas
- auriculares bastante oscuras; infrabigotera más pálida
- el estriado del píleo es igual de ancho y contrastado que en el manto
- muy poco (o nada) de estriado en partes inferiores
- obispillo/supracoberteras caudales entre marrón y amarillo-verde

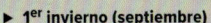

▶ **1er invierno (septiembre)**
Plumaje todavía nuevo. Algunas aves de 1er invierno pueden estar ya algo desgastadas en estas fechas.

anillo ocular blancuzco

es normal que muestre algo de rojizo sobre la brida

listas bastante finas y paralelas sobre fondo marronáceo

proyección primaria relativamente larga

▶ **Probable escribano cabecinegro, 1er invierno (noviembre)**
Ejemplar inusualmente desgastado a finales de otoño (muchos han completado ya su muda y tienen el plumaje nuevo en este momento). El datado se basa en el estriado del flanco y en que tan solo ha mudado 1 cobertera mediana (y 1 terciaria). Tanto el 1er invierno como el adulto completan su muda a finales de otoño, momento a partir del cual el datado ya no es posible. Los ejemplares tan desgastados como este son más difíciles de identificar, pero los tonos rojizos alrededor de las listas oscuras de manto y escapulares apuntan especialmente a escribano cabecinegro.

franjas bastante finas y paralelas (el color de fondo probablemente descolorido a gris)

contraste bastante marcado entre las auriculares oscuras y la infrabigotera pálida

tonos rojizos alrededor de las franjas negras

Escribano carirrojo *Emberiza bruniceps*

L 16 cm | Divagante de C Asia

Sit cara-roig CAT
Berdantza musugorria EUS
Escribidor de cabeza rubia GAL

▼ **Tipo adulto ♂ (mayo)**
La combinación de rasgos que se señalan es única entre los escribanos europeos. Como ocurre con el escribano cabecinegro, las aves de 2º año cal. son idénticas a los adultos en primavera.

rojo-marrón, de intensidad algo variable

verdoso, a veces más extenso

amarillo brillante

▼ **Adulto ♀ (julio)**
Típico ejemplar desgastado a finales de verano. A pesar del desgaste, siguen apreciándose un buen número de rasgos útiles para la identificación. Véase la proyección primaria relativamente corta, el diseño cefálico sutil, las partes superiores muy franjeadas y la ausencia de tonos rojo-marrón en partes superiores, comparado con el escribano cabecinegro. El pico parece largo, como en este. Mantienen este plumaje hasta septiembre aproximadamente.

típicas franjas gruesas y con forma triangular

▼ **♀ (mayo)**
Fuera de sus zonas de distribución, ejemplares como este pueden causar serios problemas de identificación. Existe solapamiento con la ♀ de escribano cabecinegro en todos los rasgos que se señalan. Este ejemplar, sin embargo, muestra una serie de rasgos que, combinados, apuntan claramente a ♀ de escribano carirrojo:
- coberteras y terciarias con márgenes blancuzcos o color crema; sin atisbo de panel blanco en secundarias (pero véase que, a partir de primavera, los márgenes desgastados pueden parecer blancos)
- partes superiores muy estriadas, pero píleo casi liso
- 4 (a veces 5) puntas de primarias visibles bajo las terciarias
- pico grueso, pero a menudo más corto que en el escribano cabecinegro
- contraste débil entre las auriculares y la garganta (más amarilla)

cabeza uniforme, sin apenas estriado oscuro en el píleo

algo más corto en promedio que en el cabecinegro en todos los plumajes

gris-marrón, sin atisbo alguno de rojo-marrón

márgenes de terciarias pálidos de anchura homogénea, como en el cabecinegro (pero a diferencia de muchos *Emberiza*)

el amarillo suele limitarse a infra-coberteras caudales

▼ **Adulto ♀ (mayo)**
Ejemplar con partes superiores poco marcadas, pero aún dentro de la variabilidad esperable. Con el desgaste, las franjas oscuras se harán más gruesas.

cabeza con tonos ligeramente más cálidos que en partes superiores

ejemplar con algunas plumas amarillas diagnósticas

proyección primaria relativamente corta

▼ Adulto ♂ (octubre)

Estado de la muda típico en otoño, con el cuerpo (casi) completamente mudado, pero el ala todavía vieja. La muda se completa a principios de invierno (a partir de noviembre). Los ♂♂ no generan problemas de identificación, a diferencia de las ♀♀.

▼ Híbrido de escribano cabecinegro × escribano carirrojo tipo adulto ♂ (Irán, mayo)

Alrededor del mar Caspio, la distribución de ambas especies se solapa, lo que a veces resulta en hibridaciones. La identificación de ♀♀ híbridas es imposible, pero los ♂♂ como este probablemente muestren una mezcla obvia de caracteres.

1ᵉʳ INVIERNO DE ESCRIBANO CARIRROJO VS. CABECINEGRO

Se listan los rasgos más importantes para diferenciar los escribanos cabecinegro y carirrojo de 1ᵉʳ invierno. El datado debe basarse en las terciarias nuevas o (más tarde en otoño) no muy desgastadas y puntas de primarias con márgenes blancos intactos. La identificación debe basarse en el máximo número de rasgos posible, pero algunos ejemplares deben quedarse sin identificación.

- puntas rojizas en píleo, auriculares y/o anillo ocular
- franjeado de partes superiores (bastante) grueso y, muy importante, con forma triangular o de flecha
- color de fondo de partes superiores gris frío pálido
- escapulares grises como el resto de las partes superiores
- cabeza bastante uniforme; sin auriculares oscuras evidentes
- estriado de la cabeza muy variable, pero a menudo más fino que en el manto
- el estriado de partes inferiores puede ser extenso, especialmente si ha retenido el plumaje juvenil
- obispillo/supracoberteras caudales entre marrón y amarillo (cuando se desgasta)

▼ 1ᵉʳ invierno (octubre)

En este plumaje es extremadamente similar al escribano cabecinegro. La imagen muestra los rasgos más útiles para la identificación. Si retiene el plumaje juvenil, el pecho y los flancos están entonces muy estriados, a diferencia de en el escribano cabecinegro. Las aves de 1ᵉʳ invierno con amarillo extendiéndose desde el vientre son ♂♂. Comparado con el adulto en otoño, los márgenes de terciarias y las puntas de primarias están menos desgastadas.

plumas rojizas en la cabeza, auriculares y anillo ocular

estriado más fino que en partes superiores

relativamente corto y triangular, con el culmen recto; encaja mejor con escribano carirrojo

típicas franjas anchas y con forma triangular o de flecha

cabeza bastante lisa; sin auriculares oscuras ni lista malar pálida

proyección primaria algo más corta, pero a menudo difícil de evaluar

escapulares con los mismos tonos gris frío que el resto de partes superiores

contraste entre coberteras pequeñas y medianas mudadas (nuevas) y resto del ala retenido (desgastado), típico del 1ᵉʳ invierno

algo de amarillo en partes inferiores indica ♂

Escribano nival *Plectrophenax nivalis*

L 17 cm | Verano, N Europa incluyendo el extremo N; invierno, NO, O, C y E Europa

▼ **Adulto ♂, *nivalis* nominal (junio)**
Inconfundible. Adquiere el "plumaje nupcial" a través del desgaste, no por un proceso de muda, por lo que no se trata de un plumaje nupcial auténtico. Este ejemplar muestra el máximo de blanco esperable en el ala, con, por ejemplo, coberteras primarias totalmente blancas y blanco extenso en la base de las primarias. Esto solo sucede en el ♂ adulto de *nivalis* nominal (y en *vlasowae*, del Ártico asiático, cuyo estatus en Europa es incierto).

▼ **♀, *nivalis* nominal (junio)**
La base oscura de coberteras grandes y el centro de escapulares puntiagudo son típicos de las ♀♀. Incluso en pleno verano, las ♀♀ muestran zonas pálidas en partes superiores y a menudo también algo de marrón en el plumaje.

completamente blanco y negro a partir de primavera, debido al desgaste de las zonas grises y marrones

coberteras primarias totalmente blancas y blanco extenso en la base de las primarias, diagnóstico del ♂ adulto

▼ **Tipo adulto ♀, *nivalis* nominal (noviembre)**
Véanse los rasgos típicos de la ♀, tanto en el ala como en escapulares. La forma de la punta de las rectrices no se puede analizar bien aquí, pero en una ♀ las puntas de primarias nuevas y el blanco extenso en el ala apuntan a adulto.

▼ **Adulto ♂, *nivalis* nominal (diciembre)**

centros de escapulares anchos, con punta redondeada, típico de los ♂♂

coberteras primarias con el negro restringido a la punta, típico del ♂

contraste entre el color de fondo pálido de partes superiores y el rojizo oscuro intenso de escapulares, típico de *nivalis* nominal

coberteras grandes con base oscura y centros negros de escapulares puntiagudos, típico de las ♀♀

base de primarias y coberteras primarias negra (cf. ♂♂)

▼ **1er invierno ♂, *nivalis* nominal (diciembre)**
La gran cantidad de blanco ininterrumpido entre la base blanca de las primarias y las coberteras es diagnóstico de los ♂♂. Algunos adultos todavía muestran una (pequeña) punta negra en coberteras primarias, pero la forma de las rectrices y las coberteras grandes juveniles (internas) son diagnósticas del 1er invierno. Véase también la base blanca de primarias y coberteras primarias para comparar con la ♀ adulta.

▼ **1er invierno ♀, probable *nivalis* nominal (enero)**
Esta es la clase de edad y sexo de *nivalis* nominal que muestra menos blanco en el ala, pero esto solo suele ser visible en vuelo.

partes superiores más pálidas (y grises) que las escapulares (cf. *insulae*)

2 coberteras grandes internas oscuras juv. en este ejemplar: negro apagado y sin margen rojizo

obispillo relativamente pálido, con zonas blancuzcas (cf. *insulae*)

escapulares típicas de ♂, con centro ancho no muy puntiagudo

coberteras (grandes) completamente blancas, típicas del ♂ (cf. ♀)

coberteras primarias con solo la punta oscura, más típico del (1er invierno) ♂

puntiagudas y ya desgastadas, típico del 1er invierno

escapulares con centro negro estrecho y puntiagudo, típico de las ♀♀

coberteras grandes con base oscura, típico de las ♀♀

coberteras grandes internas mudadas a tipo adulto (cf. 1er invierno ♂ con plumas juv.)

coberteras primarias estrechas y algo puntiagudas, típico de 1er invierno

puntiagudas, indican 1er invierno

▼ ♂, *insulae* de Islandia (abril)
Los ♂♂ de esta subespecie son variables. En verano, algunos se parecen a *nivalis* nominal, excepto por el obispillo, ampliamente negro. Los ♂♂ adultos también muestran una pequeña punta negra en coberteras primarias, más negro en la cola que el ♂ adulto de *nivalis* nominal y el blanco en la base de las primarias es menos visible. Las rectrices anchas y redondeadas y el plumaje básicamente blanco y negro son típicos del adulto en primavera. Los ♂♂ de 2º año cal. suelen mostrar aún algo de marrón en esta época, por lo que se parecen más a las ♀♀ (adultas).

muchos ♂♂, incluso adultos, muestran zonas marrones en cabeza y partes superiores

obispillo oscuro, incluso en el ♂

coberteras primarias con punta negra en el ♂ adulto

blanco en la base de primarias apenas visible, incluso en ♂♂ adultos

▼ ♀, *insulae* de Islandia (junio)
Las ♀♀ de esta subespecie mantienen bastante plumaje marrón en escapulares, píleo y auriculares hasta ya avanzado el verano. Además, esta subespecie presenta poco blanco en el ala; las secundarias de este ejemplar son básicamente oscuras. Las coberteras primarias anchas y sin mucho desgaste apuntan a adulto.

típico plumaje marrón retenido (cf. *nivalis* nominal ♀ en verano)

▼ ♂, probablemente 1er invierno, *insulae* de Islandia (noviembre)
Las zonas de color marrón intenso y el negro relativamente extenso del ala de un ♂ son típicos de *insulae*.

escapulares superiores con centro ancho poco puntiagudo, típico del ♂

coberteras grandes con base oscura típicas del ♂; algunos ♂♂ muestran zonas negras (nunca en ♂ *nivalis*)

en los ♂♂, la base de coberteras primarias y primarias aparentemente oscura por completo es típica de *insulae* (de 1er invierno)

▼ ♀, probable *insulae* de Islandia (noviembre)
El datado de las ♀♀ posadas suele ser difícil, especialmente cuando no se pueden analizar las puntas de rectrices. Las ♀♀ de 1er invierno islandesas muestran el tipo de plumaje más oscuro y con la menor cantidad de blanco en el ala.

escapulares y manto casi del mismo color (cf. *nivalis* nominal)

extensamente oscuro, sin apenas ceja ni borde pálido de auriculares (cf. *nivalis* nominal)

el blanco en el ala se limita a las puntas de coberteras grandes y a los márgenes de secundarias

rojo intenso, incluyendo el obispillo

blanco en el ala muy restringido (como máximo algo de blanco en la base de secundarias)

oscuro como las escapulares, sin zonas pálidas, típico de *insulae*

◄ 1er invierno ♀, probable *insulae* de Islandia (enero)
El tipo de plumaje más oscuro. La ♀ de 1er invierno de *insulae* no muestra apenas blanco en ala y cola. La ♀ de 1er invierno de *nivalis* nominal suele mostrar algo de blanco en la base tanto de secundarias como de rectrices externas.

Escribano nival *Plectrophenax nivalis*

▼ **Adulto ♂, *nivalis* nominal (marzo)**
Ejemplar típico. El negro también está bien definido en el reverso de las primarias, a diferencia de en las ♀♀.

secundarias, coberteras y coberteras primarias totalmente blancas

álula negra aislada

r4 con solo una franja estrecha negra (cf. 1er invierno ♂)

▶ **1er invierno ♂, *nivalis* nominal (marzo)**
Un 1er invierno con blanco extenso, lo que le asemeja a los adultos. Otros muestran puntas de rectrices externas con más negro y un gancho negro en r5 y r6. El ♂ de 1er invierno de *insulae* tiene mucho más negro en la cola, las rémiges y las coberteras primarias, por lo que se parece más a la ♀ adulta de *nivalis* nominal. Los centros de escapulares redondeados y las coberteras pequeñas totalmente blancas confirman que se trata de un ♂. El gorrión alpino es la única especie europea con un diseño de ala y cola similar.

▼ **♀, probablemente adulta, *nivalis* nominal (febrero)**
Las ♀♀ muestran coberteras oscuras características. Por ello, el blanco del ala se limita a la parte posterior.

blanco en secundarias extenso (cf. 1er año ♀)

coberteras básicamente oscuras (cf. ♂♂)

reverso de primarias grisáceo, poco contraste con las secundarias más pálidas (a diferencia de los ♂♂)

coberteras (grandes) completamente blancas en todos los ♂♂

r4 con gancho negro (cf. adulto)

coberteras primarias con puntas oscuras irregulares y difusas

suele mostrar zonas negras en secundarias (cf. adulto)

Escribano lapón *Calcarius lapponicus*

L 15 cm | Verano, N Europa; invierno, O, C y E Europa

Repicatalons de Lapònia CAT
Ipar-berdantza EUS
Escribidor da Laponia GAL

▼ **♂ en verano, probablemente adulto (junio)**
Inconfundible por su típico diseño, incluyendo la cabeza, el pecho y el collar marrón-rojo. Las coberteras primarias algo anchas, negro puro y aún relativamente nuevas, así como las puntas de rectrices anchas apuntan a adulto. Las aves de 2º año cal. son casi idénticas, pero las coberteras primarias y las primarias suelen estar más desgastada y las zonas negras no suelen ser tan uniformes en primavera.

▼ **♀ en verano (julio)**
A pesar de tener menos rasgos distintivos que el ♂, la identificación de las ♀♀ en primavera y verano sigue siendo sencilla; véanse los rasgos que se señalan. Se trata posiblemente de un ave de 2º año cal., a tenor de las coberteras primarias puntiagudas, pero este nivel tan elevado de desgaste puede darse en adultos tras la temporada de cría.

diseño cefálico típico, con ceja ancha, "marco" oscuro alrededor de auriculares y "marco" pálido alrededor de este, conectando con la ceja

pálido

típico rojo-marrón

muy estriado

proyección primaria muy larga

típicamente amarillo, con punta negra en todos los plumajes excepto en otoño

estriado limitado a pecho y flancos

▼ ♀, probablemente adulta (octubre)
El ala completamente nueva, con márgenes anchos intactos en coberteras primarias y primarias, apunta a adulto. El collar rojo-marrón estrecho y el estriado (en lugar de moteado ancho) en el pecho son típicos de la ♀.

▼ ♂, probablemente adulto (octubre)

collar rojo-marrón ancho

moteado ancho extenso

▼ 1er invierno ♂ (octubre)
Ejemplar fácilmente sexable como ♂ gracias al diseño del pecho y al collar pardo rojizo ancho. Las rectrices puntiagudas, visibles en otras fotografías de este ejemplar, permiten confirmar la edad.

▼ 1er invierno (octubre)
La combinación de rasgos que se señalan es común a todos los plumajes otoñales. El collar rojo-marrón todavía es reducido en muchas aves de 1er invierno, especialmente en las ♀♀. Las rectrices puntiagudas confirman la edad, pero a veces no es posible sexar a las aves de 1er invierno.

pardo rojizo extenso, indica ♂

típico diseño cefálico

diseño de terciarias como en escribanos del género *Emberiza* (véase también): el borde rojo-marrón se ensancha y forma un "diente" hacia el centro negro

amarillo rosado pálido en otoño, con la punta negra

el diseño del pecho del ♂ va apareciendo

las coberteras grandes forman un panel rojo-marrón en todos los plumajes nuevos

puntiagudas, típicas del 1er invierno

uña posterior relativamente larga en todos los plumajes

negruzcas en todos los plumajes (cf. otros escribanos)

diseño cefálico típico con brida pálida y ancha, y "marco" oscuro y pálido alrededor de auriculares

suele mostrar 2 tirantes pálidos llamativos

muy moteado

pálido con punta oscura

rojo-marrón típico

▼ 1er invierno ♀ (enero)
Los ejemplares como este, que carecen de collar rojo-marrón, tienen el estriado del píleo bastante fino y muestran franjas, en lugar de motas, en el pecho son ♀♀.

▼ 1er invierno (octubre)

las 3 primarias externas son más largas

sin (apenas) rojo-marrón

franjeado ancho típico en todos los plumajes

estriado bastante fino; a veces atisbo de lista central pálida

estriado (cf. 1er invierno ♂)

muy franjeado

rectrices puntiagudas, típicas de 1er invierno

blanco restringido en comparación con el resto de escribanos marrones y franjeados

Chingolo coroniblanco *Zonotrichia leucophrys*

L 17,5 cm | Divagante de Norteamérica

Sit de coroneta blanca CAT
— EUS
Ticotico de coroa branca GAL

▼ **Adulto, *leucophrys* nominal (noviembre)**
Especie inconfundible. Los ejemplares típicos de la subespecie nominal *leucophrys* (la de más probable aparición como divagante en Europa) muestran una ceja anterior oscura ancha y un pico rosa bastante oscuro. Al menos un ejemplar de la subespecie *gambelii*, del O de Norteamérica, ha sido registrado en Azores. Los ejemplares de esta subespecie tienen la ceja totalmente pálida, el pico naranja-amarillo brillante y laterales de la cabeza grises blancuzcos.

▼ **Tipo adulto, *leucophrys* nominal (noviembre)**
Ejemplar típico de la subespecie nominal *leucophrys*, del E de Norteamérica, con una lista pileal lateral ancha y negra, lista ocular negra delante y detrás del ojo y pico rosado con punta negra.

diseño cefálico diagnóstico

ceja anterior oscura ancha, típico de la subespecie del este

franjas contrastadas y bien definidas en todos los plumajes

grisáceo uniforme (cf. chingolo gorjiblanco)

más o menos uniforme; partes inferiores centrales solo ligeramente más pálidas que los flancos (cf. chingolo gorjiblanco)

ningún plumaje muestra blanco visible en rectrices externas (como el chingolo gorjiblanco y muchos otros chingolos)

▼ **Tipo adulto, posiblemente 2º año cal. (junio)**
Varias de las observaciones en Europa son primaverales. Unas primarias y rectrices tan desgastadas apuntan a 2º año cal., pero en junio los adultos pueden mostrar ya mucho desgaste. La ceja anterior pálida es típica del grupo *gambelii*.

▼ **1er invierno (noviembre)**
El diseño cefálico y la ausencia de estriado en partes inferiores, incluyendo flancos, son diagnósticos. Puede retener las listas marrones del píleo hasta la primavera del 2º año cal. El diseño cefálico de este ejemplar es más o menos intermedio entre la subespecie nominal del este, *leucophrys*, y la subespecie del oeste *gambelii* (lista pileal lateral oscura, sobre la brida, pero sin lista ocular).

nada de blanco en la lista central del píleo, ni en la ceja (cf. adulto)

típicamente marrón en el 1er invierno

marrón sutil

sin blanco en rectrices externas en ningún plumaje (como en el chingolo gorjiblanco y en muchos otros chingolos americanos)

Chingolo gorjiblanco *Zonotrichia albicollis*

L 17 cm | Divagante de Norteamérica

▼ **Tipo adulto, forma "normal" (junio)**
Este plumaje es inconfundible, especialmente si se puede apreciar bien la cabeza. Los colores vivos de la cabeza apuntan a ♂.

diseño cefálico diagnóstico

partes inferiores de tipo adulto sin (apenas) estriado (solo en la forma "normal")

▼ **Tipo adulto, forma "gris-marrón" (junio)**
Existen 2 formas o morfos de color, además de aves intermedias. Los ejemplares de tipo adulto de la forma gris-marrón parecen ejemplares de 1er año en otoño o 2° año cal. en primavera. En junio, un ejemplar con este plumaje debe pertenecer a la forma gris-marrón. El estriado suele limitarse a flancos y laterales del pecho, mientras que las aves de 1er año tienen todo el pecho estriado. Suele reemplazar todas las coberteras durante la muda postjuvenil, por lo que las diferencias en el color de los márgenes de las coberteras grandes internas y externas, visibles aquí, no corresponden con límites de muda.

típicamente entre gris y marronáceo en esta forma

mezcla de marrón y negro, frecuente en adultos de esta forma (como en inm. de la forma "normal")

el amarillo no es muy llamativo, pero sí diagnóstico cuando está presente

las diferencias del color de los márgenes pálidos crea falsos límites de muda

esta forma puede presentar una lista malar fina

el borde de la garganta negro contrasta con el pecho gris en ambas formas (cf. chingolo coroniblanco)

algunas aves de tipo adulto pertenecientes a esta forma muestran algo de estriado en flancos (cf. 1er invierno)

forma de la cola típica de muchos chingolos: larga y algo torcida; sin blanco en los laterales

▼ **1er invierno (otoño–invierno)**
Los ejemplares con franjas llamativas y poco contrastados pueden ser tanto ♀♀ de la forma gris-marrón, o aves de 1er invierno de cualquier forma. Junto con los rasgos que se señalan, el color del iris y el franjeado relativamente ancho en todo el pecho son típicos del 1er invierno.

iris gris-marrón

algo de marrón en la lista pileal lateral

▼ **1er invierno (octubre)**
Se señalan los rasgos más típicos del 1er invierno. Las aves de esta edad que muestran tanto amarillo en la ceja son ♂♂. Las ♀♀ adultas de la forma gris-marrón pueden ser similares en otoño, pero muestran otros rasgos de adulto, como un iris rojo-marrón y rectrices anchas y redondeadas.

iris gris-marrón

lista malar oscura bastante ancha

estriado relativamente grueso

estriado grueso

estrechas y puntiagudas

Chingolo cantor *Melospiza melodia*

L 16 cm | Divagante de Norteamérica

Sit cantaire CAT
Txonta kantaria EUS
Ticotico musical GAL

▼ **Tipo adulto, grupo *melodia* nominal del este (enero)**
No muestra mucha variabilidad en su plumaje, ni por sexos ni por clases de edad. Las rectrices puntiagudas de este ejemplar indican que se trata probablemente de un 1er invierno.

partes superiores muy estriadas, a menudo sobre color de fondo grisáceo

típicas auriculares grises

proyección primaria corta

gris

larga, ligeramente redondeada y a menudo ligeramente torcida

coberteras grandes con centro oscuro con forma de lágrima (típico de muchos chingolos)

▼ **Tipo adulto, grupo *melodia* nominal del este (enero)**

lista malar ancha y garganta blanca lisa

suele mostrar una mancha grande aquí

▼ **Tipo adulto, grupo *melodia* nominal del este (abril)**
Ejemplar típico en todos los sentidos. La mayor parte de citas europeas se producen en primavera, pero el plumaje no varía mucho a lo largo del año.

diseño cefálico típico, con varias listas rojo-marrón

rectrices externas solo ligeramente más pálidas, sin blanco

■ **Chingolo zorruno (o rojo) *Passerella iliaca* de una de las subespecies del este (marzo)**
Aún más raro en Europa que el chingolo cantor. Las aves de las subespecies del (nord)este son típicamente de un rojo-marrón intenso.

rojo-marrón predominante, poco gris (cf. chingolo cantor)

franjeado rojo-marrón (cf. chingolo cantor)

píleo oscuro limitado sutilmente por la ceja gris (cf. chingolo cantor)

suele ser amarillento

obispillo rojizo liso, contrasta con la espalda gris

franjeado normalmente rojo-marrón puro

proyección primaria más larga que en el chingolo cantor

los centros oscuros suelen ser pequeños y sutiles (cf. chingolo cantor)

■ **Chingolo sabanero *Passerculus sandwichensis* (octubre)**
Aún más raro que el chingolo cantor. La ceja anterior amarillenta, el franjeado grueso general y la (casi) ausencia de proyección primaria constituyen rasgos importantes. Como en muchos chingolos, existen numerosas subespecies, que en este caso difieren sobre todo en la cantidad de franjas y en la coloración general.

lista central blanca bien definida

lista ocular y bigotera angulosas

típicamente amarillento sobre la brida

franjas gruesas, acentuadas por el color de fondo pálido

bastante fino para un escribano/chingolo

obispillo y supracoberteras caudales muy moteados

sin apenas proyección primaria, típico

normalmente con franjas densas y gruesas

1016   CHINGOLOS AMERICANOS Y AFINES

Tordo cabecicafé *Molothrus ater*

L 19 cm | Divagante de Norteamérica

Vaquer capbrú CAT
– EUS
Vaqueiro mulato GAL

▼ Tipo adulto ♂ (mayo)
Los ♂♂ mantienen más o menos la misma apariencia después de la muda postjuvenil casi completa.

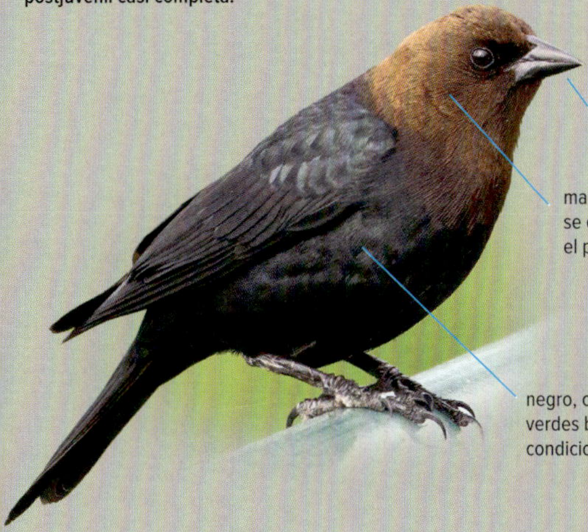
casi perfectamente triangular
marrón, a veces se extiende hacia el pecho
negro, con reflejos verdes bajo ciertas condiciones de luz

▼ Tipo adulto ♀ (abril)
A pesar de la forma del pico, el diseño cefálico y las patas negras, que combinadas resultan incompatibles con cualquier especie europea, algunos ejemplares todavía pueden causar confusión. Al igual que los ♂♂, las ♀♀ mantienen más o menos el mismo plumaje durante todo el año.

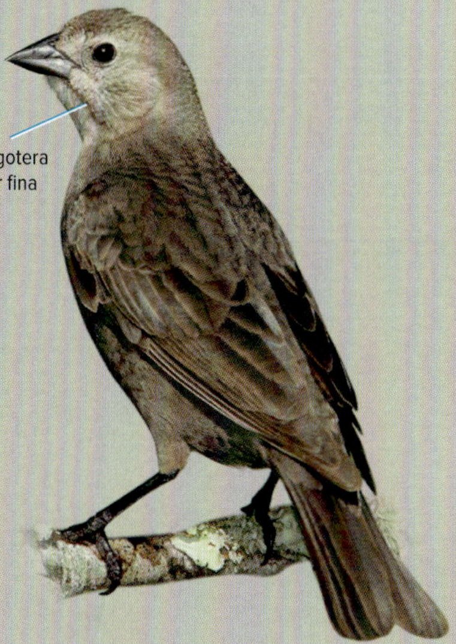
garganta e infrabigotera pálidas; lista malar fina y oscura

▶ Juvenil/1er invierno (septiembre)
La muda postjuvenil es (casi) completa y tiene lugar en las zonas de cría, lo que hace altamente improbable ver un ejemplar con el plumaje juvenil completo en Europa.

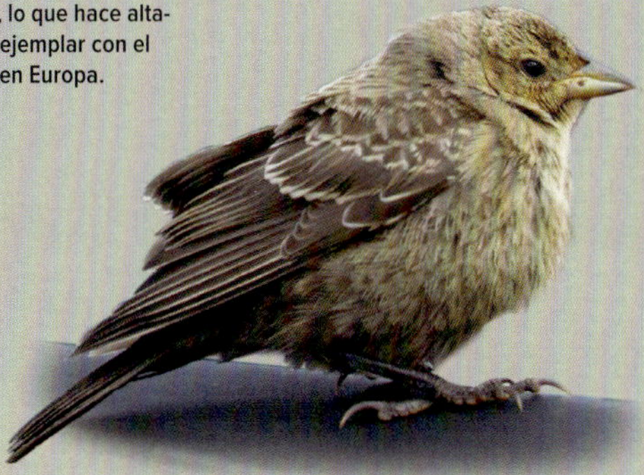

▶ ♂, tipo 2º año cal. (mayo)
Las puntas pálidas de las coberteras primarias, el álula y las primarias, así como los márgenes pálidos de terciarias, apuntan a ave de 2º año cal. Nótese que estas plumas han sido mudadas (no son juveniles), pero aparentemente la 2ª generación de plumas muestra estas zonas pequeñas más pálidas. Las plumas de la cabeza están obviamente desgastadas.

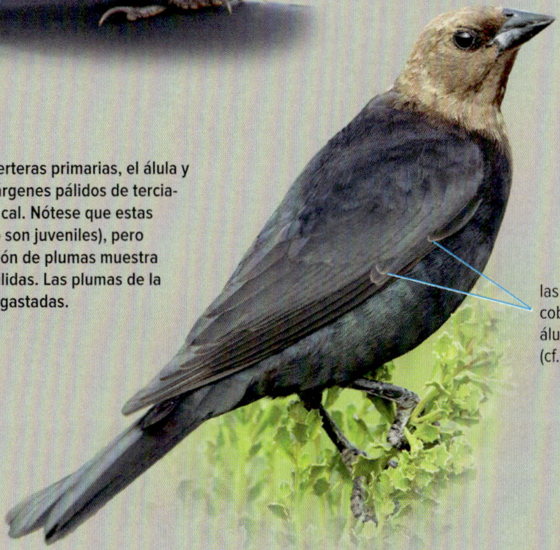
las puntas pálidas de coberteras primarias y álula indican 2º año cal. (cf. adulto)

Picogrueso pechirosado *Pheucticus ludovicianus*

L 20 cm | Divagante de Norteamérica

▼ **1er invierno ♂ (octubre)**
Casi imposible de confundir con ninguna especie europea. Pesado, con una estructura y coloración única en cualquier plumaje.

diseño cefálico característico, con ceja larga y ancha, auriculares oscuras casi uniformes, lista pileal lateral ancha y oscura y lista central pálida, fina pero bien definida

coberteras grandes mudadas negras; las coberteras medianas mudadas crean una banda blanca (cf. ♀♀)

muy grueso, casi como el picogordo común

♂ de 1er invierno con el marrón-amarillo del pecho más intenso que la ♀

estriado variable sobre fondo pálido

▼ **1er invierno ♀ (octubre)**
Mismo diseño en general que el ♂ de 1er invierno. En otoño, las ♀♀ adultas son similares, pero suelen mostrar manchas blancas en la base de las primarias. En este ejemplar parece apreciarse un límite de muda entre las coberteras más nuevas y las terciarias y rémiges más desgastadas, lo que sería esperable en un 1er invierno. En otras fotografías de este ejemplar, se pueden apreciar las rectrices estrechas y puntiagudas, que confirman la edad (más anchas y redondeadas en el adulto).

marrón; coberteras medianas con tan solo la punta blanca (cf. 1er invierno ♂)

más apagado y franjeado que el 1er invierno ♂

sin blanco (visible) en primarias, típico de las ♀♀

▶ **Adulto ♂ en verano (abril)**
Inconfundible, aunque es un plumaje improbable en Europa. Un ♂ de 1er verano mostraría aún algunas rémiges y partes superiores desgastadas.

▼ **1er verano/2º año cal. ♂ (abril)**

manchado como la ♀

rémiges juv. desgastadas

◀ **♀ (abril)**
Las ♀♀ mantienen el mismo aspecto durante todo el año. A diferencia de los ♂♂, el datado no siempre es sencillo. Las infracoberteras alares de las ♀♀ muy raramente son rosas como las de los ♂♂. No parece que ocurra lo opuesto (♂♂ con infracoberteras amarillas).

infracoberteras alares amarillas (aquí visibles por casualidad) (rosa en el ♂)

Tordo charlatán *Dolichonyx oryzivorus*

L 17,5 cm | Divagante de Norteamérica

▼ ♂ en verano (abril)
Este plumaje único e inconfundible es altamente improbable en Europa. Esta especie muda por completo dos veces al año, en el caso de los ♂♂ dando lugar al plumaje nupcial primaveral. Después de la muda completa en otoño, los ♂♂ son como las ♀♀ y las aves de 1er invierno. Algunos ♂♂ muestran motas pálidas variables en zonas de la cabeza y partes inferiores hasta ya avanzada la primavera, pero se desconoce si es un rasgo propio de aves de 2° año cal.

▼ 1er invierno (octubre)
La combinación de los rasgos que se señalan es diagnóstica. Se parece vagamente a un "escribano amarillo", especialmente al aureolado ♀/1er invierno (véase también), pero probablemente más relacionado con el género africano *Euplectes* (viudas y tejedores). Algunos tejedores (escapados de cautividad) de tipo ♀, por ejemplo, el **obispo anaranjado** *Euplectes franciscanus*, podrían causar confusión, pero los tejedores apenas muestran proyección primaria, tienen el pico aún más corto y carecen de las rectrices puntiagudas típicas del tordo charlatán.

amplia zona pálida uniforme

pálido

rosado, negro solo en el culmen

proyección primaria larga c. 100 % (cf. escribano aureolado)

corta en comparación con los escribanos; sin blanco

"pinceladas" negras bien definidas

▼ 1er invierno (octubre)

▼ Adulto invernal (septiembre)
Muda por completo dos veces al año, un rasgo que solo comparten unas pocas especies. Este ejemplar muestra una mezcla de plumas de cuerpo parcialmente nuevas y ala básicamente retenida. Algunos adultos en otoño han realizado ya la muda completa. En invierno, los ♂♂ adultos se asemejan a los de 1er invierno y a las ♀♀. La forma de las rectrices es puntiaguda en todos los plumajes, pero asimétrica solo en los adultos debido a que la hemibandera interna es más ancha que la externa.

2 tirantes pálidos en el manto

terciarias de tipo adulto (aquí todavía sin mudar, desgastadas) con margen marrón-amarillo difuso

terciarias negras con márgenes pálidos de anchura homogénea (cf. escribano aureolado)

contraste entre las coberteras mudadas y las coberteras primarias retenidas, además de entre las terciarias, indicando 1er invierno

muy desgastado

proyección primaria larga con espacios entre primarias similares

mezcla de rectrices viejas y nuevas

estriado

muy puntiagudas en todos los plumajes; sin blanco

rectrices puntiagudas típicas en todos los plumajes

Azulillo índigo *Passerina cyanea*

L 14 cm | Divagante de Norteamérica

▼ 1er invierno (octubre)
Las aves de tipo ♀ carecen de rasgos distintivos, pero la combinación de caracteres que se señalan, junto con la forma de pico y cabeza, y las bandas alares sutiles, sigue siendo diagnóstica. Véanse también los camachuelos carminosos y los escribanos cabecinegro y carirrojo de tipo ♀.

juv. con puntas pálidas, contrastando con las coberteras medianas

cabeza marrón pálido uniforme; garganta más pálida

típico estriado sutil y difuso del tipo ♀ en otoño

negruzcas

▶ 1er invierno (octubre)
Los rasgos generales, ya mencionados, son también visibles en este 1er invierno. Con los límites de muda evidentes y las primarias ya desgastadas, la edad de este ejemplar está fuera de toda duda. En la mayoría de aves de 1er invierno el sexado es imposible, pero los ejemplares que ya tienen la cola azul posiblemente sean ♂♂. Algunos ♂♂ de 1er invierno muestran ya algunas plumas azul brillante en el obispillo, supracoberteras caudales y/o coberteras pequeñas.

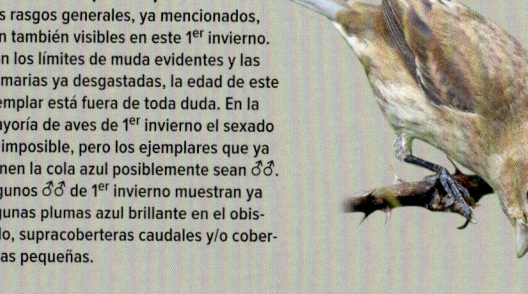

▼ 2º año cal. ♀ (abril)
Las ♀♀ mantienen más o menos el mismo aspecto a lo largo de todo el año. Este ejemplar muestra los típicos límites de muda de un 2º año cal., con las primarias externas, una cobertera primaria y la mayoría de coberteras grandes mudadas. Límites de muda aparte, es idéntico al adulto.

típicas partes superiores y cabeza uniformes y casi lisas, que recuerdan al camachuelo carminoso tipo ♀

poco contraste (cf. camachuelo carminoso tipo ♀)

línea malar sutil; garganta más pálida

límite de muda en coberteras grandes, coberteras primarias y primarias, típico de esta edad

▼ 1er verano/2º año cal. ♂ (mayo)
Algunos adultos no mudan completamente y pueden mostrar coberteras viejas y más marrones, por lo que el datado de aves de 2º año cal. requiere cierta cautela. Sin embargo, las coberteras primarias y las secundarias juveniles confirman la edad de este ejemplar; las primarias externas parecen haber sido mudadas (márgenes azules sutiles), típico de aves de esta edad en primavera.

marrón y desgastado (cf. ♂ adulto invernal)

▼ Adulto ♂ invernal (febrero)
Los ♂♂ adultos adquieren una cantidad variable de plumaje invernal y muestran una mezcla de plumas azules y marrones. En algunos ♂♂, el marrón está muy restringido. El plumaje azul se adquiere en parte a través del desgaste. Además de los márgenes de coberteras primarias azul brillante, los márgenes azul pálido de las primarias también apuntan a adulto. Los ♂♂ de 2º año cal. pueden haber reemplazado primarias, pero no coberteras primarias.

▼ Adulto ♂ en verano (abril)
Completamente azul índigo, con la cabeza azul más oscura y zonas negras en ala y cola. El picogrueso azul *Passerina caerulea*, también de Norteamérica, es significativamente más grande, con un pico más grueso, la cola más redondeada y bandas alares rojo-marrón. Hay muy pocas observaciones de esta especie en Europa, pero las posibilidades de que procedan de cautividad son aún mayores que para el azulillo índigo.

márgenes azules de coberteras primarias, típicos del adulto

Junco pizarroso *Junco hyemalis*

L 15,5 cm | Divagante de Norteamérica

▼ **Adulto ♂ (enero)**
Las zonas grises de los ♂♂ adultos son casi uniformes (marrón restringido o ausente en el manto) y las zonas blancas son brillantes. Algunas ♀♀ adultas pueden asemejarse. Este ejemplar, por ejemplo, tiene las coberteras primarias negro puro con márgenes grises bien definidos, algo típico en adultos.

SUBESPECIES

Existen bastantes (sub)especies. Aquí solo se trata la subespecie nominal *hyemalis*, del NE de América, ya que es a la que corresponden la mayor parte de observaciones de la especie en Europa.

ala totalmente nueva y con márgenes grises, típico del adulto

laterales de la cola con mucho blanco en todos los plumajes (2–3 rectrices externas)

rosa pálido característico en todos los plumajes, acentuado por la cabeza oscura

▼ **Probablemente 2° año cal. ♂ (abril)**
Debido a los tintes marrones de pecho y partes superiores, muchos ♂♂ de 2° año cal. son casi idénticos a las ♀♀ (especialmente adultas). Las coberteras primarias aparentemente viejas, el álula puntiaguda y el desgaste moderado de ala y rectrices apuntan a 2° año cal., por lo que debería ser ♂.

en todos los plumajes, el flanco oscuro contrasta con el resto de partes inferiores, blanco puro (más contraste en los ♂♂)

▼ **2° año cal. ♀ (mayo)**
La identificación de este plumaje marrón sigue siendo sencilla, gracias a las partes inferiores pálidas y al pico rosa, que contrasta con la brida negra. Algunos ♂♂ de 2° año cal. muestran algo de marrón durante la primavera, pero en este momento esta cantidad de marrón solo es compatible con la ♀. Las ♀♀ adultas son idénticas, exceptuando el rasgo que se señala, útil para el datado.

marrón, indicando ♀

álula y coberteras primarias apagadas y puntiagudas, típico del 2° año cal.

▼ **1er invierno**
Las aves de 1er invierno se parecen a los adultos pero el marrón es más extenso y normalmente presentan límites de muda en algún sitio del ala. Este ejemplar tiene un límite de muda entre las terciarias, pero suelen presentar límites también entre las coberteras grandes. El iris es gris-marrón oscuro (rojo-marrón oscuro en los adultos). Este ejemplar tiene el marrón poco extenso para un 1er invierno, por lo que apunta a ♂. Las ♀♀ tienen más marrón en promedio.

el marrón de flancos indica ♀

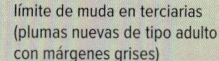

límite de muda en terciarias (plumas nuevas de tipo adulto con márgenes grises)

▶ **Adulto ♂ (marzo)**
Se observa con frecuencia en jardines y comederos de aves.

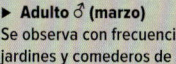

Reinita trepadora *Mniotilta varia*

L 13,5 cm | Divagante de Norteamérica

▼ **1er invierno ♂ (octubre)**
Inconfundible en todos los plumajes, a causa de un patrón muy contrastado, blanco y negro. El datado y sexado en otoño e invierno es más complicado en ejemplares con un patrón cefálico de tipo ♀. En otoño, los ♂♂ adultos aún tienen la garganta y las auriculares negruzcas, aunque menos uniformes que en plumaje estival. Si se puede determinar la edad, el sexado también es posible; véanse las diferencias señaladas. En otoño, las ♀♀ adultas son muy similares al ejemplar de la imagen, pero suelen tener tintes parduzcos en las partes inferiores, y tienen las plumas alares uniformes y nuevas.

▼ **♀, supuestamente de 1er invierno (septiembre)**
A pesar de tener las coberteras primarias y el álula aparentemente negras (coloración posiblemente acentuada por la iluminación), el color parduzco de las puntas de las primarias encaja con un 1er invierno.

parduzco, indicando 1er invierno

color de fondo parduzco pálido y listado oscuro pero no negro puro, típicos de ♀

en aves de 1er invierno, el color de fondo blanco puro es típico de ♂

en otoño/invierno, el patrón cefálico del 1er invierno es idéntico al de la ♀ adulta

álula y coberteras primarias ligeramente parduzcas, contrastando con las coberteras grandes, lo que indica 1er invierno

en un 1er invierno, un listado ancho y negro puro es típico de ♂

▼ **2º año cal./1er verano ♂ (abril)**
Casi idéntico al ♂ adulto, pero nótese el ala aún mayoritariamente juvenil, lo que es típico de 2º año cal., independientemente del sexo.

plumas más gastadas y desteñidas que en los adultos, contrastando con las coberteras grandes negro puro (cf. adulto en abril)

▼ **Adulto ♂ estival (abril)**
Un sutil contraste entre las terciarias (muy nuevas) y otras partes del ala se da habitualmente en aves adultas, puesto que a menudo las terciarias son mudadas por segunda vez durante el invierno.

plumas alares aún muy nuevas, con coberteras primarias negras, rasgos típicos de adulto (cf. 2º año cal.)

auriculares negras y garganta negra o moteada de negro, típicas del ♂ en primavera/verano (cf. ♀ primavera/verano)

▼ **♀ (abril)**
Las ♀♀ presentan pocas variaciones a lo largo del año.

► **♀ (mayo)**
No solo el plumaje es muy característico; su comportamiento acrobático también es muy patente.

patrón muy marcado en todos los plumajes

auriculares gris "sucio" y lista ocular negruzca, típico de la ♀ en primavera/verano

blanco, típico de la ♀ en primavera/verano

las ♀♀ tienen la menor extensión de listado, especialmente las de 1er año

color de fondo blanco "sucio" (cf. ♂)

Reinita estriada *Setophaga striata*

L 14 cm | Divagante de Norteamérica

Bosquerola estriada CAT
— EUS
Mariquiña estriada GAL

▼ **1ᵉʳ invierno (octubre)**
Este ejemplar tiene más amarillo que la mayoría, y prácticamente carece de listado a los lados del pecho. En otoño no se puede sexar con seguridad, y frecuentemente tampoco datar. Sin embargo, en otras fotografías de este ejemplar son visibles las rectrices puntiagudas, lo cual les típico de aves de 1ᵉʳ invierno. En general, en otoño los ♂♂ adultos tienen la menor extensión de amarillo y el listado más prominente, lo que apunta, en este caso, a una ♀ de 1ᵉʳ invierno.

▼ **1ᵉʳ invierno (octubre)**
Un ejemplar típico con patrón alar bien marcado y patrón cefálico débil. Nótense también los característicos dedos amarillos. En otoño, todos los plumajes son similares, pero la forma de las rectrices indica, en este ejemplar, 1ᵉʳ invierno. En otoño, los adultos son casi idénticos, pero tienen las rectrices más redondeadas. De promedio, en esta época los ♂♂ adultos tienen las partes superiores más listadas, y pueden tener algunas listas oscuras en el píleo así como a los lados del pecho.

amarillento-verdoso con listado oscuro relativamente patente

lista superciliar amarillenta, poco patente; lista ocular oscura bastante evidente

rectrices estrechas y puntiagudas, apuntando a 1ᵉʳ invierno

relativamente grueso

proyección primaria muy larga

la terciaria más larga sobrepasa las puntas de las secundarias

listado variable en la mayoría

franjas alares blancas y márgenes de terciarias muy patentes en todos los plumajes

dedos amarillos característicos, contrastando con el tarso más oscuro

amarillo variable, con listado difuso también variable

▼ **♀ estival (abril)**
A pesar de carecer de rasgos muy característicos, no existe ninguna otra especie similar entre los paseriformes insectívoros norteamericanos. Tanto los adultos como las aves de 1ᵉʳ año llevan a cabo una muda parcial durante el invierno, a partir de la cual adquieren el plumaje estival; en esta, reemplazan, además de plumas corporales, también un buen número de coberteras alares. En consecuencia, un límite de muda en las coberteras grandes no es útil para el datado. Este ejemplar podría ser, sin embargo, un 2º año cal., puesto que tiene las coberteras primarias bastante parduzcas y las rectrices aparentemente puntiagudas. En primavera, algunos individuos carecen de tonos amarillos y verdes.

▼ **1ᵉʳ verano/2º año cal. ♂ (abril)**
Inconfundible. Ningún paseriforme europeo tiene un patrón cefálico similar combinado con unas franjas alares blancas y anchas, y un manto muy listado. Como la mayoría de paseriformes insectívoros norteamericanos, adquiere el plumaje estival a través de una muda parcial a final de invierno. Los ♂♂ adultos en plumaje estival son idénticos, pero tienen el ala más nueva y uniforme.

contraste de muda entre las coberteras grandes internas, nuevas, y las externas, aún juv., típico de 2º año cal.

patrón cefálico característico con lista malar negra, solo en el ♂ estival

listado negro bastante patente (pero no forma un capirote completo)

blanco en todos los plumajes (en aves de 1ᵉʳ invierno, a veces con algo de amarillo)

listado oscuro en la zona malar

▼ **Patrón caudal**

ensanchándose un poco hacia la punta

base oscura oblicua o redondeada

blanco o amarillento muy tenue

■ **Reinita castaña *Setophaga castanea*, 1ᵉʳ invierno ♂ (octubre)**
Una especie norteamericana aún más rara, con solo 2 citas europeas. Además de las características señaladas en la imagen, que indican las diferencias con la reinita estriada, este ejemplar también muestra tintes rosados característicos en los flancos. Las ♀♀ de 1ᵉʳ invierno generalmente carecen de estas tonalidades y son, por lo tanto, más parecidas a la reinita estriada.

amarillo verdoso intenso aquí

lista ocular poco patente

rosado

patas bastante oscuras, incluidos los dedos

liso

Reinita coronada *Setophaga coronata*

L 14 cm | Divagante de Norteamérica

▼ **1er invierno ♂ (octubre)**
La combinación formada por el obispillo amarillo y los tonos amarillentos a los lados del pecho (menos patentes) es característica en todos los plumajes otoñales. El patrón cefálico y la zona dorsal parda también lo diferencian de otros paseriformes americanos citados en Europa. Las aves de 1er invierno pueden ser difíciles de sexar, excepto cuando los ♂♂ ya tienen algo de amarillo en el píleo, las supracoberteras caudales gris puro con centros negros anchos (como en este ejemplar), o plumas grises en el manto o las escapulares.

obispillo amarillo intenso (en todos los plumajes)

típicamente pardo, también el píleo

anillo ocular blanco y patente (abierto delante y detrás del ojo), pero lista superciliar poco patente en todos los plumajes

centros negros muy anchos y márgenes grises azulados, típicos de ♂ de 1er invierno

auriculares oscuras rodeadas de plumas más pálidas

rectrices puntiagudas, indicando 1er invierno

amarillo (débil) característico

coberteras primarias sutilmente más parduzcas y gastadas que las coberteras grandes, lo que sugiere 1er invierno

▼ **1er invierno ♀ (octubre)**
Este es el plumaje más discreto y menos colorido, con la menor extensión de blanco en la cola. El patrón de las supracoberteras caudales es el mejor rasgo de datado y sexado.

supracoberteras caudales con centros negros estrechos y márgenes grisáceos-parduzcos

rectrices estrechas y puntiagudas

sin amarillo (o muy poco)

mancha blanca relativamente pequeña, sin alcanzar la base de la pluma (pero alcanzando las infracoberteras caudales por debajo)

▼ **Adulto ♀ (octubre)**
Muy parecido al 1er invierno. El ala nueva y uniforme y las rectrices anchas y redondeadas son típicas de adulto. El patrón de las supracoberteras caudales puede ser útil para el sexado: los ♂♂ tienen, típicamente, centros negros muy anchos y márgenes grises azulados; las ♀♀ tienen los centros menos anchos con ciertos tonos parduzcos en los márgenes. Las ♀♀ de 1er invierno tienen los centros más estrechos y los márgenes más pardos. Existe algo de variabilidad, por lo que este rasgo solo es útil en los casos más evidentes.

supracoberteras caudales con centros de anchura más moderada (en comparación con los ♂♂) y márgenes grisáceos

rectrices anchas y redondeadas

▼ **♀ (junio)**
Como una versión (muy) apagada del ♂ en plumaje estival. Las zonas amarillas son diagnósticas. Además, no hay otro paseriforme insectívoro americano con este patrón cefálico y las partes inferiores básicamente blancas con listado oscuro. A partir de verano, el datado suele ser complicado, cuando los adultos tienen el plumaje gastado.

patrón característico: obispillo amarillo y supracoberteras caudales con centros negros y anchos, y márgenes grises azulados (en las ♀♀ más apagados)

mancha amarilla característica

blanco con listado negro (bastante) extenso, típico en todos los plumajes

▼ Adulto ♂ estival (junio)
Inconfundible, pero este plumaje es muy poco probable en Europa. Las aves de 2º año cal. son muy parecidas, pero mantienen el ala mayoritariamente juvenil (plumas de vuelo, coberteras primarias y terciarias), contrastando con las coberteras grandes más nuevas (véase parula norteña, adulto y ♂ de 2º año cal., para apreciar un contraste de muda similar). A veces, las plumas amarillas del píleo no son visibles.

▼ Tipo adulto ♂, invierno (octubre)
En otoño, los ♂♂ a menudo tienen ya el centro del píleo amarillo, que puede quedar algo oculto por plumas pardas. El listado negro muy grueso y las extensas manchas amarillas a los lados del pecho sugieren claramente un adulto.

gris plomizo típico con listado negro grueso, incluyendo las supracoberteras caudales

blanco (amarillo en la ssp. *auduboni* del NO Norteamérica)

obispillo amarillo bien definido en todos los plumajes

amarillo diagnóstico, más conspicuo en este plumaje

ala aún nueva y uniforme, típica de adulto

■ Reinita de Magnolia *Setophaga magnolia*, 1ᵉʳ invierno ♂ (octubre)
Una especie de identificación fácil, pero extremadamente rara en Europa. Las ♀♀ de 1ᵉʳ invierno tienen una coloración más apagada y franjas alares un poco más estrechas.

■ Reinita atigrada *Setophaga tigrina*, 1ᵉʳ invierno ♀ (septiembre)
Un divagante extremadamente raro en Europa. En la imagen se destacan las diferencias con la reinita coronada, pero esta combinación de rasgos excluye también a otras especies norteamericanas. Este es el plumaje más discreto y menos marcado; en todos los otros tiene el píleo y las partes inferiores con un listado más grueso y contrastado, y la mancha amarillenta a cada lado del cuello es más conspicua. Los ♂♂ tienen las coberteras pequeñas blancas.

gris-azul liso

anillo ocular llamativo

amarillo intenso

franjas alares anchas, especialmente en los ♂♂

pico muy puntiagudo, con culmen curvado característico

grisáceo con tintes verdosos (incluyendo el píleo)

márgenes verdosos o amarillentos en las plumas de vuelo

obispillo amarillo verdoso con bordes difusos

mancha amarilla verdosa característica (en este plumaje menos patente)

■ Patrón caudal, reinita de Magnolia *Setophaga magnolia*

las manchas blancas generan una franja caudal diagnóstica

Parula norteña *Setophaga americana*

L 11,5 cm | Divagante de Norteamérica

Bosquerola pitgroga CAT
– EUS
Mariquiña de colar GAL

▼ 1er invierno ♂ (octubre)
La combinación de rasgos destacados en la imagen permite una identificación bastante sencilla. Algunas aves pueden tener ya una cierta franja pectoral pardo-rojiza. En este ejemplar, el álula parduzca y los márgenes grisáceos-azulados apagados en las coberteras y las primarias le diferencian de una ♀ adulta, que en lo demás es idéntica.

▼ 1er invierno ♀ (septiembre)
Este es el plumaje más "verde-amarillo", pero la identificación tampoco es complicada, gracias a rasgos como las franjas alares blancas, muy anchas, y el manto verdoso o bronce. Las partes inferiores más amarillas son típicas de este plumaje.

manto verdoso o bronce a menudo apagado pero aun así característico

tintes verdes extensos, típicos de la ♀ de 1er invierno

anillo ocular (ancho) conspicuo

amarillo intenso extendiéndose a menudo hasta la parte superior del vientre

corta

manto verdoso o bronce, característico

franjas muy anchas

transición bastante bien definida entre el pecho amarillo y el vientre blanco (cf. ♀ de 1er invierno)

2 rectrices externas con manchas blancas (en los ♂ 3)

transición difusa entre el pecho amarillo y la zona ventral amarillenta

▼ Adulto ♀ (septiembre)
Casi idéntico al ♂ de 1er invierno, pero con el ala más nueva y uniforme. Nótense los márgenes azulados de las coberteras primarias y el álula, y las franjas alares anchas y blanco puro, en comparación con las aves de 1er invierno. En otoño, los ♂♂ adultos ya tienen una apariencia parecida a la primavera, incluyendo la franja pectoral pardo-rojiza, pero con una coloración general un poco más apagada.

▼ Adulto ♂ (abril)
Este es un plumaje de aparición muy improbable en Europa. Colorido, con el ala nueva y uniforme y márgenes azulados en las coberteras primarias; rasgos típicos de ♂ adulto.

▼ ♀, 2º año cal. (abril)
Como una ♀ de 1er invierno, pero los límites de muda se han vuelto patentes.

brida pálida y ausencia de plumas pardo-rojizas en el pecho y los flancos, típico de este plumaje

brida negra en el ♂ y anillo ocular blanco, bien definido pero incompleto

franja pectoral pardo-rojiza y mancha del mismo color en la parte delantera del flanco

contraste de muda patente entre las coberteras grandes y las coberteras primarias (y el resto de plumas alares), como en el ♂ de 2º año cal.

▼ 2º año cal. ♂ (abril)
Algunos ejemplares, como el de la imagen, son casi idénticos a los adultos, con una franja pectoral pardo-rojiza y negra muy conspicua. Sin embargo, las plumas aún juveniles del ala y de la cola contrastan claramente con las coberteras mudadas. Otros ejemplares son más parecidos a las ♀♀ adultas, casi sin plumas pardo-rojizas y negras en el pecho, y con la brida más pálida. Las ♀♀ adultas no solo tienen el ala nueva y uniforme (como los ♂♂ adultos); también tienen el blanco alrededor del ojo más extenso, aunque más difuso, generando a veces una lista superciliar débil.

▼ Patrón caudal, adulto ♂
Los ♂♂ adultos tienen la mayor extensión de blanco; la ♀♀ de 1er invierno la menor extensión.

cola corta

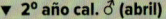

álula, coberteras primarias, plumas de vuelo, rectrices y terciarias aún juv., retenidas durante la muda postjuvenil, más parduzcas y gastadas (cf. adulto)

base oscura

punta oscura en diagonal

blanco puro

Reinita de manglar *Setophaga aestiva*

L 12,5 cm | Divagante de Norteamérica

▼ Tipo 1er invierno (septiembre)
Este es el plumaje de aparición más "probable" en Europa. Con esta apariencia, se podría confundir con un juvenil muy amarillo de mosquitero musical, pero este tiene, entre otros rasgos diferentes, un patrón cefálico más marcado y carece de tonos amarillos vivos en la cola (no visible aquí). Las coberteras primarias apagadas y los márgenes blancuzcos de las terciarias encajan mejor con un 1er invierno pero, en otoño, tanto el datado como el sexado acostumbran a ser imposibles en un observación de campo.

▼ Adulto ♂, grupo septentrional *aestiva* (abril)
Inconfundible, pero un ejemplar con este plumaje y en esta época es altamente improbable en Europa. Los divagantes suelen pertenecer a las poblaciones norteñas, migradoras de larga distancia, del grupo *aestiva*. El listado rojizo varía tanto geográficamente (más extenso en las poblaciones del NO que en las del NE de Norteamérica) como en función de la edad (más extenso en adultos que en aves de 2º año cal.).

cabeza prácticamente lisa en la que destaca el ojo y el anillo ocular pálido

relativamente grueso

corta

partes inferiores amarillas prácticamente lisas

patas pálidas, amarillas o pardo-anaranjadas

todas las plumas alares con márgenes amarillos, típico de los adultos de ambos sexos

hemibanderas internas amarillas, características en todos los plumajes

listado rojizo variable, típico del ♂

▼ ♀ (abril)
Las ♀♀ adultas son a menudo de tonos amarillos verdosos tan intensos como los ♂♂, pero carecen del listado rojizo en las partes inferiores. En otoño, los adultos son prácticamente idénticos, pero el listado rojizo de los ♂♂ es poco patente.

▼ Tipo 1er invierno (octubre)
Un ejemplar de coloración bastante apagada, lo que sugiere que se trata de una ♀ de 1er invierno. Las características de la especie son las mismas que las señaladas en el otro ejemplar de tipo 1er invierno.

márgenes blancos (parciales) típicos de 1er invierno

▼ 2º año cal. ♀, grupo septentrional *aestiva* (abril)
Similar al otoño, pero destaca más el contraste de muda entre las coberteras medianas y grandes –mudadas y con márgenes verde amarillento–, y el resto de plumas alares aún juveniles, más apagadas y gastadas. Los adultos también realizan una muda parcial invernal que genera un límite de muda, pero este suele ser difícil de apreciar.

Reinita de Tennessee *Leiothlypis peregrina*

L 12 cm | Divagante de Norteamérica

▼ ♂ (octubre)

los ♂♂ tienen el píleo y los lados del cuello y de la cabeza grises azulados; en el 1er invierno esta coloración suele ser más limitada en otoño

verde brillante

muy puntiagudo, con el culmen recto (también la mandíbula inferior), a diferencia de los paseriformes insectívoros europeos

blanco puro y liso en todos los plumajes

grisáceo pálido

gris con márgenes blancuzcos (a diferencia del género paleártico *Phylloscopus*)

patas relativamente gruesas, grises y con uñas pálidas

▼ 1er invierno ♀ (septiembre)
En este plumaje tiene cierto parecido con un *Phylloscopus*, por ejemplo, el mosquitero musical. Si se puede ver bien, la forma del pico, así como la combinación de rasgos destacados, es típica.

totalmente verdoso

franjas alares difusas

variable, generalmente amarillo extenso

infracoberteras caudales blanco (casi) puro

Candelita norteña *Setophaga ruticilla*

L 13,5 cm | Divagante de Norteamérica

▼ **1er invierno ♂ (octubre)**
Inconfundible en todos los plumajes; las partes amarillentas de la cola son muy patentes (a menudo anaranjadas en el ♂ adulto). En Europa, el plumaje de 1er invierno es el más "probable". Los ♂♂ de 1er invierno son parecidos a las ♀♀ (adultas), pero nótese el color señalado a los lados del pecho, que en este ejemplar encajan mejor con un ♂. La forma de las rectrices apunta a un 1er invierno.

▼ **1er invierno ♀ (octubre)**
Con una cola característica, se puede identificar al instante. La extensión de amarillo en el ala es variable pero, de promedio, es menor en las ♀♀ de 1er invierno (limitado o casi ausente, aquí oculto por las coberteras grandes). En otoño, las ♀♀ adultas tienen una franja alar amarilla conspicua, similar a la de los ♂♂ de 1er invierno. En todas las ♀♀ los lados del pecho son amarillos, nunca anaranjados, y del mismo tono que el amarillo en la base de la cola.

manchas amarillas o anaranjadas características en todos los plumajes

franja alar limitada poco extensa y a la base de las secundarias en este ejemplar, pero variable

rectrices muy puntiagudas, típicas de 1er invierno (en el tipo adulto la punta es redondeada)

tonos anaranjados típicos del ♂

en las ♀♀ de 1er invierno la franja alar es inexistente o apenas visible (cf. ♀ adulta y ♂ de 1er invierno)

cabeza gris y zona dorsal verdosa en todos los plumajes excepto el ♂ adulto

este plumaje tiene la menor extensión de amarillo, y el menos intenso, pero el patrón caudal es igualmente característico

amarillo (cf. ♂ de 1er invierno)

▼ **2º año cal. ♂ (abril)**
Los ♂♂ de 2º año cal. aún tienen un plumaje de tipo ♀. Las plumas muy desteñidas no dejan lugar a dudas sobre la edad, mientras que la franja alar ya muy extensa es típica del ♂. En este plumaje, muchas aves muestran algunas plumas negras en la cabeza. Nótense también los lados del pecho anaranjados, típicos del ♂.

▼ **2º año cal. ♀ (abril)**
Como en el 1er invierno, la identificación es sencilla gracias al patrón caudal, y a los lados del pecho amarillos y la cabeza gris. La franja alar poco extensa en este ejemplar, y las rectrices bastante desteñidas y gastadas son típicas de una ♀ de 2º año cal.

plumas alares juv. muy desteñidas; franja alar muy extensa para esta edad

solo algunas plumas negras, a veces incluso ausentes en ♂♂ de 2º año cal.

▶ **Adulto ♂ (abril)**
Un plumaje inconfundible que solo se desarrolla después de la muda completa en otoño del 2º año cal. En Europa, una apariencia como la de la imagen es muy improbable. La coloración de las partes anaranjadas es variable, a veces naranja intenso.

Mascarita común *Geothlypis trichas*

12,5 cm | Divagante de Norteamérica

▼ 1er invierno ♂ (octubre)
Un paseriforme pequeño y compacto, con patas relativamente cortas. La estructura es característica en combinación con el plumaje verde-pardo apagado y la garganta amarilla o amarillenta. La máscara oscura, poco patente en este ejemplar, es típica de este plumaje. En otoño, los ♂♂ adultos tienen la máscara negra bien desarrollada, solo con algunas motas blancas, pero algunos ♂♂ de 1er invierno también pueden mostrar una máscara bastante patente. Las plumas alares de este ejemplar ya muestran un cierto desgaste, lo que es típico de aves de 1er invierno.

amarillo intenso, típico del ♂ en otoño

la máscara oscura solo se intuye (a veces limitada en las aves de 1er invierno, pero su presencia es diagnóstica de ♂)

▼ Tipo 1er invierno ♀ (octubre)
A pesar de carecer, en este plumaje, de rasgos muy distintivos, su apariencia es característica. No existe ninguna especie europea que de una impresión general similar. Las puntas pálidas de las coberteras grandes y la ausencia de amarillo en la garganta sugieren claramente un 1er invierno.

lados del cuello un poco más pálidos, contrastando con las auriculares oscuras

proyección primaria corta

verdoso variable

contraste bien definido entre la garganta y la parte superior de la cabeza en todos los plumajes

garganta pálida, crema o casi blanca

▼ ♂ (abril)
Inconfundible; ninguna especie europea tiene una máscara negra similar, con una franja superior gris y la garganta amarilla. Las plumas alares y la cola aún nuevas, así como la máscara completamente negra, indican que se trata de un adulto. En muchos adultos, el pico es totalmente negro en primavera. Los ♂♂ de 2º año cal. se pueden reconocer, a veces, por tener plumas pardas en la máscara, un anillo ocular parduzco, y las plumas alares y caudales más gastadas. En otoño, los ♂♂ adultos tienen la máscara negra con moteado pálido, pero aun así muy patente.

franja gris, típica de las poblaciones del NE Norteamérica

máscara negra y garganta amarilla; patrón diagnóstico muy llamativo en un plumaje, por lo demás, bastante liso y discreto

▼ ♀, supuestamente adulta (octubre)
Los ejemplares sin amarillo (o con muy poco amarillo) en la garganta, y sin máscara oscura perceptible, son ♀♀. Este individuo tiene las plumas alares nuevas y uniformes, y las coberteras primarias y el álula bastante redondeadas, indicando adulto. Las patas bastante robustas son típicas.

▶ ♀, 2º año cal. (abril)
A pesar de tratarse de un plumaje con pocos rasgos distintivos, la combinación de características destacadas excluye a todas las especies europeas, incluso en las aves de coloración más apagada. En muchas ♀♀, las auriculares son más oscuras, y contrastan con los lados del cuello. Las plumas alares con desgaste patente y la base del pico pálida son típicos de un 2º año cal., pero muchas aves se parecen más a los adultos que el ejemplar de la imagen.

cola con base verdosa, más parda hacia la punta

lados del cuello pálidos contrastando con las auriculares más oscuras (poco patente en este ejemplar)

cabeza grisácea con lista superciliar poco patente

supracoberteras caudales verdosas

proyección primaria muy corta (en todos los plumajes)

amarillento pálido

parte central del pecho/vientre gris-pardo

patas robustas y pálidas

Reinita charquera norteña *Parkesia noveboracensis*

L 15 cm | Divagante de Norteamérica

Bosquerola d'aigua septentrional CAT
– EUS
Mariquiña boreal GAL

▶ 1er invierno (octubre)

Si se ve bien, la combinación de una cabeza "al estilo del zorzal alirrojo" y un cuerpo de medida y patrón "al estilo del bisbita de Hodgson" pueden ayudar a la identificación. Su comportamiento es típico, moviendo la cola arriba y abajo (lo cual también hace el bisbita de Hodgson). La única especie verdaderamente similar es la reinita charquera de Luisiana, que nunca se ha citado en Europa. En otoño, las partes pálidas son algo parduzcas; en esta época, los adultos tienen las plumas alares nuevas y uniformes. La variación en el plumaje a lo largo del año es pequeña y los dos sexos son similares.

sutil diferencia de color entre las coberteras grandes mudadas, algo oliváceas, y las coberteras primarias juv., más pardas; típico de 1er invierno

patrón cefálico marcado y partes inferiores con moteado/listado grueso: una combinación característica

terciarias con puntas pálidas, típico de 1er invierno

■ Reinita charquera de Luisiana *Parkesia motacilla* (mayo)

En la imagen se destacan las diferencias con la reinita charquera norteña, que tiene un listado fino en la parte central de la garganta y algunas listas oscuras en las infracoberteras caudales. La reinita charquera de Luisiana nunca se ha citado en Europa.

▶ 2º año cal. (mayo)

En primavera, los tonos de fondo parduzcos de las partes inferiores desaparecen progresivamente a medida que las plumas se gastan y se destiñen. El contraste de muda, que indica 2º año cal., se vuelve más patente que en otoño. Los adultos son muy similares en primavera, pero tienen las plumas alares más nuevas y uniformes, sin límites de muda.

lista superciliar blanca, ancha y muy larga

anillo ocular pálido a menudo más blanco y patente

grueso

parte central de la garganta lisa

contraste de muda más pronunciado que en otoño

liso

tintes parduzcos con el plumaje nuevo (otoño)

de promedio, rosado más intenso

Reinita hornera *Seiurus aurocapilla*

L 15 cm | Divagante de Norteamérica

Bosquerola reietó CAT
– EUS
Mariquiña forneira GAL

▼ 1er invierno (octubre)

Inconfundible gracias a un patrón cefálico diagnóstico, con una lista pileal lateral oscura y una lista pileal central anaranjada, además de partes inferiores de "zorzal" y partes superiores lisas y oliváceas. En la imagen se destacan sutiles diferencias entre el 1er invierno y el adulto.

▼ Tipo adulto (junio)

Apenas hay variación en el plumaje a lo largo del año, y ambos sexos son iguales. El ala, aparentemente nueva y sin contrastes de muda evidentes, sugiere que se trata de un adulto.

lista pileal central anaranjada (a veces difícil de ver)

terciarias con puntas pálidas

coberteras grandes externas con puntas pálidas

▲ (Septiembre)

La ausencia de puntas pálidas en las coberteras grandes sugiere que se trata de un adulto, pero el datado puede ser difícil. Solo las aves de 1er invierno con puntas pálidas patentes en las terciarias se pueden datar con certeza.

Piranga escarlata *Piranga olivacea*

L 17,5 cm | Divagante de Norteamérica

▼ 1er invierno ♂ (octubre)

En Europa no hay ninguna especie similar (aunque tiene una coloración parecida a la de la oropéndola europea). Los ♂♂ adultos en plumaje invernal tienen un plumaje similar a este, pero con el ala negra más uniforme (sin contrastes de muda) y puntas redondeadas de las rectrices.

pico grueso y bastante pálido, a menudo con el culmen un poco más oscuro

contraste de muda típico entre las escapulares y las coberteras negro puro y el resto del ala juv. (cf. ♂ adulto y ♀ en otoño)

rectrices bastante puntiagudas, típicas de 1er invierno

▼ 1er invierno ♀ (octubre)

Desde lejos podría causar confusión con una oropéndola europea en plumaje de tipo ♀, pero aquella especie tiene, por ejemplo, un ala muy larga que casi llega hasta la punta de la cola y un pico más largo y rojizo. El ala y la cola bastante oscuras contrastan con el cuerpo más pálido (véase la piranga roja). Las ♀♀ adultas son casi idénticas, pero carecen de un contraste de muda en el ala, y tienen las rectrices más redondeadas.

contraste de muda entre los mismos grupos de plumas que en el ♂ de 1er invierno, pero menos patente, puesto que las plumas mudadas son verdosas en lugar de negras

▼ Adulto ♂ estival (abril)

Inconfundible, pero este plumaje es de presentación muy improbable en Europa. A partir de final de invierno, los ♂♂ desarrollan el plumaje estival rojo, pero lo reemplazan por otro de tipo ♀, verdoso, después de la reproducción, a final de verano o principio de otoño.

► 1er verano/2º año cal. ♂ (mayo)

El contraste de muda en el ala no ha cambiado desde otoño. El datado es, por lo tanto, sencillo. La extensión de la muda de plumas corporales es variable. A principio de primavera, algunos ejemplares aún son prácticamente verdes, mientras otros son completamente rojos, y han mudado todas las rectrices. En estos, el contraste de muda del ala es el único rasgo que permite el datado.

▼ ♀ (abril)

Las ♀♀ muestran poca variación a lo largo del año, pero algunas adquieren algo de rojo en la cabeza y el obispillo. Este ejemplar tiene algunas plumas rojizas en la garganta (poco patentes). No parece haber ningún límite de muda en el ala, lo que sugiere que se trata de un adulto.

■ Piranga roja *Piranga rubra* (octubre)

Aún más rara que la piranga escarlata. En la imagen se destacan las diferencias con aquella especie. Las infracoberteras alares son amarillas o rosadas (blancuzcas en la piranga escarlata). La parte inferior de la cola, pálida (negruzca en la piranga escarlata) no es visible aquí.

plumas largas en la parte posterior del píleo, a veces generando una cierta "cresta"

anillo ocular a menudo bastante patente, incompleto o atravesado por la lista ocular

ala solo ligeramente más oscura que el cuerpo

pardo rojizo, apuntando a ♂ (negro u oscuro con márgenes verdosos en la piranga escarlata)

muy grueso, todo pálido y sin "gancho" en la punta

límite de muda en las coberteras grandes, típico de 1er invierno

Turpial de Baltimore *Icterus galbula*

L 22,5 cm | Divagante de Norteamérica

▶ **Adulto ♂ (abril)**
Inconfundible, aunque la mayoría de ejemplares en Europa son de 1er invierno en otoño/invierno. Tanto la forma del pico como el plumaje son muy diferentes de cualquier especie europea. Los ♂♂ adultos cambian poco a lo largo del año pero, en plumaje (nuevo) otoñal, tienen márgenes pálidos en las plumas de las partes superiores, y márgenes blancos bastante anchos en las coberteras alares y las terciarias. En primavera, los adultos tienen la cabeza y el manto negros y lisos, y no muestran límites de muda en el ala. Puesto que esta especie es muy rara en Europa, ante una ave sospechosa se deben tener en cuenta posibles escapes de cautividad u otras especies neárticas.

la forma del pico es muy diferente de cualquier especie europea

▼ **Adulto ♀ (abril)**
Este plumaje es similar al del ♂ de 2º año cal. (véase página siguiente), pero con algunas diferencias patentes en la muda. Otras ♀♀ pueden desarrollar menos negro en la cabeza y el manto y, en consecuencia, parecerse más a las aves de 1er invierno.

coberteras pequeñas con negro y amarillo, no uniformes (cf. ♂ de 2º año cal.)

ala y cola aún relativamente nuevas, sin contrastes de muda, típico del adulto en primavera (cf. ♂ de 2º año cal.)

variable, desde amarillo a naranja intenso

patrón caudal de tipo ♂ adulto (a veces también aves de 2º año cal. avanzadas)

amarillo apagado bastante uniforme, típico de juv. y adulto de tipo ♀

▼ **1er invierno ♂ (enero)**
Las aves de 1er invierno son parecidas a las ♀♀, pero nótense las diferencias señaladas en la imagen. Las puntas amarillentas de las coberteras medianas, la cabeza y el pecho anaranjados y la brida negra apuntan a un ♂ de 1er invierno, pero no todos los ejemplares de esta edad son fáciles de sexar.

▼ **1er invierno, supuestamente ♀ (otoño)**
El amarillo relativamente apagado de la cabeza y de las partes inferiores, la franja alar no muy ancha en las coberteras grandes y los centros no muy oscuros de las plumas del manto son típicos de las ♀♀ de 1er invierno. Este ejemplar tiene las partes inferiores de un amarillo más intenso que la mayoría de ♀♀ de esta edad. El límite de muda se aprecia entre las coberteras grandes internas, más largas y oscuras, y las externas, aún juveniles, un poco más cortas y más parduzcas.

terciarias y primarias con desgaste patente, típico de un 1er invierno (cf. adulto en otoño)

puntas amarillentas de coberteras medianas

rectrices juv. puntiagudas

límite de muda típico de 1er invierno

▼ **2º año cal. ♂ (abril)**
A pesar del plumaje un poco "desaliñado", un ejemplar con esta apariencia desta-
caría mucho en Europa. La forma única del pico, el manto y la cabeza mayoritariamente negros y las partes inferiores amarillas son rasgos característicos de la
especie. En los ♂♂ de 2º año cal., la extensión de la muda de plumas corporales a
final de invierno es variable; algunos individuos se solapan en apariencia con las
♀♀ adultas (como el de la imagen). El desgaste acusado de las plumas alares
juveniles y los contrastes de muda muy evidentes no dejan lugar a duda sobre su
edad y, en consecuencia, sobre su sexo. La cola de este ejemplar es aún completamente juvenil, pero en algunos casos puede ser mudada a tipo adulto.

▼ **2º año cal. ♀ (abril)**
El desgaste acusado del plumaje de este ejemplar es característico de aves de 2º año cal.; parece haber mudado
únicamente las 3 coberteras grandes internas durante la
muda postjuvenil a final de verano, sin otras coberteras
mudadas durante el invierno. Las ♀♀ de 2º año cal. no
tienen negro en la cabeza, lo que probablemente también
sucede en algunas ♀♀ adultas.

cola juv./adulta de tipo ♀ (cf. ♂ adulto),
algunos ♂♂ de 2º año cal. ya han
mudado la cola en primavera

desgaste patente
(cf. ♀ adulta)

contrastes de muda evidentes
(en terciarias y coberteras grandes)
diagnóstico de 2º año cal.

coberteras
pequeñas amarillas
ya empezando a
aparecer

Tordo cabeciamarillo *Xanthocephalus xanthocephalus*
L 26 cm | Divagante de Norteamérica

Federal capgroc   CAT
–   EUS
Íctero de cabeza amarela   GAL

▼ **Adulto ♂ (abril)**
Los ♂♂ tienen una apariencia única. En primavera, los ♂♂ de 1er año se reconocen por tener
solo puntas pálidas en las coberteras grandes,
el amarillo es más apagado y difuso y el resto
del plumaje negro parduzco en lugar de negro
puro. Algunas citas han sido aceptadas
como auténticos divagantes, pero
también existen diversas observaciones de aves (supuestamente o
de forma segura) escapadas
de cautividad.

brida oscura o negra en
todos los plumajes

forma del pico típica
de los ictéridos

los ♂♂ tienen partes blancas en
las coberteras grandes externas
y las coberteras primarias (más
limitadas en los ♂♂ de 1er año)

▼ **♀ (junio)**
Como una versión apagada o descolorida del ♂.
El cuerpo es pardo en lugar de negro. Entre
otoño y primavera, los ♂♂ inmaduros pueden
ser muy similares, pero tienen pequeñas puntas
pálidas o blancas en las coberteras primarias.

amarillo pálido y
apagado, pero con el
mismo patrón que el ♂

sin puntas pálidas
llamativas (cf. ♂)

Especies no nativas

ESPECIES INTRODUCIDAS

Diversas especies no autóctonas han sido introducidas en el continente a lo largo del tiempo, tanto intencionada como accidentalmente. Algunas se han establecido en regiones extensas, otras de forma más local. Todas las especies tratadas aquí cuentan con poblaciones viables en algún punto de Europa. Además, también se han producido introducciones de especies que fueron, en el pasado, extinguidas (por ejemplo, el ibis eremita), aunque estas se podrían considerar reintroducciones, en lugar de introducciones. Otras formas de reintroducciones son las sueltas de ejemplares criados en cautividad para ayudar a la recuperación de poblaciones en declive (por ejemplo, de gallo lira común en los Países Bajos), o reintroducciones de especies que se han extinguido localmente, pero que aún subsisten en otras partes de Europa (por ejemplo, el quebrantahuesos en los Alpes).

Cisne negro *Cygnus atratus*

L 130 cm | Originario de Australia; nidifica en diversos países de O y C Europa

Cigne negre CAT
Beltxarga beltza EUS
Cisne negro GAL

▼ **Adulto ♂ (febrero)**
Inconfundible. Ambos sexos son virtualmente idénticos, pero el cuello de los ♂♂ parece ser más largo.

▼ **Tipo adulto (noviembre)**
Puntas negras en las plumas blancas del ala también pueden estar presentes en los ejemplares de más edad.

escapulares bajas y terciarias rizadas

plumas de vuelo blancas generalmente apenas visibles

▼ **Inmaduro (abril)**
La cría se puede producir a lo largo de todo el año, lo que dificulta el datado.

puntas pálidas de coberteras

partes inferiores parduzcas

puntas oscuras

Ánsar indio *Anser indicus*

L 73 cm | Originario de C Asia; poblaciones en diversos países del O y C Europa

Oca de l'Índia CAT
Antzara indiarra EUS
Ganso de cabeza listada GAL

▼ **Adulto (abril)**
Inconfundible gracias a un patrón único en la cabeza y el cuello; también por las partes superiores gris pálido que hacen destacar la zona oscura en los flancos posteriores. Los divagantes salvajes, procedentes de Asia, no se pueden excluir, puesto que las aves migratorias pueden cubrir largas distancias.

contraste patente entre las partes superiores pálidas y los flancos posteriores oscuros

▼ **Adultos (mayo)**

Ganso del Nilo *Alopochen aegyptiaca*

L 68 cm | Originario de África; distribución extensa, especialmente en O y SO Europa

Oca d'Egipte CAT
Antzara egiptoarra EUS
Ganso de Exipto GAL

▼ **Adulto ♂ (diciembre)**
Inconfundible; máscara oscura, coloración pardo-grisácea y castaña, y patas rosadas. Los ♂♂ tienen el pico de color más vivo que las ♀♀.

▼ **Juvenil (mayo)**
Los juveniles carecen de una máscara oscura bien definida.

▼ **Adulto ♀ (noviembre)**
En las ♀♀ la parte rosada del pico es más pequeña y apagada.

▼ **Adulto ♀ (mayo)**
Los inmaduros tienen las coberteras grisáceas en lugar de blancas.

máscara

patas largas y rosadas que sobrepasan la punta de la cola (cf. tarro canelo)

alas cortas y redondeadas

blanco, contrastando con las plumas de vuelo negras, como en el tarro canelo, pero nótese la línea negra a través de las coberteras; partes inferiores pálidas (cf. tarro canelo)

Malvasía canela *Oxyura jamaicensis*

L 39 cm incl. cola | Originaria de América; antes en Reino Unido; principalmente, Países Bajos y Francia

▶ **Tipo adulto ♂ estival (mayo)**
Se destacan las principales diferencias con la malvasía cabeciblanca (véase p. 45). A diferencia de otros patos, las aves del género *Oxyura* tienen un verdadero plumaje estival; la mayoría de anátidas adquieren el plumaje nupcial a partir de final de otoño.

el negro llega hasta debajo del ojo

prado rojizo bastante liso

culmen cóncavo

blanco

▼ **♂ invernal (enero)**
En invierno, los ♂♂ son parecidos a las ♀♀, pero con los lados de la cabeza blancos. El plumaje estival no se desarrolla hasta primavera.

▼ **♀ (enero)**
En la imagen se destacan las principales diferencias con la ♀ y el 1er invierno de malvasía cabeciblanca.

cola a menudo levantada (también *leucocephala*)

borde difuso

cóncavo

infracoberteras caudales blancas

contraste entre el flanco y la zona dorsal

▶ **♀ o 1er invierno (octubre)**
La estructura general y el patrón de la parte superior e inferior del ala son idénticos a la malvasía cabeciblanca, pero tiene las partes inferiores más pálidas, lo que a menudo aumenta la diferencia en vuelo.

pálido; sin contraste patente con las infracoberteras alares (cf. malvasía cabeciblanca de tipo ♀)

Pato mandarín *Aix galericulata*

L 45 cm | Originario del E Asia; poblaciones en diversos países europeos, sobre todo en O

▼ **♂ (marzo)**
Inconfundible. En plumaje de eclipse es más parecido a la ♀ pero más pardo, y retiene la coloración del pico.

▼ **♀ (noviembre)**
Solo parecido a la hembra de pato joyuyo. En la imagen se destacan las principales diferencias.

fino

listado pálido

pálido

motas redondeadas

oscuro

cola larga

◀ **Tipo adulto ♂ (abril)**
Compacto en vuelo pero con la cola larga; batidos de ala muy rápidos.

Pato joyuyo *Aix sponsa*

L 47 cm | Originario de Norteamérica; nidifica en C y O Europa; en Islandia, divagantes considerados salvajes

Ànec de Carolina CAT
Ahate karolinarra EUS
Pato carolino GAL

▼ **Adulto ♂ (septiembre)**
Inconfundible. No hay ninguna otra anátida con este patrón de plumaje.

▼ **Adulto ♀ (noviembre)**
Se destacan las diferencias con la ♀ de pato mandarín.

ancho

listas pálidas alargadas

oscuro

▼ **1er invierno ♂ (octubre)**
Parecido al ♂ adulto, pero el iris y el pico son aún de tonos rojizos apagados y las plumas de la parte superior de los flancos son aún juveniles (estrechas y gastadas).

▼ **Adulto ♂ eclipse (septiembre)**
En plumaje de eclipse tiene una apariencia más similar a las ♀♀, pero el anillo orbital rojo y los reflejos azules en el ala son típicos de los ♂♂; además, carece de blanco alrededor del ojo.

Colín de Virginia *Colinus virginianus*

L 25 cm | Originario de Norteamérica; introducido en diversos países, con poblaciones en Francia e Italia

Colí de Virgínia CAT
Kolin birginiarra EUS
Colín da Virxinia GAL

▼ **♂ (noviembre)**
Identificación bastante sencilla; color de fondo pardo rojizo, lista superciliar y garganta blancas.

▼ **♀ (abril)**
Superficialmente parecido al ♂, pero el patrón cefálico es menos contrastado, con la lista superciliar y la garganta amarillentas.

Colín de California *Callipepla californica*

L 25 cm | Originario de Norteamérica; población en Córcega

▼ ♂ (marzo)
Ninguna especie europea tiene una apariencia similar; por lo tanto, inconfundible. El colín de Gambel *Callipepla gambelli* (también de Norteamérica) es muy similar pero carece de un vientre y cuello con plumaje escalado.

▼ ♀ (septiembre)
Como los ♂♂, se distingue del colín de Gambel por la zona ventral y el cuello con patrón claramente escalado.

Faisán vulgar *Phasianus colchicus*

L (incluyendo cola) ♂ 81 cm, ♀ 62 cm | Originario de Asia; poblaciones en gran parte de Europa excepto N

▼ ♂, grupo "*torquatus*", introducido (diciembre)
Inconfundible. Quizá la especie introducida más conocida de Europa. Las aves introducidas tienen su origen en las subespecies del este asiático. El cruzamiento entre las distintas subespecies y también con la nominal *colchicus* de la antigua población autóctona europea (de la cual podría subsistir aún una pequeña población relicta en Grecia), resulta en una gran variación de plumajes, especialmente en los ♂♂. En Georgia, a poca distancia de la región tratada en este libro, aún existe una población salvaje de la subespecie *septentrionalis*; esta carece de collar blanco y tiene el obispillo pardo rojizo.

▶ ♀ (diciembre)
Las ♀♀ del también introducido faisán dorado son similares, pero tienen las partes inferiores barradas, y las patas y el pico amarillos.

collar blanco en ejemplares introducidos

▼ Juvenil (agosto)
Aún en crecimiento; los juveniles que ya son capaces de volar se podrían confundir con la perdiz pardilla; en la imagen se destacan algunas diferencias. La cola es generalmente más larga que la de aquella especie.

obispillo gris o grisáceo en aves introducidas

manchas oscuras

cola totalmente barrada

secundarias largas y muy barradas

Faisán dorado *Chrysolophus pictus*

L (incluyendo cola) ♂ 100 cm, ♀ 70 cm | Originario de China; población de Reino Unido en vías de desaparición

▼ ♂ (abril)
Apariencia única e inconfundible.

▼ ♀ (abril)
Barrado más pronunciado (formando bandas largas) que en la ♀ de faisán vulgar. Las patas y el pico son característicos por ser amarillos o amarillentos. La coloración de las patas también le distingue del faisán de **Lady Amherst** *Chrysolophus amherstiae* (también introducido en Europa, pero con poblaciones cada vez más raras y menos viables, algunas ya desaparecidas). El faisán de Lady Amherst tiene las patas grises, es de tonos pardos más cálidos y tiene una zona pálida alrededor del ojo.

Faisán venerado *Syrmaticus reevesii*

L (incluyendo cola) ♂ 175 cm, ♀ 73 cm | Originario de China; poblaciones en Reino Unido y Francia

Faisà venerat CAT
Faisai beneratua EUS
Faisán venerado GAL

▼ ♂ (mayo)
Apariencia única e inconfundible.

▼ ♀ (junio)
Combinación de rasgos característicos: vientre blancuzco, cola grisácea y con barrado difuso, y patrón cefálico único.

Ibis sagrado *Threskiornis aethiopicus*

L 70 cm | Originario de África; poblaciones en Francia e Italia

▼ **Adulto (septiembre)**
Solo se puede confundir con un **ibis oriental**
Threskiornis melanocephalus escapado.

cabeza y cuello
negruzcos en los
adultos

gris muy oscuro
(cf. ibis oriental)

◀ **1er año (agosto)**
Los inmaduros tienen una
mezcla de plumas pálidas y
oscuras en la cabeza y el cuello.

▼ **Adulto (enero)**

puntas negras en todas
las plumas de vuelo
(cf. ibis oriental)

línea rojiza
(piel descubierta)

proyección de las
patas corta

■ **Ibis oriental *Threskiornis melanocephalus*, tipo adulto (julio)**
Especie muy similar al ibis sagrado, que podría
aparecer como escape en Europa.

gris pálido

■ **Ibis oriental *Threskiornis melanocephalus*, inmaduro (marzo)**
Los juveniles tienen puntas oscuras en las primarias.

proyección de
las patas relati-
vamente larga

ausencia de borde posterior
negro del ala (totalmente
blanco en los adultos)

Ibis eremita *Geronticus eremita*

L 75 cm | Originario del N África y Oriente Medio; extinto en Europa; reintroducido en S España, S Alemania y Austria

▼ **Adulto (febrero)**
Inconfundible si se ve bien. Los inmaduros tienen plumas oscuras en la
cabeza y carecen de cresta.

▼ **Adulto (mayo)**
En vuelo, las patas no sobresalen por detrás de la cola, lo
cual genera una silueta más "pesada" en la parte delantera.

Cotorra de Kramer *Psittacula krameri*

L 41 cm | Originaria del S Asia y África tropical; común en áreas urbanas de O y SO Europa

Cotorra de Kramer CAT
Papagai lepokoduna EUS
Catorra de Kramer GAL

▼ **Adulto ♂ (febrero)**
Un psitácido relativamente grande y verde.

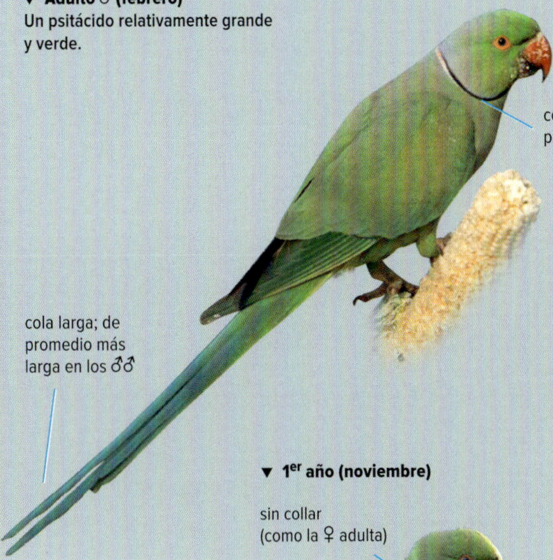
collar negro, rosado en la parte posterior (cf. ♀)
cola larga; de promedio más larga en los ♂♂

▼ **Tipo adulto ♀ (noviembre)**
Como el ♂ adulto, pero sin collar negro.

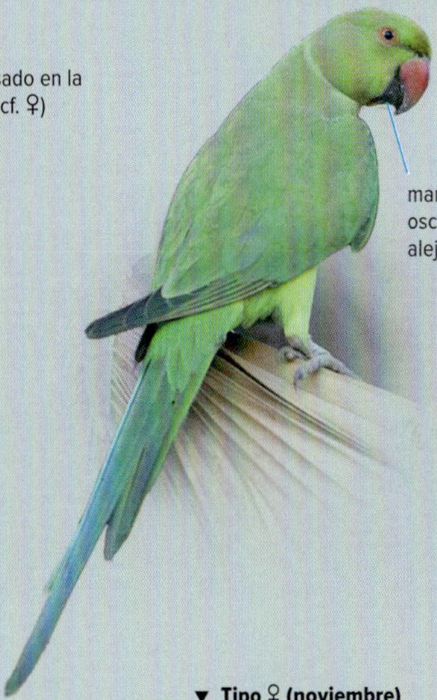
mandíbula inferior oscura (cf. cotorra alejandrina)

▼ **1er año (noviembre)**

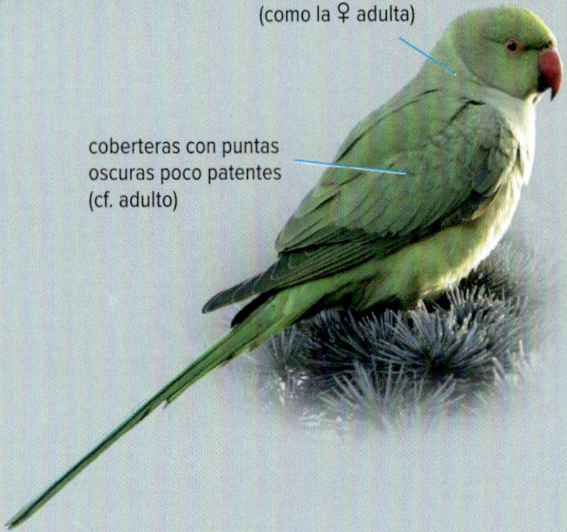
sin collar (como la ♀ adulta)
coberteras con puntas oscuras poco patentes (cf. adulto)

▼ **Tipo ♀ (noviembre)**
La cola muy larga es aún más patente en vuelo.

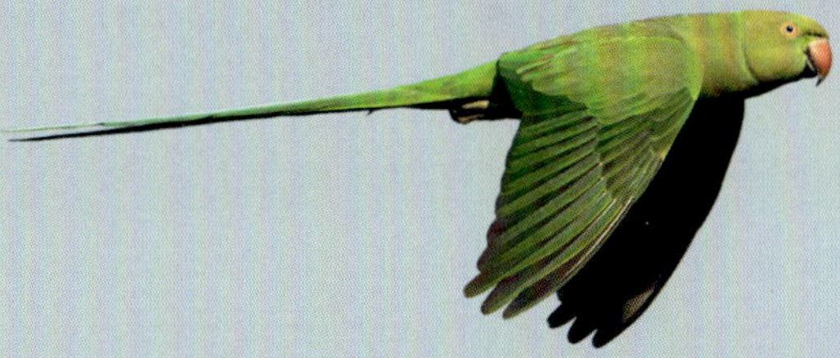

Cotorra argentina *Myiopsitta monachus*

L 30 cm | Originaria de Sudamérica; poblaciones en Países Bajos, Bélgica, España, Portugal e Italia

Cotorreta pitgrisa CAT
Papagai bulargrisa EUS
Catorra arxentina GAL

► **Tipo adulto (diciembre)**
Fácilmente reconocida por su cabeza y pecho básicamente grises, a diferencia de cualquier otra especie de psitácido.

▼ **Tipo adulto (marzo)**

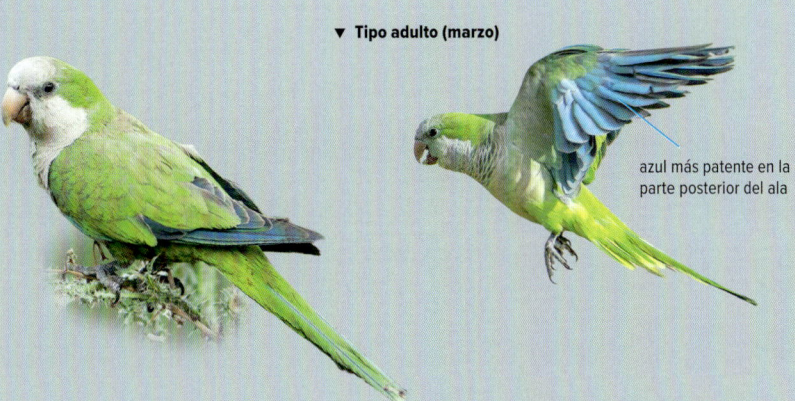

azul más patente en la parte posterior del ala

Cotorra alejandrina *Psittacula eupatria*

L 56 cm | Originaria de S Asia; poblaciones en Bélgica, Países Bajos y Alemania

Cotorra alexandrina CAT
Papagai alexandriarra EUS
Catorra alexandrina GAL

▼ **Adulto ♂ (noviembre)**
Considerablemente más grande que la cotorra de Kramer. Los ♂♂ tienen la garganta y el collar negro y ancho.

▼ **Adulto ♀ (noviembre)**
Las ♀♀ carecen de collar y garganta negros.

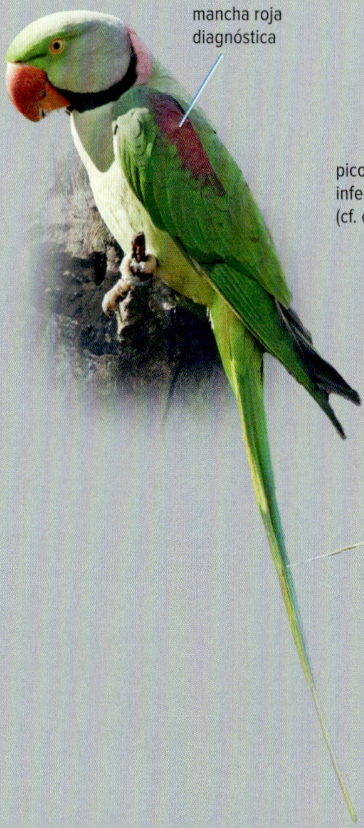
mancha roja diagnóstica

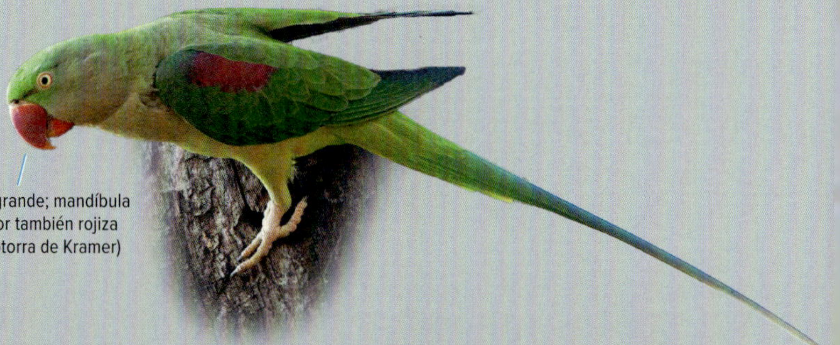
pico grande; mandíbula inferior también rojiza (cf. cotorra de Kramer)

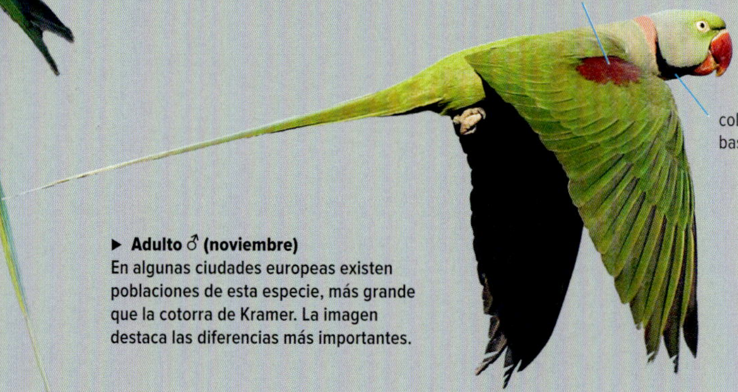
mancha roja
collar negro bastante ancho

▶ **Adulto ♂ (noviembre)**
En algunas ciudades europeas existen poblaciones de esta especie, más grande que la cotorra de Kramer. La imagen destaca las diferencias más importantes.

Leiótrix piquirrojo *Leiothrix lutea*

L 14,5 cm | Originario de S Asia; poblaciones en Francia, Italia, España y Portugal

Leiòtrix bec-roig CAT
Leiotrix mokogorria EUS
Leiótrix de bico vermello GAL

▼ **Tipo adulto (noviembre)**
Inconfundible.

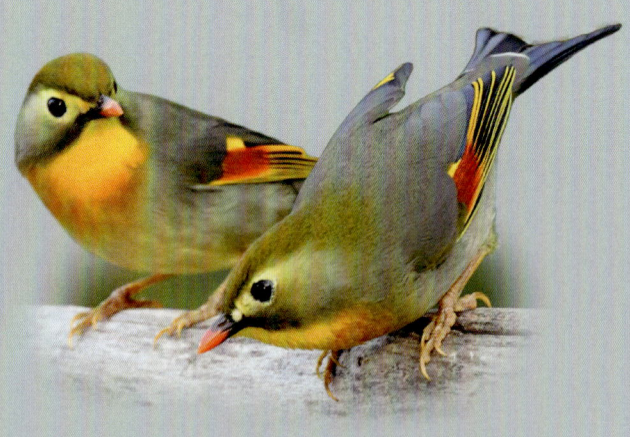

Picoloro de Webb *Suthora webbiana*

L 12 cm | Originario de E Asia; poblaciones en Países Bajos e Italia

Paradoxornis de Webb CAT
Papagai-tximutx mantxuriarra EUS
Psitorrinco vinoso GAL

▼ **Tipo adulto (enero)**
Solo parecido al **picoloro gorjigrís** *Sinosuthora alphonsiana*, que también se encuentra en Europa (Italia) como especie no nativa pero, por lo demás, muy diferente de las especies europeas.

■ **Picoloro gorjigrís**
Suthora alphonsiana
Nótese el iris pálido. El plumaje tiene el mismo patrón que el picoloro de Webb, pero los tonos grises son más oscuros.

Estrilda común *Estrilda astrild*

L 11,5 cm | Originaria de África tropical; poblaciones en España y Portugal

Bec de coral del Senegal CAT
Estrilda mokogorria EUS
Bico de lacre ondulado GAL

▼ **Tipo adulto (marzo)**
Solo parecida a la **estrilda culinegra** *Estrilda troglodytes* (véase abajo).

▼ **Tipo adulto (marzo)**

infracoberteras caudales negruzcas

■ **Estrilda culinegra** *Estrilda troglodytes*, **tipo adulto (agosto)**
Una especie no nativa bastante rara, que solo está presente en algunos puntos de España. La máscara y el pico rojos son muy similares a la estrilda común, pero la máscara es más larga.

■ **Estrilda culinegra** *Estrilda troglodytes*, **tipo adulto (noviembre)**
Barrado menos contrastado que en la estrilda común; cola, supracoberteras caudales y obispillo negros.

infracoberteras caudales blancas

el negro se extiende hasta el obispillo

Bengalí rojo *Amandava amandava*

L 14 cm | Originario de S Asia; poblaciones en España, Portugal e Italia

Múnia roig CAT
Amandava gorria EUS
Bengalí vermello GAL

▼ **Adulto ♂ estival (septiembre)**
Plumaje único e inconfundible. El plumaje invernal es más parecido al de la ♀ pero, a diferencia de esta, mantiene motas blancas en las supracoberteras caudales y en el obispillo rojos. La garganta se vuelve blanco puro y las puntas blancas de las coberteras son más grandes que en las ♀♀. El plumaje invernal parece estar presente durante un período corto.

▼ **♀ (septiembre)**
A diferencia de los ♂♂ en plumaje estival, las ♀♀ son básicamente pardas. La máscara negra, y las supracoberteras caudales, el iris y el pico rojos forman una combinación diagnóstica. Las puntas blancas en las plumas alares son más pequeñas que las de los ♂♂.

puntas blancas grandes en las terciarias y coberteras grandes (nuevas), típicas de los ♂♂

sin moteado blanco (a diferencia de los ♂♂ en plumaje invernal)

▶ **1er invierno ♂ (marzo)**
Las aves de 1er invierno son parecidas a las ♀♀, pero tienen el pico y el iris aún de tonos apagados. Presentan límites de muda en las terciarias o entre las coberteras grandes y las plumas de vuelo. Además de las puntas blancas más grandes en las plumas mudadas, este ejemplar tiene una pequeña mancha blanca en las supracoberteras caudales, lo cual excluye a una ♀.

límite de muda en las terciarias

Capuchino punteado *Lonchura punctulata*

L 11 cm | Originario de S Asia; poblaciones en España y Portugal

Maniquí escatós CAT
Munia tantoduna EUS
Capuchino pedrés GAL

▼ **Tipo adulto (febrero)**
Combinación característica: partes inferiores muy escaladas y ala pardo-rojiza. Los sexos son bastante similares. Los ♂♂ tienen la garganta más oscura y las partes inferiores con un escalado más contrastado; el ejemplar de la imagen es probablemente un ♂.

▼ **Inmaduro (febrero)**
Los juveniles tienen las partes inferiores lisas, de tonos cremosos o ante. Durante la muda postjuvenil aparecen plumas con efecto escalado.

primeras plumas escaladas

Obispo coronigualdo *Euplectes afer*

L 10,5 cm | Originario de África; poblaciones en España y Portugal

Bisbe groc CAT
Euplekte horia EUS
Bispo de coroa amarela GAL

▼ ♂ estival (agosto)
Inconfundible por su patrón único, amarillo y negro, y con una cola corta.

▼ ♀ o plumaje de invierno (febrero)
Relativamente parecido a diversas especies europeas, por ejemplo, el gorrión chillón. El tamaño menor, el pico muy grueso y la estructura compacta con una cola bastante corta, así como la casi ausencia de proyección primaria, permiten su identificación.

Tejedor cabecinegro *Ploceus melanocephalus*

L 16 cm | Originario de África; poblaciones en España y Portugal

Teixidor social capnegre CAT
Txori ehule burubeltza EUS
Tecelán de cabeza negra GAL

▼ ♂ estival (julio)
Existen diferentes especies de tejedor que son parecidas a esta. Las partes superiores amarillas (a veces un poco listadas), el iris oscuro, la garganta negra que alcanza la parte superior del pecho en la parte central, así como el pico muy grueso, resultan característicos. Muy similar al **tejedor africano** *Ploceus cucullatus* (que no está presente en Europa), pero aquella especie tiene el manto y las escapulares con un listado más grueso.

▼ ♂ estival (septiembre)

▶ ♀ (abril)
En invierno, las ♀♀ y los ♂♂ tienen la garganta amarillenta, las partes inferiores blancas y una lista superciliar relativamente marcada. Las ♀♀ tienen el iris pálido.

El equipo

◄ **Nils van Duivendijk, ♂ en plumaje invernal gastado (marzo)**
Nils van Duivendijk (nacido en 1965) se ha dedicado a la observación de aves desde niño. Su principal interés se encuentra en los retos de identificación, especialmente de especies del Paleártico Occidental. Ha escrito diversos artículos sobre identificación, pero es más conocido por ser el autor de *Advanced Bird ID Guide*. Cuando el tiempo se lo permite, también hace de guía ornitológico algunas veces al año. Además de la ornitología, el ciclismo también juega un papel importante en su vida, aunque de profesión es analista de funciones pulmonares en el *Northwest Hospital Group*, en los Países Bajos.

◄ **Marc Guyt, ♂ en muda activa a plumaje invernal (noviembre)**
Marc Guyt (nacido en 1975) creció en Katwijk aan Zee, donde reside también en la actualidad. Fue allí donde nació su profundo interés por la migración y por las aves marinas. Además de ser un apasionado de la fotografía de aves y de naturaleza, así como de los viajes por todo el mundo, también es fundador y propietario del banco de imágenes AGAMI. Marc también es cofundador y organizador del *Texel Big Day*, un evento ornitológico único que recauda fondos con fines benéficos.

◄ **Jack Folkers, ♂ tipo adulto (abril)**
Jack Folkers (nacido en 1960) se dedica a la observación de aves desde que tenía 7 años. Después de una carrera dedicada al registro de la propiedad inmobiliaria, viajó por el mundo durante 2 años y medio, consiguiendo ver más de 4.000 especies de aves. Jack trabaja como editor en KNNV Publishers desde 2008, y ha estado implicado en la creación de esta obra desde el inicio del proyecto.

◄ **Sam Gobin, ♂ en plumaje de eclipse (septiembre)**
Sam Gobin (nacido en 1965) inició su carrera como biólogo (con un doctorado en biología médica), pero en la actualidad es diseñador gráfico de libros de naturaleza. Vive en Leiden, Países Bajos, con Saskia, y es padre orgulloso de los gemelos Linde y Jelle. Ha sido un apasionado pajarero desde su niñez, con un especial interés por las vocalizaciones y cantos de aves. Es autor de 2 guías de campo sobre aves migratorias europeas. Sam también es, ocasionalmente, guía ornitológico, tanto en los Países Bajos como en otras regiones del mundo.

FOTÓGRAFOS

Este proyecto no se hubiera podido llevar a cabo sin el trabajo de todos los fotógrafos de máximo nivel que han contribuido en él. Los 3 fotógrafos de AGAMI que han aportado un mayor número de fotografías son Markus Varesvuo, Daniele Occhiato y Ralph Martin; ellos se encuentran entre los mejores del mundo. Para conocer a todos los fotógrafos que han hecho aportaciones, véase la sección de agradecimientos a los fotógrafos.

◄ **Ralph Martin, ♂ en plumaje estival (junio)**
Ralph Martin (nacido en 1986) es un ornitólogo y científico alemán que vive en Friburgo de Brisgovia, Alemania. Su mayor pasión se encuentra en la fotografía y la grabación de sonidos de aves, campos a los cuales se ha dedicado profesionalmente desde 2006. Le encanta la naturaleza virgen y le gusta viajar por Siberia y Asia Central. En sus fotografías, le gusta mostrar las aves en su hábitat natural; estas han sido publicadas en numerosos libros y revistas de todo el mundo. Ralph trabaja con AGAMI desde hace muchos años.

◄ **Markus Varesvuo, ♂ en plumaje invernal (enero)**
Markus Varesvuo (nacido en 1960) creció en Helsinki, Finlandia. Como fotógrafo de aves ha ganado numerosos premios. Su pasión principal se encuentra en la fotografía de aves europeas en su hábitat natural. El invierno boreal es su estación favorita, por la luz especial que encuentra en sus paisajes. Es coautor de más de una docena de libros –en un total de 9 idiomas–, incluyendo el *Handbook for Bird Photography*, junto con Jari Peltomäki y Bence Máté. Las fotografías de Markus Varesvuo consiguen trasladar a quien las contempla al mundo de las aves; estas se han expuesto tanto en Finlandia como en otros países. Encuentra la inspiración en todas las especies, no solo las raras, así como en los espacios naturales y salvajes que visita, donde le espera el reto inspirador de capturar el comportamiento de los pájaros. Sus fotografías han sido publicadas en numerosos libros y revistas de todo el mundo, y ha estado colaborando con AGAMI desde hace muchos años.

◄ **Daniele Occhiato, ♂ en plumaje estival (abril)**
Daniele Occhiato (nacido en 1986) es un fotógrafo de aves italiano que vive en Florencia, Italia, con su esposa Barbara. Es padre de dos hijas, Federica y Arianna. Daniele empezó a pajarear a la edad de 7 años y ya nunca lo dejó. Se ha dedicado a la fotografía de aves durante casi 30 años, y se ha especializado en las especies del Paleártico Occidental. Su objetivo es fotografiar el mayor número de especies posible dentro de esta región biogeográfica, ya sea en forma de retrato o captando la acción del momento, y siempre teniendo en cuenta los aspectos artísticos. Sus fotografías han sido publicadas en diversos libros y revistas de aves de todo el mundo. Daniele también trabaja con AGAMI desde hace muchos años.

El equipo

TRADUCTORES

La traducción de esta obra a partir de la versión inglesa ha sido una tarea inmensa. Para llevarla a cabo, Lynx Nature Books propuso a Marcel Gil-Velasco, un ornitólogo con mucha experiencia. Sin embargo, las más de 1.000 páginas repletas de compleja información recomendaron añadir a otro traductor para no dilatar excesivamente el proceso; Daniel Roca ha sido una gran incorporación al equipo, no solo por su forma de trabajar rigurosa y precisa: su profundo conocimiento sobre identificación de aves ha sido de gran valor. En las etapas finales, Bernat Espluga también ha colaborado en la traducción, siendo de nuevo, una incorporación muy apreciada. Marc Olivé, también experto ornitólogo, ha llevado a cabo una revisión global con valiosas aportaciones en el contenido, así como en la unificación de estilo. Con un equipo tan sensacional, era de esperar que se pudieran mejorar y corregir algunos aspectos, y así ha sido: hasta la fecha, la edición en español es la más actualizada y la que aporta más mejoras.

▶ **Daniel Roca Orta, en plumaje otoñal (noviembre)**
Daniel Roca Orta (nacido en 1975) empezó a observar aves a la edad de 9 años. Creció en Barcelona y descubrió la naturaleza en sus alrededores. Vive en Premià de Dalt con Montse y sus dos hijos, Pau y Adrià. Graduado en Ciencias de la Información y de la Comunicación, cuenta con una amplia experiencia en el sector editorial, como editor, diseñador, ilustrador y traductor; actualmente, en Lynx Nature Books. En el ámbito de la ornitología, ha colaborado en numerosos programas de seguimiento, censos y estudios, y también es anillador experto. Cuando no está con su familia o trabajando en libros de naturaleza, está en el campo observando, contemplando y admirando pájaros y otras maravillas naturales, desde las nubes más altas hasta las lagartijas que se esconden bajo las piedras.

◀ **Marcel Gil-Velasco, invernal (enero)**
Marcel Gil-Velasco (nacido en 1989) creció como ornitólogo y anillador en Barcelona, visitando el Delta del Llobregat ya de niño. Pronto desarrolló una fuerte pasión por el estudio minucioso de las aves, en especial de la variabilidad geográfica de sus plumajes, la identificación de rarezas y sus patrones de aparición en distintas regiones. Su trabajo como biólogo le ha llevado a pasar largas temporadas embarcado y noches enteras en islotes y roques de Canarias, siempre acompañado por el sonido de sus queridas aves marinas. Actualmente, vive en el Delta del Ebro, donde sigue maravillándose con la migración de las aves y tratando de divulgar la experiencia.

▶ **Bernat Espluga, mudando a plumaje de 26º invierno (octubre)**
Bernat Espluga (nacido en 1998) es un biólogo y ornitólogo catalán. El gen de la pasión por las aves corre por varias ramas de su familia, por lo que su fenotipo, ya expresado desde edades tempranas, no es sorprendente. Ha visitado varios países del mundo, sobre todo en el Paleártico Occidental, y ha estudiado vocalizaciones, plumajes y comportamientos de una gran colección de especies. La evolución, las interacciones ecológicas y la migración son temas que encuentra particularmente fascinantes en el mundo de las aves. Actualmente vuelve a vivir en Cataluña, donde su ambición es contribuir al máximo en la comprensión y conservación de las aves.

Referencias

REVISTAS

Alula; *Birding World*; *British Birds*; *Dutch Birding*; *Limicola*

LIBROS Y OTROS

A Chave. 2024. *Os nomes galegos das aves*. 5ª edición. A Chave, Xinzo de Limia. URL: http://www.achave.gal/wp-content/uploads/achave_osnomesgalegosdas_aves_2024.pdf (acceso: 28/10/2024).

Adriaens, P., Muusse, M., Dubois, P. J., Jiguet, F. 2021. *Meeuwen van Europa, Noord-Afrika en het Midden-Oosten*. Noordboek Natuur, Gorredijk.

Alström, P., Mild, K. 2003. *Pipits & Wagtails of Europe, Asia and North America*. Christopher Helm, Londres.

Baker, K. 1993. *Identification Guide to European Non-Passerines*. BTO, Thetford.

Blomdahl, A., Breife, B., Holmström, N. 2003. *Flight Identification of European Seabirds*. Christopher Helm, Londres.

Byers, C., Olsson, U., Curson, J. 1995. *Buntings and Sparrows: A Guide to the Buntings and North American Sparrows*. Pica Press, Robertsbridge.

Clark, W. S. 1999. *A Field Guide to the Raptors of Europe, the Middle East, and North Africa*. Oxford University Press, Oxford.

Cleere, N., Nurney, D. 1998. *Nightjars: A Guide to Nightjars and Related Nightbirds*. Pica Press, Robertsbridge.

Clement, P., Harris, A., Davis, J. 1993. *Finches and Sparrows: An Identification Guide*. Christopher Helm, Londres.

Clement, P., Hathway, R. 2000. *Thrushes*. Christopher Helm, Londres.

Constantine, M. 2006. *The Sound Approach to Birding*. The Sound Approach, Poole.

Constantine, M., Hopper, N. 2012. *Catching the Bug*. The Sound Approach, Poole.

Cottridge, D., Vinicombe, K. 1996. *Rare Birds in Britain and Ireland: A Photographic Record*. Collins, Londres.

Cramp, S., Simmons, K. E. L. (eds). 1977–1994. *The Birds of the Western Palearctic*. Volúmenes 1–9. Oxford University Press, Oxford.

Demongin, L. 2016. *Identification Guide to Birds in the Hand*. Laurent Demongin, Beauregard-Vendon.

Dunn, J., Garrett, K. 1997. *Warblers: A Field Guide to Warblers of North America*. Houghton Mifflin Harcourt, Boston.

Enticott, J., Tipling, D. 1997. *Photographic Handbook of the Seabirds of the World*. New Holland Publishers, Londres.

Euskal Batzorde Ornitologikoa. 2020–2024. *Hegaztien euskarazko izenak*. Euskal Batzorde Ornitologikoa. URL: https://ornitologia.eus/hegazti-zerrenda/hegaztien-euskarazko-izenak/ (acceso: 28/10/2024).

Flood, B., Fisher, A. 2011. *Multimedia Identification Guide to North Atlantic Seabirds: Storm-petrels & Bulwers Petrel*. Pelagic Birds & Birding Multimedia Identification Guides, Penryn.

Flood, B., Fisher, A. 2013. *Multimedia Identification Guide to North Atlantic Seabirds*: Pterodroma *Petrels*. Pelagic Birds & Birding Multimedia Identification Guides, Penryn.

Flood, B., Fisher, A. 2016. *Multimedia Identification Guide to North Atlantic Seabirds: Albatrosses & Fulmarine Petrels*. Pelagic Birds & Birding Multimedia Identification Guides, Penryn.

Flood, B., Fisher, A. 2020. *Multimedia Identification Guide to North Atlantic Seabirds: Shearwaters, Jouanin's & White-chinned Petrels*. Pelagic Birds & Birding Multimedia Identification Guides, Penryn.

Forsman, D. 1993. *Roofvogels van Noordwest-Europa*. GMB Uitgeverij, Haarlem.

Forsman, D. 1999. *Flight Identification of Raptors of Europe, North Africa and the Middle East*. T & A D Poyser, Londres.

Forsman, D. 2016. *The Raptors of Europe and the Middle East: A Handbook of Field Identification*. Christopher Helm, Londres.

Fund. Barcelona Zoo, Institut Català d'Ornitologia, TERMCAT, Centre de Terminologia. 2017–2024. *Diccionari dels ocells del món*. TERMCAT, Centre de Terminologia, Barcelona. URL: https://www.termcat.cat/ca/diccionaris-en-linia/233 (acceso: 4/11/2024).

Garner, M. 2008. *Frontiers in Birding*. BirdGuides, Sheffield.

Garner, M. 2014. *Birding Frontiers Challenge Series: Autumn*. Birding Frontiers, Sheffield.

Garner, M. 2015. *Birding Frontiers Challenge Series: Winter*. Birding Frontiers, Sheffield.

Grant, P. J. 1986. *Gulls: A Guide to Identification*. 2ª edición. T & A D Poyser, Londres.

Gill, F., Donsker, D., Rasmussen, P. (eds). 2024. *IOC World Bird List (v14.2)*. URL: https://www.worldbirdnames.org/new/bow/ (acceso: 15/11/2024).

Harris, A., Tucker, L., Vinicombe, K. 1989. *The Macmillan Field Guide to Bird Identification*. Macmillan, Londres.

Harris, A., Shirihai, H., Christie, D. A. 1996. *The Macmillan Birder's Guide to European and Middle Eastern Birds*. Macmillan, Londres.

Hayman, P., Marchant, J., Prater, T. 1986. *Shorebirds: An Identification Guide to the Waders of the World*. Christopher Helm, Londres.

Hollom, P. A. D., Porter, R. F., Christensen, S., Willis, I. 1988. *Birds of the Middle East and North Africa*. T & A D Poyser, Londres.

Hume, R., Still, R., Swash, A., Harrop, H., Tipling, D. 2016. *Britain's Birds: An identification Guide to the Birds of Britain and Ireland*. Princeton University Press, Woodstock.

Institut Català d'Ornitologia. 2024. *Llista patró dels ocells de Catalunya. Edició 5*. Comitè Avifaunístic de Catalunya, ICO.

Jonsson, L. 1992. *Birds of Europe with North Africa and the Middle East*. Christopher Helm, Londres.

Kanouchi, T., Abe, N., Ueda, H. 1998. *Wild Birds of Japan*. Yama-Kei Publishers, Tokio.

Kennerley, P., Pearson, D. 2010. *Reed and Bush Warblers*. Christopher Helm, Londres.

Lefranc, N. 2022. *Shrikes of the World*. Christopher Helm, Londres.

Lewington, I., Alström, P., Colston, P. 1991. *A Field Guide to the Rare Birds of Britain and Europe*. HarperCollins, Londres.

Mitchell, D., Young, S. 1997. *Photographic Handbook of the Rare Birds or Britain and Europe*. New Holland Publishers, Londres.

Norevik, G., Hellström M., Liu D., Petersson, B. 2020. *Ageing & Sexing of Migratory East Asian Passerines*. Avium förlag, Mörbylånga.

Olsen, K. M. 1992. *Jagers: De jagers van het Noordelijk Halfrond*. GMB Uitgeverij, Haarlem.

Olsen, K. M., Larsson, H. 1994. *Terns of Europe and North America*. Christopher Helm, Londres.

Olsen, K. M., Larsson, H. 1997. *Skuas and Jaegers: A Guide to the Skuas and Jaegers of the World*. Pica Press, Robertsbridge.

Paulson, D. 2005. *Shorebirds of North America: The Photographic Guide*. Princeton University Press, Princeton.

Porter, R. F., Christensen, S., Schiermacker-Hansen, P. 1996. *Field Guide to the Birds of the Middle East*. T & A D Poyser, Londres.

Prater, A. J., Marchant, J. H., Vuorinen, J. 1977. *Guide to the Identification and Ageing of Holarctic Waders*. BTO, Tring.

Pyle, P. *Identification Guide to North American Birds*. 2nd print 2001. Slate Creek Press, Bolinas, California.

Rasmussen, P. C., Anderton, J. C. 2005. *Birds of South Asia*, The Ripley Guide I, II. Lynx Edicions, Barcelona.

Reeber, S. 2015. *Wildfowl of Europe, Asia and North America*. Christopher Helm, Londres.

Robb, M., Mullarney, K. 2008. *Petrels Night and Day*. The Sound Approach, Poole.

Robb, M., 2015. *Undiscovered Owls*. The Sound Approach, Poole.

Robson, C. 2002. *A Field Guide to the Birds of South-east Asia*. New Holland, Londres.

Rosair, D., Cottridge, D. 1995. *Photographic Guide to the Waders of the World*. Hamlyn, Londres.

Rouco, M., Copete, J. L., De Juana, E., Gil-Velasco, M., Lorenzo, J. A., Martín, M., Milá, B., Molina, B., Santos, D. M. 2022. *Lista de las aves de España. Edición de 2022*. SEO/BirdLife, Madrid.

Shirihai, H. 1996. *The Birds of Israel*. UniPress, Londres.

Shirihai, H., Gargallo, G., Helbig, A. J., Harris, A., Cottridge, D. 2001. *Sylvia Warblers: Identification, Taxonomy and Phylogeny of the Genus* Sylvia. Christopher Helm, Londres.

Shirihai, H. 2002. *A Complete Guide to Antarctic Wildlife*. Alula Press, Degerby.

Shirihai, H., Svensson, L. 2018. *Handbook of Western Palearctic Birds*, Volume 1. Christopher Helm, Londres.

Sibley, D. 2000. *The North American Bird Guide*. Pica Press, Robertsbridge.

Snow, D. W., Perrins, C. M. (eds). 1998. *The Birds of the Western Palearctic. Concise edition*. Oxford University Press, Oxford.

Stevenson, T., Fanshawe, J. 2002. *Field Guide to the Birds of East Africa*. T & A D Poyser, Londres.

Svensson, L. 1992. *Identification Guide to European Passerines*. 4ª edición. L. Svensson, Stockholm.

Svensson, L., Grant, P. J., Mullarney, K., Zetterström, D. 2012. *ANWB Vogelgids van Europa*. Tirion Uitgevers, Utrecht.

687bf, 688bd, 690abc, 692ab, 695d, 696b,
698a, 703aef, 706a, 708ab, 709ab, 710d,
711bc, 713b, 714d, 719a, 721b, 723ab, 726a,
727a, 729d, 730c, 732b, 736b, 738c, 740b,
742a, 745b, 749c, 754ab, 755ab, 757a, 758cd,
762d, 764ab, 775ab, 777a, 781a, 782c, 783cef,
786be, 799a, 802b, 803c, 804ac, 805be,
806abcd, 807bd, 808ae, 810d, 813ae, 820e,
821defg, 822c, 823e, 827a, 838a, 842a, 844a,
846a, 848c, 850e, 852c, 853c, 854ad, 855a,
856a, 857b, 860e, 864b, 866b, 870a, 871d,
872ad, 873c, 875f, 878a, 879b, 880ab, 881d,
882be, 883c, 888d, 892c, 894a, 900b, 902d,
903a, 905b, 908ade, 909bc, 910bd, 912ad,
914a, 915c, 917abc, 918a, 921c, 923ab, 925ff,
926d, 927e, 932c, 938e, 939a, 945de, 946a,
947ab, 949b, 950d, 951bc, 953a, 954e, 955e,
956a, 957bef, 960a, 962abd, 963bc, 964d,
966bcd, 967ef, 968ab, 970a, 971b, 973abc,
976a, 983f, 984f, 985ab, 986e, 988b, 989bd,
990a, 991bd, 993abc, 995bc, 998a, 1001a,
1003c, 1004ac, 1005e, 1010f, 1013a, 1035acde

Ran Schols 639e, 652c, 662f, 664d, 682c, 683c,
702af, 709d, 744b, 747d, 750d, 756c, 762c,
810f, 821h, 831b, 833m, 855d, 857c, 874c,
901c, 904d, 914f, 926e, 935e, 940f, 946f, 981f,
987e, 1034ac, 1036f

Reint-Jakob Schut 670b, 676d, 702e, 714a,
852d, 925c, 940cd, 946c

René Pop 650a, 736d, 863d

Rob Olivier 943a

Rob Riemer 652a

Roy de Haas 659c, 672c, 685d, 761c, 828a, 841f,
887c, 889b, 987b, 992c, 999d, 1004b, 1035f

Saverio Gatto 643d, 661c, 677b, 692d, 780a,
794c, 817d, 839e, 852e, 853a, 868abc, 870a,
897d, 903d, 925a, 928c, 929a, 942a, 944a,
945c, 971a, 976b, 986d

Steve Gantlett 676e, 808d, 841b, 859f, 862e,
905c, 906cd, 911c, 932ab, 959cd, 969bcg,
974d, 981b, 999a, 1013b

Stuart Price 700ac, 887bd

Tom Lindroos 695d, 827c, 907bc, 983d, 984g,
999b, 1008c

Tomi Muukkonen 640de, 679c, 722b, 785c,
797be, 805c, 818e, 826c, 833b, 843cdf, 844b,
865a, 872b, 873d, 895c, 948c, 975e, 1012c

Vincent Legrand 641a, 649d, 651d, 653b, 655b,
657b, 664e, 667f, 689d, 697c, 705bc, 727a,
729f, 733ac, 748d, 759a, 772c, 775d, 783d,
801d, 837c, 844e, 845d, 846b, 849c, 854b,
855e, 871a, 879cd, 888a, 889g, 897c, 927d,
936e, 938b, 942e, 980d, 989c, 991c, 993e,
1006b, 1010b, 1015d, 1016e, 1020b, 1021d,
1023bf, 1025c, 1027f, 1028ab, 1030d, 1031f,
1037acd

Walter Soestbergen 677a, 679f, 943b, 967c,
968c, 975d

Wil Leurs 644acd, 666a, 812c 822b, 832e, 844c,
851b, 866e, 946d, 976d, 1002c

Yoav Perlman 693a, 714e, 716bd, 735e, 743c,
746bcd, 762e, 766b, 787e, 838e, 889f, 933c,
939c

OTROS FOTÓGRAFOS

Aleix Comas 774a
Alex Penn 833h
Alison McArthur 786d
Amir Ben Dov 950e
Andreas Uppstu 649ab, 868d
Andrew M. Allport | Shutterstock 905d
Antonio Gullem | Shutterstock 851c
Ashraf Elhalah 984a
Axel Hellquist 733d
Bart van Beijeren 759b, 764e
Ben Falco 721a
Bence Kokay 697b
Birol Dincer | iStock 678c
Bram Ubels 739a, 927a, 982b, 1024b
Brendan Doe 778d
Butterfly hunter | Shutterstock 1005d
Carles Grande Flores 777b
Cees van der Aart 1042d
Chesapeak Images | Shutterstock 705e
Christopher Unsworth | Shutterstock 1023e
Dave Thompson 1027g
Delfin Gonzalez 759d, 973e
Dorna Mojab 972f
Eduard Sangster 881a
Eef Weetjens 1044c
Eliotte Rusty Harold | Shutterstock 814b, 1015c
Fahadee | Adobe Stock 998d
Feathercollector | Shutterstock 930c, 1000d
Fikret Yorgancıoğlu 778e
Gavin McKinnon 704f
Ghislain Riou 775c, 782e
Han Zevenhuizen 712c, 759e, 769c
Hans Tetteroo 1007c
Heinz Schimmel 1045e
Heyeres 913e
Howard Cheeka 834b
Jan Jansen 1044e
Jari Laitasalo 924cd
Jgong1119 | Dreamstime 815b
Jinfeng Zhang | Dreamstime 825ac, 1004d
John van der Woude 1045b
Jos Simons 1043f
Jose Antonio Garcia Fernandez 975c
Juan Pablo Fuentes 793d
Juan Ramírez Román 777d, 793e
Juha Niemi 861e
Julian Popov | Dreamstime 786c
Jurriën van Deijk 881e, 992a
Karel Bartik | Shutterstock 648d
Koen Stork 896c, 897b
Leon van den Oetelaar 885c
Loir Kislev 794d
Mallika Rajasekaran 1007d
Mattias Hofstede 751d
Michael Frede 855b
Michele Viganò 773be, 774de, 854c, 947c
Mike Langman 986g
Mike Pope 943g
Morteza Nemati | Shutterstock 984e
Neil G Morris 642d
Ofri Raz 735d, 739e
Old Apple | Shutterstock 828d
Ornitolog | iStock 894d

Oscar Campbell 918d
Paul Cools 885ab
Paul Leader 984d
Paul Reeves Photography | Shutterstock 1026g
Paweł Białomyzy 671d
Peter Adriaens 760d, 868f
Peter Steward 735a
Peter Wong Lee Poin 886d
Petteri Hytönen 881b, 939d
Raju Kidoor 1009a
Rinse van der Vliet 749b, 763b, 791e
Robin Chittenden 688c, 689ab, 994a
Seyed Mohammad Reza Kashfi 972e
Shalom Nisimi 1041f
Shijianyinga | Dreamstime 827d, 1004e
Shlomi Levi 882c
Svitlana TkCh | Shutterstock 648e
Szymon Bartosz | Adobe Stock 886b
Terry Townshend 829a, 831f, 833f, 919d
Thibaud Aronson 938d
Tom | Adobe Stock 815d
Tom Stephenson 697a, 1029b
Vincent van der Spek 750b, 763c, 808f, 849ab,
931e, 943d, 960bcd, 965b
Walter Gentjens 1039d
Wietze Janse 862bc
William Berrya 1032d
Wim Deloddere 994e
Wim van Zwieten 830d
Yang Jun 992b
Yosef Kiat 753f
Zhanghaobeibei | Dreamstime 828b

Alcaudón real

Índice · Volumen 2

 Vireos 638

 Carriceros, buscarlas 706

Oropéndolas 638

 Zarceros 728

Alcaudones 640

 Mosquiteros 740

Córvidos 655

 Currucas 770

 Remícidos, reyezuelos 667

 Ampelis 800

 Paros, panúridos 670

 Trepadores y treparriscos 802

 Alondras 680

 Agateadores 806

Golondrinas 698

 Chochines 808